KB088168

# 대통령 노무현의 1년

# 대통령 노무현의 1년

원칙과 상식이 통하는 사람 사는 세상
대통령 노무현

편집부 엮음

더휴먼

차례



# 대통령 1년의 기록

# 2003. 2~2004. 1

## 2월



## 3월

4월

5월

6월

7월

8월



9월

10월

11월

12월

## 1월

| 들어가며 |

"결코 굽히지 않는, 결코 굴복하지 않는,

결코 타협하지 않는 살아 있는 영혼이,

깨끗한 영혼을 가지고 이 정치판에서 살아남는 증거를

여러분에게 보여줌으로 해서……"

1995년 부산 시장 선거 낙선 연설

지역주의에 맞서기 위해 타협 대신 거듭된 낙선의 길을 택했던 노무현 대통령은 '바보 노무현'이라는 별명을 들으며 우리 헌정사에 독특한 이력과 발자취를 남겼다. 빈농의 아들로 태어나 1981년 부림사건 변호를 계기로 인권변호사로 활동했으며, 김영삼 전 대통령의 제안으로 정치에 입문하여 제13대 국회의원에 당선되었다. 1988년 초선 의원이었던 그는 5공 청문회 때 송곳 같은 질문으로 일약 청문회 스타로 떠올랐고, 1990년에는 삼당합당에 반대하며 당당하게 "이의 있습니다"라고 외쳤던 신념과 확신의 정치가였다.

원칙과 도덕을 지키는 데 타협을 몰랐고 민주주의 확대와 지역주의 타파, 탈권위주의 실현을 위해 정치 인생 내내 노력을 기울였다. 그리고 그의 그런 태도는 대통령에 당선된 뒤에도 일관되게 지켜졌고 반칙과 특권, 기회주의의 청산을 선언했다.

"반칙과 특권이 용납되는 시대는 이제 끝내야 합니다.
정의가 패배하고 기회주의가 득세하는
굴절된 풍토는 반드시 청산돼야 합니다.
원칙을 바로 세워 신뢰 사회를 만듭시다.
정정당당하게 노력하는 사람이 성공하는 사회로 나아갑시다.
정직하고 성실한 대다수 국민이 보람을 느끼게 해드려야 합니다."

제16대 대통령 취임 연설

부정부패의 고리를 끊고 정의가 승리하는 사회, 민주주의 가치와 사람이 사람답게 살 수 있는 세상, 그런 세상을 위해 대통령 임기 내내 원칙과 신념을 지키고자 했으며 그래서 가끔은 극단적인 발언으로 보수 언론의 포화를 맞기도 했다. 하지만 그가 떠나고 한국 사회에 만연해진 부정부패와 민주주의의 실종은 사람들로 하여금 그를 더욱 그리워하고 잊지 못하게 하고 있다.

시간이 갈수록 사람들 사이에서 더욱 또렷하게 기억되는 그의 정치 철학과 신념이 그의 주옥같은 명연설문들을 통해 조금이나마 더 오래 기억되기를 바라며, 2003년 신년사와 같은 세상이 오기를, 그런 세상을 다함께 만들어가기를 희망한다.

> 모두가 같은 꿈을 꾸면 그 꿈은 현실이 된다고 합니다.
>
> 원칙과 상식이 통하는 사회,
>
> 열심히 일하면 땀 흘린 만큼 잘 사는 사회,
>
> 바로 우리가 꿈꾸는 새로운 대한민국입니다.
>
> 2003년 신년사

# 대통령
# 1년의 기록

2003. 2 ~ 2004. 1

# 2월

# 제16대 대통령 취임사

## -평화와 번영과 도약의 시대로-

2003년 2월 25일

존경하는 국민 여러분,

오늘 저는 대한민국의 제16대 대통령에 취임하기 위해 이 자리에 섰습니다. 국민 여러분의 위대한 선택으로, 저는 대한민국의 새 정부를 운영할 영광스러운 책임을 맡게 되었습니다. 국민 여러분께 뜨거운 감사를 올리면서 이 벅찬 소명을 국민 여러분과 함께 완수해 나갈 것임을 약속드립니다. 아울러 이 자리에 참석해 주신 김대중 대통령을 비롯한 전임 대통령 여러분, 고이즈미 준이치로 일본 총리를 비롯한 세계 각국의 경축 사절과 내외 귀빈 여러분께도 심심한 감사를 드립니다.

특별히 이 자리를 빌려 대구 지하철 참사 희생자 여러분의 명복을 빌면서, 유가족 여러분께도 깊은 위로를 드립니다. 다시는 이런 불행이 되풀이되지 않게, 재난관리체계를 전면 점검하고 획기적으로 개선해 안전한 사회를 만들도록 최선을 다하겠습니다.

국민 여러분,

우리의 역사는 도전과 극복의 연속이었습니다. 열강의 틈에 놓인 한반도에서 숱한 고난을 이겨내고, 반만년 동안 민족의 자존과 독자적 문화를 지켜왔습니다. 해방 이후에는 분단과 전쟁과 가난을 딛고, 반세기만에 세계 열두번째의 경제 강국을 건설했습니다.

우리는 농경 시대에서 산업화를 거쳐 지식정보화 시대에 성공적으로 진입했습니다. 그러나 지금 우리는 다시 세계사적 전환점에 직면했습니다. 도약이냐 후퇴냐, 평화냐 긴장이냐의 갈림길에 서 있습니다.

세계의 안보 상황이 불안합니다. 이라크 정세가 긴박합니다. 특히 북한 핵 문제를 둘러싼 국제사회의 우려가 고조되고 있습니다. 이럴수록 우리는 평화를 지키고 더욱 굳건히 뿌리내리게 해야 합니다. 대외 경제 환경도 어려워지고 있습니다. 선진국들은 끝없이 새로운 영역을 개척하며 뻗어가고 있습니다. 후발국들은 무섭게 추격해 옵니다. 우리는 새로운 성장동력과 발전전략을 요구받고 있습니다. 우리 사회 내부에도 국가의 명운을 결정지을 많은 문제들이 가로놓여 있습니다. 이들 과제는 국민 여러분의 지혜와 결단을 기다리고 있습니다.

이 모든 도전을 극복해야 합니다. 우리는 해낼 수 있습니다. 우리 국민이 힘을 합치면, 못할 것이 없습니다. 그런 저력으로 우리는 외환 위기를 세계에서 가장 빨리 벗어났습니다. 지난해에는 월드컵 4강 신화를 창조했습니다. 대통령 선거의 모든 과정을 통해 참여 민주주의의 꽃을 피웠습니다.

존경하는 국민 여러분,

이제 우리의 미래는 한반도에 갇혀 있을 수 없습니다. 우리 앞에는 동북아 시대가 도래하고 있습니다. 근대 이후 세계의 변방에 머물던 동북아가, 이제 세계 경제의 새로운 활력으로 떠올랐습니다. 21세기는 동북아 시대가 될 것이라는 세계 석학들의 예측이 착착 현실로 나타나고 있습니다. 동북아의 경제규모는 세계의 5분의 1을 차지합니다. 한·중·일 3국에만 유럽연합의 네 배가 넘는 인구가 살고 있습니다.

우리 한반도는 동북아의 중심에 자리잡고 있습니다. 한반도는 중국과 일본, 대륙과 해양을 연결하는 다리입니다. 이런 지정학적 위치가 지난날에는 우리에게 고통을 주었습니다. 그러나 오늘날에는 오히려 기회를 주고 있습니다. 21세기 동북아 시대의 중심적 역할을 우리에게 요구하고 있는 것입니다.

우리는 고급 두뇌와 창의력, 세계일류의 정보화 기반을 갖고 있습니다. 인천공항, 부산항, 광양항과 고속철도 등 하늘과 바다와 땅의 물류 기반도 구비해 가고 있습니다. 21세기 동북아 시대를 주도적으로 열어 나갈 수 있는 기본적 조건을 갖추어 가고 있습니다. 한반도는 동북아의 물류와 금융의 중심지로 거듭날 수 있습니다.

동북아 시대는 경제에서 출발합니다. 동북아에 '번영의 공동체'를 이룩하고 이를 통해 세계의 번영에 기여해야 합니다. 그리고 언젠가는 '평화의 공동체'로 발전해야 합니다. 지금의 유럽연합과 같은 평화와 공생의 질서가 동북아에도 구축되게 하는 것이 저의 오랜 꿈입니다. 그렇게 되어야 동북아 시대는 완성됩니다. 그런 날이 가까워지도록 저는 혼신의 노력을 다할 것임을 굳게 약속드립니다.

국민 여러분,

진정한 동북아 시대를 열자면 먼저 한반도에 평화가 제도적으로 정착되어야 합니다. 한반도가 지구상의 마지막 냉전지대로 남은 것은 20세기의 불행한 유산입니다. 그런 한반도가 21세기에는 세계를 향해 평화를 발신하는 평화지대로 바뀌어야 합니다. 유라시아 대륙과 태평양을 잇는 동북아의 평화로운 관문으로 새롭게 태어나야 합니다. 부산에서 파리행 기차표를 사서 평양, 신의주, 중국, 몽골, 러시아를 거쳐 유럽의 한복판에 도착하는 날을 앞당겨야 합니다.

이제까지 우리는 한반도의 평화를 증진시키기 위해 많은 노력을 기울였습니다. 그 성과는 괄목할 만합니다. 남북한 사이에 사람과 물자의 교류가 일상적인 일처럼 빈번해졌습니다. 하늘과 바다와 땅의 길이 모두 열렸습니다. 그러나 정책의 추진 과정에서는 더욱 광범위한 국민적 합의를 얻어야 한다는 과제를 남겼습니다. 저는 그동안의 성과를 계승하고 발전시키면서, 정책의 추진방식은 개선해 나가고자 합니다.

저는 한반도 평화증진과 공동번영을 목표로 하는 '평화번영정책'을 몇 가지 원칙을 가지고 추진해 나가겠습니다.

첫째, 모든 현안은 대화를 통해 풀도록 하겠습니다.

둘째, 상호신뢰를 우선하고 호혜주의를 실천해 나가겠습니다.

셋째, 남북 당사자 원칙에 기초해 원활한 국제협력을 추구하겠습니다.

넷째, 대내외적 투명성을 높이고 국민참여를 확대하며 초당적 협력을 얻겠습니다. 국민과 함께 하는 '평화번영정책'이 되도록 하겠습니다.

북한의 핵무기 개발 의혹은 한반도를 비롯한 동북아와 세계의 평화에 중대한 위협이 되고 있습니다. 북한의 핵 개발은 용인될 수 없습니다. 북한은 핵 개발 계획을 포기해야 합니다. 북한이 핵 개발 계획을 포기한다면, 국제사회는 북한이 원하는 많은 것을 제공할 것입니다. 북한은 핵무기를 보유할 것인지, 체제안전과 경제지원을 약속받을 것인지를 선택해야 합니다.

아울러 저는 북한 핵문제가 대화를 통해 평화적으로 해결되어야 한다는 점을 거듭 강조하고자 합니다. 어떤 형태로든 군사적 긴장이 고조되어서는 안 됩니다. 북한 핵 문제가 대화를 통해 해결되도록, 우리는 미국·일본과의 공조를 강화할 것입니다. 중국·러시아·유럽연합 등과도 긴밀하게 협력해 나가겠습니다.

올해는 한·미동맹 50주년입니다. 한·미동맹은 우리의 안전보장과 경제발전에 크게 기여해 왔습니다. 우리 국민은 이에 대해 깊이 감사하고 있습니다. 우리는 한·미동맹을 소중히 발전시켜 나갈 것입니다. 호혜평등의 관계로 더욱 성숙시켜 나갈 것입니다. 전통우방을 비롯한 다른 국가들과의 관계도 확대해 나가겠습니다.

국민 여러분,

동북아 시대를 열고, 한반도에 평화를 정착시키려면, 우리 사회가 건강하고 미래지향적이어야 합니다. 힘과 비전을 가져야 합니다. 그러자면 개혁과 통합을 위한 지속적 노력이 필요합니다. 개혁은 성장의 동력이고, 통합은 도약의 디딤돌입니다.

새 정부는 개혁과 통합을 바탕으로, 국민과 함께 하는 민주주의, 더불어 사는 균형발전사회, 평화와 번영의 동북아 시대를 열어 나갈 것입니다. 이러한 목표로 가기 위해 저는 원칙과 신뢰, 공정과 투명, 대화와 타협, 분권과 자율을 새 정부 국정운영의 좌표로 삼고자 합니다.

우리는 각 분야의 새로운 성장 동력을 창출해야 합니다. 외환위기를 초래했던 제반 요인들은 아직도 극복해야할 과제로 남아 있습니다. 시장과 제도를 세계기준에 맞게 공정하고 투명하게 개혁해 기업하기 좋은 나라, 투자하고 싶은 나라로 만들고자 합니다.

정치부터 바뀌어야 합니다. 진정으로 국민이 주인인 정치가 구현되어야 합니다. 당리당략보다 국리민복을 우선하는 정치풍토가 조성되어야 합니다. 대결과 갈등이 아니라 대화와 타협으로 문제를 푸는 정치문화가 자리잡았으면 합니다. 저부터 야당과 대화하고 타협하겠습니다.

과학기술을 부단히 혁신해 '제2의 과학기술 입국'을 이루겠습니다. 지식정보화 기반을 지속적으로 확충하고 신산업을 육성하고자 합니다. 문화를 함양하고 문화산업의 발전도 적극 지원하겠습니다.

이러한 국가목표에 부응할 수 있도록 교육도 혁신되어야 합니다. 우리 아이들이 입시지옥에서 벗어나 저마다의 소질과 창의력을 마음껏 발휘할 수 있게 해주어야 합니다.

경제의 지속적 성장을 위해서도, 사회의 건강을 위해서도 부정부패를 없애야 합니다. 이를 위한 구조적 제도적 대안을 모색하겠습니다. 특히 사회지도층의 뼈를 깎는 성찰을 요망합니다.

중앙집권과 수도권 집중은 국가의 미래를 위해 더 이상 방치할 수 없습니다. 지방분권과 국가균형발전은 미룰 수 없는 과제가 되었습니다.

중앙과 지방은 조화와 균형을 이루며 발전해야 합니다. 지방은 자신의 미래를 자율적으로 설계하고, 중앙은 이를 도와야 합니다. 저는 비상한 결의로 이를 추진해 나갈 것입니다.

국민통합은 이 시대의 가장 중요한 숙제입니다. 지역구도를 완화하기 위해 새 정부는 지역탕평 인사를 포함한 가능한 모든 조치를 취해 나갈 것입니다. 소득격차를 비롯한 계층간 격차를 좁히기 위해 교육과 세제 등의 개선을 강구하고자 합니다. 노사화합과 협력의 문화를 이루도록 노사 여러분과 함께 최선을 다하겠습니다.

노약자를 비롯한 소외받는 사람들에게 더 많은 관심을 기울이는 따뜻한 사회를 만들어야 합니다. 이를 위해 복지정책을 내실화하고자 합니다. 모든 종류의 불합리한 차별을 없애 나가겠습니다. 양성평등사회를 지향해 나가겠습니다. 개방화 시대를 맞아 농어업과 농어민을 위한 대책을 강구하겠습니다. 고령사회의 도래에 대한 준비에도 소홀함이 없도록 하겠습니다.

반칙과 특권이 용납되는 시대는 이제 끝나야 합니다. 정의가 패배하고 기회주의자가 득세하는 굴절된 풍토는 청산되어야 합니다. 원칙을 바로 세워 신뢰사회를 만듭시다. 정정당당하게 노력하는 사람이 성공하는 사회로 나아갑시다. 정직하고 성실한 대다수 국민이 보람을 느끼게 해드려야 합니다.

존경하는 국민 여러분,

오랜 세월 동안 우리는 변방의 역사를 살아 왔습니다. 때로는 자신의 운명을 스스로 결정하지 못하는 의존의 역사를 강요받기도 했습니다.

그러나 이제 우리는 새로운 전기를 맞았습니다. 21세기 동북아 시대의 중심국가로 웅비할 기회가 우리에게 찾아 왔습니다. 우리는 이 기회를 살려 나가야 합니다.

우리에게는 수많은 도전을 극복한 저력이 있습니다. 위기마저도 기회로 만드는 지혜가 있습니다. 그런 지혜와 저력으로 오늘 우리에게 닥친 도전을 극복합시다. 오늘 우리가 선조들을 기리는 것처럼, 먼 훗날 후손들이 오늘의 우리를 자랑스러운 조상으로 기억하게 합시다.

우리는 마음만 합치면 기적을 이루어 내는 국민입니다. 우리 모두 마음을 모읍시다. 평화와 번영과 도약의 새 역사를 만드는 이 위대한 도정에 모두 동참합시다. 항상 국민 여러분과 함께 하겠습니다.

감사합니다.

# 제16대 대통령 취임 경축연 연설

2003년 2월 25일

주한외교사절 여러분, 그리고 멀리서 오신 외빈 여러분,

전두환 전 대통령과 3부요인을 비롯한 내빈 여러분,

저의 대통령 취임을 축하해 주기 위해 이 자리에 참석하신 여러분께 다시 한번 감사를 드립니다. 이제 막 대통령의 책무를 부여받은 저는 기쁨보다는 무거운 책임감을 느낍니다. 참으로 어깨가 무겁습니다. 그러나 이 자리까지 저를 이끌어주신 국민 여러분을 믿고 이 벅찬 소명을 감당해 가고자 합니다. 신명을 다 바쳐 국민 여러분의 기대에 부응해 나가겠습니다.

존경하는 내외귀빈 여러분,

지금 우리는 선택의 기로에 서 있습니다. 도약과 후퇴의 중대한 갈림길입니다. 우리 국민은 숱한 도전을 슬기롭게 극복하면서 여기까지 왔

습니다. 끊임없는 외침을 극복하며 민족의 자존을 지켜왔습니다. 식민통치와 전쟁의 폐허를 딛고 일어서 우리 경제를 세계 열두번째 대열에 올려놓았습니다. 분단이라는 악조건을 이겨내면서 성숙한 민주주의를 이루어 왔습니다. 참으로 자랑스런 우리 국민이 아닐 수 없습니다. 오늘의 우리를 있게 한 선열과 우리 국민께 무한한 존경과 감사를 드립니다.

그러나 아직 우리가 가야할 길에는 불안과 희망이 교차하고 있습니다. 세계경쟁이 갈수록 치열해지고 있습니다. 중국이 무서운 속도로 우리를 추격해 오고 있습니다. 이라크 사태 등으로 세계경제는 어려움이 더해지고 있습니다. 그러나 위기는 우리에게 또 다른 기회이기도 합니다. 이 어려움을 극복하고 다시 한번 도약해서 선진국으로 진입할 것인가 아니면 뒤떨어질 것인가, 우리 하기에 달려 있습니다.

무엇보다 경제의 경쟁력을 높여야 합니다. 투명하고 공정한 경제시스템을 만들어야 합니다. IMF 경제위기 이후 지난 5년간 많은 노력이 있었습니다. 그러나 아직도 개선해야 할 점이 많습니다. 시장과 기업, 행정규제, 노사관계 등에서 지속적인 개혁을 통해 글로벌 스탠더드를 이루어내야 합니다. 이것만이 무한경쟁에서 살아남고 선진국으로 도약할 수 있는 길입니다. 기술혁신도 더욱 강력하게 이루어져야 합니다.

정치·행정 등 우리 사회 각 부문의 문화도 질적으로 한 단계 더 도약해야 합니다. 원칙이 통용되지 않고 구성원간의 신뢰가 없는 사회, 대화와 타협으로 문제를 해결하는 데 익숙하지 않은 사회는 결코 선진 사회가 아닙니다.

중앙과 지방이 조화와 균형을 이루며 발전해야 합니다. 지방은 자신의 미래를 자율적으로 설계하고 중앙은 이를 도와야 할 것입니다. 진정한 경쟁력의 원천은 무엇보다 원칙과 기본을 바로 세우는 데 있습니다.

내외귀빈 여러분,

북한 핵 문제도 시급히 해결해야 할 과제입니다. 어떠한 어려움이 있더라도 이 문제는 평화적으로 해결해야 합니다. 대화가 유일한 해법입니다. 저는 미국·일본과의 공조, 국제사회의 협력, 그리고 북한과의 대화를 통해 이를 평화적으로 해결해 나갈 것입니다. 평화를 지키는 일이 대통령인 저에게 주어진 제1의 임무라는 것을 깊이 인식하고 있습니다.

남북관계의 진전도 멈출 수 없습니다. 힘들고 어렵지만 우리는 이 길을 가야 합니다. 그래야 우리의 다음 세대들이 전쟁의 공포에서 벗어나 통일을 바라보며 살 수 있습니다. '동북아시대의 중심국가'로 도약하기 위해서도 남북간의 화해와 협력은 반드시 필요합니다. 저는 국민 여러분과 정치권의 동의를 구하면서 남북관계를 한발 한발 진전시켜 나가겠습니다.

위기를 기회로 만드는 힘은 바로 국민통합에서 나옵니다. 다같이 힘을 모읍시다. 우리 함께 갑시다.

여기 계신 여러분의 건승과 국민의 행복, 그리고 대한민국의 무궁한 발전을 위해서 건배를 제의하고자 합니다.

감사합니다.

# 第16대 대통령 취임 축하 외빈을 위한 만찬사

2003년 2월 25일

존경하는 폰 바이체커 전 독일 대통령,

나카소네 야스히로 전 일본 총리, 모리 요시로 전 일본 총리,

세르게이 미로노프 러시아 상원의장,

치엔치천 중국 부총리, 각국 정부 대표단, 그리고 귀빈 여러분!

저의 대통령 취임을 축하해주기 위해 먼길을 마다 않고 우리나라를 찾아주신 여러분을 진심으로 환영하며, 깊이 감사드립니다.

오늘 출범한 새 정부는 참여정부로 이름지었습니다. 국민의 자발적인 참여가 국정을 이끌어간다는 뜻과 의지를 담고 있습니다. 우리 국민은 뜨거운 관심과 참여를 통해 지난 대통령 선거에서 제게 막중한 사명을 맡기셨습니다. 자발적인 모금과 자원봉사 물결은 한국 정치에 새로운 희망을 불어넣어 주었습니다.

저와 참여정부는 이러한 국민의 뜻을 받들어 희망의 새 시대를 여는 데 혼신의 노력을 다하고자 합니다. 무엇보다, 공정하고 투명한 시장경제 질서가 확립되도록 경제 시스템을 개혁해 나갈 것입니다. 세계 어디에 내놓아도 손색이 없는 기업하기 좋은 나라, 투자하고 싶은 나라를 만들겠습니다.

정치와 행정, 노사관계 등 사회 모든 분야에 대화와 타협, 원칙과 신뢰의 문화를 뿌리내리도록 할 것입니다. 사회 구석구석에 따뜻함이 감돌고 우리 국민 누구나 내일에 대한 희망을 가질 수 있는 나라, 정정당당하게 승부하고 열심히 사는 사람들이 성공하는 나라를 만들어 나가고자 합니다.

존경하는 내외귀빈 여러분,

북한 핵문제로 걱정이 많으실 줄 압니다. 저 역시 무거운 책임감을 느끼고 있습니다. 북한의 핵개발은 어떠한 경우에도 용납될 수 없습니다. 북한은 핵개발을 포기해야 합니다. 이것이 저와 우리 국민, 그리고 국제사회의 일치된 요구입니다. 그러나 북핵문제로 인해 한반도에 긴장이 고조돼서는 안 된다는 것도 국제사회의 분명한 목소리입니다. 저와 우리 국민도 같은 입장입니다. 북핵문제는 반드시 평화적으로 해결되어야 합니다.

우리는 이를 위해 미국·일본과 긴밀히 공조해나갈 것입니다. 북한과의 대화를 통해 해결의 실마리를 찾는 노력도 다해나갈 것입니다. 중국·러시아·EU를 비롯한 국제사회와의 협력도 매우 중요하게 생각하고 있습니다.

남북관계 진전에는 여러 장애요인이 있는 것이 사실입니다. 그러나 결코 포기할 수 없는 민족적 과업입니다. 서둘러서도 안 되지만 쉬는 일도 없어야 합니다. 남북관계는 취임사에서도 말씀드린 바와 같이, 대화와 상호신뢰, 당사자 주도에 의한 국제협력을 통해 진전시켜 나가겠습니다. 이러한 노력을 통해 한반도에 평화를 정착시키고 장차의 통일을 준비해 나가고자 합니다. 아울러 전통 우방국들과 협력을 더욱 강화하고, 국제사회의 책임 있는 일원으로서 우리의 역할과 책무를 다해나갈 것입니다.

내외귀빈 여러분,

우리 국민은 숱한 고난과 시련을 슬기롭게 극복한 저력을 가지고 있습니다. 끊임없는 외침 속에서도 민족사를 지키고 찬란한 문화를 가꾸어 왔습니다. 전쟁의 폐허를 딛고 일어서 세계 12위의 번영을 이룩해 냈습니다. 오랜 독재의 억압을 뚫고 자유와 인권과 민주주의의 꽃을 활짝 피워 가고 있습니다. 이 과정에서 여기 계신 외빈 여러분과 우방국의 도움이 참으로 컸습니다. 늘 고맙게 생각하고 있습니다.

그러나 우리는 아직 이루어야 할 꿈이 많습니다. 평화와 번영의 동북아 시대를 여는 것도 그 중의 하나입니다. 또한 이 꿈은 우리만의 것이 아닙니다. 인류의 평화와 행복, 번영에 이바지하는 꿈입니다. 우리의 우방국과 국제사회가 따뜻한 우정으로 이러한 꿈을 실현하기 위한 우리의 노력을 각별히 지원해 주시기를 당부드립니다. 한국에 머무시는 동안 행복한 시간이 되시기를 바라며, 다시 한번 여러분의 축하에 감사드립니다. 그 우의를 소중히 간직하겠습니다.

여러분의 건강과 대한민국의 무궁한 발전, 그리고 세계의 평화와 번영을 위해서 건배를 제의합니다.

감사합니다.

# 제41기 학군사관후보생(ROTC) 임관식 치사

2003년 2월 28일

친애하는 학군 제41기 신임장교 여러분, 그리고 학부모와 내빈 여러분,

신임장교 여러분의 임관을 진심으로 축하합니다. 여러분의 늠름하고 활기 넘치는 모습을 보니 자랑스럽고 마음 든든합니다. 여러분은 고된 훈련과정을 훌륭히 마쳤습니다. 학문에 정진하면서 힘든 군사훈련을 병행해 왔습니다. 그리고 오늘 문무를 두루 갖춘 대한민국 국군장교로서 첫발을 내딛고 있습니다. 오늘의 여러분이 있기까지는 많은 분들의 헌신이 있었습니다. 학생중앙군사학교장 박정주 장군을 비롯한 교관과 훈육관 여러분, 수고 많으셨습니다. 대학의 은사님들과 학부모님 여러분께도 각별한 감사와 축하의 말씀을 드립니다.

신임장교 여러분, 그리고 국군장병 여러분,

나는 국군의 통수권자로서는 처음으로 여러분을 만나고 있습니다. 감회가 매우 깊습니다. 무거운 책임감을 느낍니다. 새 정부는 국민이 함께 국정을 운영하는 참여정부입니다. 참여정부는 국민과 함께 하는 민주주의, 더불어 사는 균형발전사회, 평화와 번영의 동북아 시대를 열어나갈 것입니다. 이를 위해서는 무엇보다 튼튼한 안보가 중요합니다. 국가안보는 언제나 국정의 최우선 과제입니다. 나는 여러분과 함께 신명을 바쳐 대한민국의 평화를 반드시 지켜낼 것입니다. 더욱 분발하고 적극 협력해주기 바랍니다. 투철한 애국심으로 국가와 국민이 부여한 국방의 막중한 사명을 완수해주기 바랍니다.

신임장교 여러분, 국군장병 여러분,

지난해 우리 국민은 꿈을 현실로 이루어낼 의지와 능력을 보여 주었습니다. 전 세계가 경탄과 기대의 눈길을 보내고 있습니다. 그러나 우리의 전진을 가로막는 요인도 적지 않습니다. 세계 안보정세가 긴박하게 돌아가고 있습니다. 북한 핵문제가 한반도 평화의 걸림돌이 되고 있습니다.

우리가 목표하는 동북아 중심국가로 나아가려면 무엇보다 한반도 평화가 필수적입니다. 남북간 화해와 협력이 중요합니다. 북한의 핵개발은 용인될 수 없습니다. 동시에 이 문제는 반드시 평화적으로 해결되어야 합니다. 대화로써 해결할 수 있습니다. 나는 미국·일본과의 공조, 국제사회와의 협력, 그리고 북한과의 대화를 통해서 이 문제를 평화적으로 풀어나갈 것입니다.

한·미 연합방위태세를 확고히 유지해 나갈 것입니다. 한·미 동맹은 지난 50년 동안 우리의 안보와 경제발전에 크게 기여해 왔습니다. 앞으로도 한·미 동맹은 더욱 공고하고 굳건하게 유지되어야 합니다. 이러한 원칙에는 조금도 변함이 없을 것입니다. 그러나 상황은 우리의 의지와 무관하게 변화될 수 있습니다. 미국의 전략도 변화하고, 한반도 정세도 바뀝니다. 우리는 어떠한 미래의 변화에 대해서도 당당하게 대응하고 준비해야 합니다.

최근 일각에서는 이러한 대응과 준비에 대해서 마치 엄청난 상황변화가 있는 것처럼 이야기하고 있습니다. 그래서 국민을 불안케 하고 있습니다. 그러나 이는 그처럼 정략적으로 해석될 문제가 아닙니다. 나는 어떤 일이 있더라도 우리 군과 함께 미래의 변화에 대해 빈틈없는 준비를 해나갈 것입니다.

준비하는 자에게는 위기가 없습니다. 나는 국군의 통수권자로서, 21세기형 선진 정예강군을 육성하는 데 정성과 노력을 다하겠습니다. 현존하는 위협은 물론, 미래의 어떠한 위협에도 효과적으로 대비할 수 있는 첨단의 정보와 기술 역량을 갖추도록 하겠습니다.

군은 사기를 먹고 삽니다. 사기충천한 군대가 강한 군대라는 것을 나는 잘 알고 있습니다. 모든 장병들이 본연의 임무에만 충실하면 보람과 긍지를 느낄 수 있는 군을 만들겠습니다. 군의 명예가 존중되고 복지가 한층 향상 되도록 힘쓰겠습니다.

신임장교 여러분의 두 어깨에 국가와 민족의 장래가 걸려 있습니다. 여러분은 국방임무의 완수를 통해서 평화와 번영의 동북아 시대를 열어나가는 주역이 될 것입니다.

사랑하는 신임장교 여러분!

여러분은 장교의 길을 택했습니다. 자신보다 부하를 더 걱정하고, 때로는 희생을 감내해야 하는 어려운 길입니다. 그러나 그렇기 때문에 장교의 길은 더욱 명예롭습니다.

여러분에게 뜨거운 격려를 보내면서, 앞날에 무한한 발전이 있기를 바랍니다. 13만여 선배들이 피땀 흘려 쌓아온 ROTC의 업적과 전통을 더욱 빛나게 이어주기 바랍니다. 국가와 국민은 여러분의 헌신을 기억하고, 또 보답할 것입니다. 학군 제41기 신임장교 모두에게 무운과 영광이 함께 하기를 기원합니다.

감사합니다.

# 2·28민주의거 43주년 기념 메시지

2003년 2월 28일

43년 전 오늘, 대구는 자유당 정권의 독재에 맞서 분연히 일어섰습니다. 대구의 의거는 그 해 3·15 마산의거와 4·19혁명을 낳았고 결국 우리나라 민주화 운동의 시발점이 되었습니다. 그리고 이 자랑스런 역사는 1987년 6월 항쟁으로 승화되었고 마침내 참여정부를 출범시키는 밑거름이 되었습니다.

이 뜻 깊은 날을 맞아 저는 성숙한 의식으로 나라와 민주주의 발전을 위해 애써 오신 대구시민 여러분께 깊은 존경과 감사의 말씀을 드립니다. 특히 뜻하지 않은 지하철 방화 참사로 큰 고통을 겪고 계신데 대해 심심한 위로를 드리며 하루 빨리 이 아픔이 치유되기를 기원합니다.

지금 우리는 또 따른 역사의 문턱에 서 있습니다. 다가올 동북아 시대의 중심국가로 도약할 것인가 아니면 또다시 후퇴하고 말 것인가를 가름하는 분수령입니다.

그러나 위기는 곧 기회입니다. 우리 국민은 언제나 안팎의 도전을 슬기롭게 극복하여 새로운 도약의 계기를 만들어 왔습니다. 그것이 바로 2·28민주의거가 오늘의 우리에게 주는 역사적 교훈입니다. 우리는 반드시 해낼 것입니다.

다시 한 번 43년 전 대구의 뜨거운 함성을 되새겨 보면서 '2·28민주의거 기념사업회'의 발전을 기원합니다.

# 3월

# 제84주년 3·1절 기념사

2003년 3월 1일

존경하는 국민 여러분,

오늘 여든네번째 3·1절을 맞아 나라를 위해 희생하고 헌신하신 애국선열들께 한없는 감사와 경의를 표합니다. 독립유공자와 유가족 여러분에게도 존경과 감사의 말씀을 드립니다.

기미년 오늘, 우리는 일제의 총칼에 맞서 맨주먹으로 분연히 일어섰습니다. 대한독립 만세 소리가 전국 방방곡곡을 뒤덮었고, 우리는 자주독립 의지를 세계만방에 알렸습니다. 3·1운동을 계기로 국내외의 독립투쟁은 더욱 힘차게 전개되었습니다. 상해에 대한민국 임시정부가 세워졌고, 우리는 마침내 빼앗긴 국권을 되찾았습니다.

3·1정신은 끊임없는 도전을 슬기롭게 극복해 온 우리 민족의 자랑입니다. 우리는 이러한 빛나는 정신을 계승하여 전쟁의 폐허를 딛고 세

계 12위의 경제강국으로 발돋움했습니다. 4·19 혁명과 광주민주화운동, 6월 민주항쟁을 거쳐 민주주의와 인권을 쟁취해 냈습니다. 오늘의 참여정부는 바로 그 위대한 역사의 연장선 위에 서 있습니다.

참여정부의 출범으로 이제 아픔의 근·현대사는 막을 내리게 되었습니다. 우리의 지난날은 선열들의 고귀한 희생에도 불구하고 좌절과 굴절을 겪어야 했습니다. 정의는 패배했고 기회주의가 득세했습니다.

그러나 이제 비로소 역사적 전환점이 마련되었습니다. 국민이 진정 주인으로 대접받는 시대가 열린 것입니다. 참여정부에서는 권력에 아부하는 사람들이 더 이상 설 땅이 없을 것입니다. 오로지 성실하게 일하고 정정당당하게 승부하는 사람들이 성공하는 시대가 열릴 것입니다. 그것이 바로 선열들의 희생에 보답하는 길이자 저와 참여정부에게 주어진 역사적 소명입니다.

국민 여러분,

지금 우리는 세계사의 새로운 흐름과 마주하고 있습니다. 동북아 시대의 도래가 바로 그것입니다. 동북아시아는 근대 이후 세계의 변방으로만 머물러 왔습니다. 그러나 이제 유럽연합, 북미지역과 함께 세계경제의 3대 축으로 부상하고 있습니다. 앞으로 20년 후에는 세계경제의 3분의 1을 차지하게 된다는 전망도 있습니다. 민족웅비의 크나큰 기회가 우리에게 다가오고 있는 것입니다.

우리는 동북아 시대의 중심국가로 도약할 수 있는 충분한 조건을 갖추고 있습니다. 우선, 지리적으로 중심에 자리잡고 있습니다. 서울에서 3시간의 비행거리 안에 인구 100만 이상의 도시가 마흔세 개나 됩니다. 중국과 러시아의 인력과 자원, 그리고 일본의 기술을 접목할 수 있는 유리한 위치입니다. 대륙과 해양을 잇는 지정학적 이점도 가지고 있습니다. 하늘과 바다와 땅에 걸친 물류와, 세계 일류의 정보화 기반과 역량을 두루 갖추고 있습니다.

한반도는 더 이상 세계의 변방이 아닙니다. 남북 철도가 연결되고 철의 실크로드가 열리면 광활한 대륙을 향해 나아갈 수 있습니다. 그 곳에는 중국대륙이라는 새로운 기회가 기다리고 있습니다. 시베리아와 중앙아시아의 무한한 자원도 있습니다. 한반도가 대륙과 해양을 잇는 물류와 금융과 생산 거점으로 거듭나게 됩니다. 이것이 바로 우리 앞에 있는 미래입니다. 우리에게는 이를 현실로 만들어야 하는 책무가 주어져 있습니다.

존경하는 국민 여러분,

그러나 동북아 중심국가로 나아가기 위해서는 반드시 해야 할 일이 있습니다. 한반도에 평화를 정착시키는 일입니다. 남북이 대립하며 한반도에 긴장이 고조되는 한, 동북아 중심국가의 꿈은 실현될 수 없습니다. 동북아의 평화와 번영도 기대하기 어렵습니다. ·그동안 우리는 한반도에 평화를 정착시키기 위해 많은 노력을 기울여 왔습니다. 남북간에 대화와 교류가 빈번해졌고 이산가족이 만나고 있습니다. 최근에는 육로도 열렸습니다.

그러나 아직 풀어야 할 숙제가 많습니다. 특히 북핵 문제는 시급히 해결해야 할 과제입니다. 저는 북한의 핵 개발에 단호히 반대합니다. 그러나 이 문제는 반드시 평화적으로 해결되어야 합니다. 어떠한 이유로든 한반도의 평화가 깨어진다면, 우리는 그 엄청난 재앙을 감당할 수 없습니다. 한반도의 평화와 국민의 안전을 지키는 것은 대통령의 가장 큰 책무입니다.

앞으로 남북관계는 국민 여러분께 소상히 보고 드리고, 국민적 합의를 바탕으로 추진해 나가겠습니다. 야당의 협력도 적극적으로 구해 나갈 것입니다. 미국과 일본·중국·러시아 등 주변국과, EU를 비롯한 국제사회와도 능동적으로 협력해나갈 것입니다.

국민 여러분,

한반도에 평화를 정착시키는 일 못지 않게 중요한 것은 국민의 힘을 하나로 모으는 일입니다. 84년 전 오늘, 우리의 선열들은 한마음 한뜻으로 독립운동에 나섰습니다. 빈부와 귀천, 남녀와 노소, 지역과 종교의 차이는 없었습니다. 나라의 독립과 민족의 자존심을 되찾는 데 하나가 되었습니다.

오늘을 사는 우리도 지역과 계층과 세대를 넘어 하나가 되어야 합니다. 내부에 분열과 반목이 있으면 세계 경쟁에서 뒤처질 수밖에 없습니다. 국권까지 상실했던 100년 전의 실패가 되풀이될 수도 있습니다. 지금이야말로 3·1정신을 되돌아보며 역사의 교훈을 되새겨야 할 때입니다.

마음속에 지역갈등의 응어리가 있다면 가슴을 열고 풀어야 합니다. 어른은 젊은이의 목소리에 귀기울이고 젊은이는 어른의 경험을 구해야 합니다. 차별 받고 소외되어 온 사람들에게 더 많은 관심과 노력을 기울여야 합니다. 국민 모두가 참된 주인으로서 국정에 참여하고, 온 국민의 힘을 하나로 모으는 국민참여 시대를 힘차게 열어가야겠습니다.

개혁 또한 멈출 수 없는 우리 시대의 과제입니다. 무엇보다 정치와 행정이 바뀌어야 합니다. 이른바 몇몇 '권력기관'은 그동안 정권을 위해 봉사해 왔던 것이 사실입니다. 그래서 내부의 질서가 무너지고 국민의 신뢰를 잃었습니다. 이제 이들 '권력기관'은 국민을 위한 기관으로 거듭나야 합니다. 참여정부는 더 이상 '권력기관'에 의존하지 않을 것입니다. 언제나 정정당당한 정부로서 국민 앞에 설 것입니다.

참여정부는 공정하고 투명한 시장질서, 노사화합, 기술혁신, 지역균형발전 속에 정직하고 성실하게 사는 사람들이 성공하는 나라를 만들어 갈 것입니다. 이를 위해 원칙과 신뢰, 공정과 투명, 대화와 타협, 분권과 자율의 문화를 사회 곳곳에 뿌리내릴 것입니다.

존경하는 국민 여러분,

우리에게는 선열들이 보여준 자주독립의 기상과 대동단결의 지혜가 있습니다. 오늘 3·1절을 맞아 일제의 총칼에 항거하며 이루고자 했던 선열들의 뜻을 다시 한번 가슴에 새깁시다. 국민통합과 개혁으로 평화와 번영의 동북아시대를 열어갑시다. 자랑스런 대한민국을 우리 후손들에게 물려줍시다.

감사합니다.

# 참여정부 국정토론회 말씀

2003년 3월 7일

## 인사말씀

안녕하십니까? 반갑습니다.

오늘 토론회에 참석하신 여러분에 대해 저는 강한 애정을 느끼고 있습니다. 한분 한분을 선택하면서 마음고생을 많이 했습니다. 애써서 정한 만큼 애정이 깊습니다. 앞으로 정말 잘 해 주시기 바랍니다.

아무래도 제가 여러분들에게 기대하는 것은 여러분의 역량보다는 조금 높은 수준일 것입니다. 한참 세월이 지난 후에도 역시 잘 택했다고 말할 수 있을 만큼 심혈을 기울여서 여러분을 택했기 때문에 그 수준으로 비교하려고 합니다. 기대치를 아주 높이지는 않겠지만 그래도 국민들은 제 수준보다는 항상 높을 수밖에 없습니다. 국민들에게 사랑받을 수 있도록 열심히 잘해 주십시오.

저도 장관 때 잠시 이런 자리에 와서 연수를 했습니다. 이번 연수에서 많은 것을 배우는 것보다 노력하는 우리의 자세를 확인하는 것이 더 중요하다고 생각합니다. 1990년대 초반에 정부개혁 또는 경영개혁에 관해서 나온 많은 책을 보면, 가장 바람직한 조직은 학습하는 조직이라고 합니다. 오늘 이런 방식도 좋은 학습형태의 하나입니다. 학습을 열심히 하는 조직이 좋은 조직이고 강한 조직입니다. 항상 모자라지 않을까 불안해 하면서 좀더 채우려고 노력하는 마음가짐이 있어야지 학습이 되는 것입니다. 그래서 드리는 말씀인데, 우리 전부 모자라는 사람이 됩시다.

여러분이 보기에 저는 성공한 사람입니다. 대통령이 됐으니까요. 성공비결을 꼭 하나 말씀드리자면 끊임없이 도전했다는 것입니다. 욕심을 부려서 더 큰 이익에 도전했다기보다는 항상 자기 자신에게 도전했습니다. 나태해지는 자신을 극복하고 최선을 다했습니다. 자기 모자람을 좀더 채우기 위해서, 좀더 새로워지기 위해서 끊임없이 도전했습니다. 물론 욕심을 향한 도전도 없지는 않았습니다. 그러나 욕심을 향한 도전이 성공의 원인이 되지는 않았던 것 같습니다. 끊임없이 자기를 개혁한 것이 성공의 원인이 아니었던가 생각합니다. 앞으로도 끊임없이 자신을 향해서 도전하려고 합니다. 잘하기 위해서 실력을 갖추는 노력은 물론 이제 여러분을 믿고 여러분에게 일을 맡기는 방법도 배워야 할 것 같습니다.

실제로 맡긴다고 해 놓고 마음이 불안한 것이 한두 가지가 아닙니다. 그렇다고 제가 온갖 것을 다 챙길 수는 없습니다. 대폭 나누어 주고 지켜보면서 혹시 영 잘못된다고 싶을 때 조금씩 조정하는 것이 맞을 것 같습니다. 저는 마음을 비우고 여러분을 신뢰하며 일을 맡길 줄 아는 지혜를 배우려고 합니다. 그렇게 해서 한 번 성공해 봅시다.

국민들이 많은 기대를 가지고 '문민정부'를 출범시켰는데 욕심만큼 안 됐습니다. '국민의 정부'도 그렇습니다. 하지만 제가 보기에는 두 정부 다 큰 업적을 남겼다고 생각합니다. 민주주의에 있어서 상당한 진보가 있었습니다. CDMA와 같은 신기술을 개발해서 먹고사는데 상당히 도움이 되는 것을 갖추어 놓았습니다. 국민의 정부에서는 IT산업의 기초를 닦아서 앞으로 몇 년간 먹고 살 수 있는 밑천을 마련했습니다.

제일 고민되는 게 참여정부의 다음 5년, 10년입니다. 장기적인 미래도 준비해야겠지만 기술순환이 빠르니까 우선 다음 5년~10년 먹고 살 수 있는 먹을거리를 준비해야 할 것입니다. 민주주의도 한 단계 더 성숙시켜야 하고, 사회문화도 좀더 향상돼야 하는데 걱정이 많습니다. 여러분이 열심히 노력하시면 다 해낼 수 있다고 생각합니다. 잘 부탁드립니다.

강연

정치가 무엇인가? 우선 국방, 치안, 경제, 이런 것입니다. 외부의 위협으로부터 국민을 보호하는 것이 국방이고, 내부의 질서교란 행위로부터 국민을 보호하는 것이 치안이고, 국민들의 살림살이를 보살피는 것이 경제입니다. 규칙을 정해서 관리하는 기능과 직접 경제의 주체로서 살림살이를 하는 기능이 경제에 포함됩니다.

그 다음에 중요한 것이 국민들에게 나아갈 길을 제시하는 것입니다. 이를 우리는 국정비전이라고 얘기합니다. 정치의 큰 기능은 비전을 제시하는 것입니다. 그런데 여러 이해집단이 있다 보니 비전을 두고 서로 싸웁니다. 정치가 하는 역할 중에 아주 중요한 것이 서로 다른 이해집단, 이해관계를 조정해서 국정목표라고 하는 큰 틀 속에 통합시켜 나가는 일입니다. 다시 말해 조정과 통합이 또 다른 정치의 기능입니다.

위기가 생기면 국민들은 지도자의 얼굴을 쳐다봅니다. 위기관리가 필요합니다. 그래서 대체로 저는 국방, 치안, 경제, 비전의 제시, 조정과 통합, 위기관리 등을 정치가나 지도자의 책임이라고 생각합니다.

한편 우리 사회의 비전이 무엇이냐고 했을 때 대부분의 사람들은 좀더 넉넉한 사회, 나 혼자만이 아니라 두루두루 넉넉하고 따뜻한 사회, 그러면서 돈만 넉넉한 사회가 아니라 쾌적하고 품위 있는 문화를 누릴 수 있는 사회, 안심하고 살 수 있는 사회 등을 얘기할 것입니다. 꿈과 희망이 살아 움직이는 사회를 말하기도 합니다. 참여정부도 비전을 내놓아야 하는데 이미 이전의 정부가 좋은 비전은 다 제시했습니다. 전두환 대통령은 정의로운 사회를 제시했고, 노태우 대통령은 보통사람들의 사회, 김영삼 대통령은 신한국을 내놓았습니다. 김대중 대통령도 내놓아야 하는데 신신한국으로 할 수는 없으니까 제2건국이라고 했습니다. 큰 틀로서 비전은 이런 것이었습니다. 김대중 대통령은 시장경제와 민주주의, 지식기반사회, 보편적 세계주의, 화해와 타협의 남북관계, 생산적 복지 등 아주 논리적인 내용을 담아서 그것을 국정비전으로 제시했습니다.

우리는 ①국민과 함께 하는 민주주의 ②더불어 사는 균형발전사회 ③평화와 번영의 동북아 시대 등 세 가지를 제시했습니다. 대체로 이렇게 하면 우리가 좀 더 넉넉하고 여유 있고 이웃을 생각할 줄 아는 따뜻한 사회가 되고 질 높은 삶을 누릴 수 있지 않겠느냐는 생각으로 과정상의 목표, 다시 말해서 국정목표를 세웠습니다.

실제로 이것이 되자면 우리 사회의 몇 가지 원리가 꼭 충족되어야 합니다. ①원칙과 신뢰 ②투명성과 공정성 ③대화와 타협 ④분권과 자율이 그것입니다. 이외에 제가 강조했던 것이 경쟁력 강화 전략으로서 첫째, 기술혁신, 둘째, 시장개혁, 셋째, 문화혁신입니다. 문화혁신은 가치지향의 사회를 의미하는 것입니다. 이와 같은 것이 우리 사회의 경쟁력을 향상시키기 위한 핵심적 전략이 될 것입니다.

먼저 기술혁신에 대해 말씀드리면, 1990년대 초반에 우리가 경쟁력 강화를 위해서 각 기업들이 리엔지니어링, 다운사이징 등의 용어를 내 놓고 경영혁신을 얘기했습니다. 그때 어떤 기업인은 경영혁신을 아무리 해도 기술수준이 높은 기업과는 경쟁할 수 없다고 했습니다. 경영이 좀 엉성해도 확실히 우월적인 기술을 가지고 있는 기업은 경쟁에서 이기지만 아무리 경영관리를 잘해도 기술이 없으면 견디는데 한계가 있다는 것입니다. 물론 극단적인 비유입니다. 경영을 잘하는 기업이 왜 기술혁신을 못하겠습니까? 둘은 같이 가는 것이지만 극단적으로 비교하자면 기술혁신이 핵심입니다.

대규모의 자본과 노동력을 투입해서 성장했던 것이 1980년대 초반까지의 경제였다면, 적어도 1980년대 후반이나 1990년대부터는 기술경쟁력을 성장의 동력으로 삼는 시대로 접어들었습니다. 지금 이 기술력에 관해서 많은 사람들이 불안감을 가지고 있습니다. 지금의 기술, 즉 일종의 모방기술이나 응용기술로는 한계가 있기 때문에 원천기술 내지

기반기술, 나아가서는 기초기술을 개발해야 한다는 것이 공통의 생각입니다.

다음으로 시장개혁, 이것은 너무나 잘 아는 얘기입니다. 공정하고 자유로운 경쟁이 보장되는 그런 시장에서만이 각 기업이 최대의 효율을 발휘할 수 있습니다. 바꾸어 말하면 최대의 효율을 가진 기업만이 살아남을 수 있는 시장조건을 통해서 그 사회 전체의 경쟁성과 효율성을 높여 나갈 수 있습니다. 지금 외국의 투자자들이 가장 관심을 갖는 부분이 시장개혁이 아닌가 생각합니다.

우리가 부닥쳐 있는 어려움의 하나는 시장개혁을 국가신인도의 중요한 요소로 보고 있으면서도 너무 급속히 진행됐을 때 모든 기업에게 큰 부담을 줄 가능성이 있다는 것입니다. 그 가능성 때문에 시장개혁을 크게 외치면 신뢰가 높아져서 좋다고 하면서도 한편으로는 불안감을 느낍니다. 그래서 속도는 기업이 감당할 수 있을 만큼 적절하게 통제되어야 합니다. 중요한 것은 회오리바람 몰아치듯이 완강하게 하지 않으면 국민들이 믿지 않는다는 사실입니다. 개혁대상들이 믿지 않고 이 바람만 잠시 지나면 된다는 식으로 개혁에 저항하기 때문에 정부가 몰아치는 경향이 있었습니다.

이제는 몰아치는 대신에 확고한 의지를 보여주어야 합니다. 5년 내내 한시도 쉬지 않고 개혁해 나갈 것입니다. 그러면 좀 천천히 가더라도 국민들도 납득하고 스스로 개혁을 해야 할 사람들도 '이건 피할 수 없겠구나'하고 적응해 올 것이라고 생각합니다. 강력한 개혁의지를 가지고 끈을 바짝 조여야 하겠습니다.

문화혁신에 대해서는 짧게 이야기하겠습니다. 결국 페어플레이의 문화입니다. 게임의 규칙을 존중하면서 정정당당하게 승부하는 사회, 압축해서 이렇게 말하겠습니다. 이런 사회문화가 있을 때라야 세계화라는 시장질서 속에서 한국기업이 비로소 경쟁력을 가질 수 있습니다. 가치를 지향하고 원칙을 존중하는 사회, 신뢰사회도 여기에 해당하는 것입니다.

그 다음으로 경쟁력 강화전략의 양적 부분으로서 동북아 시대, 지방화 시대에 대해서 말씀드리겠습니다. 동북아 시대라는 것은 우리의 시장을 확장하는 것을 의미합니다. 여기에 대해서는 길게 설명드리지 않겠습니다. 지방화라는 것이 경쟁력, 효율성과 바로 연결되는지는 잘 모르겠습니다만, 지방을 이대로 계속 위축시키면 갈등의 비용을 감당할 수 없는 사태가 올 것입니다. 지방을 균형 있게 발전시켜야 합니다. 이것이 공간적으로도 효율적인 것이 되지 않겠는가 생각합니다. 이 부분에 관해서 관심을 함께 가지면서 국정을 운영해주십시오.

이런 것을 모색해 가는 총체적 과정을 개혁이라고 얘기합니다. 이번 정부를 개혁정부라고도 말합니다. 그렇다면 무엇을 개혁할 것인가?

우선 국민으로부터 가장 많은 공감을 얻는 부문이 정치개혁입니다. 정당도 개혁하고 선거제도도 개혁하고 정치자금제도도 개혁해서 그야말로 투명한 정치, 공정한 게임이 적용되는 정치, 국민들의 의견이 제대로 정치과정에 반영되는 국민참여정치를 이루어야 합니다. 이것은 정치권의 몫입니다.

정치권의 자율적인 개혁을 기대합니다. 제가 손을 댄다고 해서 별다른 수단도 없습니다. 옛날에는 지시하면 할 수 있었지만 지금은 아닙니다. 그러나 저도 하나의 수단을 가지고 있습니다. 제가 의원들을 설득할 수 있습니다. 정치라는 것이 상대적인 것이어서 어느 한 정당이 개혁되면 다른 정당도 따라서 개혁하지 않을 수 없습니다.

정부개혁 또한 중요합니다. 정부를 개혁하라는 국민의 요구가 굉장히 높습니다. 정부개혁을 얘기하면 대처나 뉴질랜드, 그리고 '작은정부론'이 자주 언급됩니다. 가끔씩 신문에서 작은 정부 하겠다고 해 놓고 왜 자꾸 정부를 키우느냐고 비판하는 글을 보는데 저는 작은 정부를 공약한 적이 없습니다. 노무현식 정부개혁은 효율적인 정부, 같은 조직으로 가장 효율적으로 봉사하는 정부를 만드는 것입니다. 우리나라 공무원의 수는 그렇게 많은 편이 아닙니다. 우리 정부의 서비스가 국민들에게 충분하지 않습니다. 물론 부분적으로 남는 인력이 있습니다. 이 인력은 새로운 일에 활용해야 한다고 생각합니다.

한편으로 정부개혁이라고 하면 컨설팅 보고서대로 부처나 부처의 기능을 조정하는 일을 떠올리기도 합니다. 이런 일도 필요할 것입니다. 그러나 조직개편은 일거에 하지 않겠습니다. 1~2년 충분히 일하면서 차근차근 하겠습니다. 왜냐하면 지금 우리 정부가 하고 있는 일이 완결된 것이 아니고, 새로운 일거리들을 찾아서 좀더 많은 일들을 해야 하기 때문입니다. 어떤 부처는 일이 더 늘어날 수도 있고, 또 어떤 부처는 분권을 통해서 일이 줄어들 수도 있습니다. 지금부터 해야 할 일들을 더 찾고 넘겨줄 일은 넘겨주면서 바람직한 방향을 설정한 다음에 조직개편을 해 나가야 한다고 생각합니다.

물론 조직개편을 할 때에도 심각한 충격을 주지 않도록 하겠습니다. 조직개편에는 항상 저항이 따르고 이 저항이 경우에 따라서 대단한 갈등비용을 낳고 비효율을 낳기 때문입니다. 조직개편을 정부개혁의 주된 내용으로 내세우지는 않겠습니다. 지금 우리가 하고 있는 일이 효율적인가, 국민들에게 꼭 필요한 일인가, 꼭 해야 하는 일인가, 이 방법으로 해야 하는가 등에 대해서 분석하면서 새로운 일을 찾아내고 필요 없는 일은 버리고 넘겨줄 것이 있으면 넘겨주는 것, 이것을 개혁의 주된 내용으로 삼았으면 좋겠다고 생각합니다.

실제로 동북아 시대를 이루어 내려면 많은 계획과 실행과제가 있을 수 있습니다. 국제적인 연구팀도 만들고 금융조직도 만들고 구체적인 사업조직도 만들어 나가야 합니다. 적지 않은 인력이 매달려야 합니다. 지금 우리 정부에는 적당한 일자리가 없어서 임시로 배치되어 있는 유능한 분들이 많이 있는 것으로 알고 있습니다. 이분들을 최대한 활용해서 일차적으로 이런 일을 맡기면 신바람나게 일하지 않을까 생각합니다.

행정개혁도 역시 많은 일손을 필요로 할 것입니다. 지금까지는 행정개혁을 하면서 모두 외부용역을 했는데, 이들 중에 행정경험이 없는 사람들이 많았기 때문에 가장 적합한 행정개혁안을 냈다고 말할 수는 없습니다. 저는 우리 공무원들이 스스로 개혁의 주체가 돼서 행정개혁의 과제들을 진단하고 만들어 나간다면 상당한 성과를 거둘 수 있지 않을까 생각합니다. 개혁의 선도부대가 되겠다고 하는 공무원들, 자원해서 나서도록 그렇게 한번 모아 보십시다. 각 부처 스스로 할 일도 있고, 전 정부적 개혁과제들을 수행하기 위한 특별팀이 만들어질 수도 있을 것입니다.

재정개혁의 경우에도 마찬가지일 것입니다. 소위 공무원들의 조직 이기주의 때문에 규제를 완화해도 얼마 지나지 않아 되돌아간다고 많은 분들이 불평합니다. 규제완화, 분권, 권한의 이양과 같은 것도 공무원들이 주체가 되어서 풀어가야 한다고 생각합니다.

아울러 지방대학의 육성도 있습니다. 이는 지방발전계획과 맞물려 있습니다. 지방대학 육성은 대체로 정부의 R&D 투자나 산업과 연계해서 가야하기 때문에 교육인적자원부가 계획과 정책을 입안하고, 과학기술부·산업자원부·정보통신부 등이 집행하는 형태가 될 것입니다.

이와 같이 공무원 스스로의 개혁이 제대로 됐을 때 행정의 효율성이 굉장히 높아지고 또 다른 서비스들도 얼마든지 찾아서 할 수 있다고 생각합니다. 이런 개혁들을 공직사회가 주로 맡아서 했으면 좋겠다고 생각합니다.

언론개혁과 관련해서 저는 정부가 할 수 있는 일은 한계가 있다고 생각합니다. 국민들이 분위기와 방향을 만들면 언론 스스로 개혁해 주기를 바랍니다. 다만 적어도 유착하지는 말자, 아니면 적당하게 타협하지는 말자, 그렇게 생각합니다. 정부가 깨끗해지기 위해서는 정부와 언론 사이에 약간의 긴장관계가 필요합니다. 저는 10여년 동안 일부 언론과 긴장관계를 유지해 왔습니다. 그 언론과의 긴장관계를 유지해 오는 동안에 스스로의 몸가짐을 조심하지 않을 수 없었습니다. 물론 조심해도 많이 긁혔지만 치명적인 실수는 하지 않도록 스스로를 다듬어 나올 수밖에 없었습니다. 어떻게 보면 대통령까지 된 것도 언론과의 긴장관계 덕분이 아닌가 하는 생각이 들기도 합니다.

앞으로 대통령으로서도 여러 가지 실수나 부족함이 있겠지만, 그러나 나는 이 점에 관해서 적당하게 타협할 생각은 없습니다. 우리 정부도 긴장해서 갑시다. 그런 만큼 공직사회가 더 투명해질 것입니다. 그리고 억울한 일을 당하면 가만히 있지 말고 꼭 밝힙시다. 그 정도로 우리 정부가 할 일을 설정했으면 합니다.

특별히 권력기관이 개혁과제로 떠오르고 있습니다. 권력기관은 과거에 야당을 억압하거나 뒷조사하고 사찰하는 등 부당한 방법으로 권력을 유지하는 데 기여했습니다. 국정원이 그랬고, 검찰도 기꺼이 그 일을 했습니다. 국정원은 돈까지 들어다 주었습니다. 요즘도 저와 가까운 참모들에게 "결국 정부가 어려울 때 마지막까지 지켜줄 수 있는 힘이 검찰인데 이렇게 하면 어쩌나"라고 얘기하는 분들이 있다고 합니다.

그렇지만 저는 그렇게 믿지 않습니다. 정부를 끝까지 지켜 줄 수 있는 힘은 국민입니다. 스스로의 투명한 자세입니다. 잘못이 있으면 국민에게 솔직히 인정하고 사과할 것입니다. 검찰에 의존하지 않고 당당하게 5년간 정권을 이어나가 보고 싶습니다. 검찰에 의지하다보면 검찰에게 뭔가 특별한 권력을 주어야 하고, 그 검찰은 국민 위에 군림하게 됩니다. 아무도 규제를 할 수가 없습니다. 검찰의 감찰기능이 아주 취약하지 않습니까? 외부기관에서도 검찰을 감찰하지 못하지 않습니까? 그러니까 특권이 만들어지고 그 폐해는 이루 말할 수 없습니다. 개혁해야 합니다. 적어도 국민들로부터 불신을 받고 있는 조직이 그 조직의 기존 문화를 그대로 지켜 달라, 말하자면 서열주의를 파괴하는 발탁인사를 하지 말라고 저항하는 것은 명분이 없습니다. 나는 국민들이 마지막 판단을 해줄 것이라고 생각합니다.

앞으로 국내 정치문제에 관한 국정원 보고도 받지 않겠습니다. 여당이든 야당이든 어느 정치인이 어디에서 누구를 만나고 무슨 의논을 했는지 등등 정치에 관한 정보는 절대 보고받지 않겠습니다. 실제로 제가 당선된 이후에 한번도 받은 적이 없습니다. 앞으로도 받지 않을 것입니다. 국정원은 남북관계와 국제관계 등에서 할 일이 많습니다. 우수한 인력도 많기 때문에 동북아 시대의 새로운 비전을 나름대로 연구하면서 제 역할을 할 수 있을 것입니다. 잘 양성한 우수인력들을 하루아침에 구조조정하기보다는 창조적이고 생산적인 활동에 투입하는 것이 국가를 위해서 효율적이라고 생각합니다.

다음으로 여러분이 어떻게 조직을 지휘해 가야 하느냐에 대해 말씀드리겠습니다. 우선 새로운 일을 찾아야 하니까 학습해야 합니다. 새로운 일거리는 만들어야 하니까 진화하는 조직이 되어야 합니다. 그렇게 하려면 공직자들의 자세가 달라져야 합니다. 그렇게 하도록 만드는 것이 장관의 리더십입니다. 공직자들이 뭔가 하려는 의욕을 갖도록 해야 합니다. 가장 중요한 것이 믿음입니다. 내가 연구해서 제안하면 장관이 10개 중 하나 정도는 받아줄 것이고, 우리 장관이 마음만 먹으면 이런 일은 해낼 수 있다는 믿음을 주어야 합니다.

가져만 오면 반드시 해내겠다고 큰소리 치십시오. 저는 해양수산부 장관 시절, 현안을 해결하기 위해 재경부 사무관을 만나기도 했습니다. 부총리를 바로 설득하기는 어려워서 대신 실무자를 설득하기로 한 것입니다. 부총리도 실무자에게는 약했습니다. 실무자가 기안을 올리니까 바로 결재해 주었습니다. 저에 대한 직원들의 믿음이 커졌습니다. 점차 직원들이 의욕을 가지기 시작하는 것을 느낄 수 있었습니다.

사례를 하나 더 들겠습니다. 제가 장관 취임하기 전에 해양부에서는 몇 사람이 징계를 받고 있었습니다. 저는 이 사람들을 구제해 주기 위해서 이리 뛰고 저리 뛰어다녔습니다. 직원들과 일체감을 형성하기 위해 노력했습니다. 그렇다고 너무 큰 잘못을 묻어 주지는 마십시오. 공직사회를 들여다보면 나름의 기준이 있을 것입니다. 그리고 부처 안에는 대강 쑥덕거림이 있는 사람이 있습니다. 그런 사람은 절대 봐주면 안 됩니다.

공무원을 신뢰해야 합니다. 우리 공무원들은 우수하고 마음만 먹으면 열심히 합니다. 제가 감동했던 일을 소개하겠습니다. 해양부에 박 서기관이 있었습니다. 그 사람 집이 수원인데 국정감사로 바빠지니까 아예 부처 옆에 방을 얻어서 거기서 출퇴근하면서 자기 소임을 다했습니다. 따로 방값을 받는 것도 아닌데 말입니다. 박 서기관을 보면서 대한민국 잘 되겠구나 하는 확신이 생겼고, 저도 힘이 났습니다. 그런 것 때문에 신뢰하고 신뢰받는 것이 필요합니다.

인사와 관련해서 말씀 드리면, 저도 처음에 어떻게 인사를 해야 하는지 몰라서 난감했습니다. 제게 얘기해 줄 사람은 차관과 비서관 한 사람밖에 없었습니다. 그렇지만 두 사람 말만 믿고 소신껏 인사를 하는 것은 불가능했습니다. 직원들이 참여하는 조직진단 워크숍에서 나온 결론은 다면평가였습니다. 그래서 다면평가 결과를 반영해서 인사를 했습니다. 이렇게 하니까 저도 마음대로 할 수가 없었습니다. 청탁쪽지를 들어줄 수가 없었습니다. 다면평가는 가장 효과적이든 아니든 간에 승복은

할 수 있습니다. 직원들의 의사가 반영된 것이기 때문에 불평이 있는 사람도 겉으로 말을 하지 못했습니다.

한번은 승진문제와 관련해서 제가 간부회의 때 세 명의 후보 중에 한 명을 거론하며 이 사람을 진급시켜야 하지 않겠느냐고 얘기했습니다. 심사할 때 저의 이 말이 부담스러웠나 봅니다. 인사위원회에서 재차 저에게 묻길래 "제 의견을 말한 것이니까 전혀 구속받을 필요 없고, 권한은 인사위원회에 있다"고 말했습니다. 인사위원회는 진지한 논의 끝에 다른 사람을 선택했습니다. 국장 인사는 차관의 조언을 참고로 했지만, 과장 인사는 국장들에게 권한을 위임했습니다. 스스로 유능하고 필요한 사람을 뽑도록 했습니다. 적어도 이런 일들을 통해서 공무원들의 충성을 이끌어 낸 것이 아닌가 생각합니다. 공정한 것이 중요하지만 그것보다는 공정성에 대한 신뢰가 더 중요하다고 생각합니다.

결제를 할 때 저는 의문 나는 것이 있으면 계속 질문했습니다. 그러는 가운데 공직자들이 훈련되는 것을 느꼈습니다. 3~4개월 지나니까 보고서 수준이 완전히 달라졌습니다. 한번도 타박을 주거나 따로 지시한 일이 없는데도, 질문이 필요 없는 수준으로 분량도 알맞게 정리해 오는 것을 보았습니다.

갈등을 어떻게 해소할 것인가도 중요한 문제입니다. 해양수산부의 경우에는 어민들 사이의 갈등이 많습니다. 정부가 조정하기 어려운 일도 있습니다. 그래서 저는 자율관리어업이라는 개념을 도입해서 어민들이 어장을 스스로 관리하는 시스템을 정착시키려 노력했습니다. 그 일을 끝내지는 못했지만 어떻든 그런 메커니즘도 한 번 연구해 볼 필요가 있는 것 같습니다. 갈등 해결을 위해서는 관계자들을 직접 만나고 현장을 확인하는 것이 가장 필요합니다.

한 번은 제가 회의를 다녀오는데 비서가 전화를 했습니다. 정문 쪽에서 어민들이 시위를 하니 뒷문으로 들어오라는 것입니다. 그럴 수는 없지요. 어민들을 만나서 얘기하는데 말이 잘 통하지 않았습니다. 일단 모두 건물 안으로 들어오게 해서 대화를 하기로 했습니다. 직원들은 나름대로 불만이었습니다. 그렇게 장관실 옆 회의실로 모셔다 놓고 한참 얘기했는데 결국 아무것도 못 풀었습니다. 그렇지만 조용해지고 분위기가 좋아졌습니다. 회피하지 말고 부닥치십시오. 그런 자세가 중요합니다. 고맙습니다.

#### 마무리말씀

정말 수고 많이 하셨습니다. 모두 열심히 해 주셨습니다. 저도 강연과 대화를 통해서 많이 배웠습니다. 오늘 못다 한 주제는 테마 국무회의 때 시간을 좀 넉넉하게 잡아서 논의할 수 있을 것이라 생각합니다.

조금 전에 환경부 장관께서 말씀하신 내용은 행정개혁의 핵심적인 주제입니다. 그 문제와 더불어 앞으로 여성 관리직 비율을 어떻게 늘려 나갈 것인가, 장애인을 어떻게 더 많이 채용할 것인가, 이공계와 기술직 우대문제, 인재 지역할당제 등을 어떻게 해 내갈 것인가 하는 문제 등이 남아 있습니다. 문제 해결을 위해서는 채용경로를 다양화해야 한다고 생각합니다. 그렇게 되면 단일한 채용경로 때문에 생기는 기수 서열문제 등이 해소될 수 있을 것입니다. 하지만 큰 틀에서의 개혁이 요구되는 만만찮은 문제라서 아마 5개년 계획 정도를 세워서 차근차근 풀어야 하지 않을까 생각합니다.

그 다음으로 태스크포스에 대해서 말씀드리면, 행정개혁, 재정개혁, 규제완화를 비롯해서 분권과 권한 이양, 지방대학 육성, 동북아 시대 준비 등은 여러 부처에 걸쳐 있는 종합적인 과제들이기 때문에 T/F가 필요합니다. 그렇다고 T/F를 전부 청와대에 만들 수가 없습니다. 청와대에는 이것을 관리하기 위한 한두 사람의 직원이 있을 뿐이고, 그 위로 전문가와 정치인, 장관들로 구성되는 위원회를 만들어서 정책 개발과 결정을 맡고, T/F 팀이 세부 정책 개발과 집행을 담당해야 할 것입니다. 법 개정이 필요한 것은 차후 준비를 해서 그렇게 하더라도 당장에는 각 부처가 하나씩의 기획단을 맡을 수 있을 것입니다. 이러한 기획단에는 관련 부처의 공무원도 함께 파견받아서 구성해야 할 것입니다.

이렇게 실무기획단이 구성되면 지금 인력은 아마 다 활용되고 모자랄 것입니다. 일이 새롭게 생겼기 때문에 기존 조직들은 일손이 모자랄 것입니다. 그러면 과감하게 일을 버리는 작업을 해야 할 것입니다. 지방자치단체로 넘길 것은 넘기고 하부 기관으로 위임할 것은 위임하면서 여분을 만들어야 새로운 일을 할 수 있을 것입니다. 또 현재 각종 위원회가 있습니다만, 이 중에서 꼭 필요한 위원회만 남기고 실무조직으로서 기획단을 붙여서 제대로 운영하려는 계획을 가지고 있습니다.

저는 대통령이 이러한 일을 모두 다 할 이유가 없다고 봅니다. 총리도 역점사업에 대해 T/F를 만들어서 운영해도 좋겠다고 생각합니다. 대통령 프로젝트가 있으면 총리께서 관장하는 프로젝트도 물론 있을 것입니다. 아마 할 일은 많고 손발은 모자랄 것입니다. 그래서 선진 시스템을 구축하는 시간을 최대한 단축하는 것이 필요하다고 생각합니다.

흔히들 저에게 역사에 남는 대통령이 되라, 5년 뒤에도 지금처럼 사랑받는 대통령이 되라는 주문을 많이 합니다. 김대중 대통령의 지난 5년을 돌이켜 보면, 국민들이 기분 나빠할 일도 있었지만 뒷날 가면 충분히 평가받을 수 있는 훌륭한 업적들이 있음에도 불구하고 지금 별로인 것을 보면 별로인 것을 기대하기 쉽지 않은 일인 것 같습니다. 저는 경쟁력 있는 대한민국, 일류국가 대한민국, 국민통합, 이것을 목표로 가지고 있습니다. 그런데 이것은 모두 개혁을 통해서 이루어져야 합니다.

그리고 정부개혁이 다른 어떤 과제보다 중요한 것이라고 생각합니다. 공무원들이 효율적으로 일을 잘할 때 국가경쟁력도 높아지고, 국민통합도 이루어진다고 생각합니다. 오늘 여러 말씀을 드렸지만 정부개혁, 시스템의 개혁이 핵심입니다. 공직사회가 사회 개혁의 주체가 되어야 합니다. 그러기 위해서는 공직사회가 적극적이고 의욕적이어야 합니다. 그게 과연 가능한가? 성공 여부는 리더에게 달려 있습니다. 그 리더는 바로 여러분입니다.

리더가 공직사회를 움직이기 위해서는 전문성보다 열정이 더 필요합니다. 우리 인사보좌관이 인사전문가는 아니지만 저는 매우 흡족하게 생각하고 있습니다. 장관 한 분 모시기 위해 새벽에 비행기 타고 지방까지 갔다 왔습니다. 비능률적일 수 있습니다. 그렇지만 그 비능률에 담겨 있는 열정과 자세가 참 소중하다고 생각합니다. 이렇게 하면 우리는 반드시 성공할 수 있습니다. 리더가 보여주는 열정과 신뢰가 조직을 감동시키고 움직이는 핵심이라고 생각합니다.

열정을 가지면 반드시 공무원들을 설득할 수 있습니다. 물론 의지만으로 안 되는 것이 있습니다. 그렇기 때문에 우리는 끊임없이 학습하고 대화와 토론을 해나가야 합니다. 우리에게는 준비된 선생님들이 있지 않습니까? 조금 전에 부정부패 문제에 관해서 총리의 강연을 들었지만, 이런 좋은 모델들이 있기 때문에 학습하려고 마음먹으면 얼마든지 할 수 있습니다. 조달청 개혁, 국세청 개혁, 서울시 개혁과 같이 언론을 통해서 제대로 전달되지는 않았지만 모범적인 사례도 있습니다.

요즘 저는 윤성식 교수가 지은 「정부개혁의 비전과 전략」이라는 책을 보고 있습니다. 이 책에는 개혁에 대한 실감나는 얘기들이 많이 담겨 있습니다. 개혁을 하기 위해 준비해야 할 것, 개혁과정에서 현실적으로 부닥치는 문제, 일반적으로 성공한 개혁으로 알려져 있는 신자유주의 개혁, 작은 정부로의 개혁이 가지고 있는 허점 등 다양한 주제에 대해 다루고 있습니다. 실수하지 않으면서 차근차근 개혁을 할 수 있도록 안목을 열어주는 참 좋은 책이라고 생각합니다. 여러분도 한 번 읽어보았으면 좋겠습니다.

제가 희망하는 것은 여러분이 대통령이 되어 달라는 것입니다. 38명의 대통령이 같은 방향으로 같은 개혁의 전략을 가지고 뛰면 공직사회는 물론이고, 우리나라가 바뀌지 않을 수 있겠습니까? 그동안 여러분의 수고를 거듭 치하하면서 제 말씀을 마치겠습니다.

감사합니다.

# 제59기 육군사관학교 졸업 및 임관식 치사

2003년 3월 11일

친애하는 육군사관학교 졸업생 여러분, 학부모와 사관생도, 그리고 내외 귀빈 여러분!

육사 제59기 여러분의 졸업과 임관을 진심으로 축하합니다.

오늘 젊음과 패기가 넘치는 이곳 화랑대에서 활기차고 당당한 여러분의 모습을 보니 마음이 든든합니다. 정말 자랑스럽습니다. 오늘은 여러분이 영예로운 대한민국 국군장교로 탄생하는 날입니다. 이 기쁨과 이 영광은 피땀어린 노력의 결실입니다. 여러분은 4년을 하루같이 열정과 정성을 다했습니다. 지(智)·인(仁)·용(勇)의 가르침을 가슴속에 새기며, 조국의 미래를 책임질 능력과 비전을 키워 왔습니다.

특히 스물다섯 명의 여성 졸업생 여러분, 수고 많았습니다. 아울러 학교장 박준근 장군과 교수 여러분, 훈육관 여러분의 노고에 깊이 감사드립니다. 자랑스런 아들 딸을 두신 학부모 여러분께도 축하의 말씀을 드립니다.

졸업생 여러분, 사관생도와 국군장병 여러분,

우리는 지금 불안과 희망이 교차하는 가운데 커다란 역사의 문턱을 넘고 있습니다. 그 너머에는 새로운 미래가 우리를 기다리고 있습니다. 그것은 다가올 동북아 시대의 중심국가로 발돋움하는 대한민국입니다.

동북아시아는 더 이상 세계의 변방이 아닙니다. 거대한 시장과 막대한 부존자원이 있으며, 또 높은 성장잠재력을 가지고 세계경제의 3대 축으로 급속히 떠오르고 있습니다. 이 기회를 도약의 발판으로 삼아야 합니다. 우리에게는 충분한 역량이 있습니다. 지식정보화의 기반이 튼튼합니다. 지리적 위치도 유리합니다. 무엇보다 힘을 한데 모으면 기적을 만들어내는 국민의 저력이 있습니다.

참여정부는 국민들의 힘을 모아 평화와 번영의 동북아 시대를 힘차게 열어나갈 것입니다. 그러나 이를 위해 해결해야 할 과제도 적지 않습니다. 가장 시급한 것은 한반도의 평화정착입니다. 평화가 없으면 모든 것이 사상누각에 불과합니다. 냉전과 긴장의 땅에서는 번영을 꿈꿀 수 없습니다.

튼튼한 안보는 평화와 안정의 기본입니다. 나와 참여정부는 여러분과 함께, 70만 국군장병과 함께, 대한민국의 평화와 안정을 반드시 지켜낼 것입니다.

확고한 한·미 연합방위태세는 우리 안보에 크게 기여하고 있습니다. 앞으로도 한·미 동맹은 더욱 공고하게 유지되어야 합니다. 이러한 원칙에는 조금도 변함이 없습니다. 최근 주한미군의 재배치 문제에 대해 우려하는 목소리들이 있습니다. 하지만 이 문제는 결코 새삼스런 것이 아닙니다. 주한미군과 관련된 모든 문제는 확고한 한·미 동맹의 원칙아래 양국이 긴밀히 협의해 나갈 것입니다.

중요한 것은 철저한 준비입니다. 준비가 있는 한, 위기는 없습니다. 위기를 기회로 만들 수도 있습니다. 우리는 미래 상황의 어떠한 변화에 대해서도, 당당하게 대응하고 만반의 준비를 갖추어 나갈 것입니다.

친애하는 졸업생과 사관생도 여러분,

육군은 국가안보의 최후 보루입니다. 육군의 역할과 책무는 앞으로도 더욱 막중해질 것입니다. 미래의 안보환경은 '디지털 육군'의 건설을 요구하고 있습니다. 그 핵심과제는 인력의 정예화와 전력의 첨단화입니다.

환경에서 첨단의 정보화역량을 키워왔습니다. 이제 그 기량을 마음껏 발휘할 때가 왔습니다. 더욱 창의적이고 도전적으로 노력해주기 바랍니다. 여러분 한 사람 한 사람이 21세기 '디지털 정예육군'의 선도자가 되어야 합니다. 나는 국군의 통수권자로서, 여러분과 함께 자주적 방위역량이 한층 강화된 '선진 정예강군'을 이룩해 나갈 것입니다.

육사 제59기 신임장교 여러분,

군인의 길은 고난의 길입니다. 여러분은 "안일한 불의의 길보다 험난한 정의의 길"을 택했습니다. 그러나 여러분이 가는 길은 외롭지 않습니다. 4,800만 국민이 함께 하고 있습니다. 나 역시 여러분을 절대적으로 신뢰합니다.

지난주에는 동티모르에서 임무를 수행하던 우리 장병 다섯 명의 안타까운 희생이 있었습니다. 삼가 고인들의 명복을 빌며, 유가족과 동료 장병들에게 깊은 위로의 말씀을 드립니다.

이번에 산화한 고 민병조 소령과 박진규 소령은 여러분의 자랑스런 선배들입니다. 이 분들의 고귀한 희생이 결코 헛되지 않도록 더욱 분발해주기 바랍니다. 투철한 애국심으로 조국수호의 임무를 완수해주기 바랍니다. 여러분의 분투와 헌신은 동북아의 중심국가 대한민국의 든든한 버팀목이 될 것입니다.

여러분의 장도에 무운과 영광이 함께 하기를 기원합니다.

감사합니다.

# 제57기 해군사관학교 졸업 및 임관식 치사

2003년 3월 13일

친애하는 해군사관학교 졸업생 여러분, 자리를 함께 하신 학부모와 내외 귀빈 여러분,

지난 4년간의 힘든 과정을 성공적으로 마치고 임관의 영예를 안은 해사 제57기 여러분의 졸업을 축하합니다. 특히, 해사 개교 이래 처음인 21명의 여성 졸업생 여러분에게 각별한 격려와 축하를 보냅니다. 오늘이 있기까지 정성과 사랑으로 뒷받침해주신 학부모님께 축하와 감사의 말씀을 드립니다. 학교장 서영길 제독을 비롯한 교수와 훈육관 여러분의 노고도 매우 컸습니다.

여러분의 늠름한 모습과 우리 함정들의 위풍당당한 모습에서 나는 우리 해군의 밝은 내일을 봅니다. 나와 우리 국민은 여러분 모두가 조국의 바다를 지키는 훌륭한 지휘관이 되어줄 것이라고 확신합니다.

나는 바다와 인연이 깊습니다. 바다를 보며 자랐고 해양수산부를 이끄는 장관이기도 했습니다. 나는 도전과 꿈이 있는 바다를 좋아합니다. 그만큼 여러분과 우리 해군에 대해 남다른 친밀감을 느낍니다.

졸업생 여러분, 사관생도와 해군장병 여러분

우리는 지금 희망과 불안이 교차하는 가운데 새로운 역사의 문턱을 넘고 있습니다. 그 너머에는 새로운 미래가 우리를 기다리고 있습니다. 그것은, 다가올 동북아 시대의 중심국가로 발돋움하는 대한민국입니다. 우리는 이 기회를 도약의 발판으로 만들기 위해 차근차근 준비해 나가야 합니다. 우리의 주변 해역은 동북아의 중심에 자리한 만큼, 더욱 활기를 띠게 될 것입니다. 이 해역에서 실리를 확보하기 위한 국가간 경쟁도 더욱 치열해질 것입니다.

이는 곧 여러분이 활동해야 할 무대와 사명이 더욱 커지는 것을 의미합니다. 여러분은 우리의 바다를 지키는 것은 물론 오대양에서 우리의 권익을 수호해야 할 것입니다. 우리가 바다를 지킬 힘이 없었을 때 동북아의 평화도 깨어졌다는 사실을 상기해야 합니다. 여러분은 동북아의 평화와 번영을 지키는 파수꾼입니다.

친애하는 졸업생 여러분!

평화와 번영의 동북아 시대를 선도하기 위해서는 먼저 한반도에 평화체제를 정착시켜야 합니다. 무엇보다 북한 핵문제의 해결이 시급합니다. 대화를 통해 반드시 평화적으로 해결해야 합니다. 한반도에 또 다시 전쟁이 일어난다면 우리가 이룩해 온 번영은 한순간에 잿더미로 변하게 됩니다. 동북아 중심국가를 향한 우리의 꿈도 물거품이 되고 맙니다.

그러나 평화를 지키는 일이 의지만으로는 안 됩니다. 평화를 지키는 방패는 튼튼한 안보입니다. 그 어떤 도전도 물리칠 수 있는 힘이 우리에게 있어야 합니다. 육·해·공 3군이 균형있게 발전해 나가고, 과학군·정보군으로 한 차원 높게 도약해야 합니다. 한·미 연합 방위태세를 비롯한 일본·중국·러시아 등 주변국과의 공조체제도 더욱 발전시켜 나가야겠습니다.

졸업생 여러분, 그리고 해군 장병 여러분!

우리 해군은 빛나는 전통을 가지고 있습니다. 400여년 전 조선 수군은 충무공의 지휘 아래 풍전등화와 같던 나라를 구했습니다. 연평해전과 서해교전에서도 목숨 바쳐 우리의 바다를 지켰습니다. 지금 이 시각에도 우리 해군 장병들은 함정의 비좁은 공간에서, 바다로 둘러싸인 외로운 섬에서 국가방위를 위해 불철주야 헌신하고 있습니다. 국민과 더불어 큰 격려의 박수를 보냅니다.

우리 해군은 이러한 전통을 계승하고 미래의 안보환경에도 능동적으로 대응해나가야 합니다. 이를 위해 참여정부는 '선진해군'의 건설을 적극 지원해나갈 것입니다. 현재 추진 중인 7천 톤급 구축함과 대형수송함, 차기잠수함, 대잠항공기 등을 확보해 수상과 수중, 항공의 입체전력을 갖춘 기동함대를 구비해 나갈 것입니다. 나아가 5대양 6대주를 누비며 세계평화에 이바지하는 대양해군 시대를 힘차게 열어가겠습니다.

신임 해군장교 여러분,

이제 여러분은 자랑스런 대한민국 해군장교가 되어 저 넓은 바다로 나아갑니다. 저 앞에 펼쳐진 넓고 푸른 바다가 동북아 중심국가, 대한민국의 밝은 미래를 예고하며 여러분을 기다리고 있습니다.

여러분은 장보고 대사와 충무공 이순신 제독의 자랑스런 후예입니다. 여러분의 가슴속에는 동아시아의 바다를 제패했던 장보고 대사의 기개가 고동치고 있습니다. 여러분의 피 속에는 나라를 구한 충무공의 숭고한 호국정신이 면면히 흐르고 있습니다.

나와 우리 국민은 여러분의 장도를 자랑스럽게 지켜보며 늘 함께할 것입니다. 여러분의 앞날에 무운과 승리가 함께 하기를 기원합니다.

감사합니다.

# 3·15민주의거 43주년 기념 메시지

2003년 3월 15일

존경하는 마산 시민 여러분!

오늘은 자유당 정권의 독재에 항거하여 마산의 학생들과 시민들이 분연히 일어섰던 3·15 민주의거가 마흔세 돌을 맞는 날입니다. 이 뜻 깊은 날 저는 먼저 이 땅의 민주주의를 위해 희생하신 분들의 고귀한 뜻을 여러분과 함께 되새기고자 합니다. 아울러 5년간의 성역화 사업 끝에 3·15 묘지가 명실상부한 국립묘지로 거듭나게 된 것을 매우 기쁘게 생각하며 관계자 여러분의 노고에 깊은 감사를 드립니다.

3·15의거는 '참여정부'의 정신적 바탕입니다. 그날의 정신은 4·19 혁명으로 불타올랐고, 부마항쟁과 광주민주화운동, 1987년 6월 민주항쟁으로 면면히 이어졌습니다. 그리고 지난 대통령 선거과정에서 '참여정부'를 탄생시키는 밑거름이 되었습니다. 이제 '참여정부'는 3·15의거의

정신을 이어받아 국민과 함께 하는 민주주의, 더불어 사는 균형발전사회, 평화와 번영의 동북아 시대를 열어나갈 것입니다. 우리에게는 이 꿈을 현실로 이뤄낼 충분한 역량이 있습니다.

그러나 넘어야 할 산도 있습니다. 무엇보다 한반도에 평화를 정착시키는 일이 시급한 과제입니다. 이를 위해서는 북한 핵 문제를 평화적으로 해결해야 합니다. 우리를 둘러싼 경제 환경도 어렵습니다. 선진국들은 끝없이 새로운 영역을 개척하며 앞서나가고 있습니다. 후발국들은 빠른 속도로 우리를 추격해오고 있습니다. 새로운 성장 동력과 발전 전략이 필요한 시점입니다. 이러한 안팎의 도전을 극복하고 선진국으로 진입할 것인가의 여부는 바로, 오늘을 사는 우리에게 달려 있습니다.

위기는 곧 기회입니다. 오늘의 이 위기를 슬기롭게 극복할 때, 우리 앞에는 새로운 기회와 가능성이 펼쳐질 것입니다. 다가올 동북아시대의 중심국가로 세계 앞에 당당히 서게 될 것입니다.

마산시민 여러분!

3·15정신은 끊임없는 도전을 슬기롭게 극복해 온 우리의 자랑입니다. 오늘의 우리를 있게 한 그 정신을 되새기면서 통합과 개혁의 새로운 대한민국을 만들어 나갑시다.

감사합니다.

# 제51기 공군사관학교 졸업 및 임관식 치사

2003년 3월 18일

친애하는 공군사관학교 졸업생 여러분, 사관생도와 공군장병, 그리고 학부모와 내빈 여러분,

공사 제51기 여러분의 졸업과 임관을 진심으로 축하합니다. 학교장 박성국 장군을 비롯한 교수진과 훈육관 여러분, 그리고 학부모 여러분께도 깊은 감사와 축하의 말씀을 드립니다.

공사의 강도 높은 교육과정은 군에서도 정평이 나있다고 합니다. 그동안 졸업생 여러분 모두, 정말 수고가 많았습니다. 특히 열일곱 명의 여성 졸업생, 그리고 태국에서 온 지티판(Jittiphan) 생도의 남다른 성취에 각별한 격려를 보냅니다.

이제 여러분은 영광스런 대한민국 공군장교로 새롭게 출발합니다. 성무대의 둥지를 떠나 저 높은 하늘로, 우주로 힘차게 비상합니다. 여러

분의 힘찬 도전은 우리나라와 우리 공군의 창창한 미래를 보여주고 있습니다. 한없이 믿음직하고 자랑스럽습니다. 아울러 '보라매의 산실'인 공군사관학교는 오늘 제51기 졸업생을 배출하면서 새로운 반세기를 시작합니다. 이를 계기로 공군사관학교가 공군의 발전을 선도하는 세계 일류의 교육기관으로 발돋움하게 되기를 기대합니다.

졸업생 여러분, 그리고 사관생도와 공군장병 여러분,

지난해 우리 국민은 새로운 미래를 준비하기 위해 참여정부의 시대를 열었습니다. 참여정부는 국민의 뜻을 받들어 '국민과 함께 하는 민주주의', '더불어 사는 균형발전사회', 그리고 '평화와 번영의 동북아 시대'를 열어 나갈 것입니다.

그러나 우리 앞에는 아직 넘어야 할 고비가 적지 않습니다. 이라크 사태가 긴박하게 전개되고 있습니다. 이에 따라 세계의 경제상황이 매우 불안정합니다. 북한 핵문제도 심각한 현안입니다. 우리는 이 고비를 슬기롭게 넘어서야 합니다. 우리 모두가 다시 한번 힘과 뜻을 모으면 충분히 가능한 일입니다. 가장 시급한 과제는 한반도의 평화정착입니다. 대결과 긴장으로 얼어붙은 땅에서는 희망과 번영을 꽃피울 수 없습니다. 튼튼한 안보가 무엇보다 중요합니다. 우리 군은 현존하는 위협은 물론 세계 안보정세의 어떠한 변화에도 신속하게 대처할 수 있도록 만반의 대비태세를 갖추어야 합니다.

나는 국군의 통수권자로서 어떤 일이 있더라도 우리 군과 함께 대한민국의 평화와 안정을 지켜낼 것입니다. 북한 핵문제는 반드시 평화적으로 해결되어야 합니다. 북한과의 대화는 물론 미국·일본과의 협조, 그리고 중국 러시아 EU를 포함한 대화와 협력의 틀이 활성화되어야 합니다. 나는 북한 핵문제를 대화로써 풀어나가기 위해 최선을 다할 것입니다.

졸업생 여러분, 사관생도와 공군장병 여러분,

현대의 안보상황에서 공군력은 가장 강력한 전쟁 억지력입니다. 우리 공군 역시 확고한 한 미 연합방위태세하에서 국가안보의 핵심적인 역할을 수행하고 있습니다. 따라서 공군이 가야 할 길은 분명합니다. 과학군 기술군을 육성하는 데 더욱 주력해야 합니다. 전력을 지속적으로 첨단화하여 자주적 방위역량을 강화해야 합니다. 조기경보기와 공중급유기를 비롯한 첨단의 정보역량과 전략임무 수행능력을 갖추어 나가야 합니다. 100년을 내다보는 거시적 안목으로 전략형 공군력을 건설하고, 나아가 '항공우주군'으로 발전할 수 있는 기반을 착실히 구축해야 합니다.

공군력과 과학기술력, 그리고 항공우주산업은 서로가 매우 밀접한 관계에 있습니다. 공군은 특히 항공우주산업 발전에 크게 공헌해온 만큼, 앞으로 그 역할이 더욱 중요해질 것입니다. 지금까지 공군은 산 학 연 협조체제 하에서 국산 항공기의 개발을 주도해 왔습니다. 우리 기술로 만들어낸 KT-1 훈련기가 지금 수출시장에서 호평을 받고 있습니다. 지난해 시험비행에 성공한 T-50 초음속 항공기도 머지않아 양산 단계에 들어갑니다. 이와 같은 추세로 가면, 늦어도 2015년까지는 최신예 국산전투기의 개발이 이루어질 것입니다.

졸업생 여러분은 이처럼 원대한 공군의 비전을 실현해갈 주인공들입니다. 대한민국이 동북아의 중심국가로 우뚝 서는 날, 여러분은 선진국들과 어깨를 나란히 하는 '대한민국 항공우주군'의 주역이 될 것입니다.

친애하는 공사 51기 신임장교 여러분,

여러분의 선배들은 지금과는 비교도 할 수 없는 열악한 여건에서 '빨간 마후라'의 신화를 창조해 냈습니다. 필승공군의 명예를 지키며 조국의 영공을 사수해 왔습니다. 이제부터는 대한민국의 안보와 평화가 여러분에게 달려 있습니다. 불굴의 도전정신으로, 선배들이 쌓아온 필승공군의 전통을 더욱더 찬란하게 이어주기 바랍니다. 영공수호의 막중한 사명을 완수해주기 바랍니다.

21세기는 하늘을 지배하는 자가 세계를 지배하는 시대가 될 것입니다. 그리고 그 하늘은 여러분의 몫입니다. 나와 우리 국민은 항상 여러분과 함께 할 것입니다. 공사 51기 여러분의 앞날에 무운과 영광이 함께 하기를 기원합니다.

감사합니다.

# 제30회 상공의 날 기념식 연설

2003년 3월 19일

존경하는 상공인 여러분, 이 자리에 참석하신 내외 귀빈 여러분,

오늘 제30회 '상공의 날'을 맞아 우리 경제를 이끌어가고 계신 상공인 여러분께 깊은 감사와 격려의 말씀을 드립니다. 멀리 해외에서 오신 상공인 여러분께도 감사를 드립니다. 아울러 남다른 공로로 수상의 영예를 안으신 분들께 축하의 박수를 보냅니다.

상공인 여러분,

지금 우리는 안팎으로 거센 도전에 직면해 있습니다. 이라크 사태가 긴박합니다. 고유가 행진이 지속되면서 세계경제의 어려움이 가중되고 있습니다. 우리 내부에도 북한 핵 문제 등 해결해야 할 과제들이 많습니다. 우리 경제도 상당한 어려움에 봉착해 있습니다. 비상한 각오와 대응이 필요한 시점입니다. 정부는 이라크 사태가 우리 경제에 미칠 부정

적인 영향을 최소화하기 위한 다각적인 대응책을 마련해놓고 있습니다.

세계경쟁 또한 갈수록 치열해지고 있습니다. 세계 각국은 자국의 경쟁력을 높이기 위해서 안간힘을 쏟고 있습니다. 선진국은 첨단기술력을 바탕으로 쉼 없이 나아가고, 개도국은 우리를 쫓아오고 있습니다. 특히 중국의 도전이 만만치 않습니다. 말 그대로 국경 없는 경제전쟁 시대입니다. 우리는 지금 이러한 안팎의 도전을 극복하고 선진국으로 나아갈 것인가 하는 분수령 위에 서 있습니다. 관건은 경쟁력입니다. 무한경쟁을 이겨내고 다가올 동북아시대의 중심국가로 우뚝 서기 위해서는 경쟁력을 높여야 합니다. 경제는 물론 정치와 행정 등 모든 분야에서 개혁을 이루어야 합니다. 개혁은 경쟁에서 앞서나가기 위한 필수조건입니다.

무엇보다 기술혁신으로 '제2의 과학입국'을 이루어야 합니다. 기술력이야말로 경쟁력의 뿌리이자 성장의 동력입니다. 나아가 우리 경제의 활로입니다. 앞으로 10년, 20년 후에 우리 아이들이 먹고 살 거리를 준비하는 일입니다. 기술혁신은 우수한 인재를 키우는 데서 출발합니다. 더 많은 과학기술 투자가 이루어져야 합니다. 산·학·연 사이의 유기적인 협력체제도 중요합니다. 특히 모방이 아닌 우리만의 원천기술과 응용기술을 갖춰 나가야겠습니다. 미래 첨단산업을 체계적으로 육성하고, 전통제조업도 첨단기술을 접목해서 발전시켜 나가야 하겠습니다.

첨단기술력 못지 않게 시장개혁도 중요한 과제입니다. 세계 기준에 부합하는 경제, 자유롭고 공정하며 투명한 시장시스템을 만들어 나가야 합니다. 경제 체질이 건강해야 우리 기업의 효율성도 높아집니다. 세계와 경쟁할 수 있는 힘이 나옵니다. 진정으로 튼튼한 경제, 기업하기 좋은 나라를 만들 수 있습니다. 개혁의지가 있는 기업들이 충분히 감당할 수 있는 속도로 시장개혁을 해나가겠습니다. 그러나 확고한 의지를 가지고 쉬지 않고 하겠습니다.

나아가 사회 구성원 모두의 사고방식과 행동양식을 바꾸는 문화혁신도 필요합니다. 타협이 통하지 않는 분열과 갈등, 원칙과 상식이 지켜지지 않는 변칙과 편법, 이 모두가 경제 성장과 시장 선진화를 가로막는 요인들입니다. 이러한 잘못된 의식과 관행을 바꾸지 않고는 선진경제로 진입할 수 없습니다. 시장개혁도, 기술혁신도 제대로 이뤄질 수 없습니다. 게임의 규칙을 지키고 정정당당하게 승부하는 문화를 정착시켜야 합니다. 원칙과 신뢰, 대화와 타협의 문화가 사회 구석구석에 뿌리내려야 당당히 선진국에 진입할 수 있을 것입니다.

생산적인 노사관계의 정립도 시급합니다. 안팎으로 경제가 어려운 상황에서 노사관계마저 흔들린다면 세계와의 경쟁에서 낙오하고 말 것입니다. 노사관계의 기본은 신뢰입니다. 대화와 타협을 통해 상호 불신을 해소해 나가야 합니다. 노사 양쪽 모두에게 이익이 되는 방향을 찾아가야 합니다. 정부는 노사 어느 쪽도 불리한 대우를 받지 않도록 엄정 중립의 입장에서 중재하고 조정해 나갈 것입니다.

이 자리에는 지방에서 오신 분, 그리고 중소기업을 경영하시는 분들이 많을 것입니다. 저는 모든 지역이 골고루 발전하고, 대기업과 중소기업이 균형 있게 발전할 때 국가경쟁력도 높아질 수 있다고 믿습니다. 지방과 중소기업이 살지 않고는 나라경제가 바로 설 수 없습니다. 중앙과 대기업에 집중되어 있는 기회를 지방과 중소기업에도 분산해 가겠습니다. 중앙과 지방, 대기업과 중소기업이 서로 조화를 이루며 발전해가도록 하겠습니다.

경쟁력을 높이기 위해서는 정부와 정치권도 변해야 합니다. 정치권의 변화는 이미 시작되었습니다. 이제 행정도 바뀌어야 합니다. 경쟁력을 약화시키는 각종 규제는 사라져야 합니다. 경제를 효율적으로 뒷받침하는 서비스 행정이 이루어져야 하겠습니다. 더 이상 정치와 행정이 경제의 발목을 잡는 일은 없도록 할 것입니다.

존경하는 상공인 여러분,

이제 우리나라는 더 이상 동북아의 변방국가가 아닙니다. 우리 주변에는 중국·일본의 거대시장과 러시아의 풍부한 자원이 있습니다. 이를 연결하는 충분한 물류기반도 갖추고 있습니다. 정보화 기반은 이미 세계 선두권입니다. 이러한 조건들을 잘 활용하면 동북아의 중심국가로 도약할 수 있습니다.

우리는 위기가 오면 더욱 힘을 모아 극복해 온 경험을 가지고 있습니다. 숱한 도전과 난관을 이겨내고 오늘의 번영을 만들어낸 장본인이 바로 여러분들입니다. 저는 여러분의 열정을 믿습니다. 기업인과 근로자, 그리고 정부가 함께 노력하면 우리는 능히 지금의 어려움을 딛고 일어서 동북아 중심국가의 꿈을 이룰 수 있습니다.

우리 모두 자신감을 가집시다. 서로 손잡고 동북아 중심국가의 미래를 향해 나아갑시다. 우리 후손들에게 자랑스러운 나라를 물려줍시다.

감사합니다.

# 제19기 경찰대학 졸업 및 임용식 치사

2003-3-20

경찰대학 19기 졸업생 여러분, 학부모와 내외 귀빈 여러분,

오늘 영예로운 대한민국의 경찰간부로 힘차게 첫 발을 내딛는 여러분의 졸업과 임용을 축하합니다. 여러분의 당당하고 늠름한 모습이 참으로 자랑스럽습니다. 이처럼 훌륭한 경찰간부를 길러내기 위해 정성과 노력을 다해 온 경찰대학장과 교직원 여러분, 수고 많았습니다. 국민을 위해 봉사하는 자리에 귀한 자녀들을 맡겨주신 학부모님 여러분, 감사합니다. 그리고 진심으로 축하드립니다.

청년 경찰간부 여러분,

여러분은 '참여정부'의 시작과 함께 이 정든 교정을 떠나 국민 속으로 나아갑니다. 참여정부는 개혁과 통합의 정부입니다. 국민의 참여를 바탕으로 개혁과 통합을 이루고, 나아가 평화와 번영의 동북아 시대를

열어가야 합니다. 이것이 우리 모두에게 주어진 역사적 책무입니다.

특히 여러분의 사명이 막중합니다. 우리 14만여 경찰은 국민과 가장 가까운 곳에서 국민과 함께 호흡하고 있습니다. 국민들은 경찰관 한 사람 한 사람의 일거수 일투족을 통해서 정부를 평가합니다. 경찰이 국민에게 두터운 신뢰를 받으면 국민은 정부를 신뢰하게 됩니다. 그런 점에서 우리 경찰은 개혁과 통합의 기수이자, 희망찬 동북아 시대를 열어나가는 큰 일꾼이기도 합니다.

졸업생과 전국의 경찰관 여러분,

저는 이 자리를 빌려, 그동안 우리 경찰이 이룩해온 성과와 공헌에 대해서 높이 치하하고자 합니다. 우리 경찰은 한때 업무 수행과정에서 정치적 중립을 지키지 못해 국민을 실망시킨 일이 더러 있었습니다. 그러나 지금은 엄정 중립의 자세를 견지하면서 새로운 모습으로 국민에게 다가가고 있습니다. 정권을 위한 경찰이 아니라, 진정 국민을 위한 경찰로 거듭난 것입니다.

그러나 아직 투명하고 공정한 인사가 이루어지지 못한 점은 아쉬움으로 남아 있습니다. 참여정부에서는 열심히 일하고 능력있는 사람이 정당한 대우를 받는 공정한 인사원칙이 정착되어야 합니다. 이제 지연이나 학연, 친소관계와 정치적 편향에 따른 인사로 경찰의 사기가 꺾이는 일이 있어서는 안 될 것입니다.

졸업생과 재학생, 전국의 경찰관 여러분,

경찰의 가장 큰 사명은 국민의 생명과 재산을 지키는 것입니다. 국민이 안심하고 살 수 있는 나라, 안전한 나라를 만드는 것이 여러분의 첫

번째 사명입니다. '대구 지하철 참사'는 그런 나라를 만들기 위해 우리가 해야 할 일이 아직도 많다는 사실을 깨닫게 해주었습니다. 다시는 이렇게 가슴아픈 일이 되풀이되어서는 안 되겠습니다. 사전예방이 무엇보다 중요합니다. 안전사고에 미리 대비하고 범죄가 줄어들 수 있는 환경을 만들어야 합니다. 특히 이러한 시스템을 업그레이드하는 데 우리 경찰이 앞장서야 하겠습니다. 더욱이 지금은 나라 안팎의 상황이 비상한 국면입니다. 이라크 사태와 북핵 문제 등 어려운 도전에 직면해 있습니다. 이런 때일수록 우리 경찰이 민생치안과 사회안정을 더욱 확고히 함으로써 국민이 안심하고 생업에 종사할 수 있도록 해야겠습니다.

우리 사회의 어렵고 힘든 사람들을 보호하는 것 또한 경찰의 중요한 임무입니다. 힘없는 사람들이 억울함과 좌절감을 느껴서는 안 됩니다. 특권과 반칙이 허용돼서는 안 됩니다. 국민 모두에게 공정한 법 집행이 이루어져야 합니다. 특히 조직폭력·학교폭력·성폭력 등 약한 사람을 괴롭히는 범죄가 발붙이지 못하게 해야 합니다. 그러한 가운데 서로 믿고 아끼고 돕는, 따뜻한 사회를 만들어가야 하겠습니다. 경찰은 국민의 높아진 인권의식에도 부응해 나가야 합니다. 깨끗한 경찰은 우리 사회를 맑게 합니다. 경찰이 한 순간이라도 정도에서 벗어나면 그동안 쌓아올린 신뢰가 하루아침에 무너지게 된다는 점을 깊이 명심하기 바랍니다.

졸업생 여러분과 전국의 경찰관 여러분,

나는 경찰관 여러분이 어려운 여건에서 힘들게 근무하고 있는 것을 잘 알고 있습니다. 따뜻한 위로와 격려를 보냅니다.

참여정부는 경찰의 희생과 인내만을 요구하지는 않을 것입니다. 나는 대통령으로서 대한민국 경찰이 긍지를 가지고 일할 수 있도록 깊은 관심을 기울일 것입니다. 경찰의 인력과 장비를 확충하고 경찰 선진화를 위한 지원을 아끼지 않겠습니다. 경찰과 관련하여 적지 않은 개혁 과제들이 있습니다. 하나하나 점진적으로 풀어가겠습니다.

그동안 경찰의 업무능력이 크게 향상되고, 국민에 대한 봉사자세 또한 굳건해졌습니다. 이에 따라 경찰에 대한 국민의 신뢰도 높아졌습니다. 이제 우리 경찰도 이에 걸맞은 책임과 권한을 가질 때가 되었다고 생각합니다.

현재 일부 경미한 범죄에 대해서는 경찰이 사실상의 수사권을 행사하고 있습니다. 이러한 현실을 감안하여 이를 제도화하고, 점진적으로 넓혀나가는 방안을 검토해 나갈 것입니다. 차근차근 시간을 두고 추진해 나가되, 임기 내에 반드시 실현될 수 있도록 하겠습니다. 자치경찰제의 도입도 숙제로 남아 있습니다. 이 문제도 장기적인 계획 아래 풀어 나가도록 하겠습니다.

사랑하는 졸업생 여러분,

여러분은 힘들고 고단한 경찰의 길에 몸을 던졌습니다. 하지만 그 길은 보람도 큰 길입니다. 여러분의 따뜻한 말 한마디와 친절한 미소가 서민들에게는 희망과 용기가 됩니다. 공정하고 엄격한 공권력의 행사가 우리 사회의 정의를 바로 세웁니다. 원칙과 신뢰, 공정과 투명의 건강한 문화를 꽃피웁니다. 활기찬 경제와 튼튼한 안보도 확고한 치안 위에서 가능합니다. 여러분은 바로 그 보람찬 길에 들어선 것입니다.

여러분의 앞길에 영광과 보람이 함께 하기를 기원하면서, 다시 한번 여러분의 새 출발을 축하합니다.

감사합니다.

# 제주국제컨벤션센터 개관식 축하 메시지

2003년 3월 22일

존경하는 제주도민 여러분, 안녕하십니까?

제주 국제컨벤션센터가 5년여의 긴 공사를 마치고 개관했습니다. 동시에 제주 밀레니엄관이 공사를 시작하게 되었습니다. 참으로 고생하셨습니다. 그리고 축하드립니다. 특히 제주도민들께서는 컨벤션센터 건립에 420억 가량의 출자 참여를 하셨습니다. 도민과 정부가 힘을 합친 좋은 사례입니다. 저는 오늘을 계기로 한국의 국제회의 산업이 한 단계 더 도약했다고 말씀드리고 싶습니다.

흔히들 국제회의 산업을 21세기 관광산업의 꽃이라고 합니다. 바로 이런 이유로 세계 많은 나라들은 회의산업을 적극적으로 육성해 나가고 있습니다. 우리나라도 예외는 아닙니다. 그동안 국제 수준의 컨벤션센터를 건립하기 위해서 많은 투자를 해 왔습니다. 그리고 오늘 이렇게 제주에 훌륭한 국제컨벤션센터가 건립되었습니다. 우리 관광산업의 숙원이 풀린 셈입니다. 이를 계기로 제주도가 국제회의의 중심지로, 나아가 관광의 메카로 성장하기를 기대합니다.

내년에는 아시아·태평양 관광협회(PATA)와 아시아개발은행(ADB) 총회가 이곳에서 개최됩니다. 잘 준비해서 세계인이 기억하고 다시 찾을 수 있게 합시다. 저와 참여정부도 다각적인 지원을 아끼지 않겠습니다.

다시 한번 국제컨벤션센터의 개관을 축하드리며 평화의 섬, 제주의 새로운 도약을 기대합니다.

감사합니다.

# 제38기 육군3사관학교 졸업 및 임관식 치사

2003년 3월 26일

친애하는 육군3사관학교 졸업생 여러분, 학부모와 사관생도, 그리고 내외 귀빈 여러분,

자랑스러운 3사 38기 여러분의 졸업을 진심으로 축하합니다. 그동안 정말 수고가 많았습니다. 어려운 교육과정을 성공적으로 마치고, 영예로운 대한민국 육군장교로 임관하는 여러분에게 각별한 격려를 보냅니다. 여러분의 두 어깨에는 조국과 국군의 미래가 걸려 있습니다. 그만큼 여러분에 대한 기대가 큽니다. 여러분 모두가 '하나로, 미래로 전진하는 정예육군'의 선도자가 되어줄 것으로 확신합니다.

이처럼 믿음직한 장교들을 길러낸 학교장 박장규 장군, 그리고 교수진과 훈육관 여러분의 노고에 깊이 감사드립니다. 사랑하는 아들들을 나라에 맡겨주신 학부모 여러분께도 감사와 축하의 인사를 드립니다.

졸업생과 사관생도, 국군장병 여러분,

그리고 국민 여러분,

이라크 전쟁이 발발함에 따라 세계의 안보정세가 긴박해지고 있습니다. 정부는 미국의 입장에 지지를 표명하고 건설공병과 의무부대를 파병하기로 결정했습니다. 이러한 결정은 명분이나 논리보다는 북핵 문제를 슬기롭게 풀어나감으로써 한반도의 평화를 유지해야 한다는, 대단히 전략적이고도 현실적인 판단에 기초한 것입니다. 한, 미간의 신뢰가 더욱 돈독해질 때, 우리는 북핵 문제의 해결과 북·미 관계의 개선에 결정적 역할을 할 수 있는 토대를 갖추게 될 것입니다.

최근 일각에서 이라크 전쟁 이후 미국의 대북 공격 가능성이 거론되고 있습니다. 그러나 이는 전혀 근거가 없는 것입니다. 미국의 책임 있는 당국자들은 한결같이 북핵 문제의 평화적 해결 원칙을 수차례에 걸쳐 우리 정부에 밝혀왔습니다. 이라크 사태와 북핵 문제는 분명히 그 성격이 다릅니다. 북핵 문제에 대응하는 과정에서는 우리 국민과 정부의 의지가 미국의 정책선택에 결정적인 역할을 할 것입니다.

적어도 한반도에서 우리가 원하지 않는 전쟁은 없을 것입니다. 이를 관철해내기 위해서도 우리는 한·미·일 공조체제를 더욱 공고히 유지해야 합니다. 이러한 현실적 판단을 바탕으로 정부는 이라크전 파병을 결정하게 되었습니다. 무엇보다 한반도의 평화정착을 최우선 순위로 고려한 것입니다. 이 점에 대해서 국민 여러분의 깊은 이해가 있으시기를 바랍니다.

졸업생과 사관생도, 국군장병 여러분,

오늘의 이 고비를 넘어서면, 우리 앞에는 밝은 미래가 펼쳐질 것입니다. 우리에게는 충분한 역량이 있습니다. 참여정부는 4,800만 국민과 함께 평화와 번영의 동북아시대를 열어나갈 것입니다. 이를 위해서도 한반도에 평화를 정착시키는 일이 시급합니다. 평화는 튼튼한 안보의 토대 위에서만 지켜질 수 있습니다. 육군의 사명과 책무가 바로 여기에 있습니다. 우리는 튼튼한 국가안보의 중추로서 평화를 위협하는 어떠한 도전도 단호히 물리칠 수 있는 디지털 정예육군을 건설해야 합니다.

이를 위해 육군은 지금까지 많은 노력을 기울여 왔습니다. 군 운영을 합리화하는 한편, 질적으로 정예화된 전력구조를 구축해 왔습니다. 그 결과, 올 가을부터 병사들의 복무기간을 2개월 단축시킬 수 있게 되었습니다. 여기에서 절감되는 인력과 자원은 우리 경제를 발전시키는 새로운 활력소가 될 것입니다. 아울러 육군은 전력의 과학화와 정보화를 위한 노력을 더욱 본격화해 나가야 합니다. 지휘통제체제(C4I)를 첨단화하고, 실전적인 교육·훈련을 강화해야 합니다.

장병들의 처우와 근무여건도 지속적으로 향상시켜 나가야 할 것입니다. 전역 군인들의 취업률을 높이고 생활을 안정시키는 대책을 마련해야 합니다. 첨단 장비도 중요하지만, 사기는 더욱 중요하기 때문입니다. 나는 우리 육군이 사기충천한 가운데 튼튼한 안보의 선봉에 설 수 있도록 적극 지원하고 협력할 것입니다.

친애하는 신임장교 여러분,

여러분은 언제 어디서나 육군3사관학교의 명예와 자부심을 자랑스럽게 간직해야 할 것입니다. 1968년 3사의 탄생은 엄중한 시대적 요구에서 비롯되었습니다. 국가안보가 심각한 위협에 처해 있던 당시에 정예 육군장교의 양성은 초미의 과제였습니다. 그 후로 3사는 육군장교의 절반 이상을 배출하는 대한민국 최대의 사관학교로 성장하여 국민의 기대에 부응했습니다. 사관생도와 학사장교, 법무, 군의, 군종장교에 이어서, 올해부터는 여군장교까지 양성하게 됩니다.

이곳 충성대는 신라의 화랑들이 3국 통일의 꿈을 키웠던 곳입니다. 또, 6·25 전쟁 때에는 수많은 선배 국군들이 피로써 지켜낸 곳입니다. 여러분의 피 속에는 그 선배들의 혼과 얼이 흐르고 있습니다. 화랑의 기백과 불굴의 도전 정신이 맥박치고 있습니다.

나와 우리 국민은 여러분을 믿습니다. 여러분 모두가 조국수호의 사명을 완수함으로써 자랑스러운 대한민국을 후손에게 물려주는 당당한 주역이 되어 주기를 바랍니다.

신임장교 여러분의 장도에 무운과 영광이 함께 하기를 기원합니다.

감사합니다.

# 4월

# 제238회 임시국회 국정연설

2003년 4월 2일

존경하는 국회의장, 그리고 국회의원 여러분, 이 자리를 지켜보고 계신 국민 여러분.

이 곳 민의의 전당에서 국민의 대표이신 국회의원 여러분을 모시고 국정운영에 관한 저의 소견을 말씀드리게 된 것을 영광스럽게 생각합니다. 사실 제가 운이 좋은 대통령이었다면 보다 많은 의원들을 여당으로 모시고, 첫 번째 국회 국정연설을 할 수 있었을 것입니다. 그것도 미래의 국가 청사진에 관해 말씀드릴 수 있었을 것입니다. 그러나 오늘 우리가 처한 상황은 그렇지 못합니다.

저는 이라크전 파병문제부터 말씀드리지 않을 수 없습니다. 많은 의원님들과 국민들이 파병을 반대하고 계십니다. 가장 큰 이유는 이번 전쟁이 명분이 없다는 것입니다. 명분이 있고 없음에 대해서 논쟁하고 싶은 생각은 없습니다. 또한 반대명분 중에는 이번 전쟁에 우리가 파병을 할 경우 장차 미국이 북한을 공격하려 할 때 이를 반대할 명분이 없어진다는 주장도 있습니다. 이것은 명분론을 전제로 한 현실론인 것 같이 보입니다. 그렇습니다. 명분은 중요합니다. 앞으로 세계질서도 힘이 아닌 명분에 의해서 움직여져야 합니다. 명분에 의해서 움직여 가는 시대가 와야 합니다. 그러나 유감스럽게도 아직은 명분이 아니라 현실의 힘이 국제정치 질서를 좌우하고 있습니다. 국내정치에서도 명분론보다는 현실론이 더 큰 힘을 발휘하는 경우가 더 많습니다.

저는 명분을 중시해 온 정치인입니다. 정치역정의 중요한 고비마다 불이익을 감수하면서도 명분을 선택해 왔습니다. 그래서 때로는 지나치게 이상을 추구한다는 비판을 듣기도 했습니다. 심지어는 정치인으로서의 자질에 의심을 받기도 했습니다. 1990년 '3당합당' 때도 그랬고, 1995년 통합민주당이 분당될 때도 그랬습니다.

지난 대통령 선거 때 정몽준 후보와 단일화가 이루어진 이후 정 후보는 공동정부를 요구해 왔습니다. 그 당시 저를 돕던 많은 분들은 그 제안을 수용하라고 강력히 권고했습니다. 그렇게 하지 않으면 선거에 진다는 것이 그 이유였습니다. 그러나 저는 받아들이지 않았습니다. 차라리 저는 패배를 택하겠다고 대답했습니다. 목전에 승패가 갈라질 수 있는 절박한 상황이었지만 저는 명분을 선택했습니다.

그런 제가 이번에는 파병을 결정하고 여러분의 동의를 요청하고 있습니다. 저의 결정에 나라와 국민의 운명이 달려 있기 때문입니다. 저에게는 국민 여러분의 안전을 지켜야 할 책임이 있습니다. 대통령 선거에서 낙선하는 것은 제 개인의 문제이고, 더 나가더라도 동지들의 문제일 뿐입니다. 그러나 대통령이 된 지금 저의 선택은 제 개인의 선택일 수 없습니다. 그 결정에 나라의 운명이 달려있기 때문입니다.

제가 대통령에 당선되었을 즈음, 미국의 여러 사람들이 수시로 대북 공격 가능성을 언급하고 있었습니다. 그 중에는 책임 있는 당국자들도 있었습니다. 제가 대북 공격에 반대하면 한·미 공조가 흔들리고, 제가 한·미 공조를 위하여 대북 공격을 찬성하면 곧 전쟁이 기정사실화 될 수 있을 것만 같은 상황이었습니다.

전쟁만은 막아야 했습니다. 그래서 저는 공개적으로 반대의사를 표명했습니다. 과거에도 여러 차례 한·미간에는 이견과 갈등이 있었지만 대화를 통해 이를 회복해온 경험이 있기 때문에 저는 이번에도 이견은 해소될 수 있는 것이라고 믿었습니다. 다행히 이견은 해소되었거나 해소되어가고 있습니다. 지금은 미국의 책임 있는 당국자 그 누구도 대북 공격가능성을 말하지 않습니다. 오히려 적극적으로 평화적 해결을 거듭 강조하고 있습니다.

지난 3월 29일 외교통상부 장관이 미국을 방문하였을 때, 콜린 파월 미 국무장관과 라이스 안보보좌관은 "북한과 이라크는 상황과 조건이 다르기 때문에 북핵 문제도 군사적인 수단을 사용하지 않고 외교적인 방법을 통해 평화적으로 해결하겠다"는 것을 재차 확인했습니다. 그러나 이제 겨우 발등의 불을 껐을 뿐이라고 생각합니다. 아직 위험은 남아 있습니다.

저는 생각하고 또 생각했습니다. 많은 전문가들의 조언도 들었습니다. 명분에 발목이 잡혀 한·미관계를 갈등관계로 몰아가는 것보다, 오랫동안의 우호관계와 동맹의 도리를 존중하여 어려울 때 미국을 도와주고 한미관계를 돈독히 하는 것이 북핵 문제를 평화적으로 해결하는 길이 될 것이라는 결론을 내렸습니다.

존경하는 의원 여러분, 그리고 국민 여러분.

우리가 원하지 않는 한 한반도에서는 어떤 전쟁도 없을 것입니다. 우리와의 합의가 없는 한 미국은 북핵 문제를 일방적으로 처리하지 않을 것입니다. 이 약속은 반드시 지켜질 것입니다.

저는 그동안 대등한 한미관계를 여러 차례 강조해 왔습니다. 그러나 대등한 한미관계는 국민의 생존이 안전하게 보장되었을 때 비로소 가능한 것입니다. 대등한 한미관계를 위하여 국민의 생존을 위협하는 결정을 한다면, 그것은 무모한 결정이 될 수도 있는 것입니다. 그래서 저는 당선자 시절부터 '선-북핵 해결, 후-SOFA 개정'을 말해 왔습니다. 앞으로 대등한 한미관계를 위해서 지속적으로 노력해 나가겠습니다.

이라크 사태도 그 명분을 두고 많은 논란이 있습니다. 마찬가지로 북핵 문제의 해결과정에서도 명분상의 논란이 있을 수 있습니다. 미국이나 국제사회도 명분에 따라서만 태도를 결정하지는 않을 수도 있습니다. 북핵 문제의 평화적인 해결을 위해서는 무엇보다 굳건한 한미 공조가 중요한 것입니다.

저는 어려운 우리 경제도 생각했습니다. 저는 전쟁 가능성에 대한 불안이 우리 경제를 어렵게 하는 것이라고 생각하여 미국의 대북 공격을 공개적으로 반대하기도 하고, 한반도에 전쟁이 없을 것임을 국제투자가들에게 누누이 강조했습니다. 그러나 많은 투자자들을 만나본 결과 그들은 제 생각과는 달랐습니다. 전쟁의 위험에 대한 현실적 가능성보다는 한미관계의 갈등요소를 더 큰 불안요인으로 인식하고 있었습니다. 우리의 파병 결정은 이들의 불안을 해소하는 데 크게 기여하고 있습니다.

존경하는 국민 여러분,

마음을 하나로 모아 주십시오. 저를 믿고, 또 우리 국회를 믿고 힘을 모아주십시오. 한반도의 평화는 반드시 지켜내겠습니다. 그리고 평화와 번영의 동북아시대를 반드시 성공시켜 내겠습니다.

존경하는 의원 여러분,

결단을 내려 주시기 바랍니다. 용기 있는 결단을 내려 주시기 바랍니다. 여러분의 선택에 우리의 운명이 달려 있습니다. 대통령의 성의를 보고 결정할 문제가 아닙니다. 바로 여러분들이 국민의 대표로서 당당하게 소신을 가지고 국민의 운명을 결정해주셔야 합니다.

존경하는 의원 여러분, 그리고 국민 여러분,

이제 경제문제에 대해서 말씀드리겠습니다. 우리 경제가 어렵습니다. 힘을 모읍시다. 우리가 합심하면 우리는 이 어려움을 충분히 이겨낼 수 있습니다. 우리는 이보다 더 큰 어려움도 여러 차례 이겨낸 경험을 가지고 있습니다.

저와 정부도 최선을 다하고 있습니다. 반드시 극복해내겠습니다. 어렵다고 단기부양책을 쓰지는 않겠습니다. 1989년 말 '6공 정부'는 경기부양을 위해 막대한 돈을 증권시장에 쏟아 부었습니다. 이로 인해 집값, 전세값이 폭등했습니다. 많은 직장인들이 서울에서 지방으로 밀려났습니다. 그마저도 감당할 수 없었던 사람들은 스스로 목숨을 끊기도 했습니다. 그리고 우리 경제의 체질은 나빠져 버렸습니다. 1993년 문민정부는 '신경제 100일 계획'이라는 이름을 내세우고 또다시 돈을 푸는 정책을 썼습니다. 그리고 5년 후 우리 경제는 IMF 위기라는 파탄을 맞고 말았습니다.

반면에, 1997년 외환위기 이후 국민의 정부는 구조조정과 개혁을 추진했습니다. 그 결과 우리 경제의 체질은 훨씬 더 튼튼해진 것이 사실입니다. 기업의 재무구조는 획기적으로 개선되었고, 상호지급보증의 고리도 끊어졌습니다. 더 이상 청와대나 실력자의 전화를 받고 대출해주는 은행도 없어졌습니다.

바뀌어진 체질을 바탕으로 우리 경제는, 지난해까지 중국 다음으로 세계에서 가장 높은 경제성장을 이룩해 왔습니다. 불경기로 아우성쳤던 2001년조차도 3.1%의 성장을 기록했습니다. 이것은 우리와 경쟁하고 있는 동아시아 국가들이 마이너스 성장을 기록한 것에 비하면 괄목할만한 성과입니다. 무역수지 흑자 행진도 계속되었습니다.

경제의 건강성도 상당히 좋아졌습니다. 'SK글로벌 회계부정사건'이 발생했음에도, 큰 충격 없이 극복해 나가고 있습니다. 만일 그렇지 않은 상황에서 'SK글로벌 사건'과 같은 일이 일어났다면 또다시 우리 경제를 주저앉게 했을지도 모릅니다. 경제는 원칙과 일관성이 중요합니다. 개혁은 계속되어야 합니다.

세계 경제의 침체와 이라크 전쟁이 우리 경제를 어렵게 하고 있습니다. 북핵 문제도 어려운 경제를 더욱 어렵게 하고 있습니다. 국내적으로도 가계부채의 부실로 인한 금융불안과, 소비위축으로 인한 수요부족이 우리 경제를 어렵게 하고 있습니다. 국민의 정부가 2001년 불경기를 극복하기 위하여 개혁의 고삐를 늦추고, 심지어 부동산 경기를 부추기기도 하고 무분별한 가계대출의 확대를 방치했던 결과입니다.

그러나 국민 여러분, 너무 걱정하지 마십시오. 정부는 이미 대책을 세워놓고 있습니다. 부동산 시장은 안정되어 가고 있습니다. 'SK글로벌 사건'이 큰 충격을 주었지만, 금융기관과 정부가 협력하여 대처한 결과, 금융시장은 이제 안정되어 가고 있습니다. 그래도 혹시 있을지 모르는 금융시장의 위기에 대비하여 정부는 제2, 제3의 방어벽도 마련해두고 있습니다. 어려움은 반드시 극복될 것입니다.

존경하는 의원 여러분.

앞서 말씀드린 대로 그동안 우리 경제는 많은 개혁을 이루어왔습니다. 그러나 'SK글로벌 사건'에서 보듯이 아직 충분하지 않습니다. 무엇보다도 투명성을 더욱 높여야 합니다. 이제는 '이중장부'의 시대는 아닙니다. 시장이 이를 용납하지 않습니다. 이중장부를 가지고는 세계시장에서 경쟁할 수 없습니다. '증권관련 집단소송제'를 조기에 도입하고, '기업회계제도'를 국제기준에 맞게 개선해 나가야 합니다.

지배구조의 개선도 필요합니다. 지금과 같은 불합리한 지배구조로는 합리적인 의사결정이 어렵습니다. 비효율적인 투자를 유발하고 종국에는 경제를 위험에 빠뜨릴 수도 있습니다. '사외이사제도'의 내실화를 기하는 방안을 강구할 필요가 있습니다. 불공정한 거래관행도 아직 남아 있습니다. 시장지배력이 남용되거나 약자와 이해관계자의 권익이 부당하게 침해되어서는 안 됩니다. '부당내부거래'를 지속적으로 시정해 나가겠습니다.

참여정부는 지속적인 개혁을 통해서 투명하고 공정한 시장을 만들어나갈 것입니다. 제도를 개혁하고, 또 현실과 제도에 괴리가 있을 때는 현실을 제도에 맞춰나가야 합니다. 이러한 개혁은 지속되어야 합니다. 다만, 몰아치기 수사나 특정 기업에 대한 표적수사는 하지 않겠습니다.

경제계와 학계의 의견을 충분히 수렴하고 향후 3년 정도의 계획을 세워서 시장개혁을 차근차근 추진해 나가겠습니다. 보통의 기업이 성의 있게 노력하면 감당할 수 있는 속도로 개혁을 추진해 나가겠습니다. 다만, 'SK글로벌 사건'과 같이 시장에서, 또는 일상업무의 과정에서 적발된 위법사실에 대해서는 법과 원칙대로 처리해 나가겠습니다. 자연스럽게 노출된 사건을 억지로 덮을 수는 없는 것입니다. 저의 임기 말에는 선진국 수준의 투명하고 공정한 시장을 만들겠습니다. 현재 40위인 '투명성지수(TI)' 순위를 아시아 최고 수준인 20위권으로 반드시 올려놓겠습니다.

우리 경제가 지속적으로 발전하기 위해서는 투자가 지속적으로 늘어나야 합니다. 투자가 늘어나기 위해서는 시장이 넓어져야 하고, 시장을 넓히기 위해서는 우리 상품의 기술경쟁력이 높아져야 합니다. 시장은 상품의 경쟁력에 의해서 만들어지는 것입니다. 핵심은 기술혁신입니다. 이제 제2의 과학기술입국이 필요합니다. 저는 이 같은 신념으로 산업기술과 원천기술·기반기술은 물론 기초과학에 이르기까지 과학기술을 골고루 발전시켜 나가겠습니다. 이를 토대로 세계 10위권의 경제강국을 반드시 이루어내겠습니다. 기술개발의 주체는 곧 사람입니다. 인재양성이 기술개발의 핵심입니다. 고급 과학기술 연구인력은 물론, 산업현장에 바로 투입할 수 있는 기술인력 양성을 적극 추진해 나가겠습니다.

산·학·연 연계체제도 더욱 내실 있게 갖춰가겠습니다. 그래서 과학과 기술이 그 자체의 발전에 머물지 않고 산업경쟁력을 높이는 동력이 될 수 있도록 하겠습니다. 노사문화도 이제 달라져야 합니다. 불신과 대결의 노사관계를 가지고는 더 이상 앞으로 나아갈 수 없습니다. 대화와 타협의 노사문화를 가꾸어나가야 합니다. 이제는 노동조합도 파업과 투쟁을 결정하기 전에 먼저 대화와 타협을 위해 노력해야 합니다. 대화와 타협을 위해서는 노사간의 신뢰가 중요합니다. 신뢰의 첫 번째 조건은 투명성입니다. 기업은 경영정보를 투명하게 공개하고 대화에 나서야 합니다. 정부도 노력하겠습니다. 공권력으로 문제를 해결하기 전에, 대화와 타협이 이루어지도록 적극적으로 중재하고 조정해 나가겠습니다. 갈등을 조정하는 것은 정부가 해야 할 본연의 임무입니다. 정치가 해야 할 의무입니다.

경제가 어려워지면 맨 먼저 서민들이 고통을 받게 됩니다. 집값, 전세값은 반드시 안정시키겠습니다. 이 문제만큼은 대통령인 제가 의지를 가지고 직접 챙겨 나가겠습니다. 사교육비 문제도 해결해 나가겠습니다. 학교에서 열심히 공부하면 좋은 대학에 갈 수 있도록, 공교육의 질을 높이겠습니다. 또 어느 대학을 나와도 성공할 수 있도록 우리 사회를 개혁해 나가겠습니다.

저는 앞서 시장개혁을 말씀드렸습니다. 그러나 시장개혁만으로 시장은 개혁되지 않습니다. 시장은 우리의 일상생활 속에 있습니다. 일상생활 속의 생각과 행동이 달라져야 시장이 달라지는 것입니다. 투명하고 공정한 시장을 위해서는 투명하고 공정한 사회문화가 먼저 정착되어야 합니다. 반칙과 뒷거래가 성공하고, 특혜와 이권이 통하는 사회에서는 시장이 바로 설 수 없습니다. '원칙과 신뢰', '투명과 공정', '분권과 자율', '대화와 타협'을 저는 국정원리로 강조하고 있습니다. 이러한 가치들이 우리의 일상생활 속에 뿌리내릴 때, 비로소 진정한 시장개혁이 이루어질 것입니다. 건강한 사회, 상식이 통하는 사회가 되어야 합니다. 건강한 사회가 되기 위해서는 먼저 정부와 정치가 개혁되어야 합니다.

존경하는 의원 여러분,

저는 정치개혁을 말하기 전에 대통령인 저부터 솔선수범 하겠습니다. 이제 대통령의 초법적인 권력행사는 더 이상 없을 것입니다. 국가정보원·검찰·경찰·국세청, 이른바 '권력기관'을 더 이상 정치권력의 도구로 이용하지 않겠습니다. 저는 이들 권력기관을 국민 여러분께 돌려드리겠습니다. 더 이상 정치사찰은 없을 것입니다. 표적수사도 없을 것입니다. 도청도 물론 없을 것입니다. 야당을 탄압하기 위한 세무사찰도 없을 것입니다. 이제 권력을 위한 권력기관은, 국민을 위한 봉사기관으로 거듭날 것입니다.

또 이미 밝혔듯이, 감사원의 회계감사 기능을 국회로 이양하겠습니다. 그렇게 하면 국회의 감사기능와 정책역량이 향상 될 것입니다. 국회의 감사역량이 더욱 개선되면 결국 행정의 투명성도 제고될 것입니다.

권력기관뿐 아니라 일반 공직사회도 개혁하겠습니다. 개혁의 전담기구를 두고 일상적인 개혁이 이루어지도록 해나가겠습니다. 공직사회의 효율성을 높여 국민에 대한 봉사 수준을 높여 나가겠습니다. 재정제도도 투명성과 효율성을 높여 나가겠습니다.

공직사회의 개혁을 말하면 사람들은 부처의 통폐합과 구조조정을 머릿속에 떠올립니다. 그러나 저는 작은 정부를 말하지 않았습니다. 저는 작은 정부가 아니라 효율적인 정부라야 한다고 생각하고, 또 그렇게 말해왔습니다. 효율성을 높여 공무원들이 이전보다 두 배 더 국민들에게 봉사하도록 하겠습니다. 저는 공무원이 개혁의 주체가 돼서 공직사회를 스스로 개혁하도록 유도해 나가겠습니다. 공무원 스스로 무엇을 개혁할 것인가를 찾고 개혁을 주도해 나가시기 바랍니다. 개혁을 위해 적극적으로 노력하는 공무원에게는 더 많은 기회가 주어질 것입니다. 낡은 기득권에 안주하는 공무원은 낙오할 것입니다.

존경하는 의원 여러분.

우리 정치는 많이 달라지고 있습니다. 지난 대통령선거에서 여야 모두 이전과는 비교할 수 없을 만큼 적은 비용으로 선거를 치렀습니다. 그것도 비교적 투명하게 치러냈습니다. 놀라운 변화가 아닐 수 없습니다. 이젠 정당이 달라질 차례입니다. 정당을 당원들에게 돌려줘야 합니다. 이미 각 정당들이 상향식 공천제도를 채택했습니다. 그러나 지구당위원장 스스로가 임명한 대의원들이 다시 자신을 선출하는 시스템으로는 진정한 의미의 상향식 공천이라고 말하기 어려울 것입니다.

권리와 의무를 다하고 적극적으로 참여하는, 자발적인 당원들을 확보하고 그 당원들에 의해서 상향식 공천이 이루어져야 합니다. 그러나 그렇게 되기까지는 상당한 시간이 필요할 것입니다. 그동안에는 국민들이 참여하는 '국민공천제도'의 도입을 제안 드립니다. 의원 여러분들께서 결심하시면 할 수 있는 일입니다.

정치자금은 더 투명해져야 합니다. 아울러 제도는 합리적으로 보완되어야 합니다. 현행 정치자금 제도로는 누구도 합법적으로 정치를 하기 어렵게 되어 있습니다. 예를 들면, 당대표나 후보 경선을 위한 선거자금 제도, 그리고 지방자치선거에 나서는 후보자를 위한 정치자금 제도는 마련되어 있지 않습니다. 이렇게 부실한 제도를 만들어놓고는 투명한 정치를 할 수 없습니다.

아울러 뜻있는 젊은이들이 친구나 친지들로부터 도움을 받아 떳떳하게 정치에 입문하고 출발할 수 있는 길도 열어줘야 합니다. 현역의원이나 지구당위원장이 아니면 후원금을 모금할 수 없는 현행 제도로는 합법적으로 정치자금을 마련할 길이 없습니다. 따라서 현역의원이나 지구당위원장이 아닌 사람도 상식에 벗어나지 않는 수준에서 후원금을 모을 수 있고, 또 그 일부를 최소한의 생계자금으로 사용하는 것까지도 허용해야 합니다. 정치하는 사람에게 '뭐 먹고사느냐'고 물었을 때, 확실한 부업을 가진 경우 말고는 답변하기가 난감합니다. 그것이 우리 정치 현실 아닙니까, 국민들께 솔직히 말씀드리고 제도를 개선해 나가야 합니다.

지역구도는 반드시 해소되어야 합니다. 지역구도를 이대로 두고는 우리 정치가 한 발짝도 앞으로 나갈 수 없습니다. 내년 총선부터는 특정 정당이 특정 지역에서 2/3 이상의 의석을 독차지할 수 없도록 여야가 합의하셔서 선거법을 개정해주시기 바랍니다. 이러한 저의 제안이 내년

17대 총선에서 현실화되면, 저는 과반수 의석을 차지한 정당 또는 정치연합에게 내각의 구성권한을 이양하겠습니다.

이는 대통령이 가진 권한의 절반, 아니 그 이상을 내놓는 결과가 될 것입니다. 많은 국민들이 요구하는 '분권적 대통령제'에 걸 맞는 일이기도 합니다. 헌법에 배치된다는 지적도 있습니다만, 국무총리의 제청을 받아 대통령이 국무위원을 임명하는 현행 제도 아래서, 국무총리의 제청권을 존중하면 가능한 일입니다. 나라의 장래를 위해서 충심으로 드리는, 저의 간곡한 제안입니다. 받아들여 주시면 좋겠습니다.

존경하는 의원 여러분, 그리고 국민 여러분,

많은 사람들이 언론개혁을 얘기하고 있습니다. 그러나 정부가 나서서 할 수 있는 일은 없습니다. 할 수 있는 일이 있다면 오로지 언론과의 부당한 유착관계를 끊는 일뿐입니다. 물론 언론개혁과는 별개의 문제입니다. 정부가 하는 일은 사실 그대로 국민들에게 전달되어야 합니다. 정부가 한 일이 잘못 전달되었을 때 정부는 이것을 바로 잡아야 합니다. 이것은 권리이자 의무입니다.

정부는 부당한 왜곡보도에 대해서는 원칙에 따라 대응해나갈 것입니다. 오보에 대해서는 정정보도와 반론보도 청구로 대응하고, 경우에 따라서는 민·형사상의 책임도 물어나갈 것입니다. 거듭 말씀드리지만, 이것은 정부의 정당한 권리입니다. 결코 쉬운 일이 아니고 어려운 일입니다. 그러나 반드시 해내겠습니다.

정부 부처의 사무실 방문취재를 제한한 것에 대해서도 논란이 있습니다. 국민의 알 권리와 언론의 취재 권리도 중요하지만 공무원들이 안정되게 일할 권리도 보호되어야 합니다. 열심히 일하고 있던 공무원들이 사무실에 들어오는 기자를 보고 허겁지겁 서류를 감추는 모습은 자연스럽지 않습니다. 결코 보기 좋은 모습도 아닙니다. 어느 선진국도 사무실 출입을 무제한으로 허용하는 경우는 없습니다. 또한 아직 정책으로 확정되지 않은 서류나 문건이 유출되어 그것이 마치 국가의 정책인 양 국민들을 혼란스럽게 하는 일도 되풀이되어서는 안 됩니다.

그러나 그렇다고 하여 자유로운 취재활동을 제한하지는 않도록 하겠습니다. 언제라도 취재를 위하여 요청하면 업무에 지장이 없는 범위 안에서 자유롭게 공무원을 만날 수 있도록 하겠습니다. 취재시에 반드시 공보관을 거쳐야 한다거나, 공무원이 이를 일일이 신고해야 하는 제한은 두지 않겠습니다. 그것은 공무원의 자율에 맡기겠습니다. 새로 시작하는 일이라 약간의 시행착오도 있을 것입니다. 그러나 선의를 가지고 원칙대로 해나가겠습니다. 이러한 조치는 언론개혁도 언론탄압도 아닙니다. 굳이 설명한다면, 정부와 언론관계, 그리고 불합리한 취재관행을 정상화하는 것이라고 말씀드릴 수 있을 것입니다. 앞으로 정부는 정도를 걸어갈 것입니다. 간곡히 부탁드립니다. 언론도 정도로 가 주시기 바랍니다.

언론은 또 하나의 권력입니다. 견제받지 않는 권력입니다. 견제받지 않는 권력은 위험합니다. 더욱이 몇몇 언론사가 시장을 독과점하고 있는 상황에서는 더 더욱 그렇습니다. 저는 여기서 지난날 몇몇 족벌언론들의 횡포를 다시 말씀드리지는 않겠습니다. 일제 시대와 군사정권 시대의 언론 행태를 거듭 들추지도 않겠습니다. 그러나 그동안 대통령 선거 때마다 되풀이되었던 언론의 편파적인 보도에 대해서는 한마디 하지 않을 수 없습니다. 군사정권이 끝난 이후에도 몇몇 족벌언론은 김대중 대통령과 국민의 정부를 끊임없이 박해했습니다.

저 또한 부당한 공격을 받아 왔습니다. 그 피해는 이루 다 말할 수가 없습니다. 그리고 그 고통은 아직 끝나지 않았습니다. 많은 사람들이 5년 뒤에 국민의 칭송을 받는 성공한 대통령이 되라고 저에게 당부합니다. 그러나 이러한 언론 환경 하에서 과연 그것이 가능한 일일까 스스로 회의하고 있습니다. 저는 이 자리에서 그 언론들에게 간곡히 제안합니다. 개인이나 집단이나 생각이 다를 수 있습니다. 진보도 있을 수 있고, 보수도 있을 수 있습니다. 그러나 이제 세상은 달라지고 있습니다. 공존할 줄 아는 보수, 공존할 줄 아는 진보의 시대로 가야 합니다. 더 이상 생각이 다른 사람이나 집단을 타도의 대상으로 삼아서는 안 됩니다. 더 이상 불행한 역사가 계속되어서는 안 됩니다. 서로 반대하고 싸우더라도 민주주의 규범과 원칙에 따라서 정정당당하게 싸우고 경쟁해야 합니다. 결코 지나친 요구가 아닐 것입니다. 정도로 갈 것을 요구하는 것일 뿐입니다.

존경하는 의원 여러분!

요즈음 파병문제를 놓고 국회가 논란을 거듭하는 것을 보고, 많은 국민들은 대통령이 장악력이 없는 것 아니냐는 우려를 하고 있습니다. 이제 대통령이 국회의원에게 지시하던 시대는 지났습니다. 그런 시대가 계속되어서도 안 됩니다. 저는 국회를 존중하고 의원 개개인을 존중하는 대통령이 되겠습니다. 설사 힘없는 대통령이란 말을 듣더라도 국회를 장악하거나 지시하는 대통령이 되려는 시도도 하지 않겠습니다.

국회의원 여러분께서도 비판할 때는 비판하고 힘을 모아야 할 때는 힘을 모아 주시는, 성숙한 모습으로 협력해 주시기 바랍니다. 대통령의 권력을 제한하는 문제에 있어서는 신식기준을 제시하고, 어려운 문제를 처리하는 과정에서는 과거 대통령이 막강한 권력으로 국회를 지배하던 때로 회귀하려는 듯한, 이중의 잣대가 적용돼서는 안될 것입니다.

파병문제로 여야간 '특검법안' 개정 협상이 지연되고 있습니다. 조속히 마무리지어 주시길 간곡히 부탁드립니다. 상대가 누구이든 외교상의 신뢰와 약속은 지켜져야 합니다. 남북대화가 우리측 사정으로 지장을 받아서도 안 됩니다. 한·칠레 FTA 비준과, 'FTA 체결에 따른 농·어업인 지원에 관한 특별법'의 제정에도 각별한 관심을 가져 주실 것을 당부 드립니다.

우리 함께 협력해서 국민들에게 봉사합시다. 경청해주셔서 감사합니다.

# 향토예비군 창설 35주년 축하 메시지

2003년 4월 4일

향토예비군 창설 서른다섯 돌을 진심으로 축하합니다.

지역과 직장에서 나라의 안보와 발전을 위해 땀흘리고 계신 예비군 여러분에게 각별한 격려와 감사의 말씀을 드립니다. 지방자치단체와 군의 관계관 여러분, 그리고 지역 주민 여러분의 노고와 성원에도 깊이 감사드립니다. 그동안 우리 예비군이 향토방위의 중추로서 이룩해온 큰 업적을 일일이 다 열거할 수는 없을 것입니다. 수많은 대 침투작전의 선봉에서, 또한 재해와 재난이 일어날 때마다 내 고장과 이웃을 위해 앞장서 온 예비군의 공헌을 우리 국민은 결코 잊지 않을 것입니다.

지금은 튼튼한 안보가 무엇보다 중요한 때입니다. 이라크 전쟁으로 긴장이 고조되고 있고, 북한 핵문제도 심각한 과제로 남아있습니다. 저와 참여정부는 300만 예비군 여러분과 함께 대한민국의 평화와 안정을 굳건히 지켜낼 것입니다. 온 국민이 안심하고 생업에 종사할 수 있도록 변함 없이 최선을 다할 것입니다. 예비군 전력의 정예화와 운영의 합리화를 위한 지원도 아끼지 않겠습니다.

오늘의 이 고비를 넘어서면 대한민국은 동북아시대의 중심국가로 당당히 도약하게 될 것입니다. 다시 한번 힘과 뜻을 한데 모아 평화와 번영의 동북아 시대를 힘차게 열어 나갑시다.

향토예비군의 더 큰 발전과 예비군 여러분의 건승을 기원합니다.

# 제1회 동북아경제포럼 축하 메시지

2003년 4월 8일

제1회 '동북아경제포럼'의 개막을 축하합니다. 해외에서 오신 참가자 여러분을 진심으로 환영합니다. 한국은 지리적으로 동북아의 중심에 자리잡고 있습니다. 세계 일류의 정보화기반과 물류기반도 갖추고 있습니다. 이를 바탕으로 '평화와 번영의 동북아 시대'를 열어나가고자 합니다.

무엇보다 먼저 한반도에 평화가 뿌리내려야 합니다. 남북간의 군사적 긴장이 지속되는 한 동북아의 진정한 평화와 안정은 기대하기 어렵습니다. 한반도의 평화정착은 동북아지역이 냉전에 종지부를 찍고, 유럽연합과 같은 지역통합과 공존의 질서로 나아가는 첫걸음이 될 것입니다. 이를 위해서는 북핵 문제의 평화적인 해결이 시급한 과제입니다. 한국은 또한 중국·일본을 비롯한 주변국과 협력하고 경쟁하면서 동북아의 번영을 함께 일구어 나갈 것입니다.

국내외 기업들이 자유롭게 어우러져 공정하게 경쟁하는 나라, 세계 유수의 금융기관과 연구인력이 모여드는 금융과 R&D 센터, 유라시아 대륙과 태평양을 잇는 물류 거점, 이것이 바로 21세기 동북아 시대에 한국이 이루고자 하는 청사진입니다.

그런 점에서 이번 포럼은 매우 뜻깊습니다. 동북아 시대에 한국이 나아가야 할 방향에 대해 유익한 의견교환이 이루어지기를 기대합니다. 여러분의 진지한 토론이 '평화와 번영의 동북아 시대'를 여는 밑거름이 될 것입니다. 저도 여러분의 토론 결과를 경청하겠습니다.

참석자 여러분 모두의 건강과 행복을 기원합니다.

감사합니다.

# 한국형 구축함 문무대왕함 진수식 축사

2003년 4월 11일

친애하는 해군장병 여러분, 그리고 현대중공업 임직원과 내외 귀빈 여러분,

오늘 우리는 대양해군의 미래를 열어나가는 데 또 하나의 이정표를 세웠습니다. 해군의 최대·최신예 구축함인 '문무대왕함'의 진수를 진심으로 축하합니다. 문무대왕함의 저 위용은 대한민국의 국방과학기술과 자주국방의 의지를 상징하고 있습니다. 날로 성장하는 '필승 해군'과 우리 조선산업의 뛰어난 역량에 대해서 무한한 자부심을 느낍니다. 정말 자랑스럽고 마음 든든합니다. 그동안 밤낮없이 애써 주신 현대중공업의 기술진과 근로자 여러분, 그리고 해군과 국방과학연구소의 관계관 여러분, 모두들 수고가 많으셨습니다. 깊은 감사와 격려의 말씀을 드립니다.

해군장병 여러분, 그리고 내외 귀빈 여러분,

우리나라는 3면이 바다인 해양국가입니다. 또한, 수출과 수입이 국가경제를 떠받치고 있는 전형적인 무역국가입니다. 그 물동량의 99%가 바다를 통해서 이루어지고 있습니다. 더욱이 우리 주변의 해역은 동북아시아의 중심에 자리하고 있습니다. 우리가 평화와 번영의 동북아 시대를 열어 나가는 데 바다는 중요한 활동무대가 되는 것입니다. 이처럼 바다는 오늘을 사는 우리들의 삶의 터전일 뿐 아니라, 미래를 향해 활짝 열려있는 번영의 활로입니다. 따라서 해군의 사명은 참으로 막중합니다. 제2의 국토인 영해를 지키고, 평화와 번영의 바닷길을 수호할 책무가 해군장병 여러분에게 있습니다.

오늘 문무대왕함의 탄생으로 우리 해군은 활동영역이 더욱 넓어지게 되었습니다. 원해(遠海)에서의 작전능력이 크게 향상되고, 입체적인 대함·대잠·대공 작전능력도 한층 강화됩니다. 최첨단 무기체계와 스텔스 기능, 그리고 최신의 자동화된 지휘통제 시스템도 문무대왕함의 자랑입니다. 해군장병 여러분은 더욱 막강해진 전력을 바탕으로 영해수호의 신성한 임무를 완벽하게 수행해주기 바랍니다.

친애하는 조선산업 종사자 여러분,

이 자리는 또한 우리 조선산업이 일궈낸 쾌거를 다함께 기뻐하고 축하하는 자리입니다. 지금 우리는 세계 1위의 명성에 빛나는 '조선 한국'의 현장에 와있습니다. 조선산업은 지난 30년 동안 한국 경제의 고도성장을 이끌어 왔습니다. 외환위기 때에도 국가경제의 근간을 든든히 지탱해 주었습니다. 또, 조선산업은 해군력의 강화에도 크게 공헌해왔습니다. 초계함과 호위함, 그리고 잠수함을 우리 기술로 만들어낸 데 이어서,

이미 1990년대 중반에 3천톤급 구축함을 건조하는 데 성공했습니다. 그리고 이번에 고도의 기술력이 필요한 4천톤급의 구축함을 만들어 낸 것입니다. 머지않아 '이지스(Aegis)' 체계까지 갖춘 7천톤급의 구축함 시대도 실현해낼 것입니다. 앞으로도 조선산업의 역할은 계속될 것입니다. 반도체와 정보통신, 자동차와 함께 한국을 대표하는 중추산업으로서 세계를 향해 무한히 뻗어나갈 것입니다. 저와 참여정부는 이를 위해 적극 지원하고 협력할 것입니다.

친애하는 해군장병 여러분,

바다를 주도적으로 활용했던 민족은 언제나 인류 역사의 주역이 되었습니다. 우리에게도 일찍이 동아시아의 바다를 제패했던 장보고 대사의 자랑스런 역사가 있습니다. 이제는 우리가 그 역사를 새롭게 이어가야 합니다. 5대양으로 항진해 나아가는 문무대왕함에는 대양해군의 웅대한 비전이 담겨 있습니다. 삼국통일의 위업을 이룩하고 죽어서도 나라를 지켜내겠다던 문무대왕의 기개와 호국정신이 서려 있습니다.

조국의 바다를 빈틈없이 지켜주기 바랍니다. 그래서 평화와 번영의 동북아 시대를 열어 가는 역사의 주역이 되어 주기 바랍니다. 아울러 장병 여러분 모두 신임 문정일 참모총장을 중심으로 일치단결해 줄 것을 당부합니다.

대한민국 해군의 무궁한 발전과 문무대왕함의 무운장구를 기원합니다.

감사합니다.

# 3자위원회 위원을 위한 만찬연설

2003년 4월 12일

존경하는 폴리 위원장님, 서덜랜드 위원장님, 고바야시 위원장님, 그리고 각국에서 오신 위원 여러분, 반갑습니다. 대한민국 정부를 대표해서 여러분을 진심으로 환영합니다. 이렇게 화창한 봄날에, 세계적으로 명망이 높으신 분들을 한자리에 모시게 되어 매우 기쁘고 영광스럽습니다.

3자 위원회는 지난 30년 동안 활발한 국제교류와 격조 높은 토론으로 국제사회의 올바른 여론형성에 기여해 왔습니다. 여러분의 지혜와 열정, 그리고 유익한 정책대안들은 국제사회가 당면한 문제들을 해결해 나가는 데 큰 도움이 되고 있습니다. 충심으로 찬사와 경의를 표합니다. 이번 서울 총회에서는 특히 동아시아의 평화와 공동번영을 주제로 한 논의가 예정되어 있는 것으로 알고 있습니다. 기대가 매우 큽니다. 큰 성과가 있으시길 바랍니다.

우리 한국에서 새 정부가 출범한 지 40여일이 지났습니다. 새 정부는 '참여정부'입니다. 국민들의 자발적인 참여를 통해 국정을 이끌어 간다는 뜻입니다. 아울러 새 정부는 '원칙과 신뢰', '투명과 공정', '대화와 타협' 그리고 '분권과 자율'을 국정의 원리로 삼고 있습니다. 이 시간에 저는 참여정부가 추진하고 있는 주요 정책의 방향에 대해서 여러분께 몇 가지 말씀을 드리고자 합니다.

존경하는 위원 여러분,

오늘날 아시아·태평양 지역은 유럽·북미와 더불어 세계 3대 경제권을 이루고 있습니다. 그중에서도 동북아시아는 최근 가장 역동적으로 성장하고 있는 지역 가운데 하나입니다. 인구 15억에, GDP 규모는 6조 달러에 이릅니다. 세계 경제의 5분의 1을 담당하고 있습니다. 또 무한한 성장 잠재력을 가지고 있습니다. 한국은 이러한 동북아시아가 '평화의 공동체', '번영의 공동체'로 발전해 나가는 데 선도적인 역할을 해 나가고자 합니다. '평화와 번영의 동북아시대'를 열어가고자 하는 것입니다.

한국은 이를 실현해 나갈 수 있는 좋은 여건을 갖추고 있습니다. 우선, 지리적으로 동북아시아의 한 가운데에 있습니다. 서울에서 반경 1,200㎞ 안에는 무려 7억명의 인구가 살고 있습니다. 또, 한국은 우수한 물류기반을 갖추고 있습니다. 인천공항이 아시아의 관문으로 발돋움하고 있고, 부산항과 광양항도 세계적인 항구로 계속 발전하고 있습니다.

지금 한반도의 동·서에서는 남북한간 종단철도를 연결하는 공사가 각각 진행되고 있습니다. 이 철도들은 중국이나 시베리아를 거쳐 중앙아시아와 유럽에 이르는 유라시아 횡단철도와 연결됩니다. 이것이 완성되면 한반도는 하늘과 바다, 그리고 육로를 통해서 태평양과 유라시아 대륙을 하나로 잇는 '번영의 다리'가 될 것입니다.

한국은 이미 세계 최고수준의 정보화 기반을 구축했습니다. 높은 교육수준과 근면한 국민성 역시 누구에게도 뒤지지 않습니다. 한국의 산업구조는 IT분야를 중심으로 '지식기반 경제체제'를 향해 빠르게 나아가고 있습니다. 우리는 대한민국을 동북아의 물류와 비즈니스의 허브로 만들어 나갈 것입니다. 그 열매는 우리에게만 돌아오는 것이 아닙니다. 동북아시아는 물론, 아시아·태평양의 전 지역과 유럽, 그리고 태평양 건너 북미까지 함께 나누게 될 것입니다.

존경하는 지도자 여러분,

이를 실현하기 위해서 가장 중요한 것은 한반도에 평화를 정착시키는 일입니다. 참여정부는 '평화번영 정책'을 추진해 나가고 있습니다. 우리는 전쟁도, 북한의 붕괴도 원하지 않습니다. 한반도에 평화를 정착시키고, 남북한의 공존과 공영을 추구할 것입니다. 대북 포용정책의 기조를 유지하되, 지금까지 드러난 절차상의 문제점은 하나하나 고쳐나갈 것입니다. 추진하는 방식도 국민의 참여와 지지를 얻어서 최대한 투명하게 하겠습니다. 우리의 평화번영 정책은 '평화와 번영의 동북아시대'를 열어가는 토대가 될 것입니다.

존경하는 지도자 여러분,

북한의 핵문제가 심각한 현안으로 대두되고 있습니다. 북한의 핵개발은 결코 용인될 수 없습니다. 그러나 이 문제는 반드시 평화적으로 해결되어야 합니다. 만일 또다시 전쟁이 일어난다면 그 재앙은 한반도에 그치지 않습니다. 동북아시아 전체, 나아가 세계의 평화와 안정이 무너지고 말 것입니다. 우리는 북한과의 대화를 추진하는 한편 미국, 일본과의 긴밀한 공조, 그리고 중국, 러시아, EU를 포함한 대화와 협력의 틀이 활성화될 수 있도록 노력해 나갈 것입니다. UN을 비롯한 국제사회의 협조도 구해 나가겠습니다. 북한은 대화에 응해야 합니다. 핵개발은 북한에게 결코 득이 되지 않습니다. 북한이 국제사회의 책임있는 일원으로 나아올 때, 우리와 국제사회는 필요한 모든 지원을 아끼지 않을 것입니다.

저는 다음 달에 부시 미국 대통령과 만나서 북핵 문제의 해결책을 진지하게 협의하고자 합니다. 올해는 한미 상호방위조약을 체결한지 50주년이 되는 해이기도 합니다. 더욱 공고한 한미 동맹, 보다 성숙된 협력관계를 발전시켜 나가는 방안에 대해서도 허심탄회한 대화를 갖겠습니다. 이어서, 일본과 중국, 러시아의 정상들과도 가능한 한 빠른 시일 내에 만날 생각입니다. 앞으로도 참여정부는 전 세계의 모든 우방들과 돈독한 우호협력관계를 유지해나갈 것입니다. 아시아·태평양 경제협력체(APEC), 아시아·유럽 정상회의(ASEM), 그리고 아세안과 한·중·일 회의(ASEAN+3)를 통한 지역협력에서도 적극적인 역할을 계속해 나갈 것입니다. 저는 UN이 추구하는 이상과 활동을 적극 지지합니다. 민주주의와 인권을 증진하기 위한 국제협력, 그리고 테러리즘과 빈곤을 비롯한 범세계적 문제들을 해결하기 위한 모든 노력에도 능동적으로 참여해 나갈 것입니다.

3자 위원회 위원 여러분,

이제, 참여정부의 경제정책에 대해서 말씀드리겠습니다. 참여정부의 경제정책은 한마디로 글로벌 스탠더드를 지향하고 있습니다. 국제기준에 부합하는 투명하고 공정한 경제시스템을 구축하겠습니다. 불합리한 법과 제도를 개선하고, 불필요한 규제는 폐지할 것입니다. 그래서 기업하기 좋은 나라, 투자하기 좋은 나라를 만들 것입니다.

먼저, 시장개혁을 지속적으로, 또한 일관되게 추진하겠습니다. 개혁의 초점은 역시 투명성과 공정성에 두겠습니다. 기업회계제도를 국제기준에 맞게 개선해 나갈 것입니다. 증권 관련 집단소송제의 도입을 비롯해서 시장에 대한 감시기능을 한층 강화해 나가겠습니다. 기업의 지배구조는 더욱 개선될 필요가 있습니다. 불공정한 거래관행도 반드시 바로잡아 나갈 것입니다. 이제 시장지배력의 남용이나 '부당내부거래'는 더 이상 용납되지 않습니다.

이러한 개혁은 앞으로 3년 정도의 계획을 세워서 꾸준히 추진될 것입니다. 아울러 그 추진일정을 명확히 제시하여 정책의 예측가능성을 더욱 높일 것입니다. 저는 늦어도 2007년 말까지는 현재 40위에 머물고 있는 '투명성지수' 순위를 20위권으로 올려놓겠습니다. 아시아에서 가장 모범적인 시장질서를 확립하겠습니다.

한국의 노사문화도 이제 달라질 것입니다. 노동정책의 기본방향은 '대화와 타협'의 노사관계를 정착시키는 것입니다. 노사간의 대화와 타협이 이루어지려면, 먼저 '원칙과 신뢰'가 지켜져야 합니다. 노조는 법과 질서를 준수해야 하고, 사용자는 투명한 경영으로 노조의 신뢰를 얻어야 합니다. 정부는 엄정한 중립을 지키는 가운데 노사간의 대화와 타협이 이루어지도록 적극 중재하고 조정할 것입니다. 아울러 노사관계 제도도 국제적 기준에 맞추어 나갈 것입니다. 참여정부는 소득불균형 문제를 시정하는 데에도 노력할 것입니다. 분배구조를 개선해서 국민들의 경제활동 의욕을 고취하고, 이것이 다시 성장을 높이도록 하는 것입니다. 성장과 분배가 균형을 이루는 경제구조를 정착시켜 나가겠습니다. 경쟁력 향상의 원천이 되는 기술혁신과 과학기술 인력의 양성을 위해서도 중점적인 노력을 기울일 것입니다.

끝으로 저는, 우리의 투자유치 노력을 강조드리고자 합니다. 앞서 말씀드린 대로 한국은 동북아의 물류와 비즈니스의 허브가 될 수 있는 좋은 여건을 갖추고 있습니다. 아울러 선진국 기준에 부합하는, 투명하고 공정한 경제시스템을 정착시키기 위해서 범국가적인 노력을 기울이고 있습니다. 우리는 외국 투자자들의 적극적인 참여를 바랍니다. 보다 많은 외국인들이 한국에 투자하고, 우리와 함께 일할 수 있도록 제도적 기반을 넓혀나가고 있습니다. 그 하나가 '경제자유구역'입니다. 이 계획은 금년 말까지 확정하겠습니다. 그리고 지역별·단계별로 구체적인 개발과 투자유치 프로그램을 마련해서 실행해 나가겠습니다. 외국인들에게 더 좋은 기업환경, 더 나은 생활환경을 제공하겠습니다.

이제 한국은 어느 곳보다 매력적인 투자처가 될 것입니다. 여러분께서도 적극 성원해주실 것을 부탁드립니다.

존경하는 3자 위원회 위원 여러분,

이라크 전쟁의 여파로 인해서 세계 경제의 불확실성이 매우 커졌습니다. 그러나 한국의 경제는 안정을 유지하고 있습니다. 정부와 경제계가 힘과 뜻을 모으고 있습니다. 한반도의 평화와 안정은 흔들림 없이 유지될 것입니다. 북한 핵문제도 외교적 노력을 통해서 평화적으로 해결될 것입니다. 그리고 '평화와 번영의 동북아시대'는 반드시 실현될 것입니다. 다시 한번 이번 총회가 많은 성과를 거두기를 바라면서 여러분의 건강과 행복을 기원합니다.

감사합니다.

# 대한민국 임시정부 수립 84주년 기념식 연설

2003년 4월 13일

존경하는 국민 여러분. 그리고 독립유공자, 그리고 유가족 여러분,

오늘 임시정부 수립 여든네 돌을 맞아서 조국의 자주독립을 위해 희생하고 헌신하신 애국 선열들께 깊은 경의를 표합니다.

3·1운동을 계기로 수립된 대한민국 임시정부는 우리 역사의 커다란 전환점이었습니다. 임시정부는 조국광복을 이루기까지 민족 독립 의지를 세계 만방에 떨쳤습니다. 이봉창 의사와 윤봉길 의사의 의거를 이끌어 우리 민족의 자존 의지와 긍지를 되살렸습니다. 나아가 광복군을 창설하여 일제에 무력으로 항거했습니다.

임시정부는 또한 우리 역사상 최초의 민주공화제 정부였습니다. 우리의 민주헌정사는 임시정부로부터 비롯되고 있습니다. 임시정부는 일본 제국주의의 혹독한 탄압을 받아 상해에서 항주, 중경 등지로 이동하

면서도 그 법통을 굳건히 지켜왔습니다. 오늘의 참여정부는 바로 임시정부의 자랑스러운 법통 위에 서 있습니다.

임시정부가 만들어온 빛나는 역사의 한가운데에 또 백범 김구 선생님이 계십니다. 그리고 오늘 우리는 선생의 뜻을 기리는 이곳 기념관에서 임시정부의 수립을 기념하는 행사를 치르게 되었습니다. 매우 뜻깊게 생각합니다. 저와 참여정부는 조국의 독립과 민족의 통일을 위해 평생을 바치신 선생의 뜻을 계승할 것입니다. 그리고 선생께서 못 다 이루신 소망을 이루는 주춧돌을 놓아갈 것입니다.

존경하는 국민 여러분,

100년 전 우리는 수난과 비극의 역사를 겪었습니다. 해양으로 나가려는 세력과 대륙으로 진출하려는 세력이 한반도를 가운데 놓고 싸움을 벌였습니다. 마침내 우리는 국권을 상실하는 아픔을 감수해야 했습니다. 그 아픔은 분단으로 이어져서 오늘에 이르고 있습니다. 그 과정에서는 정의가 패배하고 기회주의가 득세하는 불행한 역사를 겪었습니다. 그러나 이제 우리에게도 새로운 희망의 시대가 열리고 있습니다. 세계의 변방으로 머물러 왔던 동북아시아가 북미·유럽 지역과 함께 세계경제의 3대 축으로 떠오르고 있습니다.

지금은 무력이 아니라 경제력이 국력을 좌우하는 시대입니다. 우리나라는 전쟁의 폐허를 극복하고 세계 12위권의 경제강국을 건설하고 있습니다. 전후 독립한 나라 가운데 우리나라만큼 민주주의 정치발전을 이룬 나라도 따로 없습니다. 우수한 인력과 세계 선두권의 정보화 기반도 아울러 갖추고 있습니다. 바다와 하늘과 땅을 연결하는 물류 기반도 손색이 없습니다. 과거에는 고통만을 안겨주었던 지정학적 조건이 이제는 희망의 조건이 되고 있습니다. 이제 한반도는 사람과 물자가 모여드는 동북아 물류와 금융, 비즈니스의 중심지가 될 것입니다. 무엇보다도 과학기술을 혁신하고 투명하고 공정한 시장을 만들어나가는 일이 중요합니다. 우리가 주도해서 평화와 번영의 동북아 시대를 열어 나가야 합니다.

존경하는 국민 여러분,

동북아시대의 첫장을 열기 위해서는 한반도에 평화를 정착시켜야 합니다. 한반도에 평화가 확고히 구축될 때 동북아에 평화로운 질서가 자리잡게 될 것입니다. 무엇보다 시급한 과제는 북핵 문제를 평화적으로 해결하는 것입니다. 저는 한 달 후 미국을 방문해서 부시 대통령과 이 문제에 대해 진지하게 협의할 것입니다. 동시에 일본, 중국, 러시아, EU와도 긴밀히 공조해 가겠습니다. 한반도에서 군사적 긴장을 고조시키는 어떠한 일도 일어나서는 안 됩니다. 저는 북핵 문제가 대화와 외교적인 방법을 통해서 평화적으로 해결될 것으로 확신합니다. 또 반드시 그렇게 되도록 하겠습니다.

국민 여러분,

우리는 수많은 안팎의 도전을 슬기롭게 극복해 온 민족입니다. 위기를 기회로 만드는 지혜와 역량을 이미 증명하고 있습니다. 마음과 힘을 하나로 모아 내십시다.

임시정부의 헌장에는 "남녀노소와 모든 종파가 일치 단결하여 정의와 인도가 지배하는 나라를 세우자"는 말이 있습니다. 이 정신을 되새기면서 국민통합을 이루어 나가야 할 때입니다. 우리 모두 서로를 존중하고 이해하는 상생의 문화를 만들어 가십시다. 대화와 타협으로 공존의 문화를 만들어 갑시다. 평화와 번영의 동북아시대를 향해서 힘차게 나아갑시다.

감사합니다.

# 한국전에서의 흑인용사들 기념행사 축하 메시지

2003년 4월 17일

오늘 '한국전에서의 흑인 용사들' 행사의 개막을 진심으로 축하합니다.

자리를 함께 하신 참전용사와 미국 시민 여러분께 한국 국민들의 따뜻한 인사를 전해드립니다. 이번 행사를 위해 애써주신 조지 부시 대통령과 미국 정부, 그리고 모건 대학의 관계자 여러분에게도 깊이 감사드립니다. 이 기회를 빌려 저는 1950년 한국전쟁에서 우리와 함께 대한민국의 자유와 민주주의를 지켜낸 미합중국 참전용사들의 헌신과 희생에 대해 각별한 감사와 경의를 표하고자 합니다.

한국전쟁은 2차 대전 이후 공산주의의 세계적 확산을 한반도에서 저지한 역사적인 사건이었습니다. 당시 한국이 공산주의의 무력 침략에 굴복되었다면, 오늘의 대한민국은 물론 동아시아와 세계의 평화와 안정은 유지될 수 없었을 것입니다.

참전용사 여러분의 용기와 헌신, 특히 5천여명의 흑인용사를 비롯한 5만 4천여 미군 장병들의 장렬한 희생은 오늘날 우리 모두가 함께 누리고 있는 자유와 번영의 초석이 되었습니다. 그리고 이처럼 피로써 맺어진 한·미 동맹관계는 지난 반세기 동안 한국의 안보와 한반도 평화유지에 핵심적인 공헌을 해왔습니다.

여러분이 보여 주신 용기와 우정은 지금도 한국민들의 가슴속에 살아 숨쉬고 있습니다. 저와 우리 국민은 여러분을 결코 잊지 않을 것입니다. 아울러, 이 뜻깊은 행사가 한·미 우호협력의 영원한 발전에 소중한 밑거름이 될 것으로 확신합니다.

여러분의 건강과 행복을 기원하면서 머지않아 워싱턴에서 반갑게 만날 날을 고대합니다.

감사합니다.

# 4·19혁명 43주년 기념 국가조찬기도회 축하 메시지

2003년 4월 18일

4·19혁명 43주년을 맞아 그 숭고한 정신을 기리기 위해 국가조찬기도회가 열리게 된 것을 매우 뜻깊게 생각합니다. 저는 먼저 온몸을 던져 민주주의를 지켜낸 민주열사들의 희생에 깊은 감사와 경의를 표하며, 아울러 그 유가족들께 깊은 위로의 말씀을 드립니다.

4·19혁명은 우리 민주항쟁사의 커다란 분수령입니다. 독재를 물리친 정의와 용기, 그리고 희생정신은 부마항쟁, 광주항쟁, 그리고 6월 항쟁으로 이어져 오늘의 참여정부에 이르고 있습니다. 참여정부는 '4·19 정신'을 바탕으로 민주주의와 한반도의 평화를 굳건히 지켜 나갈 것입니다.

최근 북핵 문제 등으로 한반도 주변의 정세에 대해 우려하는 목소리가 있습니다. 또 경제의 어려움도 가중되고 있습니다. 그러나 우리가 힘과 지혜를 모으면 위기는 전화위복의 기회가 될 수 있습니다. 우리에게는 숱한 어려움을 이겨내 온 저력이 있습니다. 참여정부는 북핵 문제를 평화적으로 해결하여 '평화와 번영의 동북아시대'를 열어나갈 것입니다. 또한 '더불어 사는 균형발전 사회'도 이루어 나갈 것입니다.

국민의 적극적인 참여가 필요합니다. 국민이 참여해야 정치를 비롯한 사회 전반이 바뀝니다. 이것은 '4·19정신'이 오늘의 우리에게 가르쳐 주는 또 하나의 교훈이기도 합니다. 4·19혁명 43주년을 기념하는 이 자리가 나라의 발전과 국민의 행복을 기원하는 뜻깊은 기도의 시간이 되기를 바랍니다.

# 부활절 축하 메시지

2003년 4월 20일

부활절을 맞아 모든 교회와 성도 여러분에게 기쁨과 축복이 함께 하시기를 기원합니다. 아울러 우리 국민 모두에게도 예수님의 사랑과 은총이 충만하시기를 소망합니다.

예수님의 부활은 오늘을 사는 우리에게 소중한 가르침이 되고 있습니다. 그것은 대의를 위해 자신을 버리는 희생과 헌신, 나아가 분열과 갈등을 녹이는 화합의 메시지입니다. 우리 모두가 이러한 부활의 참뜻을 마음깊이 새길 때 통합과 희망의 미래가 우리 앞에 펼쳐질 것입니다.

지금 우리는 무한경쟁 시대를 살아가고 있습니다. 선진국은 첨단기술을 바탕으로 앞서나가고 후발 개도국은 무서운 속도로 우리를 추격해오고 있습니다. 그러나 위기는 곧 기회이기도 합니다. 안팎의 도전을 슬기롭게 극복하면 우리는 다가올 동북아 시대의 주역으로 발돋움할 수 있습니다. 우리에게는 마음을 한데 모으면 기적을 이루어 내는 역량과 저력이 있기 때문입니다.

새롭게 출범한 참여정부는 국민과 함께 통합과 개혁의 새로운 대한민국을 열어갈 것입니다. 나아가 북한 핵문제를 반드시 대화로 해결하여 평화와 번영의 동북아 시대로 가는 초석을 놓을 것입니다. 그것은 '사랑'과 '평화'라는 예수님의 가르침을 이 땅에서 실현하는 것이기도 합니다. 성도 여러분의 기도와 관심을 부탁드립니다.

오늘 부활절 예배에 하나님의 사랑과 은총이 가득하시기를 기원하면서 모든 성도와 국민 여러분의 가정에 축복이 함께 하시기를 빕니다.

# 제36회 과학의 날 기념식 연설

2003년 4월 21일

존경하는 과학기술인 여러분,

오늘 제36회 '과학의 날'을 진심으로 축하합니다. 과학기술 발전을 위해서 헌신하고 계신 과학기술인 모두에게 깊은 감사와 격려의 말씀을 드립니다. 아울러 올해 처음으로 제정된 '대한민국 최고과학기술상'과 훈·포장을 받으신 수상자 여러분께 다시 한번 축하의 인사를 드립니다.

우리는 지금 과학기술이 국가경쟁력을 좌우하는 시대에 살고 있습니다. 하루가 다르게 발전하는 과학기술은 산업구조 자체를 변화시키고 있습니다. 어제 융성했던 산업이 퇴조하고 시시각각 새로운 산업이 출현하고 있습니다. 첨단기술을 확보하기 위한 국제 경쟁도 치열합니다. 선진국들은 점점 더 기술격차를 벌리기 위해 애쓰고 있고, 중국을 비롯한 후발국은 무서운 속도로 우리를 추격해오고 있습니다.

이러한 도전을 이겨내기 위해서 우리가 가야 할 길은 분명합니다. 바로 과학기술의 혁신을 이루는 것입니다. 앞선 기술로 첨단제품을 만들어 해외시장을 넓혀나가야 합니다. 우리의 기술력과 과학기술 인력을 보고 외국인들이 투자를 결정하도록 해야 합니다. 나아가 신산업을 창출해서 우리의 다음 세대들이 먹고 살거리를 준비해나가야 할 것입니다.

지난날 우리는 모방과 학습으로 선진국을 뒤쫓아 왔습니다. 이제는 독자적인 기술개발로 이들을 앞질러야 합니다. 그래야 21세기 지식기반시대에 당당하게 선진국으로 진입할 수 있습니다. 저는 제 임기 동안 '과학기술중심사회'를 구축하기 위해 최선을 다할 것입니다. '제2의 과학기술입국'을 이루어낼 것입니다. 올해 2003년을 제2의 과학기술입국의 원년이 되도록 하겠습니다.

과학기술입국은 우수한 인재를 키우는 데서 출발합니다. 우리 자녀들이 장래의 희망으로 과학자를 손꼽을 수 있어야 합니다. 유치원 시절부터 과학과 수학에 대한 소양을 가질 수 있도록 과학교육을 개혁해 나가야 하겠습니다. 이론교육이 아닌 실험과 실습 위주의 교육을 정착시킬 것입니다. 실력 있는 과학기술자가 신명나게 연구할 수 있는 분위기를 조성하겠습니다. 해외 현지연구를 최대한 지원하여 마음껏 연구하게 하고, 연구성과가 과학기술인의 복지로 연결되는 체제를 만들겠습니다.

과학기술 투자도 확대해 나가겠습니다. '국가과학기술위원회'를 중심으로 신산업을 창출할 핵심기술을 도출하고, 이를 효과적으로 지원해 나갈 것입니다. 기업의 연구개발 투자를 활성화하기 위한 효율적인 지원책도 마련해 나가겠습니다. 기업과 대학, 연구소간의 연계체제도 더욱 내실 있게 갖춰가겠습니다.

기술의 기반은 기초과학입니다. 기초과학이 튼튼할 때 원천기술·기반기술과 산업기술이 발전할 수 있습니다. 산·학·연이 함께 기초과학과 원천·기반기술, 산업기술을 삼위일체로 발전시켜 나가야 합니다. 이를 위해 정부는 대학내 '산학협력센터'를 확충하고, 연구현장과 시장이 가까워지도록 지원해나갈 것입니다. 연구개발 성과가 기업활동을 통해서 부가가치를 창출하고, 국가발전과 국민복지에 기여할 수 있도록 '과학기술의 산업화'를 강력히 추진할 것입니다.

중앙에 집중되어 있는 과학기술의 저변을 지방으로 넓혀 나가는 노력도 필요합니다. 지방의 과학기술을 육성해서 지역 균형발전을 이루겠습니다. 이곳 대덕 연구단지를 포함해서 지역 특색에 맞는 연구개발 거점을 육성하겠습니다. 지방 특화산업 발전을 위한 예산지원을 강화하고, 지방과학기술에 관한 특별법을 제정하겠습니다. 남북 과학기술 협력에도 힘쓰겠습니다. 동북아 번영을 주도하는 통일 과학한국의 시대를 앞당기겠습니다. 우리 대한민국을 동북아의 'R&D 허브'로 발전시켜 나가겠습니다.

이제 우리는 과학기술의 합리성과 창의성이 꽃피는 사회를 만들어가야 합니다. 21세기 지식기반사회의 정치는 다양한 가치를 담아낼 수 있는 전자민주주의와 함께 번영할 수 있습니다. 행정 역시 '전자정부'의 구축에 의해 투명성과 효율성을 높일 수 있습니다. 이를 현실화하기 위해서는 과학기술 인재의 등용이 필요합니다. 참여정부는 이공계 출신의 공직 진출을 획기적으로 늘려나갈 것입니다. 과학기술의 힘으로 건전한 의사결정이 이루어지고, 합리적이고 창의적인 과학정신이 국정전반에 뿌리내리도록 하겠습니다.

전국의 과학기술인 여러분,

'제2의 과학기술 입국'을 이루기 위해서는 과학기술인 여러분의 역할이 무엇보다 중요합니다. 과학기술에 2등은 없습니다. 우리만 할 수 있는 1등 분야를 만들어내야 합니다. 그것은 바로 과학기술인 여러분의 몫입니다. 여러분이 일류가 되어야 우리나라가 일류가 될 수 있습니다. 우리의 미래가 여러분에게 달려 있다는 자부심과 책임감을 가지고 미래사회를 이끌어 주시기 바랍니다.

존경하는 국민 여러분,

과학기술 입국은 정부나 과학기술인의 노력만으로 되는 것은 아닙니다. 국민 여러분이 과학기술에 대한 관심을 가지고 과학을 생활화해야 합니다. 과학기술에 대한 국민적 관심이야말로 우리의 과학기술 수준을 높이는 자양분인 것입니다. 거듭 강조 드리지만, 과학기술에 우리의 국운이 달려 있습니다. '제2의 과학기술 입국'은 결코 단순한 구호가 아닙니다. 생존과 번영의 필수조건입니다. 우리가 함께 노력하면 과학기술 5대강국, 세계 10위권의 경제강국으로 도약할 수 있습니다. 우리 모두 손잡고 '제2의 과학기술 입국'을 이룹시다. 그래서 우리 후손들에게 번영된 미래를 물려줍시다.

감사합니다.

# 제48회 정보통신의 날 기념식 연설

2003년 4월 22일

존경하는 정보통신인 여러분, 이 자리에 참석하신 내외 귀빈 여러분,

오늘 제48회 '정보통신의 날'을 맞아 정보통신 관계자 여러분의 노고에 진심으로 감사드립니다. 남다른 공적으로 수상의 영예를 안으신 분들께도 축하의 박수를 보냅니다.

119년 전 오늘은 이 땅에 근대우편이 태동한 날입니다. 산업화의 인프라가 되는 우편제도가 처음 도입된 것입니다. 그러나 우리는 산업화의 흐름에 앞서가지는 못했습니다. 그 결과 땀 흘려 노력했음에도 불구하고 지난 한 세기 동안 선진국을 뒤쫓는 데 만족해야 했습니다.

그러나 정보화의 물결에는 신속히 대응해 왔습니다. 우리 대한민국은 지금 정보화의 선두국가로 자리잡고 있습니다. '이동통신 수출 100억 달러 달성'을 기념하는 오늘의 이 자리가 그러한 사실을 증명해주고 있

습니다. 여기 계신 여러분과 국민 모두가 협력해서 이룩해낸 자랑스런 결과입니다.

그러나 여러분, 우리는 여기서 만족할 수 없습니다. 앞으로 해야 할 일이 더 많습니다. 무엇보다 시급한 것은 IT분야의 새로운 성장동력을 창출하는 일입니다. 앞으로 5년, 10년 후에 무엇으로 먹고 살 것인가를 찾아나가야 하는 것입니다.

그동안 IT산업은 수출과 성장의 견인차였습니다. 지난 5년 동안 반도체, CDMA와 같은 IT산업이 무역흑자의 70% 이상을 차지해 왔습니다. 그러나 이들 업종이 내일의 번영까지 보장해주는 것은 아닙니다. 지속적으로 새로운 성장 분야를 발굴해내야 합니다. 정부는 경제계와 협력해서 10년 후를 대비한 '신성장동력 발전전략'을 착실히 추진해나갈 것입니다. 차세대 이동통신과 지능형 로봇, 디지털TV, 포스트PC, 그리고 각종 소프트웨어 산업을 새로운 성장동력으로 육성해가고자 합니다. 그래서 2007년까지 IT분야의 생산규모를 400조원으로 늘리고, IT 수출 1천억 달러 시대를 열어가겠습니다.

미래의 성장동력인 벤처기업에도 지속적인 관심을 기울이겠습니다. 우수한 기술과 인력을 갖춘 벤처기업을 찾아 적극 육성해가겠습니다. 기술력을 평가하는 시스템과 역량을 획기적으로 개선해나갈 것입니다. 열정을 가지고 기술로 승부하는 벤처기업은 반드시 성공할 것입니다. 지금까지 구축해 온 IT인프라를 바탕으로 사회 각 분야의 변화와 개혁을 촉진해나가는 것도 중요한 과제입니다. 먼저 투명하고 효율적인 '전자정부'를 만들어 나갈 것입니다. 이는 참여정부의 핵심과제이기도 합니다. 정치 또한 IT기반 위에서 국민 참여의 폭을 넓히고 비용은 줄이는 생산적인 정치로 나아가야 합니다. 경제 역시 IT와 접목해서 세계기준에 부합하는 투명성을 확보하고, 국제경쟁력을 키워나가야 합니다. IT기술을 활용하면 교육분야에서도 방법과 제도를 새롭게 보완해나갈 수 있습니다. 나아가 참여정부는 앞선 물류기반을 바탕으로 IT인프라를 더욱 확충해서 동북아의 번영을 선도하는 대한민국을 만들어갈 것입니다.

정보통신인 여러분, 그리고 국민 여러분,

저는 오늘 이 자리에서 국민 모두가 참여하는 진정한 정보화 시대의 개막을 선언하고자 합니다. 어느 계층, 어느 지역도 정보화의 물결에서 낙오돼서는 안 됩니다. 중앙과 지방, 대기업과 중소기업, 도시와 농어촌, 신세대와 기성세대, 모두가 정보화의 혜택을 고루 누려야 합니다. 소외된 지역과 계층에는 무료 인터넷 이용시설을 확충하고 정보화 교육을 강화해 나가겠습니다. 누구나 값싸고 손쉽게 정보를 이용할 수 있도록 하겠습니다. 그래서 정보격차가 없는 디지털 복지사회를 실현해 가겠습니다.

정보화는 이제 우리의 생활 속에 들어와 있습니다. 국민의 절반 이상이 인터넷을 이용하고 있습니다. 안방에서 전자상거래로 물건을 구입하고, 하루에 오가는 이메일만도 1억2천만통에 이르고 있습니다. 이처럼 국민의 새로운 삶의 터전이 되고 있는 사이버공간의 안전과 건전성을 높이는 데도 각별한 노력을 기울여 나가겠습니다.

존경하는 정보통신인 여러분,

지금 우리의 정보통신은 세계의 벤치마킹 대상이 되고 있습니다. 반대로 우리가 벤치마킹할 만한 선례는 거의 없습니다. 우리 자신이 세계의 모범이 되어야 합니다. 선구자의 길은 외롭고 험난합니다. 하지만 그만큼 보람도 크고 열매 또한 풍성합니다. 인재육성과 연구개발이 무엇보다 중요합니다. 모두가 함께 꿈꾸면 그 꿈은 현실이 된다고 했습니다. 힘과 지혜를 모읍시다. 우리 모두 '정보통신 일등국가'의 비전을 갖고 힘차게 나아갑시다.

감사합니다.

# 새마을 운동 제창 33주년 축하 메시지

2003년 4월 22일

새마을운동 제창 33주년을 맞아 제16대 이수성 중앙회장이 취임하게 된 것을 매우 뜻깊게 생각하며 이를 축하해마지 않습니다. 1970년 시작된 새마을운동은 가난을 극복하고 국가발전의 토대를 마련하는 데 큰 공헌을 해왔습니다. '금 모으기 운동', '북한에 손수레 보내기 운동'과 같은 자발적 국민운동도 선도했습니다.

지금 우리 앞에는 해결해야 할 과제들이 적지 않습니다. 북한 핵 문제가 경제의 어려움을 가중시키고 있고, 각 분야의 개혁과제도 시급합니다. 이 시기에 중요한 것은 무엇보다 국민통합입니다. 국민이 힘과 지혜를 하나로 모을 때 우리는 새롭게 도약할 수 있습니다. 이는 바로 새마을운동이 오늘을 사는 우리에게 주는 교훈이기도 합니다.

저와 참여정부가 먼저 실천해 나가겠습니다. 학력과 성별, 출신지역에 따라 불이익을 받는 일이 없는 사회를 만들겠습니다. 이제 경륜과 지도력을 함께 갖추신 이수성 회장께서 취임하신 만큼 새마을운동에 거는 기대도 한 단계 높아졌습니다. 새마을운동이 개혁과 통합의 구심점으로 거듭나기를 바랍니다.

새마을운동 관계자 여러분의 건승을 기원합니다.

감사합니다.

# 이라크 파병부대 신고 및 환송식 치사

2003년 4월 28일

친애하는 서희부대와 제마부대 장병 여러분, 그리고 가족 여러분,

장병 여러분의 늠름한 모습을 보니 마음이 든든합니다. 과연 먼 이국 땅 이라크에서 대한민국 국군을 대표할 만하다는 확신이 듭니다. 그동안 여러분은 엄격한 선발과정과 고된 훈련을 거쳤습니다. 모두들 수고가 많았습니다.

이제 이틀 후면 장도에 오릅니다. 여러분 모두가 맡은 바 임무를 완수하는 데 최선을 다해주기 바랍니다. 그리고 건강한 모습으로 귀환해주기를 간절히 바랍니다. 이 자리에 함께 해주신 가족 여러분께도 진심으로 감사와 격려의 말씀을 드립니다.

친애하는 장병 여러분,

이라크에서의 전쟁은 사실상 끝났습니다. 이제부터의 과제는 구호

와 복구입니다. 지금 이라크 국민들에게는 국제사회의 도움이 절실한 상황입니다. 그들은 전쟁으로 인해 큰 고통을 겪었습니다. 혈육을 잃고, 삶의 터전을 잃었습니다. 오랫동안 고난의 세월을 겪어온 그들이 이제는 전쟁의 폐허 속에서 망연자실하고 있습니다. 이라크 국민들은 지금 따뜻한 인류애를 원하고 있습니다.

우리 정부는 이미 1천만 달러 규모의 인도적 지원을 결정했습니다. 복구와 재건에 필요한 무상원조도 준비하고 있습니다. 여기에 대한적십자사를 비롯한 많은 민간단체들도 함께 나섰습니다. 정부는 민간단체들의 구호활동이 원활하게 이루어질 수 있도록 적극 지원할 것입니다.

여러분은 바로 이러한 대열의 선봉에 서 있습니다. 이번 파병도 '참전'에서 '복구와 구호활동'이라는 새로운 성격을 갖게 되었습니다. 이라크 전쟁의 명분에 대해서는 세계적으로 많은 논란이 있었습니다. 우리가 파병을 결정하는 과정에서도 진통이 적지 않았습니다. 그러나 이에 대한 최종적인 평가는 지금부터 전후처리를 어떻게 하느냐에 따라 좌우될 것입니다.

지금 이라크 국민들에게 중요한 것은 전쟁의 고통에서 벗어나 안전하고 평화로운 일상의 삶으로 되돌아가는 것입니다. 그들이 하루빨리 평상의 생활을 회복할 수 있도록 도와주어야 합니다. 파병부대 장병 여러분의 역할이 참으로 중요합니다. 여러분은 이라크 땅에 평화의 씨앗을 뿌린다는 자세로 따뜻한 인류애를 발휘해주기 바랍니다.

친애하는 장병 여러분, 그리고 가족 여러분,

이제 국제사회의 관심은 다시 북한의 핵문제에 모아지고 있습니다.

최근 들어서 북한 핵문제를 평화적으로 해결하기 위한 첫 단계의 대화가 시작되었습니다.

그동안 나는 북핵 문제를 대화를 통해서 평화적으로 해결해야 한다는 기본원칙을 일관되게 견지해 왔습니다. 전쟁만은 절대 안 된다는 확고한 의지를 가지고 관련국들을 설득해 왔습니다. 나는 다음 달 15일 열리는 한·미 정상회담에서, 북한 핵문제의 완전하고 평화적인 해결을 위해 양국이 공동 협력해 나가는 방안에 대해서 부시 대통령과 진지하게 협의할 것입니다. 나와 참여정부는 어떤 일이 있더라도 대한민국의 평화와 국민의 안전을 확고히 지켜낼 것입니다. 그래서 평화와 번영의 동북아 시대를 열어 가는 든든한 토대를 다져나갈 것입니다.

사랑하는 장병 여러분,

안전하고 건강하게 다녀오십시오. 이라크 국민들의 가슴속에 한국 국민들이 전하는 평화의 메시지를 심어주십시오. 나는 여기 계신 가족들과 함께, 그리고 우리 온 국민들과 함께, 여러분의 안전과 건승을 기원할 것입니다.

사랑하는 장병 여러분 모두에게 건강과 무운이 함께 하기를 빕니다.

감사합니다.

# 5월

# 불기2547년 부처님 오신 날 축하 메시지

2003년 5월 8일

불기 2547년 부처님 오신 날을 진심으로 축하드리며, 부처님의 지혜와 자비가 온 세상에 충만한 날이 되기를 바랍니다. 불교가 이 땅에 정착한 이래 부처님의 가르침은 우리의 역사와 정신에 큰 영향을 끼쳐 왔습니다. 개인에게는 참된 삶의 지침이 되었고, 나라에는 위기 극복과 새로운 도약의 중요한 원동력이 되었습니다.

최근 이라크 전이 끝나 가면서 세계의 관심이 한반도로 집중되고 있습니다. 북한 핵 문제를 해결하기 위한 국제적인 노력도 다양한 방식으로 이루어지고 있습니다. 북핵 문제의 평화적 해결은 한반도에 평화를 정착시키는 중요한 계기가 될 것입니다. 이를 바탕으로 우리는 '평화와 번영의 동북아시대'를 향해 새로운 도약을 준비하게 될 것입니다. 이를 위해 참여정부는 최선을 다하고 있습니다. 특히 15일로 예정된 한미 정상회담에서 저는 부시 대통령과 이 문제에 대해 진지하게 협의할 것입니다.

또 하나의 중요한 과제가 있습니다. 우리 사회의 갈등과 분열을 치유하는 일입니다. 특히 최근 곳곳에서 나타나고 있는 '집단 이기주의'와 이로 인한 갈등은 우리가 선진사회로 나아가기 위해서도 반드시 풀어야 할 숙제입니다.

부처님은 온갖 욕심을 버린 가운데 중생을 위한 해탈의 세계를 추구하셨습니다. 우리는 나 자신을 고집하기보다는 모두를 위해 대화하고 타협하는 자세를 배워야 합니다. 이를 바탕으로 원칙과 신뢰가 살아 숨쉬는 투명하고 공정한 사회를 만들어가야 합니다. 그것이 오늘 우리가 되새겨야 할 부처님의 가르침입니다. '가족을 부처님처럼', '이웃을 부처님처럼'이라는 올해 봉축 표어에 담긴 뜻처럼 서로 존중하고 크게 화합하는 사회가 실현되도록 불자님들의 정진과 기원을 부탁드립니다.

다시 한번 부처님 오신 날을 봉축드리면서 부처님의 대자대비가 온 국민과 함께 하시기를 빕니다.

# 미주 한인 이민 100주년 기념축제 축하 메시지

2003년 5월 10일

뜻깊은 '미주 한인 이민 100주년 기념축제'를 진심으로 축하합니다. 아울러 200만 미주동포 여러분 모두에게 각별한 안부의 인사를 드립니다. 오늘 행사를 위해 애써주신 워싱턴 기념사업회의 관계자 여러분, 그리고 이 자리를 빛내 주신 미국 정부와 각계의 지도자 여러분께도 축하와 감사의 말씀을 드립니다.

지난 한 세기 동안 우리 재미동포 사회는 그야말로 기적 같은 발전을 이룩했습니다. 비록 맨손으로 시작했지만 땀과 눈물, 그리고 용기와 불굴의 도전정신으로 오늘의 눈부신 성공을 일궈냈습니다. 그러기에 그 열매는 더욱 값지고 아름답습니다. 충심으로 찬사와 경의를 표합니다.

저는 지난해 동포 여러분께서 보내 주신 뜨거운 격려를 늘 잊지 않고 있습니다. 지금 저와 참여정부는 '평화와 번영의 동북아시대'를 열어

가기 위해 최선을 다하고 있습니다. 올해 50주년을 맞는 한·미 동맹관계의 굳건한 발전을 위해서도 미국 정부와 함께 긴밀히 협력하고 있습니다.

열심히 하겠습니다. 그래서 반드시 여러분과 후손들이 자랑스러워할 대한민국을 만들겠습니다. 오늘의 이 축제가 재미동포 사회의 '새로운 백년대계'를 준비하는 가운데 한·미 우호협력의 증진에 크게 기여하는 소중한 계기가 되기를 기대합니다. 다음주 워싱턴에서 반갑게 뵙기를 바라면서 여러분 모두의 건승을 기원합니다.

감사합니다.

# 미국 방문 출국인사

2003년 5월 11일

존경하는 국민 여러분,

저는 오늘부터 17일까지 미국을 방문하기 위해 출국합니다. 대통령에 취임한 후 첫 번째 해외방문입니다. 소기의 성과를 거둘 수 있도록 최선을 다하겠습니다.

저는 이번 방미 기간 중에 부시 대통령과 정상회담을 갖고, 한미 관계 발전과 북한 핵문제의 평화적인 해결, 그리고 경제협력 증진 방안에 대해 긴밀히 협의할 계획입니다. 미국의 정계·경제계·학계·언론계의 지도자들과도 만나 폭넓게 의견을 교환할 것입니다. 그래서 양국간 협력관계를 한층 더 발전시키고 우리의 국익을 증진시켜 나가고자 합니다.

올해는 한·미 동맹 50주년이 되는 해입니다. 지난 50년 동안 한·미 동맹은 한반도의 평화와 안정, 그리고 경제발전에 크게 기여해 왔습니다. 앞으로 50년은 지금까지와 같이 굳건한 한·미 동맹의 토대 위에서 상호존중과 호혜의 완전한 동반자 관계로 발전해 가야 합니다.

저는 이번 방미를 통해서 한·미 동맹의 우호관계를 재확인하고, 이를 통해 한반도의 안정과 평화를 더욱 공고히 해나갈 것입니다. 특히 북핵 문제를 평화적으로 해결하기 위해 양국이 협력해나가는 방안에 대해서 부시 대통령과 진지하게 협의할 것입니다. 지금 한·미 양국은 '북핵 불가'와 '대화를 통한 평화적 해결'이라는 확고한 원칙 아래 긴밀히 공조하고 있습니다. 이러한 한·미 공조를 바탕으로 관계국들을 비롯한 국제사회와 협력해 나간다면 북핵 문제도 평화적인 방법으로 해결될 것입니다. 이번 방문이 그러한 전기가 되도록 최선을 다하겠습니다.

경제부문에서 한·미간 실질협력을 증진시키는 것도 이번 방문의 주요 목적입니다. 저는 미국 경제계 지도자들과 만나 한반도의 안정과 경제개혁 방향, 그리고 동북아 경제 중심으로의 도약에 대한 비전을 밝히고 협력을 구할 생각입니다.

북핵 문제와 한·미 관계에 대한 우려를 불식하고, 우리 경제에 대한 신뢰를 높일 수 있도록 힘쓰겠습니다. 저와 동행하는 우리 경제인들도 민간 차원에서 구체적인 협력방안을 모색할 것입니다. 또한 먼 이국땅에서 열심히 살아 가고 있는 우리 동포들에게도 국민 여러분의 따뜻한 인사를 전하겠습니다.

저는 이번 방문에서 목전의 가시적인 성과를 거두려하기보다는 한·미 관계와 한반도 평화, 우리 경제 발전을 위한 토대를 굳건히 하는데 열과 성을 다하겠습니다. 국민 여러분의 큰 성원을 부탁드립니다.

# 코리아 소사이어티 초청 만찬연설

2003년 5월 13일

5년 전 김대중 대통령이 외환위기를 맞아 미국에 다녀갔습니다. 그리고 외환위기를 극복했고 경제가 회복됐습니다. 저도 이번 북핵 위기를 맞고 있고, 따라서 경제위기도 있습니다. 이번에 미국을 다녀가면 또다시 이런 위기들이 극복되리라 믿고 희망을 가지고 있습니다.

오늘 점심 때 금융계 인사들과 만나 많은 대화를 나눴습니다. 많은 금융계 인사들이 저에게 "용기를 가지고 열심히 하라", "지금까지 많은 투자를 했지만 앞으로도 많이 투자할 것이다", 이렇게 용기를 주셨습니다. 이 자리에서 똑같이 격려를 주신 루빈 회장께 감사드립니다. 그리고 멀리 한국에서 같이 온 31명 경제인 여러분에게도 감사를 드립니다. 특히 인사말 중 저를 각별히 소개해주신 이건희 회장께 감사합니다.

조금 전 식사하면서 제 생각에 "이렇게 많이 온 것은 코리아소사이어티 지도자들의 능력 때문"이라고 했더니, 그레그 회장께서 "그것이 아니라 당신을 보러 온 것"이라고 말씀하셨습니다.

새로운 제안을 하나 드리겠습니다. 어느 쪽의 이유로 오셨든간에 여러분들이 한국에 지극한 사랑을 보여주셨고 지지해주셔서 한국에 큰 힘이 됐습니다. 이번 방미에서도 성공을 위한 큰 뒷받침이 될 것이라고 생각합니다.

존경하는 도널드 그레그(Donald Gregg) 코리아 소사이어티 회장, 로버트 루빈(Robert Rubin) 회장과 이건희 회장, 그리고 코리아 소사이어티 회원과 귀빈 여러분,

안녕하십니까? 반갑습니다. 오늘 이렇게 저를 따뜻하게 맞이해 주신 데 대해서 진심으로 감사드립니다.

코리아 소사이어티(Korea Society)는 지난 40여년 동안 한·미 두 나라 국민들의 유대를 강화하는 데 지대한 공헌을 해왔습니다. 미국과 국제사회에서 한국에 관한 올바른 여론을 형성하는 데에도 선도적으로 기여했습니다.

회원 여러분이 이루어온 업적에 대해 충심으로 경의를 표합니다. 앞으로도 우리 두 나라 국민들의 마음을 이어주는 튼튼한 다리로서, 더욱 더 큰 역할을 기대합니다. 아울러 저는 이 자리를 빌려 전대미문의 '9·11 테러참사'를 용기와 단합으로 극복해내신 뉴욕 시민과 미국 국민 여러분께 한국민들이 보내는 각별한 성원과 격려의 인사를 전해드립니다.

존경하는 귀빈 여러분,

한국은 역동적인 사회입니다. 빠른 속도로 변화를 겪어왔고, 지금도 의미있는 변화가 계속되고 있습니다. 과거에는 물질적이고 양적인 성장에 주력했습니다. 그러나 이제 한국은 새로운 변화를 추구하고 있습니다. '양적인 성장'을 넘어서, '질적인 성장'을 추구하기 시작했습니다. 그것은 원칙과 신뢰가 지켜지는 사회, 자유롭고 공정한 경쟁이 보장되는 나라, 그리고 국민이 진정한 나라의 주인으로 대접받는 정부입니다.

작년 봄에 처음으로 치러진 대통령후보 국민경선은 국민들의 적극적인 참여 속에 이루어졌습니다. 12월에는 국민들의 자발적인 참여로 그 어느 때보다 자유롭고 공정한 대통령선거가 치러졌고, 마침내 지난 2월 새 정부가 출범했습니다. 저는 이러한 시대의 흐름에 따라서 '원칙과 신뢰', '공정과 투명', '대화와 타협', 그리고 '분권과 자율'을 국정의 원리로서 강조하고 있습니다. 이것을 국민들의 참여를 통해서 이루어나갈 것입니다.

저는 미합중국의 16대 대통령인 에이브러햄 링컨을 깊이 존경해왔습니다. 그는 정직하고 겸손한 정치인입니다. 인권을 존중하며 분열을 막고 화해와 통합을 이루어낸 분입니다. 무엇보다 그분은 정의가 승리하는 역사를 만들어냈습니다. 저 또한 변호사의 길을 걷다가 정치에 입문했습니다. 1980년대에는 인권과 민주화를 위해서 권위주의 정부와 맞서 싸웠습니다. 그리고 사회적 약자들의 권익을 위해 노력했습니다.

1990년대 들어서 한국의 민주화는 상당히 진전되었습니다. 그러나 투쟁과 분열의 정치는 극복되지 못했습니다. 국민을 하나로 통합해 나가는 것이 또 하나의 심각한 과제였습니다. 저는 이 문제를 해결하기 위해 고민했고, 또 노력했습니다. 투쟁의 시대에서 대화의 시대로, 분열의 시대에서 통합의 시대로 나아가자고 호소했습니다. 원칙없는 분열과 대립의 정치에 항거하다가 선거에서 네 차례나 떨어지는 고통도 겪었습니다. 그러나 그 고통을 감내하면서 끝까지 원칙을 지켜왔습니다.

물론 우연이겠지만, 링컨처럼 저도 '16대 대통령'이 되었습니다. 그러나 제가 링컨을 존경했던 것은 우연이 아닙니다. 링컨이 그랬듯이, '역경 속에서 연마한 건전한 상식'으로 국정을 운영해 나갈 것입니다. 그가 두 번째 취임연설에서 말했던 것처럼, "우리들 사이의, 그리고 모든 나라들과의 정의롭고 영원한 평화를 이루기 위해서" 한결같이 최선을 다해 나갈 것입니다.

귀빈 여러분,

올해는 미국의 한인사회가 이민 100주년을 맞는 해입니다. 또, 한미 동맹 50주년을 맞는 뜻깊은 해이기도 합니다. 1950년 한국전쟁에서 수많은 미국의 젊은이들은 '알지도 못하는 나라, 만난 적도 없는 사람들을 위해서' 헌신했습니다. 한국 국민들은 그분들의 고귀한 희생에 대해 지금도 감사의 마음을 깊이 간직하고 있습니다.

한국 또한 최선의 노력으로 동맹국으로서의 역할을 다해왔습니다. 걸프전과 동티모르 평화유지 활동에 적극 참여했고, '9·11 테러' 당시에는 대다수 한국민들이 미국민들과 슬픔을 함께 했습니다. 국제적인 반테러 노력에도 협력했고, 아프가니스탄 전쟁도 적극 지원했습니다. 이 시간에도 이라크에서는 한국의 파병부대가 미군과 함께 활동하고 있습니다.

얼마 전까지만 해도 일부에서는 한·미 동맹의 장래를 걱정하는 목소리가 있었습니다. 그러나 지금 여러분은 그러한 걱정을 하지 않으실 것입니다. 한국 정부와 국민이 굳건한 한·미 동맹관계를 원하고 있다는 사실을 잘 알고 계실 것으로 확신합니다.

한·미 동맹은 지난 50년 동안 한국의 안보와 한반도 평화 유지에 크게 기여해 왔습니다. 주한미군의 역할은 동북아시아의 평화와 안정을 위해서도 매우 중요합니다. 저와 한국 정부는 성숙하고 완전한 한·미 동맹관계의 발전을 위해서 변함없이 노력해 나갈 것입니다.

귀빈 여러분,

제가 여러 차례 같은 약속을 반복해도 아직도 저를 믿지 못하는 사람이 있습니다. 그래서 다시 이 자리에서 아주 간단하게 표현해 보겠습니다. 만약 53년전 미국이 우리 한국을 도와주지 않았다면 저는 지금쯤 정치범수용소에 있을지도 모른다는 생각을 하고 있습니다. 지금 한국이 해결해 나가야 할 가장 시급한 과제는 한반도에 평화를 정착시키는 일입니다. 냉전의 땅에서는 평화와 번영의 열매를 기대할 수 없기 때문입니다. 한국 정부는, 아니 참여 정부는 국민의 정부의 햇볕정책을 이어 받아서 '평화번영 정책'을 추진해 나가고 있습니다.

국가의 발전도, 국민의 행복도 평화로부터 출발합니다. 평화가 깨지면 모든 것이 물거품이 되고 맙니다. 북한의 핵 문제는 한반도는 물론 동북아시아의 평화와 안정을 위협하는 심각한 현안입니다. 우리는 북한의 핵을 결코 용인하지 않을 것입니다. 그러나 이 문제는 반드시 평화적으로 해결되어야 하며, 또 대화로써 해결될 것입니다. 한·미 양국은 이러한 공동의 인식과 원칙 아래 긴밀히 협력해 나가고 있습니다.

북한은 지금 두 가지 선택의 갈림길에 서 있습니다. 한쪽 길은 막다른 길이지만 다른 한쪽은 끝이 열려있는 길입니다. 그것은 핵 개발을 포기하고 국제사회의 책임있는 일원으로 나아오는 길입니다. 북한이 그 길을 선택할 때 우리와 국제사회는 필요한 지원과 협조를 제공하게 될 것입니다.

지난달 북한은 대화 테이블로 나왔습니다. '베이징 3자 대화'는 북핵 문제의 평화적 해결을 위한 의미있는 과정의 시작입니다. 저는 미국 정부가 '3자 대화'를 수용하는 과정에서 보여준 노력과 인내를 높이 평가합니다. 저는 이 문제가 하루아침에 해결될 것이라는 조급한 기대는 하지 않습니다. 적지 않은 어려움도 있을 것입니다. 그러나 서로가 진지하게 대화에 임해나간다면 신뢰가 구축되고 평화적 해결의 길도 열릴 것입니다.

저는 한반도의 평화와 안정을 유지하기 위해 대통령으로서 모든 노력을 경주하겠습니다.

존경하는 귀빈 여러분,

오늘 점심때 금융계 인사들에게 이렇게 말했습니다. 한국의 문제는 잘 풀릴 것이고 한국에는 아무런 문제가 없습니다. 그러나 많은 사람들은 아직도 한국을 불안해하고 있습니다. 많은 어려움을 극복하고 도전정신과 열정으로 오늘의 한국을 일궈낸 한국인들이 이 약속을 뒷받침할 것입니다. 이미 기적으로 증명하지 않았습니까?

한국 경제의 미래는 밝습니다. 한국은 동북아시아의 물류와 비즈니스의 허브로 발돋움할 수 있는 좋은 조건을 갖추고 있습니다. 지리적으로는 거대 시장인 중국과 일본의 한가운데에 있습니다. 인천 공항과 부산항, 광양항과 같이 세계적으로 손색이 없는 물류기반을 갖추고 있습니다. 특히 초고속 통신망과 IT 산업을 비롯한 정보화 기반은 세계 최고의 수준이라고 자부합니다. 한국의 높은 교육열과 우수한 인적자원에 대해서는 여러분도 잘 알고 계실 것입니다.

한국이 동북아 경제의 허브로 명실상부하게 발전해 나갈 수 있도록 하기 위해서 저는 다음의 두 가지에 심혈을 기울이고 있습니다. 그 하나는 앞서 말씀드린 한반도의 평화 정착입니다. 그리고 다른 하나는 한국의 경제 시스템을 선진국 기준에 부합하는 수준으로 개혁해 나가는 것입니다.

한국은 지금 경제의 모든 분야를 '글로벌 스탠더드'에 맞게 향상시키기 위해서 범국가적으로 노력을 지속해 나가고 있습니다. 정부와 기업이 힘을 합쳐서 투명하고 공정한 시장질서를 확립해 나가고 있습니다. 시장개혁은 지속적이고 일관되게 추진될 것입니다.

노동분야도 선진화될 것입니다. '대화와 협력'의 노사관계가 착실히 뿌리를 내리고 있습니다. 노동자들은 국제적 기준에 부합하는 권익을 보장받고, 동시에 의무를 준수토록 할 것입니다. 노동시장의 유연성도 국제수준으로 확보될 것입니다. 대화와 타협은 법과 원칙이 지켜질 때 보장됩니다. 대화와 타협 못지 않게 법과 원칙을 지켜내는 것이 중요합니다. 하나하나의 대응도 중요하지만 포괄적인 시스템이 중요합니다. 앞으로 짧게는 2년, 길게는 3년 안에 이와 같은 노사관계 문화를 종합적이고 근본적으로 바꿀 수 있는 계획을 세우고 있습니다.

저는 한국을 어느 곳보다 매력적인 투자처로 만들어 나갈 것입니다. 세계를 향해 활짝 열린 시장을 만들고, 내국 기업과 외국 기업을 차별하지 않을 것입니다. 미국의 기업과 투자자들의 적극적인 관심과 협력을 기대합니다.

존경하는 귀빈 여러분,

우리는 신념을 가지고 이 위기를 극복해 나갈 것입니다. 반드시 평화와 번영을 이루어 내겠습니다. 물론 여러분의 도움이 있어야 합니다. 미국이 도와주지 않았으면 오늘의 한국은 없었을 것입니다. 앞으로의 성공을 위해서도 미국의 도움은 꼭 필요합니다. 여러분이 한 미 관계를 공고히 하는 데 도와줄 것을 다시 당부합니다.

한국과 미국은 자유 민주주의와 시장경제의 가치를 공유하고 있습니다. 통상과 인적교류 면에서도 서로에게 매우 중요한 협력 파트너입니다. 작년에는 120만명의 국민들이 양국을 왕래했습니다. 연간 교역규모도 560억 달러에 이릅니다.

한국은 미국과 가장 가깝고도 중요한 동맹관계를 유지해 나갈 것입니다. 저는 한 미 두 나라 국민의 상호이해와 존중이 한층 더 깊어질 수 있도록 최선을 다할 것입니다. 반세기 동안 쌓아 온 우리의 신뢰와 우정을 더욱 굳게 다져 나갑시다. 한반도와 세계의 평화, 그리고 두 나라 국민의 영원한 우의를 위해서, 우리 함께 손잡고 나아갑시다. 여러분의 큰 역할을 기대해 마지않습니다.

다시 한번 뜻깊은 자리를 만들어준 '코리아 소사이어티' 관계자들께 감사의 말씀을 드리면서 여러분의 건강과 행복을 기원합니다.

경청해 주셔서 감사합니다.

# 미국상공회의소, 한미재계회의 공동초청 오찬 연설

2003년 5월 14일

존경하는 토머스 도노휴 미 상공회의소 회장, 모리스 그린버그 한·미 재계회의 회장, 그리고 이 자리에 함께 하신 경제계 지도자 여러분,

안녕하십니까? 오늘 이처럼, 세계경제를 이끌고 계시는 경제계 지도자 여러분을 만나게 되어 매우 기쁩니다. 따뜻하게 환영해 주시고 성대한 오찬을 베풀어주신 미 상공회의소와 한·미 재계회의 관계자 여러분께 감사드립니다.

한국에 새로운 정부가 출범한 지 80일이 가까워오고 있습니다. 새 정부는 '원칙과 신뢰', '투명과 공정', '대화와 타협', '분권과 자율'을 국정원리로 삼고 있습니다. 그 중에서도 저는 '신뢰'의 중요성을 특별히 강조하고 있습니다. '신뢰'야말로 경제발전과 사회통합은 물론 국가간 관계에서도 가장 기본적인 요소라고 생각하기 때문입니다.

5년 전 한국은 외환위기를 경험했습니다. 국가신인도가 바닥에 떨어졌습니다. 그 후 한국은 무너진 신뢰를 회복하기 위해 각고의 노력을 했습니다. 큰 고통을 감내하며 구조조정을 하고 개혁을 추진해 왔습니다. 그 결과 세계가 놀랄 만큼 빠른 속도로 외환위기를 극복해 냈습니다. 물론 국제사회의 협조와 이 자리에 계신 여러분의 도움도 컸습니다.

저는 자신 있게 말씀드릴 수 있습니다. 한국의 경제체질은 외환위기 이전보다 훨씬 튼튼해졌습니다. 경제구조도 효율적으로 바뀌었습니다. 이를 바탕으로 한국은 작년에 6.3%의 성장을 기록하였습니다. OECD 국가 중에서 가장 높고, 아시아에서는 중국 다음으로 높은 성장률입니다. 그러나 아직 만족할만한 수준은 아닙니다. 한국 경제가 지속적으로 성장하고 국제 투자가들로부터 두터운 신뢰를 얻기 위해서는 더 많은 노력이 필요합니다.

신뢰의 첫 번째 요건은 한국 시장을 더욱 투명하고 공정하게 만드는 것입니다. 새 정부는 경제개혁을 지속적으로, 그리고 일관되게 추진해나갈 것입니다. 한국 경제 전 분야에 '글로벌 스탠더드'를 도입하고, 이에 맞게 경제 현실을 개혁해 나가는 것이 목표입니다. 시장의 공정성과 경영의 투명성을 높이는 법과 제도를 갖춰나갈 것입니다. 특히 기업 투명성에 대한 시장의 감시기능을 꾸준히 확충해나가고 있습니다. 투명성이 높아지면 상대적으로 저평가되어 있는 한국의 주식시장도 한 단계 더 도약할 수 있을 것입니다.

저는 그동안 원칙과 가치를 중시하는 정치를 해왔습니다. 그래서 오늘 이 자리에 설 수 있었습니다. 앞으로 한국 경제도 바뀔 것입니다.

투명하고 공정한 게임의 장이 마련될 것입니다. 내외국인의 구분도 없습니다. 세계를 향해 활짝 열린 시장이 있을 뿐입니다. 기술력과 창의력을 갖춘 기업이 성공할 것입니다. 이와 함께 한국 경제는 역동적으로 성장해나갈 것입니다.

아울러 새 정부가 추진하고 있는 '과학기술 혁신정책'도 투자 확대를 결정짓는 매력적인 요인이 될 것입니다. 한국에 투자를 검토하는 많은 분들이 특별히 노사관계에 대해서 관심이 많은 것으로 알고 있습니다. 그동안 노사간 대립과 갈등은 한국 경제에 적잖은 부담이 되어온 것이 사실입니다. 그러나 이미 변하고 있고, 앞으로 더 많이 변화해갈 것입니다. 외국인기업의 노사분규는 이제 거의 미미한 수준이라고 말씀드릴 수 있습니다.

저는 그동안 노사문제에 있어 시대가 요구하는 역할에 충실해 왔습니다. 노동운동이 부당하게 탄압받을 때는 인권수호 차원에서 노동자의 편에 섰습니다. 노동자들의 권익이 신장된 다음에는 노사간 조정과 중재에 나서 타협을 성공시켜냈습니다.

이제는 그동안 축적해온 경험을 가지고 '윈-윈'의 새로운 노사협력 모델을 만들어가고자 합니다. 원칙과 신뢰의 토대 위에서 대화와 협력의 노사문화가 뿌리내리도록 할 것입니다. 법과 제도·관행뿐만 아니라 노동시장의 유연성과 근로자의 권리·의무까지 국제적인 기준에 맞추어나갈 것입니다.

외국인 투자환경도 개선될 것입니다. 외국투자자의 입장에서 투자와 기업활동에 장애가 되는 요인들을 하나하나 찾아내 해소해갈 것입니다. 외국인의 생활 여건도 고국에 사는 것과 큰 차이를 느끼지 않도록 해 나갈 것입니다. 특히 외국인들이 큰 애로를 느끼고 있는 의료와 자녀 교육, 주거 환경을 획기적으로 개선해 나갈 것입니다. 올해 말까지 지정될 '경제자유구역'은 바로 이러한 기업환경과 생활환경을 제공하기 위한 것입니다. 나아가 이러한 정책을 전국으로 확대해서 세계 어디에 내놓아도 손색이 없는, 기업하기 좋은 환경을 만들어 나갈 것입니다.

한국에 대한 투자를 주저하게 만들었던 북한의 핵문제도 평화적인 방법으로 해결될 것으로 확신합니다. 부시 대통령도 외교적인 방법을 통해 평화적으로 해결하겠다는 것을 여러 차례 강조해왔습니다. 북핵 문제의 해법에 관해 한·미 양국은 공통의 인식을 가지고 있습니다.

지난달 북한은 대화 테이블에 나왔습니다. '베이징 3자 대화'는 북핵문제의 평화적 해결을 위한 의미있는 과정의 시작입니다. 이 과정에서 보여준 미국의 노력과 인내를 높이 평가합니다. 북한이 국제사회의 책임있는 일원이 되기 위해서는 반드시 핵을 포기해야 합니다. 긴밀한 한·미 공조는 북핵 문제를 평화적으로 해결하는 토대가 될 것입니다. 저는 내일 부시 대통령과 만나서 앞으로 제기될 여러 문제에 대해 진지하게 협의할 것입니다. 저는 북핵 문제가 당장 해결될 것이라는 성급한 기대를 하고 있지 않습니다. 많은 어려움이 있을 것입니다. 그러나 서로가 진지하게 대화에 임해나간다면 신뢰가 구축되고 평화적인 해결의 길이 열릴 것입니다. 저는 한반도에 평화와 안정을 정착시키기 위해 모든 노력을 다하겠습니다.

올해는 한·미 동맹 50주년이 되는 해입니다. 지난 50년 동안 한·미

동맹관계는 한반도의 평화와 안정을 가져다 주었습니다. 그 덕분에 한국은 자유민주주의를 발전시키면서 경제를 도약시키는 데 전념할 수 있었습니다. 그리고 이제 한·미 관계는 상호존중의 토대 위에서 서로의 책임과 의무를 다하는 보다 성숙한 관계로 발전하고 있습니다. 한국군의 이라크 파병은 이를 상징적으로 보여주고 있습니다.

한·미 관계는 지난 50년보다 앞으로의 50년이 더욱 중요할 것입니다. 동맹관계는 더욱 굳건히 유지되어야 합니다. 저는 한·미 양국이 돈독한 신뢰를 바탕으로 미래지향적이고 완전한 동반자 관계로 나아갈 수 있도록 노력할 것입니다. WTO와 APEC을 비롯한 국제무대에서도 미국과 계속 긴밀히 협력해나갈 것입니다.

존경하는 경제계 지도자 여러분,

한국은 '동북아의 비즈니스 허브'로 발돋움하고자 하는 계획을 가지고 있습니다. 이것은 한국뿐만 아니라 여러분에게도 '새로운 기회'가 될 것입니다.

한국은 지리적으로 거대 경제권인 중국과 일본의 사이에 위치하고 있습니다. 주변의 넓은 시장과 풍부한 자원을 활용할 수 있는 지정학적 이점을 지니고 있는 것입니다. 인천공항과 부산항, 광양항과 같은 충분한 물류기반도 갖추고 있습니다. 정보화 기반과 IT 역량도 세계 선두권입니다. 무엇보다 21세기 지식기반 경제를 선도해갈 수 있는 우수한 인적자원을 보유하고 있습니다.

이러한 자산을 기반으로 한국은 '동북아의 물류와 생산과 금융의 허브'로 발전해 나가고자 합니다. 아울러 평화와 번영의 동북아 시대를 여는 데 중추적인 역할과 책임을 다해나갈 것입니다. 이는 세계의 많은 나라에 새로운 기회가 될 것입니다. 특히 동북아와 태평양경제권으로 연결되어 있는 미국에게 더 많은 기회가 제공될 것입니다. 여기 계신 여러분과 많은 기업인들이 한국의 이러한 미래에 참여하여 열매를 함께 공유할 수 있게 되기를 진심으로 바랍니다.

경제계 지도자 여러분,

한미 양국은 이제 서로에게 너무도 중요한 경제협력의 파트너가 되고 있습니다. 미국은 한국의 최대 교역상대국일 뿐만 아니라 최대 투자국입니다. 한국 역시 미국의 일곱번째 교역상대국이자 여섯번째 수출시장입니다. 한국은 미국의 오랜 교역 상대국인 대부분의 유럽국가들보다 더 많은 미국 상품을 수입하고 있습니다.

그러나 협력의 여지는 아직도 무궁무진합니다. 양국간 투자와 교역은 더욱 확대되어야 합니다. 경제협력을 더욱 확대해서 안보 위주의 전통적인 동맹관계를 뛰어넘어 포괄적인 동맹관계를 지향해 나가야 하겠습니다. 바로 여기 계신 경제인 여러분이 그 주역입니다. 정부간 경제협력보다 더 중요한 것이 기업인간의 실질적인 협력이기 때문입니다. 오늘 이 자리에 한국의 대표적인 기업인들과 주한 미 상공회의소 회원들이 함께 하고 있는 것도 그런 이유에서입니다.

저의 이번 방문이, 그리고 오늘의 이 자리가 양국 경제계간의 교류와 협력을 더욱 증진시키는 중요한 계기가 되기를 희망합니다. 저와 우리 정부는 두 나라 경제계간의 투자와 교역, 그리고 기술협력이 더욱 활발히 이뤄질 수 있도록 최대한 뒷받침하겠습니다. 우리 함께 손잡고 공동의 번영을 일구어 나갑시다.

여러분의 건강과 한미 양국 경제의 발전을 기원하면서 머지않아 서울에서 다시 만나기를 기대합니다.

경청해 주셔서 감사합니다.

# 우드로 윌슨센터, 국제전략문제연구소 초청 간담회 연설

2003년 5월 14일

존경하는 샘 넌 이사장님과 존 햄리 소장. 데이비드 메츠너 부이사장, 그리고 귀빈 여러분,

만나 뵙게 되어 반갑습니다. 오늘 저녁 저명하신 국제문제 전문가 여러분과 말씀을 나누게 된 것을 뜻깊게 생각합니다. 귀한 자리를 마련해 주신 넌 이사장님과 햄리 소장님, 그리고 메츠너 부이사장님께 깊이 감사드립니다. 만찬에 앞서, 최근의 한반도 상황과 한반도에 평화를 정착시키기 위한 한국 정부의 노력에 대해서 간략히 몇 말씀을 드리겠습니다.

동북아시아는 세계에서 가장 역동적으로 성장하고 있는 지역 가운데 하나입니다. 세계경제의 5분의 1을 담당하고 있고, 세계인구의 4분의 1이 살고 있습니다. 앞으로 20년 후에는 경제 규모가 전 세계의 3분

의 1에 이를 것이라는 예측도 있습니다. 무한한 기회가 열려있는 곳입니다. 그러나 그 한가운데에 있는 한반도에는 아직도 동서 냉전의 잔재가 남아있습니다. 이것은 우리뿐만 아니라, 동북아시아 전체의 평화와 번영을 위해서도 매우 불행한 일입니다.

이제 한국은 동북아시아가 '평화의 공동체', '번영의 공동체'로 발전해 나갈 수 있도록 능동적인 역할을 해 나가고자 합니다. '평화와 번영의 동북아시대'를 열어가려는 것입니다. 이를 실현하기 위한 첫번째 과제는 한반도에 평화를 정착시키는 일입니다. 한국의 새 정부는 '평화번영 정책'을 추진해 나가고 있습니다. 한반도에 항구적인 평화를 정착시키고, 남북한의 공존과 공영을 추구하자는 것입니다.

그동안의 '대북 포용정책'은 논란이 있었음에도 불구하고 한반도에서 평화를 유지하는 데 기여해 왔습니다. 남북한간에 대화와 인적·물적 교류가 상당히 활발해진 것도 사실입니다. 저는 이러한 화해협력의 기조를 유지하면서 지금까지 드러난 문제점들을 하나하나 바로잡아 나갈 것입니다. 국민적 공감대를 확보하면서 최대한 투명한 방식으로 추진해 나가겠습니다. 아울러 미국을 비롯한 우방들과의 공조도 긴밀히 유지해 나갈 것입니다.

저는 우리의 '평화번영정책'이 한반도에 평화를 정착시키고 '평화와 번영의 동북아시대'를 열어가는 토대가 될 것으로 확신합니다. 지난 달에는 베이징에서 북한의 핵문제를 평화적으로 해결하기 위한 첫단계의 대화가 있었습니다. 그에 앞서 저와 부시 대통령은 몇 차례의 전화통화를 통해서 북한 핵 문제를 외교적 노력으로 해결해 나가자는 데 의견의 일치를 보았습니다. 지금도 양국 정부는 긴밀한 공조체제를 유지하고 있습니다. 대화가 시작된 것은 의미있는 일입니다. 그러나 이 문제가 하루아침에 해결되기는 어려울 것입니다. 모두가 진지하게 대화에 임해 나간다면 신뢰가 구축되고 평화적 해결의 길이 열릴 것입니다.

북한은 지금 중대한 선택의 기로에 서 있습니다. 고립을 지속할 것이냐, 개방으로 나갈 것이냐의 갈림길입니다. 현재의 북한 지도부로서는 쉽지 않은 선택일 것입니다. 저는 이 기회에 북한이 핵을 포기하고 개방과 공생의 길로 나오기를 바라고 있습니다. 아울러 우리 한·미 양국이 더욱 긴밀히 공조하고 협력하는 가운데, 북한 핵 문제가 평화적인 방법으로 해결되기를 기대하고 있습니다.

미국은 우리의 유일한 동맹국입니다. 한국 역시 아시아에서는 유일하게 미국과 함께 피 흘려 싸워온 맹방입니다. 한국 국민들은 반세기 동안 다져온 한·미 우호와 동맹관계를 소중히 생각하고 있습니다. 한반도에 평화를 뿌리내리고, 나아가 '평화와 번영의 동북아시대'를 열어나가기 위해서도 미국의 건설적인 역할과 협력이 긴요하다는 것을 잘 알고 있습니다.

우리 두 나라는 경제와 교류 면에서도 이미 불가분의 동반자 관계를 맺고 있습니다. 작년 한 해 동안 양국간의 교역은 560억 달러를 기록했습니다. 70만명의 한국 국민과 50만명의 미국 국민들이 양국을 방문했습니다. 올해로 이민 100주년을 맞이한 200만 한인들은 미국 사회의 곳곳에서 '아메리칸 드림'을 키워가고 있습니다. 제가 한국군의 이라크 파병을 결정했던 것도 이러한 한·미간의 전통적인 우호와 동맹관계를 깊이 존중했기 때문입니다. 이제 우리 두 나라는 보다 성숙하고 완전한 동맹관계로 발전되어 나가야 할 것입니다. 저의 이번 방문을 계기로 우리의 동맹관계가 상호존중의 바탕 위에서 한층 강화되기를 진심으로 기대합니다. 귀한 시간을 내어주신 여러분께 거듭 감사드리면서, 여러분의 고견과 적극적인 성원을 부탁드립니다.

감사합니다.

# 부시 미국 대통령 주최 만찬 답사

2003년 5월 15일

조지 부시 대통령 각하, 따뜻한 환대의 말씀에 대해서 진심으로 감사드립니다.

오늘 각하를 처음 만났지만 오랜 친구처럼 느껴집니다. 그동안 우리는 한·미 양국이 함께 풀어가야 할 과제들에 대해서 전화를 통해 많은 대화를 나누었습니다. 조금 전까지도 서로 마음을 열어놓고 진지한 협의를 가졌습니다.

비관주의자는 기회를 보고도 어렵다고 생각하지만, 낙관주의자는 어려움 가운데서도 기회를 본다고 합니다. 그런 점에서 각하와 나는 분명히 낙관주의자입니다. 우리는 힘을 합쳐서 모든 도전과 난관을 기회와 희망으로 바꿔나갈 것입니다. 대통령 각하의 건강과 한·미 양국의 변함없는 우정을 위해 건배를 제의합니다. 감사합니다.

# 미국 방문 귀국보고

2003년 5월 17일

존경하는 국민 여러분,

저는 첫 미국방문과 한·미 정상회담을 무사히 마치고 돌아왔습니다. 그동안의 관심과 성원에 대해서 깊이 감사드립니다. 사실은 무거운 책임감 속에서 6박 7일의 일정에 올랐습니다. 국민 여러분께서 우리의 안보와 경제를 위해서는 이번 방미를 얼마나 중요하게 생각하시는지를 잘 알기 때문이었습니다. 무엇보다도 북핵 문제의 평화적 해결과 한·미 관계, 그리고 우리 경제를 위해서도 매우 중요한 문제들을 협의해야 했기 때문입니다.

아울러 이제는 한·미 양국이 상호 존중과 호혜의 완전한 동맹관계로 나아가야 한다는 인식이 커지고 있는 상황입니다. 그러나 저는 모든 문제를 일거에 해결할 수 있다고 생각하지는 않았습니다. 가시적인 성과를 거두려하기보다는 한·미관계와 한반도 평화, 우리 경제의 발전을 위한 토대를 굳건히 다지는 데 최선을 다하겠다고 생각했습니다. 다행히 상당한 성과가 있었다고 스스로 평가합니다.

이번 방미는 한·미관계를 포괄적이고 역동적인 동맹관계로 발전시켜 나가는 계기가 되었다고 생각합니다. 부시 대통령을 비롯한 미 행정부와 의회, 경제계의 많은 인사들과 만나고 대화하는 바쁜 일정을 보냈습니다. 부시 대통령과는 매우 친밀한 관계 속에서 신뢰감을 구축했습니다. 그동안 네차례에 걸쳐서 전화로 협의했고, 이번에 직접 만나서 솔직하고 허심탄회하게 양국간의 주요 현안을 조율하고 우의와 신뢰를 확인했습니다. 이러한 정상간의 관계가 앞으로 양국간 협력에 긍정적인 효과로 나타날 것으로 기대합니다. 또한 한·미관계를 지속적으로 발전시키기 위한 정책적 전략에 합의했습니다. 양국은 한반도의 평화와 번영을 실현하는 데 공동의 목표를 두고 모든 전략과 현안에 대해서 긴밀히 공조하기로 하였습니다.

이번에 저와 부시 대통령은 공동성명을 통해서 양국의 우호협력 관계를 강화시켜 나갈 원칙과 전략을 마련했습니다. 그 주요 내용에 대해서 간략히 보고해 드리겠습니다.

한·미동맹 50주년을 맞이하여 더욱 공고하고 역동적인 관계로 발전시켜 나가기로 합의했습니다. 군사분야 뿐만 아니라 정치·경제·문화 등 모든 분야에서 양국 관계가 더욱 깊어지도록 노력해 나갈 예정입니다. 주한미군의 재배치에 대해서는 부시 대통령, 체니 부통령, 럼스펠드 국방장관과 긴밀히 협의했습니다. 용산 기지의 이전은 조기에 이루어지도록 협조하며 한강 이북의 미군기지 이전은 한반도의 정치, 경제, 안보 상황을 신중히 고려해서 추진하기로 했습니다. 물론 한반도의 평화와 안보를 더욱 강화시킨다는 것이 전제입니다. 군사기술의 발전에 따른 전쟁 억지력을 강화하는 데 효과적인 전략추진이 필요하다는 정책적 인식에 바탕을 두고 있습니다. 우리로서도 신장된 국력을 바탕으로 더욱 완벽한 국방 준비태세를 갖추어 나가야 할 것입니다. 아울러 미국 정부의 인사들은 우리가 동맹국으로서 이라크에 파병을 해 준 데 대해서 거듭 사의를 표명했습니다. 부시 대통령은 우리가 이라크에 대한 인도적 지원과 전후 복구 및 재건 과정에 참여하는 것을 환영했습니다. 이에 관해서 앞으로는 양국이 긴밀히 협력해 나갈 것입니다.

한·미 양국은 북한이 개혁과 개방으로 나오도록 유도해 나간다는 동일한 대북정책 목표를 확인했습니다. 북한의 핵을 용납하지 않는다는 것과 평화적인 해결의 원칙에도 의견이 일치했습니다. 저는 부시 대통령에게 더 이상 한반도에서 전쟁의 참화를 겪어서는 안 된다는 점을 강조했고, 부시 대통령도 전적으로 공감을 표명했습니다. 한·미 양국은 북한이 고립의 길에서 벗어나 핵을 포기하고 국제협력의 길을 선택할 수 있도록 노력해 나갈 것입니다. 북한이 책임있는 국제사회 일원이 될 때에 한국과 미국, 그리고 국제사회의 지지와 협조를 확보할 수 있을 것입니다. 남북간의 교류와 협력은 북핵 문제의 전개상황에 따라서 신축적인 검토가 이루어질 수 있을 것입니다. 그러나 북한주민에 대한 인도적 지원은 정치적 상황과 관계없이 지속해 나가기로 했습니다. 앞으로 일본, 중국, 러시아를 방문해서 이들의 지지와 협조 가운데 북핵 문제해결을 위한 공동보조를 마련할 예정입니다. 북한은 이러한 기회를 놓치지 말아야 할 것입니다.

경제면에서도 상당한 성과를 거두었다고 생각합니다. 한·미관계와 북핵 문제의 해결에 대한 우려를 거두어냄으로써 우리 경제에 대한 신뢰를 높이는 계기가 됐습니다. 예를 들어서 외평채 가산금리도 95bp로 하락하여 2001년 12월 이래 최저 수준을 기록하고 있습니다. 저는 미국 정부와 기업인들에게 한국의 경제개혁은 글로벌 스탠더드에 부합하는 자유롭고 공정한 시장질서를 구축하기 위한 것이라는 점을 설명했습니다. 우리의 '동북아 비즈니스 허브' 구상도 상세히 소개했습니다. 노사관계는 원칙과 신뢰의 토대 위에서 대화와 타협의 문화를 정착시켜 나가는 구체적인 계획을 세우고 있다는 점을 밝혔습니다.

이번에 미국 정부의 재무장관과 상무장관, 그리고 무역대표부(USTR) 대표를 만났는데 한결같이 우리의 경제개혁 추진과 '동북아 경제중심' 구상에 대해 지지를 표명해 주었습니다. 미국의 투자가들과 기업인들도 한국경제의 안정과 성장이 지속될 것이라는 확신을 갖게 되었다고 합니다. 뉴욕의 금융계 지도자들, 상공회의소의 주요 기업인들, 그리고 서부지역의 첨단산업 경영인들은 모두 한국경제의 앞날에 대해서 큰 기대를 나타냈습니다.

저는 미국 금융계와 첨단산업을 둘러보면서 우리 경제의 시스템을 선진국 수준으로 끌어올리는 것이 무엇보다도 중요한 과제라는 것을 거듭 절감했습니다. 투명하고 공정한 게임의 장을 마련하고 내외국인의 차별 없이 세계를 향해 '열린 시장'을 만들고 기술력과 창의력을 갖춘 기업이 성공하는 한국 경제를 이룩해 나가겠습니다.

이번에 31명의 경제계 지도자와 금융계 인사들이 동행해 주셨습니다. 저의 활동을 직접 돕기도 하고 활발한 투자유치와 무역상담 활동을 전개함으로써 이번 방문이 성과를 거둘 수 있도록 적극 뒷받침해 주었습니다. 이렇게 정부와 기업이 힘을 합치는 모습은 '한국경제에 대한 믿음'을 한층 높여주는 좋은 본보기가 되었으리라고 생각합니다.

올해는 재미동포들의 미국 이민 100주년 되는 해인만큼 방문지별로 동포간담회를 개최했습니다. 그분들이 어려운 여건 속에서도 미국의 주류사회에 진출하여 열심히 살아 가고 있는 데 대해서 많은 감동을 받았습니다. 동포들에게 조국에 대한 자부심을 심어주고 유대관계를 더욱 튼튼히 할 수 있도록 지원하겠다는 격려를 드렸습니다.

한·미관계에 대한 일부의 의구심이나 오해는 이제 완전히 해소되었습니다. 북핵 문제의 평화적인 해결을 위해서도 양국이 함께 협력해나갈 것임을 다시 한번 확인했습니다. 아울러 우리의 분명한 경제개혁의 의지를 미국 정부와 경제계에 깊이 인식시킴으로써 투자유치와 통상확대에 큰 도움이 될 것으로 기대합니다. 그러나 이를 구체적인 결실로 만들어내기 위해서는 앞으로도 해야 할 일이 많이 있습니다. 이번에 합의되고 또 협의된 사항들을 하나하나 실천해 나가는 데 각별히 힘을 기울이겠습니다. 이러한 과정에서 충분한 대화를 통해서 국민적 참여와 공감대를 더욱 넓혀 나가도록 하겠습니다. 이번 방문 동안에 국민 여러분께서 보여 주신 성원에 대해서 다시 한번 감사드립니다.

대단히 감사합니다.

# 스승의 날 사랑의 사이버 카네이션 행사 축하 메시지

2003년 5월 13일

스승의 날을 진심으로 축하드립니다. 지금 이 시간에도 전국의 교육현장에서 묵묵히 애쓰시고 계시는 선생님들께 존경과 감사의 인사를 드립니다. 참다운 스승의 길을 걷는 것은 말처럼 쉬운 일은 아닙니다. 옳은 것을 가르치고 이를 몸소 실천하는 솔선의 자세가 늘 요구되기 때문입니다. 무엇보다 우리 학생들을 위한 사랑과 열정의 헌신이 있어야 합니다.

하지만 어려운 만큼 보람과 기쁨 또한 큰 것이 스승의 길이라고 생각합니다. 우리 국민 어느 누가 스승의 가르침 없이 올바르게 성장할 수 있었겠습니까? 저도 선생님의 가르침 덕분에 오늘 이 자리에 올 수 있었습니다. 선생님들이 계시기에 우리는 더 나은 미래를 기대할 수 있습니다.

그러나 선생님들의 노고에 비해 처우개선은 아직 부족하기만 합니다. 마땅히 가져야 할 스승에 대한 존경심마저 퇴색해 가는 것 같아 안타까운 마음이 듭니다. 저와 참여정부는 선생님들의 무거운 짐을 덜어드리고, 선생님들께서 긍지와 보람을 느끼실 수 있도록 최선을 다하겠습니다. 교육개혁과 지식문화강국 건설에 꾸준히 힘써 나갈 것입니다. 이러한 노력이 결실을 맺을 때 스승을 존경하는 사회적 분위기는 자연스럽게 정착될 것이라 믿습니다. 힘내시고, 앞으로도 미래의 우리 사회를 이끌어 갈 동량을 키워 내시는 일에 더욱 힘써 주시기를 부탁드립니다.

뜻깊은 스승의 날을 맞아 다시 한 번 그동안의 노고에 감사드리며, 선생님과 가정에 늘 건강과 보람이 함께 하시기를 기원합니다.

# 광주민주화운동 23주년 기념식 연설

2003년 5월 18일

존경하는 국민 여러분, 그리고 광주시민과 전남도민 여러분,

오늘 광주민주화운동 23주년을 맞아 이 땅의 민주화를 위해 희생하신 5·18 영령들 앞에 머리 숙여 감사드리면서 삼가 명복을 빕니다. 그날의 아픈 상처로 지금까지도 슬픔과 고통을 겪고 계시는 유가족과 부상자 여러분께 충심으로 위로의 말씀을 드립니다. 아울러 큰 아픔을 딛고 일어서 새로운 역사의 장을 열어 오신 광주시민과 전남도민 여러분께 마음으로부터 존경의 말씀을 드리는 바입니다.

광주민주화운동은 우리 역사, 아니 세계의 민주주의 역사에 지울 수 없는 큰 발자취를 남겼습니다. 무엇보다 '정의는 반드시 승리한다.'는 역사의 교훈을 남겨주었습니다. 1980년 당시 자유와 민주주의를 외치던 광주의 함성은 정부와 언론에 의해 불순분자의 난동으로 왜곡되기도

했습니다. 자유와 정의, 인권을 부르짖은 시민들은 폭도로 매도되었습니다. 정의와 양심의 분노가 군부의 총칼 앞에 무참히 짓밟혔던 것입니다.

그러나 지금 5·18 광주는 '승리의 역사'로 부활되어 있습니다. 5·18 광주에서 시작된 민주화의 뜨거운 열기는 1987년 6월 항쟁으로 이어져 마침내 평화적 정권교체를 이룩하는 토대가 되었고, 마침내 오늘의 참여정부를 탄생시켰습니다. 참여정부는 바로 5·18 광주의 숭고한 희생이 만들어낸 정부입니다.

존경하는 국민 여러분,

참여정부는 5·18 광주의 위대한 정신을 계승할 것입니다. 그리하여 '개혁과 통합'의 새로운 시대를 열어갈 것입니다. 참여정부의 국정목표인 '국민과 함께하는 민주주의', '더불어 사는 균형발전사회', '평화와 번영의 동북아시대'를 실현함으로써 광주민주화운동을 최종적으로 완성시켜 나갈 것입니다. 지금 우리 앞에는 수많은 개혁과제들이 있습니다. 사회 각 분야에서 원칙과 신뢰를 바로 세우고 대화와 타협의 문화를 뿌리내려야 합니다. 투명하고 공정한 시스템을 정착시키고 지방분권과 지역균형발전을 이루는 것도 숙제입니다. 무엇보다도 국민이 진정한 주인으로 대접받는 정치와 행정이 되어야 합니다. 그래서 정직하게 땀흘려 노력하는 사람들이 성공하는 사회, 정의가 승리하는 역사를 만들어가야 하겠습니다.

우리 모두가 힘을 한 데 모아야 할 때입니다. 내부 분열로 시간과 국력을 낭비해서는 희망이 없습니다. 대립과 투쟁에서 대화와 협력으로, 집중과 통제에서 분권과 자율로, 소외와 차별에서 참여와 공존으로 나아가야 합니다. 참여정부의 국정원리인 '원칙과 신뢰', '공정과 투명', '대화와 타협', '자율과 분권'이 궁극적으로 지향하는 바는 바로 국민통합입니다. 국민통합은 참여정부가 반드시 이루어 내야 할 역사적 소명입니다.

우리 함께 손잡고 나아갑시다. 개혁과 통합으로 새로운 대한민국, 희망찬 시대를 열어 갑시다. 이 곳 5·18 국립묘지에 잠들어 계신 애국영령들이 우리를 지켜주시고 인도해 주실 것입니다.

감사합니다.

# 제38회 발명의 날 기념식 연설

2003년 5월 19일

존경하는 발명인 여러분, 그리고 발명 관계자 여러분,

제38회 발명의 날을 온 국민과 더불어 축하합니다. 어려운 여건에서도 탁월한 창의력과 열정으로 신기술 개발에 정진하고 계시는 발명인 여러분께 깊은 경의를 표합니다. 오늘 수상의 영예를 안으신 분들께도 축하의 인사를 드립니다. 저도 오래 전부터 발명과 인연을 맺어왔습니다. '독서대'를 개발해서 실용신안을 낸 일이 있고, '노하우 2000'이란 정치업무 표준화 프로그램을 만든 일도 있습니다. 그런 점에서 저는 여러분께 남다른 친밀감을 느끼고 있으며, 서로 공감할 수 있는 부분이 많다고 생각합니다.

존경하는 발명인 여러분,

21세기는 지식과 창의력으로 경쟁하는 지식기반 경제시대입니다.

생산라인 하나 없이도 기술 판매만으로 세계적인 기업 반열에 오르는 경우가 속출하고 있습니다. 바로 창의적인 아이디어로 무장한 발명인 여러분의 시대인 것입니다. 우리는 발명강국이 될 수 있는 충분한 자질과 역량을 가지고 있습니다. 무엇보다 우수한 인적자원이 있습니다. 발명의 핵심 요소는 결국 사람입니다. 재력이나 학력, 나이나 성별과도 상관이 없습니다. 뜻이 있고 아이디어가 있는 사람이면 누구나 훌륭한 발명가가 될 수 있습니다. 좁은 국토와 빈약한 자원에 비해 고급 인력이 많은 우리에게, 발명과 과학기술은 경제의 활로이자 내일의 희망인 것입니다.

또한 우리는 창의력과 신명을 타고난 민족입니다. 장구한 세월 동안 쌓아온 지적 전통이 있습니다. 서양보다 200년이나 앞선 금속활자의 발명은 결코 우연이 아닙니다. 세계 선두권으로 도약한 IT산업과 정보 인프라도 마찬가지입니다.

우리는 이미 특허 출원 건수에서 국내특허 세계 4위, 국제특허 8위를 기록하고 있습니다. 산업재산권 등록이 작년 말 처음으로 100만건을 돌파하였습니다. 그러나 질적으로 한 단계 더 도약하기 위해서는 아직 해결해야 할 문제들도 있습니다. 세계 4위의 특허 출원국이면서도 핵심 기술과 원천기술에 대한 특허가 취약합니다. 기술 무역수지가 매년 적자를 면치 못하고 있습니다. 앞으로 원천특허·핵심특허를 더욱 늘려나가야 합니다. 이를 위해서는 그 기반이 되는 과학기술의 혁신이 필수적입니다. 참여정부는 '제2의 과학기술입국'을 최우선 국정과제로 추진하고 있습니다. 그래서 발명강국, 특허대국의 기틀을 착실히 다져나가고자 합니다.

특허심사의 대기기간을 단축하는 것도 과제입니다. 갈수록 기술수명은 줄어드는데 반해 우리의 특허심사 대기기간은 늘어나고 있습니다. 현재 23개월인 대기기간을 2007년까지 선진국 수준인 12개월로 단축하겠습니다. 그 추진상황을 제가 직접 점검해나가도록 하겠습니다. 어렵게 취득한 특허가 산업현장에서 제대로 활용되지 못하고 있는 것도 문제입니다. 특히 자본이나 경영능력이 부족한 중소기업과 개인발명가의 특허기술이 사장되는 일이 없도록 해야 합니다. 이를 위해 '특허기술거래시장'을 지속적으로 발전시켜나가야 하겠습니다. 아울러 특허분쟁 관련 제도를 개선해서 경제적 약자의 특허권을 최대한 보호해 나갈 것입니다. 서울에 비해 상대적으로 소외돼 있는 지방에 대한 '특허정보서비스 제공'도 더욱 확충해나가도록 하겠습니다.

그러나 이 모든 것에 우선하는 것이 있습니다. 바로 변화와 혁신을 이루려는 우리 모두의 의지입니다. 낡은 것에 안주하려는 타성 속에서는 창조의 에너지가 나올 수 없기 때문입니다. 우리 사회 모든 영역이 고정관념과 낡은 관행에서 벗어나 합리성과 창의성을 추구할 때 비로소 명실상부한 발명선진국이 될 수 있다고 믿습니다. 참여정부의 국정원리인 '원칙과 신뢰', '공정과 투명', '대화와 타협', '분권과 자율'의 문화가 정착되어야 하는 이유도 바로 여기에 있습니다. 전국의 발명인 여러분, 여러분은 '제2의 과학기술입국'을 이끄는 첨병입니다. 발명선진국, 대한민국의 미래가 여러분에게 달려 있습니다. 각별한 사명감을 갖고 계속 정진해 주시기를 당부드립니다. 저도 여러분의 변함없는 후원자로서 최선의 노력을 다하겠습니다.

존경하는 국민 여러분,

과학기술과 발명이 21세기 우리의 국운을 좌우합니다. 모방기술만 가지고는 무한경쟁에서 승리할 수 없습니다. 소수의 천재 발명가에게만 의존하는 시대도 지났습니다. 창의적인 다수가 지식 창출의 대열에 함께 참여해야 합니다. 모든 국민이 가정에서, 학교에서, 일터에서 개개인의 잠재력을 계발하고 창의력을 한껏 발휘할 수 있도록 합시다.

정부는 땀흘려 이룩한 성과가 부당하게 침해되지 않도록 철저히 보호하겠습니다. 나아가 발명과 창조의 노력이 정당하게 보상받는 풍토를 조성하겠습니다. 그래서 활력 있는 경제, 창의력이 샘솟는 사회를 만들어가겠습니다. 뜻깊은 발명의 날을 다시 한번 축하하며 발명인 여러분의 앞날에 큰 발전이 있기를 기원합니다.

감사합니다.

# 주한미국 전몰장병 추모행사 메시지

2003년 5월 22일

오늘은 미합중국 전몰장병들을 추모하는 뜻깊은 날입니다. 세계의 자유와 평화, 그리고 민주주의를 지키기 위해 고귀한 생명을 바치신 고인들의 숭고한 희생을 기리며 명복을 빕니다. 또한, 이 순간에도 대한민국의 안보와 평화를 위해 헌신하고 있는 리언 라포트 사령관을 비롯한 3만 7천여 주한미군 장병들에게 각별한 감사와 치하의 말씀을 전합니다.

올해 우리는 한·미동맹 50주년을 맞이하고 있습니다. 반세기 전 6·25 전쟁에서 수많은 미군장병들은 한국과 세계의 자유와 평화를 수호하기 위해 목숨을 바쳤습니다. 그 후로도 주한미군 장병들은 우리와 함께 피땀 흘려 대한민국의 안보를 지켜 왔고, 동북아시아의 평화와 안정을 유지하는 데에도 지대한 공헌을 해왔습니다. 한국 국민들은 주한미군 장병들의 값진 희생과 헌신을 가슴 깊이 감사하고 있으며 영원히 잊지 않을 것입니다.

한·미동맹이 함께 나아갈 앞으로의 50년은 지금까지보다 더욱 소중하고 뜻깊은 시기가 될 것입니다. 나와 조지 부시 대통령은 지난주 정상회담에서 한·미동맹을 한 차원 높은 포괄적이고 역동적인 동맹관계로 발전시켜 나가기로 합의했습니다. 나는 우리 양국이 전통적인 혈맹의 전우애를 바탕으로 한반도와 동북아시아의 평화와 안정, 나아가 세계의 평화와 인류의 공동번영을 위해 더욱 더 굳게 협력해 나갈 것을 믿어 의심치 않습니다.

다시 한번 전몰용사들의 거룩한 희생을 마음으로부터 추모하면서 주한미군 장병들의 건승과 가족 여러분의 행복을 기원합니다.

# 제11차 반부패 국제회의(IACC)연설

2003년 5월 26일

존경하는 배리 오키프 반부패국제회의 의장, 피터 아이겐 국제투명성기구 회장, 그리고 반부패 분야 지도자와 전문가, 내외귀빈 여러분,

제11차 반부패국제회의(IACC)의 개막을 축하드립니다. 국제기구와 전 세계 100여개국에서 오신 참가자 여러분을 진심으로 환영합니다. 반부패국제회의는 1983년 이래 지난 20년 동안 반부패 국제협력을 위해 많은 노력을 기울여 왔습니다. 그리고 명실공히 세계 최대의 반부패 분야 민·관 연대회의로 성장하였습니다.

이처럼 뜻깊은 회의가 대한민국 서울에서 열리게 된 것은 우리 국민 모두의 기쁨입니다. 이번 행사를 위해 수고해 주신 관계자 여러분께 감사의 말씀을 드립니다. 특히 이 회의를 앞장서 이끌어 온 국제투명성기구에 깊은 경의를 표합니다. 오늘 '국제청렴상'과 '부패고발취재상'을

수상하게 될 분들께도 미리 축하의 인사를 드립니다.

내외귀빈 여러분,

한국은 지난 50년간 양적으로 엄청난 성장을 이루었습니다. 서구 선진국들이 수백 년에 걸쳐 이루어온 산업화를 불과 반세기만에, 그것도 분단과 전쟁의 폐허 위에서 이룩해 낸 것입니다. 그러나 고속성장은 적지 않은 부작용도 낳았습니다. 정경유착과 관치금융이 초래한 부패문제가 대표적인 예입니다. 1997년 외환위기를 겪으면서 한국 국민은 양적인 성장 못지 않게 투명성과 공정성의 확립이 중요한 과제라는 사실을 깨닫게 되었습니다.

이제 한국은 새로운 변화를 추구하고 있습니다. 새롭게 출범한 참여정부는 지속적인 개혁을 통해 질적 성장의 토대를 구축해 나가고 있습니다. '원칙과 신뢰', '공정과 투명', '대화와 타협', '분권과 자율'의 문화를 사회 구석구석에 뿌리내리는 것이 목표입니다. 그 출발점은 지난 시대의 잘못된 관행을 정상화시키는 것입니다.

가장 중요한 것은 '부패척결'과 '투명성의 증진'입니다. 참여정부가 '부패 없는 사회의 실현'을 주요 국정과제로 삼고 범정부적인 노력을 기울이고 있는 것도 바로 그런 이유에서입니다. 이미 정치권의 변화는 시작되었습니다. 지난 대통령선거는 역대 어느 선거보다 깨끗하고 공정하게 치러졌습니다. 한국 정치의 변화는 이제 시대적 대세로 자리잡고 있습니다.

시장개혁도 꾸준히 이루어지고 있습니다. 투명하고 공정한 경쟁이 보장되는 시장을 만드는 것이 핵심입니다. 이를 위해 각종 제도와 관행을 글로벌 스탠더드에 맞게 개선해가고 있습니다. 부패의 빌미를 제공할 수 있는 불필요한 규제는 과감히 철폐해나갈 것입니다.

행정의 투명성과 청렴성을 높여나가는 것도 과제입니다. 한국이 추진하고 있는 전자정부의 구현과 공직자들의 자발적인 개혁 참여는 깨끗하고 투명한 정부를 만드는 원동력이 될 것입니다. 지난 1999년 9차 회의에서는 서울시의 '온라인 민원처리시스템'이 부패방지의 우수사례로 발표된 바도 있습니다. 아울러 저와 한국 정부는 반부패 국제협력에 적극 동참하고 국제투명성기구의 활동에도 협력을 아끼지 않을 것입니다.

존경하는 참석자 여러분,

여러분이 이번 회의를 통해 나누는 경험과 모아주신 지혜는 투명한 사회를 향한 한국의 노력에 큰 힘이 될 것입니다. 나아가 지구촌 후손들에게 '부패 없는 밝은 미래'를 물려주는 견인차 역할을 할 것입니다. 저도 여러분의 토론 결과를 경청하겠습니다. 아무쪼록 이번 회의가 부패문제 해결과 투명성 증진의 바람직한 방향을 제시하는 값진 자리가 되기를 바랍니다. 아울러 '부패 없는 사회'를 향한 한국 국민의 노력을 확인하는 기회가 되기를 기대합니다. 신록이 우거진 한국의 5월은 무척 아름답습니다. 머무시는 동안 즐겁고 보람된 여정이 되기를 바랍니다.

감사합니다.

# 세계태권도연맹 창립 30주년 축하 메시지

2003년 5월 28일

세계태권도연맹 창립 30주년을 진심으로 축하합니다. 그동안 많은 어려움 속에서도 태권도를 세계에 알리기 위해 최선을 다해 오신 태권도인 여러분에게 각별한 감사의 말씀을 드립니다. 태권도는 단순한 스포츠가 아니라 몸과 마음을 동시에 수련하는 무도입니다. 이러한 태권도의 특성과 우수성, 그리고 우리 태권도인들의 열의와 정성은 태권도를 명실상부한 세계인의 스포츠로 발전시키는 원동력이 되었습니다.

태권도를 사랑하고 연마하는 세계인이 이미 5천만명에 달하고 있습니다. 또 2000년 시드니 올림픽에 이어서 2004년 아테네 올림픽에서도 태권도가 정식종목으로 채택되었습니다. 저는 앞으로도 태권도가 우리나라의 국위선양은 물론 세계인의 친선과 화합에 크게 기여할 것으로 확신합니다. 다시 한번 창립 30주년을 축하드리며 세계태권도연맹의 큰 발전과 태권도 가족 여러분의 건승을 기원합니다.

# 제8회 바다의 날 기념식 연설

2003년 5월 30일

존경하는 국민 여러분,

그리고 이 자리에 함께하신 인천시민과 해양수산인 여러분,

제8회 바다의 날을 진심으로 축하합니다. 120년 전 세계로 향해 문을 연 동북아의 관문, 이곳 인천항에서 기념식을 갖게 된 것을 매우 뜻깊게 생각합니다.

특별히 올해는 인천 앞바다에 팔미도 등대가 세워진 지 꼭 100년이 되는 해입니다. 지난 100년 동안 560여개 등대가 하나 둘 불을 밝힐 때마다 우리는 바다로, 세계로 나아가 세계 10대 해양강국으로 성장하였습니다. 등대 100년의 역사는 우리나라 해양화의 역사요, 국력신장의 역사인 것입니다. 세계 1,2위를 다투는 조선국, 세계 8위의 해운국, 세계 10위의 수산국이 바로 우리 대한민국입니다. 해양강국의 오늘이 있기까

지 희생과 노력을 아끼지 않으신 해양수산인 여러분께 깊은 감사와 경의를 표합니다. 오늘 수상의 영예를 안으신 분들께도 축하의 인사를 드립니다.

존경하는 국민 여러분,

오늘 우리가 등대 건립 100년, 인천항 개항 120년의 역사를 되새기는 것은, 해양부국을 향한 새로운 100년을 기약하고 다짐하는 데 그 의미가 있습니다. 특히 '동북아 경제중심'을 향한 우리의 의지를 새롭게 다지는 자리가 되어야 하겠습니다.

21세기는 바다의 세기입니다. 바다는 이제 식량과 물류, 환경과 에너지문제에 이르기까지 생존과 번영의 키워드가 되고 있습니다. 세계 각국이 앞다투어 해양 개척에 나서고 있는 것도 바로 이 때문입니다. 더욱이 3면이 바다인 우리에게 그 중요성은 새삼 강조할 필요가 없습니다. 수출입 화물의 대부분이 바닷길을 이용하고 있습니다. 국민들이 섭취하는 단백질의 40%를 바다를 통해 얻고 있습니다. 지금 이 시간에도 무궁무진한 에너지와 광물자원이 우리를 기다리고 있습니다. 바다에 우리의 미래가 있고, 희망이 있고, 번영이 있습니다.

존경하는 국민 여러분,

세계는 지금 태평양의 시대, 동북아 시대로 나아가고 있습니다. 동북아 시대를 맞아 바다의 중요성은 더욱 커질 것입니다. 2006년 동북아의 해상 물동량은 세계 전체의 30%를 넘어설 것으로 전망되고 있습니다. 우리나라가 동북아의 물류와 금융 중심지로 도약하는 것은 결코 막연한 꿈이 아닙니다. 실제적인 현실의 기회로 다가오고 있습니다. 우리의 바다는 동북아의 중심, 세계의 간선항로에 위치해 있습니다. 머지않아 세계에서 가장 활기찬 해역이 될 것입니다. 이러한 지정학적 여건과 세계에 손색이 없는 정보화와 물류 기반, 그리고 우리 국민의 저력이라면 충분히 가능한 일입니다. 우리는 이 기회를 반드시 살려나가야 합니다.

존경하는 해양수산인 여러분, 그리고 인천시민 여러분,

동북아 중심국가 건설은 동북아 물류중심에서 시작됩니다. 그리고 물류의 핵심은 해운·항만산업입니다. 저는 바다를 통한 물류중심기지 구축이야말로 동북아 경제중심으로 나아가는 지름길이라고 확신합니다. 이를 위해 동북아 물류중심기지로 자리잡아 가고 있는 인천항을 인천국제공항, 송도신도시와 연계해서 환황해권의 물류·비즈니스·금융·첨단과학·해양문화의 중심지로 육성하는 데에 적극적인 지원과 투자를 아끼지 않겠습니다. 아울러 부산신항과 광양항을 동북아 핵심 물류거점으로 조기에 개발하겠습니다. 신속하고 편리한 물류환경을 조성해나가는 데도 최선을 다하겠습니다. '국제물류촉진제도'를 도입하고, 선진 해양국에 뒤지지 않는 해운경쟁력을 갖출 수 있도록 해운세제를 개선하는 일도 늦추지 않을 것입니다.

대내외적으로 어려움을 겪고 있는 수산업의 자생력을 키우고 어업인의 소득을 향상시켜 나가는 데에도 역점을 두겠습니다. 어업인들 스스로 수산자원을 관리하고 조성해 나가는 '자율관리어업'을 정착시켜 나가겠습니다. 전통적인 문화를 존중하면서 어촌공동체를 보다 가치있는 미래 생활공간으로 만들기 위한 노력도 병행할 것입니다. 깨끗한 해양환경을 보전하는 동시에 해양 광물 자원과 에너지 자원을 개발하는 일에도 연구개발 투자를 더욱 확대해 나가 풍요로운 미래를 개척하겠습니다.

존경하는 국민 여러분,

바다를 멀리했던 과거 수백년 동안 우리는 변방의 역사를 보냈습니다. 오히려 북쪽길이 막히면서 바다로 나아갈 수밖에 없었던 지난 50여년 동안 우리는 바다를 통해 발전의 전기를 맞이할 수 있었습니다. 지금 우리 앞에는 결코 쉽지 않은 도전과제들이 놓여있습니다. 그러나 우리에게는 '바다'라는 더없이 소중한 자산이 있습니다. 어려울 때마다 힘과 지혜를 모아 새로운 기회를 만들어온 저력이 있습니다.

우리는 '동북아 경제중심'을 향한 긴 항해를 시작했습니다. 변방의 역사를 뛰어넘는 희망찬 미래로의 항해입니다. 우리 모두 '한국호'가 동북아 경제중심의 미래를 향해 힘차게 항해할 수 있도록 힘을 모읍시다. 소중한 바다를 가꾸고 활용해서 우리 후세들에게 보다 살기 좋은 나라를 물려줍시다.

감사합니다.

# 제3차 반부패 세계포럼 폐막 전체회의 특별연설

2003년 5월 31일

존경하는 도널드 에반스 미 상무장관, 얀 피트 헤인 도너 네덜란드 법무장관, 바오지르 피레스 브라질 감사원장, 그리고 각국의 수석대표와 내외귀빈 여러분,

안녕하십니까? 이렇게 뜻깊은 자리에 초청해 주신 데 대해 감사드립니다. 여러분과 자리를 함께 하게 된 것을 매우 기쁘고 영광스럽게 생각합니다. 아울러 '제3차 반부패 세계포럼'이 대한민국 서울에서 개최되었다는 사실에 무한한 자긍심과 긍지를 느낍니다. 성공적인 개최를 축하드리며, 이를 위해 애써 주신 우리 법무부와 조직위원회 회원국, 그리고 국제기구 관계자 여러분께 감사의 말씀을 드립니다. 회의 참석을 위해 방한하신 여러분 모두 계시는 동안 즐겁고 유익한 시간이 되셨기를 바랍니다.

내외귀빈 여러분,

'반부패'는 21세기의 새로운 화두이자 최대 도전과제입니다. 사실 반부패는 최근에 생긴 개념은 아닙니다. 인류역사는 일찍이 로마가 쇠퇴한 이유로 부패 문제를 지적하고 있습니다. 우리 한국에도 '반부패'를 강조해 온 오랜 역사가 있습니다. 14세기 말부터 약 500년간 지속된 조선왕조에서는 '청백리'라고 하여 공직자의 청렴성을 최고의 덕목으로 꼽았습니다. 이처럼 부정부패는 죄악이고 청렴성이 미덕이라는 것은 동서 고금을 막론한 진리입니다.

오늘날 부정부패는 더 이상 국내 문제로만 국한되지 않습니다. 21세기는 세계화시대입니다. 국경을 자유롭게 넘나드는 자본과 노동력의 이동은 부패문제를 초국가적인 현상으로 만들고 있습니다. 이제 지구촌 반대편에서 일어나고 있는 부정부패도 결코 나와 무관한 일이 될 수 없습니다. 우리의 강에 버려진 오수가 바다로 흘러 들어가 이웃나라의 강을 오염시키듯이, 부정부패도 그 행위자가 누구든 어디에 있든 그 해악이 우리 모두에게 미칩니다. 우리 모두가 부패의 피해자가 될 수 있는 것입니다. 따라서 한 국가의 노력만으로는 부정부패에서 궁극적으로 자유로워질 수 없습니다. 부정부패의 퇴치는 전 세계적인 노력을 필요로 합니다. 반부패 전략도 구조화, 체계화, 세계화되어야 합니다. 이것이 바로 오늘 우리가 여기에 모인 이유입니다.

존경하는 여러분,

부패가 얼마나 우리 사회를 병들게 하는지 우리 모두는 잘 알고 있습니다. 부정부패는 그 자체로 끝나는 것이 아니라 우리 사회 곳곳에 어두운 그림자를 드리웁니다. 부패가 영향을 미치지 않는 곳은 없습니다.

무엇보다 사회정의를 해칩니다. 부패한 사회에서는 구성원간에 신뢰가 싹트지 않습니다. 희망과 사기를 꺾고 피해의식과 좌절감을 안겨줍니다. 투명과 공정의 문화도 뿌리내리지 못합니다. 또한 부정부패는 민주주의의 발전을 위협합니다. 민주주의의 가장 큰 적은 부정부패입니다. 특히 공직자의 부패는 국민의 신뢰를 손상시켜 국정운영에 장애를 초래합니다. 민주주의와 부정부패는 결코 양립할 수 없는 상극인 것입니다. 부정부패는 경제시스템의 효율성도 저해합니다. 자원의 효율적인 배분기능을 마비시켜 비용을 증가시키고 시장을 왜곡시킵니다. 그리하여 건전한 기업과 시장경제의 발전을 가로막습니다.

이밖에도 기아와 빈곤, 남북문제, 테러리즘과 같은 전 세계적인 문제들 역시 부정부패의 척결 없이는 해결될 수 없습니다. 때로는 평화와 안보를 위협하기도 합니다. 부정부패는 인류가 풍요로운 미래를 향해 나아가는 데 최대의 걸림돌인 것입니다.

존경하는 대표단 여러분,

여러분 모두 이번 포럼의 주제를 잘 알고 계시리라 믿습니다. 바로 '끊임없는 도전, 함께하는 책임'입니다. 그렇습니다. 부정부패는 결코 하루아침에 해결될 수 있는 문제가 아닙니다. 끊임없이 이곳저곳에서 나타나 우리 사회의 신뢰를 무너뜨리고 발전을 저해하고 있습니다. 그런 만큼 부패의 극복은 정부와 기업, 시민사회를 비롯한 각계각층의 끊임없는 노력을 필요로 합니다. 특히 정부의 역할이 중요합니다. 시민의 윤리의식에 호소하는 것만으로는 한계가 있습니다. 시장에만 맡길 수 있는 문제는 더더욱 아닙니다. 부패를 효과적으로 퇴치하기 위해서는 정부가 적극적으로 나서야 합니다.

정부의 효율적인 법 집행을 통해서 부패는 효과적으로 근절될 수 있습니다. 그 토대는 합리적인 입법과 공정한 사법이 될 것입니다. 또한 정부가 그 역할을 다하기 위해서는 정부 내부부터 부정부패가 없어야 합니다. 부패로 인해 국민의 신뢰와 지지를 받지 못하는 정부는 정책목표를 효과적으로 실현할 수 없기 때문입니다. 투명하고 깨끗하고 공정한 정부는 부패 추방의 첫걸음입니다.

존경하는 참석자 여러분,

한국 국민은 지난 반세기 동안 숱한 고난과 시련을 이겨내며 산업화와 민주화를 일구어냈습니다. 전쟁의 폐허 위에서 '한강의 기적'이라 불리는 경제적 번영을 이룩해냈습니다. 남북 분단과 군사적인 대치 상황 속에서도 군사독재를 물리치고 여야간에 평화적인 정권교체를 실현하였습니다.

부정부패를 극복하기 위한 노력도 끊임없이 이루어져 왔습니다. 지난 1993년에는 금융실명제가 도입되었고, 1997년 외환위기 이후에는 구조적인 부패를 청산하는 강도 높은 개혁을 추진하여 왔습니다. 정경유착이나 관치금융과 같은 폐해는 더 이상 찾아볼 수가 없습니다. 그러나 우리는 여기에 만족하지 않고 있습니다. 부패 청산 노력은 지금도 계속되고 있습니다. 지난 2월 출범한 참여정부는 '원칙과 신뢰', '공정과 투명', '대화와 타협', '분권과 자율'을 국정 원리로 삼고 있습니다. 이를 바탕으로 국민의 참여 속에 부정부패를 근원적으로 차단하는 구조개혁을 추진하고 있습니다.

정부와 기업이 힘을 모아 공정하고 투명한 시장질서를 확립해나가고 있습니다. 전자정부 구현과 공직자들의 자발적인 참여를 통해 행정의 투명성과 청렴성을 높여나가고 있습니다. 대통령인 저 자신부터 과거 구조적인 부패의 근원이 되었던 권력기관과의 유착관계를 확고히 단절해나가고 있습니다. 한마디로 절차와 과정의 투명성과 공정성을 추구하고 있습니다. 부패는 단지 돈이나 대가를 받는 것뿐만 아니라 공정하고 투명한 절차를 파괴하는 것까지를 포함한다고 믿기 때문입니다.

저는 부정부패를 절대로 묵과하지 않을 것입니다. 부패와 끝까지 싸울 것입니다. 그래서 반칙과 특권이 통하지 않는 사회, 성실하고 정직한 사람들이 손해보지 않는 사회를 향해 전진해나갈 것입니다. 그러나 이 모든 것이 우리의 노력만으로 안 된다는 것도 잘 알고 있습니다. 여기 계신 여러분과 협력하는 가운데 성공할 수 있습니다. 부패 극복을 위한 저와 한국 정부의 노력에 많은 관심과 성원을 보내주실 것을 당부드립니다.

존경하는 대표단 여러분,

여러분은 각국의 부정부패 현안에 가장 가까이 계신 분들입니다. 누구보다 부패 척결에 대한 시대적 요구를 먼저 깨닫고 많은 노력을 기울여 오신 분들입니다. 이러한 분들이 한 자리에 모여 경험과 지혜를 나눈 것은 그 의미가 매우 큽니다. 특히 이번 포럼은 '제11차 반부패 국제회의'와 함께 개최되어 더욱 그렇습니다.

아무쪼록 이번 회의가 깨끗한 21세기, 부패 없는 지구촌으로 나아가는 역사적인 분기점이 되기를 희망합니다. 아울러 오늘 채택되는 '최종선언문'이 부패 척결에 대한 강력한 의지를 다지는 중요한 계기가 되기를 바랍니다. 세계 각지에서 오신 여러분께 다시 한번 각별한 우정과 존경의 인사를 전하면서 '반부패 세계포럼'의 발전과 여러분 모두의 건승을 기원합니다.

경청해 주셔서 감사합니다.

# 부산국제청소년국가대표축구대회 축하 메시지

2003년 5월 31일

존경하는 부산시민 여러분,

부산국제청소년국가대표축구대회의 개막을 진심으로 축하드립니다. 아울러 한국을 방문하신 선수단 여러분을 마음으로부터 환영합니다. 이번 대회를 위해서 애써 주신 대회 관계자 여러분과 부산시민 여러분께도 깊은 감사의 말씀을 드립니다.

오늘은 2002년 월드컵이 열린 지 1년이 되는 날입니다. 그날의 함성과 감격이 아직도 우리 모두의 기억에 생생합니다. 특히 부산은 한국 축구가 월드컵에서 역사적인 첫승을 기록했던 승리의 도시입니다. 저도 그날 부산역 광장에서 시민 여러분과 함께 목이 터져라 응원했고, 감격적인 승리의 기쁨을 여러분과 함께 나누었습니다. 이를 시작으로 우리는 누구도 예상치 못했던 월드컵 4강 진출의 신화까지 이뤄냈습니다.

2002년 월드컵을 통해서 우리는 대한민국의 저력과 역동성을 세계에 과시했습니다. 전 세계가 우리 국민들의 역량과 열정에 아낌없는 찬사를 보내주었습니다. 월드컵의 대성공은 우리가 마음을 하나로 모으면 못해낼 것이 없다는 것을 다시 한번 확인시켜 준 쾌거였습니다. 우리는 이러한 자신감을 살려서 새로운 도약의 시대를 열어가야 하겠습니다. 월드컵 성공의 교훈을 정치와 경제, 그리고 사회의 모든 분야로 계속 확산시켜 나가야 할 것입니다.

이번 대회가 온 국민의 힘과 뜻을 다시 한번 모으는 귀중한 계기가 되기를 기대합니다. 멋진 경기와 활기찬 응원을 통해서 선수들과 부산시민, 그리고 텔레비전으로 시청하시는 국민 모두가 다함께 승리하는 대회가 되기를 바랍니다.

부산국제청소년국가대표축구대회의 개막을 다시금 축하드리면서 선수들의 선전과 부산시민 여러분의 건승을 기원합니다.

감사합니다.

# 6월

# 참여정부 100일 기자회견 모두말씀

2003년 6월 2일

존경하는 국민여러분, 안녕하십니까?

이틀 후면 참여정부 출범 100일을 맞습니다. 참여정부 100일은 보람과 아쉬움이 교차하는 시간이었습니다. 미진하고 부족한 것도 적지 않았습니다. 앞으로 더욱 분발하고 그동안의 성과에 대해서는 더욱 발전시켜 나가도록 하겠습니다.

대통령에 당선된 후 저를 억눌렀던 가장 시급하고 중요한 문제는 한·미관계와 북핵 문제, 그리고 SK글로벌 문제였습니다. 이 문제를 어떻게 풀어 가느냐 하는 것은 앞으로 한반도 평화와 경제안정을 좌우하는 일이었습니다. 다행히 미국 방문을 통해서 북핵 문제의 평화적 해결 원칙을 재확인하고, 한·미 양국의 우호협력 관계를 더욱 강화시켜 나가기로 합의하였습니다.

취임 전에 터진 SK글로벌 문제는 금융시장의 붕괴 우려로 확산되었습니다. 그러나 이 문제 역시 정부의 신속한 조치로 이제는 금융시장이 자율적으로 안정을 찾아 가고 있습니다. 최근 해외 금융시장에서 발행된 우리나라 채권 금리가 아시아 국채 금리 중 최저 수준으로 떨어졌습니다. 또 우리 경제에 대한 신용등급도 1년 이상 안정적으로 유지될 것이라는 해외 신용평가기관의 전망도 나왔습니다. 한반도 평화와 우리 경제의 중장기 전망에 대한 국제적 신뢰를 반영한 결과라고 생각합니다.

존경하는 국민여러분,

최근 우리는 그동안 누적되었던 많은 사회 갈등의 분출을 경험하고 있습니다. 이를 해결하는 과정에서 많은 질책도 비판도 받고 있습니다. 저는 '모두 잘했다'고 말씀드리지는 않겠습니다. 시행착오도 있었습니다. 그러나 진정한 민주주의의 원칙을 지키고 정착시키는 데에는 인내와 시간이 필요하다고 생각합니다.

우리는 지금 모든 분야에서 한 시대를 마감하고 새 시대가 요구하는 새로운 관행과 문화를 만들어가고 있습니다. 그 요체는 첫째, 권력중심의 권위주의 정치로부터 국민 중심의 참여정치로의 전환입니다. 둘째, 배타적인 국정운영으로부터 토론과 합의라는 시스템에 의한 국정운영으로의 변화입니다. 셋째, 권력과 언론의 합리적인 관계 설정입니다.

저는 지난 100일 동안 우리 사회에서 빚어진 여러 현안들 대부분이 이 같은 전환에 따른 진통을 반영하는 것이라고 저는 생각합니다. 무엇보다 대통령 문화가 바뀌고 있습니다. 대통령이 뒤에 물러선 채 권한만 행사하던 시대는 이제 지나가고 있습니다. 대통령도 중요한 국정현안에는 발 벗고 뛰어들어야 합니다. 대통령과 권력을 위해 존재하던 기관들도 국민에게 봉사하는 기관으로 거듭나기 시작했습니다. 대통령이 정당을 지배하고 국회를 좌지우지하며 여야를 구분해서 세다툼, 기싸움을 하던 시대는 이제 지나갔습니다.

인치(人治)정치의 관행도 타파되고 있습니다. 경제, 남북문제와 같은 중차대한 문제를 몇몇 권력핵심들이 주도하던 밀실 정책의 폐단도 제거되었습니다. NSC, 재난관리 시스템, 인사 시스템 등 시스템에 의한 국정 운영이 자리잡아 가고 있습니다. 언론과 권력은 상호긴장과 감시라는 정상화를 향한 새로운 관계 형성에 들어섰습니다.

존경하는 국민 여러분,

이런 변화들은 우리가 교과서에서 배우고 가르쳤던 지극히 상식적인 민주주의 원리를 추구하는 과정입니다. 결코 개혁이 아닌, 우리 국민이 이젠 자연스럽게 누려야 할 권리이고 민주주의의 정상화의 과정일 뿐입니다. 그런데 우리는 이런 원리를 수 십 년 동안 잊고 살았거나, 잊기를 강요당했거나, 외면하고 살아왔습니다. 이런 변화가 일부에선 혼란으로 비쳐지고 있지만 저는 이를 과도기의 현상이라고 봅니다. 물론 저와 정부의 잘못도 적지 않았음을 솔직히 인정하겠습니다. 고쳐가겠습니다. 그러나 이 길을 포기해서는 안 됩니다. 시간과 인내가 필요하다는 것을 다시 한번 강조 드립니다.

국민 여러분,

그간 우리에겐 어려운 일도 많았지만 긍지와 자부심을 가질만한 일도 적지 않았습니다. 전 세계의 사스 공포에도 불구하고 우리나라에서는 단 한 명의 환자도 발생하지 않았습니다. 앞서 말씀드렸듯이, 해외발행 한국 채권의 금리가 최저 수준을 보이고 있습니다. 올 들어 노사분규와 노사분규로 인한 손실이 지난해 같은 기간보다 크게 줄었다는 통계도 나와 있습니다. 이 자리를 빌려, 사스 공포로부터 국민의 안전을 지키는데 진력해 오신 관계자 여러분의 노고에 감사드립니다.

국민여러분,

새로운 시대, 새로운 전환과정에서 빚어졌던 일부의 혼선과 시행착오는 빠른 시일 내에 개선해 나가겠습니다. 하루 속히 국정시스템 구축작업을 마무리하고 적어도 취임 6개월쯤부터는 국민 여러분과 약속한 사항들을 가시적으로 진전시켜 나가겠습니다. 이제부터는 국정의 중심을 경제안정, 그중에서도 서민생활의 안정에 두고 모든 노력을 쏟아 내겠습니다. 특히 서민생활의 가장 큰 적인 부동산 가격의 폭등은 기필코 잡아가겠습니다.

미국에 이어 일본·중국·러시아 등 주변 4강 외교를 통해서 한반도 평화체제를 공고히 하겠습니다. 이를 기반으로 동북아 경제중심국가 건설과 지역균형발전, 정부혁신과 지방분권이라는 참여정부의 국정청사진을 착실하게 실행해 나가겠습니다. 거창한 약속이나 구호보다 한 걸음, 한 걸음 목표를 달성해 가는 우공이산(愚公移山)의 심정으로 국정운영에 임할 것입니다. 자신 있게, 끈기 있게 나아가겠습니다. 아울러 참여민주주의를 실현하려는 이 시대적 전환기를 슬기롭게 개척해 나가기 위해서는 우리 모두의 노력과 인내가 필요합니다. 법과 질서 속에서 이뤄지는 대화와 타협의 원칙이 절대 중요합니다. 법과 질서를 확고히 지키면서 대화와 타협의 원칙을 성실히 수행하겠습니다. 국민여러분의 적극적인 협력을 부탁드립니다.

감사합니다.

# 2003 서울국제도서전 축하 메시지

2003년 6월 4일

여러분, 안녕하십니까?

2003년 서울국제도서전의 개막을 진심으로 축하드립니다. 그동안 어려운 여건 속에서도 우리 출판문화의 발전을 위해서 노고를 다해 오신 출판인 여러분께 깊이 감사드립니다.

21세기는 지식정보화 시대입니다. 개인의 성공과 나라의 운명은 지식과 정보, 그리고 문화창조력에 의해서 좌우됩니다. 따라서 출판문화 사업의 중요성은 아무리 강조해도 지나치지 않을 것입니다. 한 국가의 출판문화 사업의 수준이 곧 그 나라의 지식정보화의 수준을 말해 주기 때문입니다.

출판인 여러분은 대한민국의 지식정보화를 앞장서 이끌어 간다는 자부심과 사명감으로 출판문화 산업 발전에 더욱 힘써 주시길 당부드립니다. 여러분께서 만들어 내는 좋은 책은 참여정부가 추구하는 지식문화 강국의 원동력이 될 것입니다. 책을 읽는 국민이 많을수록 나라의 미래는 밝습니다. 오늘 열리는 도서전시회가 국민들에게 독서의 유익함과 즐거움을 함께 느끼게 하는 뜻깊은 축제가 되기를 바랍니다.

다시 한번 서울국제도서전의 개막을 축하드리며, 국내외 출판인 여러분의 건승을 기원합니다.

# 아로요 필리핀 대통령 내외를 위한 만찬사

2003년 6월 5일

존경하는 글로리아 마카파갈 아로요 대통령 각하 내외분, 그리고 자리를 함께 하신 내외 귀빈 여러분,

대통령 각하 내외분을 진심으로 환영합니다. 각하께서는 대한민국의 새 정부가 출범한 이후 처음으로 맞이하는 국빈이십니다. 필리핀 민주주의의 상징이자 세계적인 여성 지도자를 이렇게 모시게 되어 반갑고 기쁜 마음 그지없습니다. 오늘 오전 각하와 가진 정상회담은 한국과 필리핀 모두의 미래를 위해서 참으로 뜻깊은 자리였습니다. 각하와 나의 만남으로 인해서 우리 두 나라의 전통적인 우호와 협력이 한차원 높게 발전하게 된 것을 매우 보람있게 생각합니다.

대통령 각하,

필리핀은 일찍이 아시아의 민주주의를 선도했던 나라입니다. 이미

20세기 초반에 의회제도와 대통령제를 도입했고, 이것은 아시아 각국의 민주제도 발전에도 큰 영향을 미쳤습니다. 필리핀 국민의 영웅인 리잘 박사, 막사이사이 대통령, 그리고 각하의 선친이신 마카파갈 대통령은 민주주의를 사랑하는 많은 아시아인들에게 지금도 존경을 받고 있습니다.

필리핀에 대한 한국민들의 친밀감은 특히 남다릅니다. 1950년 한국전쟁에서는 7천여명의 필리핀 젊은이들이 우리와 함께 싸웠습니다. 우리 국민은 그분들의 헌신과 희생, 그리고 필리핀 국민들의 진정한 우정을 영원히 잊지 않을 것입니다. 역사적으로도 우리 두 나라는 공통점이 많습니다. 오랜 세월 수많은 외세의 침탈을 이겨냈고, 20세기 후반에는 험난한 민주화의 길을 헤쳐 왔습니다. 그리고 마침내 국민의 힘으로 정의가 바로 선 민주국가를 이룩해냈습니다.

지금 각하께서는 강력한 개혁 의지로 필리핀의 안정과 새로운 도약을 이끌고 계십니다. 각하의 '솔선수범하는 리더십'은 8,500만 필리핀 국민들에게 내일에 대한 새 희망과 용기를 심어주었습니다. 나는 지속적인 개혁정책으로 '강한 국가' 건설을 추진하시는 각하의 신념과 지도력에 대해서 전폭적인 지지와 경의를 표합니다. 그리고 반드시 성공을 거두실 것으로 확신합니다.

대통령 각하,

한국과 필리핀은 1949년 수교 이래 외교와 경제를 비롯한 여러 분야에서 긴밀한 협력을 증진시켜왔습니다. 우리 양국은 서로에게 매우 중요한 실질협력의 파트너입니다. 교역규모는 매년 50억 달러 내외를 기록하고 있고, 인적 교류도 지난해에 50만명을 넘어섰습니다. 그리고 양국간의 교류와 협력을 발전시켜나갈 여지는 아직도 무한합니다. 21세기 들어서 양국의 미래를 새로 책임지게 된 우리 두 정상의 사명도 바로 여기에 있다고 생각합니다.

아울러 나는 이 자리를 빌려 각하와 필리핀 정부에 대해서 각별한 감사의 뜻을 전하고자 합니다. 그동안 필리핀은 한국 정부의 대북정책을 일관되게 지지하며 북한 핵 문제를 해결하기 위한 국제사회의 노력에 적극 동참해 주었습니다. 또한 한국과 아세안(ASEAN)의 협력을 증진하는 데에도 능동적인 역할을 해주었습니다. 다시 한번 깊이 감사드립니다. 지금 나와 한국 정부는 한반도에 평화체제를 정착시키기 위해서 '평화번영 정책'을 추진하고 있습니다. 북한의 핵 문제도 반드시 평화적으로 해결될 것입니다. 앞으로도 각하와 필리핀 정부가 변함없이 협조해주실 것을 부탁드립니다.

내외귀빈 여러분,

아로요 대통령 각하 내외분의 건강과 필리핀 공화국의 번영, 그리고 우리 두 나라 국민의 영원한 우의를 위해서 다함께 축배를 들어주시기 바랍니다.

감사합니다.

# 제48회 현충일 추념사

2003년 6월 6일

존경하는 국민 여러분,

국가유공자와 유가족 여러분,

오늘 마흔여덟번째 현충일을 맞아 나라와 겨레를 위해 거룩한 희생을 하신 순국선열과 호국영령들의 영전에 머리 숙여 경의를 표하고 명복을 빕니다. 젊은 청춘을, 천금보다 귀한 혈육을 호국의 제단에 바치신 국가유공자와 유가족 여러분께 깊은 감사와 충심 어린 위로의 말씀을 드립니다.

우리의 애국선열들은 빼앗긴 나라를 되찾기 위해 자신은 물론 가족의 위험까지 감수하며 일제와 맞서 싸웠습니다. 그 덕택에 우리는 나라를 되찾고 민족의 자존을 지킬 수 있었습니다. 6·25 전쟁 때는 수많은 젊은이들이 국민의 생명과 나라를 지키기 위해 장렬히 산화했습니다. 지금 우리가 누리고 있는 자유와 민주주의, 평화와 번영은 순국선열과 호국영령들의 피와 땀과 눈물이 만들어낸 소중한 결실입니다. 다시 한번 조국의 독립을 위해, 나라를 지키기 위해, 그리고 민주화를 위해 희생하신 모든 분들께 한없는 감사와 존경을 드리는 바입니다.

존경하는 국민 여러분,

참여정부가 출범한 지 100일이 지났습니다. 그동안 이라크 전쟁과 북핵문제, 한·미 관계, SK글로벌 사태, 사스 공포와 같은, 어렵고 힘든 일이 많았습니다. 그러나 선열들의 가호와 국민 여러분의 성원 덕분에 지혜롭게 대처해왔다고 생각합니다. 한반도에 드리워졌던 안보와 경제 위기의 먹구름은 크게 해소되었습니다.

지난 100일은 이러한 당면과제의 해결과 함께 국정운영 시스템을 정비하면서 참여정부 5년을 준비하는 기간이었습니다. 짧은 기간이었지만 그 사이 적지 않은 변화들이 있었습니다. 대통령과 장관, 장관과 실무자간에 격의 없는 토론이 이루어지고, 이를 통해 합리적인 결론을 도출해내는 새로운 국정문화가 자리잡아가고 있습니다. 공정하고 투명한 인사시스템도 본격적으로 가동되기 시작했습니다. 국정원·검찰과 같은 권력기관을 국민에게 돌려주는 노력도 진행되고 있습니다. 국회존중과 당정분리의 원칙도 확고히 세워가고 있습니다. 이제 '제왕적인 대통령', '밀실인사', '공작정치'의 폐해는 존재하지 않습니다.

물론 아쉬운 것도 있습니다. 아직 우리 경제에 대한 우려가 말끔히 해소되지 않았습니다. 특히 서민생활의 주름살이 펴지지 않고 있습니다. 여야간 협력의 정치도 자리잡지 못하고 있습니다. 사회 갈등을 힘이나 일방적인 결정이 아닌, 원칙과 설득을 통해서 풀어 가는 과정에서 국민 여러분께 걱정을 끼쳐 드린 일도 있었습니다.

이 시간 저는, 겸허한 마음으로 국민 여러분과 애국영령들 앞에 새로운 각오를 다지고자 합니다. 무엇보다 경제를 챙기는데 주력하겠습니다. 서민생활의 안정과 경제의 지속적인 성장을 이뤄나가 선열들의 희생이 헛되지 않도록 하겠습니다. 공정하고 투명한 경제시스템을 만드는 개혁도 쉬지 않고 해나가겠습니다. 북핵 문제도 지금까지의 노력과 성과를 바탕으로 반드시 평화적으로 해결하겠습니다. 한반도의 평화를 지키는 일이야말로 호국영령들의 뜻을 받드는 최우선의 책무라고 생각합니다. 성숙한 민주주의와 건강한 사회문화를 뿌리내리는 데에도 역점을 두겠습니다.

이와 함께 '동북아 경제중심', '지역균형발전'과 같은 참여정부의 국정 청사진도 하나하나 실행에 옮겨가겠습니다. 국민 여러분의 더 많은 협력을 당부드립니다.

존경하는 국민 여러분,

저는 오늘부터 3박4일 동안 일본 국빈방문 길에 오릅니다. 현충일인 오늘 일본을 방문하게 된 데 대해 많은 분들이 우려하고 계신 것으로 알고 있습니다. 충분히 이해하고 공감도 합니다. 그러나 여러분, 우리는 언제까지 과거의 족쇄에 잡혀있을 수는 없습니다. 과거를 직시하고 불행했던 과거를 교훈 삼아 새로운 미래를 향해 나아가야 합니다.

한·일 양국은 지난 1998년 '한·일 파트너십 공동선언'과 작년의 월드컵 공동개최 이후 상호 긴밀한 동반자 관계를 발전시켜오고 있습니다.

일본은 우리에게 두 번째로 큰 교역상대국이자 투자유치국입니다. 북핵 문제의 평화적 해결과 남북 관계의 진전을 위해서도 두 나라간 공조는 매우 중요합니다.

우리의 선열들은 일제의 폭압에 끊임없이 저항하면서도 결코 배타적이지 않았습니다. 조국의 독립과 함께 동양평화, 세계평화를 꿈꾸었습니다. 저는 이번 방일을 통해서 우리나라와 일본이 동북아시아의 평화와 번영을 위해 함께 협력해나갈 것을 강조하고자 합니다. 아울러 경제·문화 분야에서의 교류협력을 더욱 확대하는 방안도 논의할 예정입니다. 최선을 다하고 돌아오겠습니다. 국민 여러분께서도 많은 성원을 보내주시기 바랍니다.

국민 여러분,

우리는 지금 도약의 호기를 맞고 있습니다. 약소민족으로서 겪어야 했던, 그래서 수많은 애국선열들의 피와 눈물을 요구했던 변방의 역사를 청산할 수 있는 절호의 기회입니다.

동북아 중심국가로의 도약은 선열들의 간절한 바람이자 명령이기도 합니다. 오늘 이 자리를 새로운 도약의 출발점으로 삼읍시다. 동북아 중심국가의 미래를 향해 힘차게 전진합시다. 힘을 모으면 반드시 해낼 수 있습니다. 선열들께서 우리의 노력을 지켜보며 앞길을 인도해 주실 것입니다.

다시 한번 먼저 가신 임들의 영전에 한없는 감사와 추념의 정을 담아 명복을 빕니다.

# 아키히토 일본 천황 내외 주최 만찬답사

2003년 6월 6일

천황폐하 내외분과 황실 일가 여러분,

그리고 총리대신 각하를 비롯한 귀빈 여러분,

먼저 성대한 만찬과 환영의 말씀에 대해서 진심으로 감사드립니다. 따뜻하고 반가운 이웃의 정을 느낍니다. 예로부터 한국과 일본은 가까운 이웃이었습니다. 지리적으로 뿐만 아니라 문화적으로, 정서적으로도 그러했습니다. 1,500여년에 이르는 우리 조상들의 교류와 친선의 역사가 이를 잘 말해주고 있습니다. 나는 '전후세대'의 첫 대한민국 대통령으로서, 이렇게 깊고 오랜 양국의 우호친선 관계가 앞으로도 계속되어야 한다고 믿어 왔습니다. 그래서 오늘 일본을 방문했습니다. 그 충분한 가능성은 지난해에 이미 확인되었습니다. 2002년은 한·일 관계사에 길이 남을 뜻깊은 해였습니다.

월드컵 대회의 공동개최는 역사상 처음으로 시도된 일이었습니다. 여러 가지 우려도 있었습니다. 그러나 우리는 힘과 지혜를 모아서 아시아에서 처음 열린 월드컵을 훌륭하게 성공시켰습니다. 전 세계도 찬사를 아끼지 않았습니다. 그때 서울과 도쿄의 거리에서는 양국의 젊은이들, '붉은 악마'와 '울트라 닛폰'이 한데 어우러져 서로를 응원하는 초유의 광경이 벌어졌습니다. 누가 시켜서 한 일이 아닙니다. 마음과 마음이 하나로 이어진 참으로 아름다운 모습이었습니다.

또 양국의 방방곡곡에서는 '한·일 국민교류의 해'를 기념하는 100여 개의 크고 작은 행사가 열렸습니다. 여기에서도 젊은 세대가 앞장섰습니다. 서로가 마음을 열고 대화하며 이해와 우정을 키웠습니다. 나는 그런 모습들을 보고 한·일 양국의 미래에 대해서 커다란 희망을 느꼈습니다. 특히 젊은이들 간의 교류와 교감은 우리 두 나라가 만들어갈 내일을 위해서 무엇보다 소중한 자산이 되었다고 생각합니다. 지금도 양국 국민들의 가슴속에는 지난해에 용솟음쳤던 뜨거운 열기가 생생히 살아 있습니다. 그 열정, 그 감동을 한·일 공동의 미래를 위한 에너지로 승화시켜 나가야 하겠습니다. 그래서 세계의 모범이 되는 명실상부한 한·일 동반자 시대를 열어 나가야 하겠습니다. 나는 이것이야말로 이 시대의 양국 지도자들이 마땅히 감당해 나가야 할 역사적 소명이라고 확신합니다.

이제 우리는 우리 후손들이 만들어 갈 미래에 대해서 더욱 깊이 생각해야 합니다. 나아가 동북아시아 전체의 평화와 번영을 위해서 마음을 열고 협력해야 합니다. 한국과 일본은 아시아에서 가장 앞선 민주주의의 전통과 시장경제의 경험을 공유하고 있습니다. 미래는 이러한 한·일 양국에게 선도적이고 능동적인 역할을 기대하고 있습니다.

이제 한국과 일본은 21세기 평화와 번영의 동북아 시대를 꽃피울 수 있도록 힘과 뜻을 모아야 할 것입니다. 나는 우리 두 나라가 그야말로 '가깝고도 가까운' 나라, 서로가 존경하는 이웃이 될 수 있도록 최선을 다해 나갈 것입니다. 양국 지도자 여러분의 적극적인 협력을 기대합니다.

자리를 함께 하신 귀빈 여러분,

천황폐하 내외분의 건안과 한·일 우호협력의 영원한 발전, 그리고 우리 양국이 함께 만들어 나갈 동북아시아의 밝은 미래를 위해서 다 함께 축배를 들어 주시기 바랍니다.

감사합니다.

# 고이즈미 일본 총리 주최 만찬답사

2003년 6월 7일

고이즈미 준이치로 총리대신 각하, 그리고 자리를 함께 하신 귀빈 여러분,

우리 내외와 일행을 따뜻하게 맞이해 주신 총리 각하와 일본 국민 여러분께 진심으로 감사드립니다. 총리께서는 바쁜 일정 가운데서도 지난 2월 나의 취임식에 참석해 주셨습니다. 또 일본의 많은 지도자들께서도 직접 방문하거나 서한을 보내서 취임을 축하해 주셨습니다. 이 자리를 빌려 다시 한번 감사의 말씀을 드립니다.

각하와 나는 오늘 오전 정상회담에서 한·일 관계의 미래를 위한 새 이정표를 세웠습니다. 한국과 일본이 동북아시아의 평화와 번영을 목표로 함께 협력하기로 합의했습니다. 앞으로도 우리 양국의 진정한 동반자 시대를 열어나가는 데 총리께서 큰 지도력을 발휘해주실 것으로 확신합

니다.

총리 각하,

나는 서울에서 각하를 처음 만난 날부터 마음이 통하는 분이라고 생각했습니다. 신의를 소중히 여기며 한·일 관계의 발전을 중시하는 각하의 진심에 큰 감명을 받았습니다. 지금 총리께서는 일본 경제의 부흥을 위해서 성역 없는 개혁을 추진하고 계십니다. 나 역시 한국의 개혁을 추진하면서 총리께서 겪어 오신 난관과 고충을 잘 이해하고 있습니다. 그러나 개혁은 성공해야 합니다. 일본 경제의 부흥은 우리 한국에게도 매우 중요합니다. 양국의 경제는 서로 불가분의 관계에 있습니다. 일본은 우리에게 두 번째로 큰 교역상대국이자 투자유치의 파트너이고, 한국도 일본에게 세 번째로 큰 교역상대국입니다.

나는 일본의 경제개혁을 이끌고 계신 각하의 강한 신념과 지도력에 대해서 전폭적인 지지와 경의를 표합니다. 아울러 반드시 큰 성공을 거두시기를 기원합니다.

총리 각하, 그리고 귀빈 여러분,

한·일 관계는 때때로 과거문제가 돌출될 때마다 크고 작은 어려움을 겪어 왔습니다. 나는 어떻게 하면 양국이 이러한 장애를 뛰어넘을 수 있을 것인가에 대해서 깊이 생각해 왔습니다. 그리고 지난해 월드컵 대회를 지켜보면서 그 희망과 가능성을 확인했습니다.

지난해 양국 국민들은 공동의 목표 아래 힘과 뜻을 모았습니다. 그 목표는 물론 월드컵의 성공이었습니다. 우리는 함께 최선을 다했고, 많은 국민들이 양국을 오가며 서로를 응원했습니다. 그때 우리는 서로에 대한 이해와 협력의 소중함을 체험하게 되었습니다. 무엇보다 값진 소득이었습니다.

오늘 정상회담을 계기로 우리 양국은 새로운 공동의 목표를 세웠습니다. 그것은 바로 동북아시아에 평화와 번영의 시대를 열어나가는 것입니다. 유럽의 국가들은 이미 1950년대에 유럽경제공동체(EEC)를 출범시켰습니다. 그리고 오늘날 유럽연합(EU)의 기치 아래 세계가 부러워하는 공동의 평화와 번영을 누리고 있습니다.

한·일간의 협력에도 역시 경제는 중요합니다. 이러한 협력을 바탕으로 21세기 동북아 시대를 함께 열어나가기를 기대합니다.

총리 각하, 그리고 귀빈 여러분,

이를 위해서는 무엇보다 먼저 한반도에 평화체제를 정착시켜야 합니다. 지금 나와 한국 정부는 '평화번영정책'을 추진하고 있습니다. 이것은 평화와 번영의 동북아시대를 실현하는 토대가 될 것입니다. 우리는 북한의 핵을 결코 용인하지 않습니다. 동시에 이 문제를 평화적으로 해결하기 위해서 일본·미국과 함께 긴밀한 공조를 유지하고 있습니다. 그동안 적극적인 역할을 해 주신 각하에게 깊이 감사드리면서 변함없는 협조를 당부드립니다.

자리를 함께 하신 귀빈 여러분,

고이즈미 총리대신 각하의 건안과 한·일 국민간의 우정, 그리고 양국 모두의 성공적인 개혁을 위해서 축배를 제의합니다.

감사합니다.

# 일본 경제단체 공동주최 오찬연설

2003년 6월 8일

존경하는 오쿠다 히로시 일본경제단체연합회 회장, 무로후시 미노루 일본상공회의소 특별고문, 기타시로 카쿠타로우 경제동우회 대표간사, 미야하라 켄지 일본무역협회 회장, 세토 유조 일·한 경제협회 회장, 그리고 이 자리에 함께 하신 경제계 지도자 여러분,

반갑습니다. 휴일임에도 불구하고 일본경제를 이끌고 계신 지도자들께서 한 자리에 모이셨습니다. 이처럼 따뜻하게 환대해주셔서 감사합니다. 여러분과의 만남을 매우 기쁘고 뜻깊게 생각합니다. 한국 속담에 "가까운 이웃이 먼 사촌보다 낫다"는 말이 있습니다. 이웃끼리 가깝게 지내다 보면 먼 데 있는 친척보다 더 친하게, 도와주며 살게 된다는 뜻입니다. 한국과 일본이야말로 가장 가까운 이웃입니다. 저는 두 시간만에 이곳에 오면서 그것을 다시 한번 실감했습니다.

한·일 양국은 지리적으로만 가까운 것이 아닙니다. 일본은 한국의 두번째 교역 상대국이자 투자유치국입니다. 한국 역시 일본의 세번째 교역 파트너입니다. 작년 월드컵 때는 많은 일본 국민들이 4강에 진출한 우리 팀을 마치 자기 일처럼 기뻐하고 축하해 주었고, 우리 국민은 이러한 모습을 보며 진정한 이웃의 정을 느꼈습니다.

존경하는 경제계 지도자 여러분,

저는 어제 고이즈미 총리와 만나서 동북아시아의 평화와 번영을 위해 함께 협력하기로 합의했습니다. 그렇습니다. 이제 한·일 양국은 미래를 향해, 동북아시아 전체의 공동번영을 위해 함께 손잡고 나아가야 합니다. 지금 세계는 동북아시대로 나아가고 있습니다. 동북아지역이 세계 경제의 중심무대가 되고 있는 것입니다.

한국은 지리적으로 동북아시아의 한가운데에 위치하고 있습니다. 부산항, 광양항, 인천국제공항과 같은 물류기반도 손색이 없습니다. 앞으로 남북간 철도와 도로가 연결되면 일본에서 들어온 사람과 물자가 중국과 시베리아를 거쳐 멀리 유럽에까지 가게 됩니다. 정보화 수준은 이미 세계 선두권입니다. 한국은 이러한 조건을 바탕으로 동북아의 번영에 적극 기여하는 나라가 되고자 합니다.

이를 위해 한국을 '동북아시아의 평화와 협력의 허브'로 발전시키는 계획을 추진하고 있습니다. 동북아 물류와 연구개발·금융 허브로 만들겠다는 구상입니다. 이러한 구상은 한국 경제는 물론 동북아 경제에 새로운 활력을 불어넣겠다는 인식을 배경으로 하고 있습니다. 물론 일본에게도 그 혜택이 돌아가게 됩니다. 더 나아가 동북아지역에 협력과 통합의 질서를 구축하는 것이 목표입니다. 이는 지난 1월 경단련이 제시한 '동아시아 경제연대 강화' 구상과도 일맥상통합니다. 역내 국가간 협력을 통해서 '평화와 번영의 동북아 시대'를 열어 가고자 하는 것입니다.

존경하는 경제인 여러분,

한국에 새로운 정부가 출범한 지 이제 막 100일이 지났습니다. 새 정부는 '원칙과 신뢰', '공정과 투명', '대화와 타협', '분권과 자율'을 국정원리로 삼고, 이러한 가치를 경제와 사회 전반에 뿌리내리기 위해 전력을 기울이고 있습니다.

한국 경제는 1997년 외환위기를 극복하면서 그 이전에 비해 훨씬 투명하고 튼튼해졌습니다. 지난 5년간 강도 높은 개혁과 구조조정을 추진해 온 결과입니다. 위기가 우리를 변화하도록 만들었고, 결과적으로 전화위복의 기회가 되었습니다. 그러나 결코 자만하고 있지 않습니다. 아직 더 많은 노력이 필요합니다. 저는 지속적인 개혁만이 우리에게 더 나은 미래를 가져다 줄 것이라고 확신합니다.

개혁의 목표는 '글로벌 스탠더드'에 부합하는 경제시스템을 구축하는 것입니다. 기업의 회계제도와 지배구조를 대폭 개선해서 경영의 투명성을 향상시킬 것입니다. 금융부문의 지속적인 구조개혁으로 금융산업의 건전성과 경쟁력을 높여나갈 것입니다. 과학기술 혁신과 IT분야의 기술력을 바탕으로 첨단산업을 육성해가고자 합니다. 불필요한 규제는 과감하게 철폐하되, 불공정한 거래에 대해서는 예외 없이 법과 원칙을 적용해나갈 것입니다. 그리하여 공정하고 투명한 시장, 효율적이고 역동적인 시장을 만들어나갈 것입니다.

지난 '한·일 투자협정' 교섭과정에서 일본 기업인들이 가장 큰 관심을 보였던 것이 노동조항이었던 것으로 알고 있습니다. 과거 한국에 투자한 일부 일본 기업이 노사문제로 철수해야 했던 아픈 사례에 대해서도 듣고 있습니다. 그러나 한국의 노사관계는 달라지고 있습니다. 저는 법과 질서를 확고히 지키면서 대화와 타협을 통해 문제를 해결해 가는, 새로운 노사 협력 모델을 만들어가고자 합니다. 이를 통해 노사간 대립과 갈등으로 인한 사회적 비용을 최소화해나갈 것입니다. 더 이상 불법과 폭력은 용인되지 않습니다. 저는 노사갈등을 중재하고 조정했던 많은 경험을 가지고 있습니다. 노사 양측으로부터 신뢰를 얻으면 대화와 타협은 결코 어려운 일이 아닙니다. 반드시 1~2년 내에 신뢰와 협력의 새로운 노사문화가 정착되도록 하겠습니다.

저와 한국 정부는 투자하기 좋은 환경, 기업하기 좋은 나라를 만드는 데에도 최선을 다하고 있습니다. 국내기업과 외국기업을 차별하지 않겠습니다. 구체적인 방안에 대해서는 길게 설명 드리지 않겠습니다. 다만 한 가지 사례를 들어 외국기업에 대한 제 생각을 말씀드리고자 합니다.

이번에 저와 함께 온 경제계 인사 가운데 일본인이 한 분 계십니다. 한국의 일본기업인 모임인 '서울재팬클럽'의 다카스기 노부야 이사장님이 바로 그 분입니다. 저는 다카스기 이사장님을 헌법상의 대통령 자문기구인 '국민경제자문회의' 위원으로 위촉한 바 있습니다. 한국에 진출한 일본 기업을 외국 기업이 아닌 우리 기업으로 여기고, 애정과 관심을 갖고 지원하겠다는 생각에서입니다. 마찬가지로 여기 계신 어느 분이라도 투자에 장애가 되는 제도와 관행에 대해 말씀해주시면 언제든지 적극 검토해서 개선해 나가도록 할 것입니다.

올해 연초에 '한·일 투자협정'이 발효되었습니다. 양국간 투자협력을 위한 제도적 기반이 마련된 것입니다. 또한 한국은 올해 하반기부터 '경제자유구역'을 운영해서 외국인의 기업환경과 생활환경을 획기적으로 개선해 나갈 계획입니다. 이를 계기로 한국에 대한 투자가 더욱 확대되기를 기대합니다.

경제계 지도자 여러분,

저는 앞서 평화와 번영의 동북아 시대에 대해서 말씀드렸습니다. 그러나 이를 실현하기 위해서는 넘어야 할 산이 많습니다. 무엇보다 한반도에 평화가 정착되어야 합니다. 한반도 평화체제 구축은 동북아 경제협력과 안정을 위한 필수 전제조건입니다. 한반도에 군사적 긴장이 지속되는 한 동북아의 진정한 평화와 번영은 기대할 수 없습니다. 또한 동북아 경제협력의 강화는 결과적으로 한반도를 포함한 지역 내 평화와 안정에 큰 기여가 될 것입니다.

지난달 저는 부시 미국 대통령과 만나 북한의 핵 보유를 용인하지 않는다는 것과 북핵 문제를 평화적으로 해결하겠다는 원칙을 재확인하였습니다. 어제 저는 고이즈미 총리와 이 문제에 관한 공동의 해법에 합의하였습니다. 일·미 정상회담에서도 같은 인식을 공유한 바 있습니다. 북핵 문제는 이러한 한·일·미 3국간의 긴밀한 공조를 통해서 평화적으로 해결될 수 있을 것이라고 확신합니다.

존경하는 경제인 여러분,

번영의 동북아시대를 위해서는 먼저 가장 가까운 이웃인 한·일간에 한 차원 높은 협력관계를 구축해 나가야 합니다. 일본 자본주의의 원류로 추앙받고 있는 이시다 바이간 선생은 "진정한 상인은 상대방과 자기가 모두 잘 될 수 있는 것을 생각한다"고 설파한 바 있습니다. 현재 추진되고 있는 한·일간 자유무역협정(FTA) 문제도 그러한 정신을 살려나갈 필요가 있습니다. 양국이 지혜를 모으면 모두에게 이익이 되는 FTA 모델을 만들 수 있을 것입니다. 저는 지금까지 진행된 'FTA 산·관·학 공동연구회'의 성과를 긍정적으로 평가합니다. 공동연구회가 좋은 성과를 거두어서 FTA 논의가 빠른 시일 내에 정부간 교섭단계로 진전될 수 있기를 희망합니다.

양국간 투자와 기술협력을 더욱 확대해나가야 합니다. 이것은 한·일 FTA 추진에 우호적인 환경을 조성하는 길이기도 합니다. 특히 중소기업과 부품·소재 분야의 협력을 발전시켜나가야 하겠습니다. 양국 기업이 서로의 장점을 결합해서 제3국에 공동 진출하는 것도 바람직한 일이 될 것입니다.

'한·일 재계회의', '한·일 경제인회의', '한·일 민관합동 투자촉진협의회'와 같은 협의채널도 한층 더 활성화되기를 바랍니다. 자유로운 인적교류를 위해서 '비자면제협정'의 체결과 서울~도쿄간 셔틀 항공편의 운항도 추진해나가야 하겠습니다.

경제계 지도자 여러분,

세계 경제의 회복이 지연되고 있습니다. 우리 두 나라의 경제도 어려움을 겪고 있습니다. 하지만 어려울 때일수록 이웃간의 협력은 더욱 빛을 발합니다. 우리 함께 힘을 모읍시다. 동북아 공동번영의 미래를 향해 힘차게 나아갑시다. 그리하여 자라나는 세대들에게 희망찬 내일을 선물합시다.

아무쪼록 오늘 이 자리가 양국 경제계간의 교류와 협력을 더욱 증진시키는 중요한 계기가 되기를 바랍니다. 여러분의 건승과 양국 경제의 무궁한 발전을 기원합니다.

경청해 주셔서 감사합니다.

# 일본 국회연설

2003년 6월 9일

존경하는 와타누키 다미스케 중의원 의장, 구라타 히로유키 참의원 의장, 그리고 중의원과 참의원의 의원 여러분,

일본의 민주주의와 평화수호의 전당인 이곳 국회의사당에 서게 된 것을 매우 영광스럽게 생각합니다. 따뜻하게 환영해 주신 의원 여러분께 진심으로 감사드립니다. 일본 국민과 각계의 지도자 여러분들께도 깊은 감사의 말씀을 드립니다.

나는 제2차 세계대전이 끝난 이듬해에 태어났습니다. 이른바 '전후 세대' 입니다. 그리고 일본에서 가장 가까운 부산에서, 일본이 민주주의와 경제발전을 이룩해 오는 과정을 인상깊게 지켜보면서 성장했습니다. 일본과 한·일 관계는 나에게 항상 중요한 관심사였습니다. 한국과 일본은 민주주의와 시장경제, 그리고 평화라는 기본 가치를 공유해 왔고, 지

리적·문화적으로도 매우 가까이 있습니다. 나는 늘 마음속에 우리 두 나라가 동북아시아의 평화와 번영을 위해서 함께 손잡고 나아가는 시대를 그려 왔습니다.

존경하는 의원 여러분,

이제 그러한 시대가 다가오고 있습니다. 나의 일본 방문이 결정되었을 때 많은 사람들이 제게 물어왔습니다. "과거사 문제를 어떻게 말할 것이냐" 하는 것이었습니다. 우리 모두는 이 문제가 얼마나 중요한 문제인지를 잘 알고 있습니다. 그러나 오늘 나는 이것을 넘어서는 말씀을 드리고자 합니다. 그것은 우리의 미래에 대한 이야기입니다. 우리의 아이들이 살아갈 30년, 50년 후의 동북아질서에 관한 비전입니다.

나는 한일 양국 국민이 마음을 활짝 열고 진정한 화해와 협력의 시대를 열어나가는 데 기여하고 싶습니다. 양 국민이 과거사의 그늘에서 완전히 벗어나 스스럼없이 교류하며 서로 돕는 시대가 하루속히 열리기를 진심으로 바랍니다. 이것이 이 시대의 양국 지도자들이 함께 풀어 가야 할 최우선의 과제이자 책무라고 생각합니다.

1965년 국교정상화 이래 우리 양국의 선배 지도자들은 이를 위해서 부단히 노력해왔습니다. 1998년에는 양국 정부가 '21세기 새로운 한·일 동반자관계'를 구축해 나가기로 약속했습니다. 그리고 이번에 나와 고이즈미 총리는 동북아시아의 평화와 번영을 위해서 양국이 함께 협력해 나갈 것을 다짐했습니다. 참으로 뜻깊은 합의였다고 생각합니다.

이 시간 나는 의원 여러분께 오늘과 내일의 한국, 그리고 한일 관계의 미래에 대한 희망과 포부를 말씀드리고자 합니다.

존경하는 의원 여러분,

5년 전 한국은 심각한 외환위기를 겪었습니다. 그때까지 매진해 온 물질적이고 양적인 성장이 한계에 부닥친 것입니다. 극심한 고통이 뒤따랐습니다. 그러나 한국 국민들은 위기를 기회로 만들어내기 위해서 험난한 개혁의 길을 선택했습니다. 온 국민이 함께 고통을 감내하며 경제 전반의 구조개혁을 단행했습니다.

위기는 빠르게 극복되었습니다. 경제의 체질이 강화되고 투명성도 높아졌습니다. 전국적인 정보화 기반이 구축되고 IT산업이 비약적으로 성장했습니다. 우리가 위기를 극복하는 과정에서 일본을 비롯한 국제사회의 도움이 매우 컸습니다. 지금도 우리 국민들은 이를 감사하게 생각하고 있습니다.

이제 한국은 새로운 변화를 추구하고 있습니다. '양적인 성장'의 한계를 넘어서 '질적인 성장'으로의 변화를 시작했습니다. 의미 있는 많은 변화들이 급속하게 이루어지고 있습니다. 무엇보다 두드러진 것은 국민들의 적극적인 참여가 활성화되고 있다는 것입니다. 정치와 경제, 사회는 물론, 외교와 안보 문제에 이르기까지 역동적인 참여의 문화가 뿌리내리고 있습니다.

지난 2월 출범한 한국의 '참여정부'는 바로 이러한 시대적 흐름 속에서 탄생했습니다. '참여정부'의 출범은 한국민들이 오랫동안 갈망해 온 새로운 변화를 상징하고 있습니다. 그것은 원칙과 신뢰가 지켜지는 사회, 자유롭고 공정한 경쟁이 보장되는 나라, 국민이 진정한 나라의 주인으로 대접받는 정부입니다.

나는 가난한 농부의 자식으로서 넉넉지 못한 환경에서 자랐습니다. 독학으로 사법시험에 도전했고, 판사로서, 또 변호사로서 활동하다가 정치에 입문했습니다. 인권과 민주주의를 위해서 싸웠습니다. 또 고초를 당하기도 하였습니다. 지역주의를 거부하며 원칙 없는 대립의 정치에 항거하다가 선거에서 여러 차례 낙선하는 아픔도 겪었습니다. 그러나 나는 끝까지 원칙과 신념을 지켜왔습니다. 나는 국정의 원리로서 '원칙과 신뢰', '공정과 투명', '대화와 타협', 그리고 '분권과 자율', 이 네 가지를 강조하고 있습니다. 국민들의 참여를 통해서 더욱 성숙한 민주주의와 역동적인 국가발전을 이룩해 나갈 것입니다.

존경하는 의원 여러분,

일본은 일찍이 서구문물을 받아들여서 아시아에서는 가장 먼저 근대국가를 수립했습니다. 한때는 제국주의의 길을 걸으며 한국을 비롯한 아시아 국가들에게 큰 고통을 주기도 했습니다. 그러나 전후의 일본은 경이적인 경제발전과 민주주의를 성취했고, 세계인들이 부러워하는 나라가 되었습니다. 또한, 일본은 확고한 '비핵 3원칙'과 평화주의를 유지해 왔습니다. 세계 1위의 대외 원조국으로서 국제적인 신뢰와 평판을 쌓아왔습니다.

나는 땀과 지혜로써 오늘의 일본을 이룩해낸 일본 국민들과 지도자들에 대해서 깊은 존경심을 가지고 있습니다. 그러나 불행했던 과거사를 상기시키는 움직임이 일본에서 나올 때마다 한국을 포함한 아시아 각국의 국민들은 민감한 반응을 보여 왔습니다. 방위안보법제와 평화헌법 개정 논의에 관한 의혹과 불안의 눈으로 지켜보고 있습니다. 이와 같은 불안과 의혹이 전혀 근거 없는 것이 아니라면, 또는 과거에 얽매여 감정에 만 근거하고 있는 것이 아니라면, 일본은 이제까지 풀어야할 과거의 숙제를 풀지 못하고 있다는 것을 의미하는 것이기도 합니다.

이제 2년 후면 한일 국교정상화 40돌을 맞게 됩니다. 그때까지도 우리 두 나라 국민들이 완전한 화해와 협력에 이르지 못한다면, 양국의 지도자들은 역사 앞에 부끄러움을 면하기 어려울 것입니다. 나는 오늘 의원 여러분과 각계의 지도자들께 '용기있는 지도력'을 정중히 호소하고자 합니다. 과거는 과거대로 직시해야 합니다. 솔직한 자기반성을 토대로 상대방을 이해하고 평가하도록 국민들을 설득해 나가야 합니다. 진실을 말하는 것이야말로 진정한 지도자의 용기라고 생각합니다.

지난해 양국은 '한일 역사공동연구위원회'를 구성했습니다. '과거의 역사는 있는 그대로 인식하자'는 1998년 양국 정상의 합의 정신에 부합하는 바람직한 결과가 도출되기를 바랍니다. 그리고 이제 미래를 이야기합시다. 서로의 국민들에게 진실된 마음으로 미래를 위한 협력의 새 길을 제시합시다. 한일 관계의 미래는 양국이 어떠한 목표와 비전을 공유하느냐에 달려있다고 생각합니다. 나는 그 공동의 목표로서 양국이 함께 '21세기 동북아시대'를 열어 나갈 것을 제안합니다.

일본의 청소년들이 도쿄에서 기차를 타고 부산과 서울을 거쳐 베이징까지 수학여행을 다녀오는 것은 결코 먼 미래의 꿈만은 아닐 것입니다. 유럽의 각국들은 이미 반세기 전에 미래를 위한 공동의 목표를 설정했습니다. 1957년에는 유럽경제공동체(EEC)를 출범시켰습니다. 오늘날 유럽은 단일시장, 단일통화까지 실현했고, 국민들 간의 마음의 벽은 허물어졌습니다. 한일 두 나라가 뜻을 함께 하면, 동북아시아에서도 이러한 협력의 미래는 얼마든지 가능할 것입니다.

동북아시아의 경제규모는 이미 전 세계의 5분의 1을 넘어서고 있고 십수년 내로 3분의 1이 될 것입니다. 인구는 유럽의 4배에 이릅니다. 여기에다 세계에서 가장 역동적으로 성장하는 시장과 무한한 성장 잠재력을 갖추고 있습니다. 그러나 이 지역 내에는 아직도 불신의 요소가 완전히 청산되지 않고 있습니다. 경제발전의 격차도 있고, 세계적인 지역통합 추세에도 크게 뒤떨어져 있습니다.

따라서 21세기의 동북아 시대를 실현해 나가려면 누군가가 먼저 나서야 합니다. 바로 한국과 일본입니다. 무엇보다 한일 양국은 민주주의의 전통과 시장경제의 경험을 공유해 왔기 때문입니다. 나는 '평화와 번영의 동북아시대'야말로 양국의 지도자들이 국민들에게 이야기해야 할 한일 공동의 미래라고 확신합니다. 다시 한번 의원 여러분과 각계 지도자들께서 큰 지도력을 발휘해 주실 것을 간곡히 당부합니다.

존경하는 의원 여러분,

한국은 지금 동북아시대의 도래에 대비하여 착실한 준비를 갖춰나가고 있습니다. 참여정부의 정책구상은 한국을 '동북아 평화와 협력의 허브'로 만들어나간다는 것입니다.

유라시아대륙에서 태평양으로, 또 태평양에서 대륙으로 사람과 물자, 자본과 기술, 정보와 문화가 자유롭게 통과하고 머물 수 있는, 선진 시스템을 구축하고자 합니다. 또한 한국은 지속적인 시장개혁을 추진하고 있습니다. 경제시스템 전체를 글로벌 스탠더드에 부합하도록 개혁해 나가고 있습니다. 투명하고 공정한 경쟁의 장을 마련하고, 내국인과 외국인의 차별이 없는 열린 시장을 실현하고자 합니다. 이러한 노력들이 성공을 거두면 한국은 동북아시아인들이 함께 어우러질 수 있는 '공동번영의 다리'가 될 것입니다.

존경하는 의장, 그리고 의원 여러분,

'평화와 번영의 동북아시대'를 열어 나가기 위해서는 먼저 해결해야 할 과제가 있습니다. 그것은 한반도에 평화를 정착시키는 일입니다. 평화가 없이는 아무 것도 이루어질 수 없습니다. 모든 것은 평화로부터 시작되어야 한다는 것이 나의 신념입니다. 한국의 참여정부는 '평화번영의정책'을 추진하고 있습니다. 남북한의 공존과 공영을 구사하면서 한반도의 평화와 안정을 제도화하려는 것입니다. 이것은 곧 동북아시아에서 평화와 번영의 시대를 구현할 수 있는 토대를 마련하는 일이기도 합니다. 우리는 남북한간의 화해협력 기조를 계속 유지하고 발전시켜나갈 것입니다. 대북정책은 투명하게 추진될 것이며, 일본과 미국을 비롯한 우방들과의 협조도 일관되게 유지해나갈 것입니다.

우리는 북한의 핵 보유를 결코 용인하지 않을 것입니다. 동시에 이 문제는 대화를 통해 평화적으로 해결되어야 합니다. 한반도에 긴장이 조성될 경우, 그것은 우리 한반도뿐만 아니라 동북아시아 전체의 평화와 안정을 깨뜨리게 될 것입니다. 한국과 일본 모두 지난 세기에 전쟁의 참화를 경험했습니다. 그 상처는 아직도 완전히 치유되지는 않았습니다. 한반도와 동북아의 갈등과 긴장고조는 우리 모두의 불행입니다. 이것이 바로 우리가 북핵 문제를 평화적으로 해결해 나가야 하는 절박한 이유입니다.

지난 4월 베이징에서 북한의 핵 문제를 평화적으로 해결하기 위한 첫번째 대화가 있었습니다. 나는 이 문제가 하루 이틀에 해결될 것으로는 기대하지는 않습니다. 대화의 모멘텀을 살려 나가야 합니다. 대화를 통해서 신뢰가 쌓이면 평화적인 문제 해결의 길이 열릴 것입니다.

그동안 일본 정부는 한반도의 평화와 북한 핵문제의 평화적 해결을 위해서 적극적인 역할을 해 주셨습니다. 특히 작년 9월 고이즈미 총리께서 북한을 방문하여 '평양선언'을 채택한 것은 매우 의미 있는 결단이었다고 평가합니다.

존경하는 의원 여러분,

나는 일본인 납치문제로 인해서 일본 국민들이 받고 있는 충격과 고통을 잘 이해하고 있습니다. 또, 일본이 북한의 핵과 미사일 문제를 크게 우려하고 있는 데 대해서도 공감합니다. 앞으로 이 문제가 해소되고 일·북 관계가 개선된다면 북한의 개방 촉진과 한반도 평화에도 크게 기여할 것입니다.

나는 북한이 국제사회의 책임있는 일원으로 나아올 수 있도록 한·일 양국이 더욱 긴밀하게 협력해 나가기를 희망합니다. 일본 정부와 의회의 적극적인 역할을 기대합니다. 이제 북한은 핵을 포기하고 개방과 공생의 길로 나와야 합니다. 북한이 그 길을 선택할 때 한국과 일본을 비롯한 국제사회는 필요한 지원을 아끼지 않을 것이라고 생각합니다.

의원 여러분께서는 한·미 동맹관계의 장래에 대해서도 관심이 많으신 것으로 들었습니다. 한·미 동맹은 공고하게 유지될 것입니다. 나와 부시 미국 대통령은 지난달 가진 정상회담에서 한·미 동맹을 더욱 확고히 발전시켜 나가기로 합의했습니다. 지금 한·일·미 3국은 한반도와 동북아시아의 평화를 위해서 긴밀하고 적극적인 공조를 유지해 나가고 있습니다. 앞으로도 이러한 협력은 변함없이 지속될 것입니다.

존경하는 의원 여러분!

한일 두 나라가 공동의 미래를 위한 희망의 씨앗을 뿌릴 토양은 이미 마련되어 있습니다.

지난해 우리 두 나라는 월드컵의 대성공을 함께 이루어냈습니다. 서울과 도쿄의 거리에 쏟아져 나온 젊은이들은 서로를 응원하고 격려했습니다. 또, 양국에서는 '한·일 국민교류의 해'를 기념하는 100여개의 행사가 열렸습니다. 한·일 관계 발전의 밝은 내일을 보여 주는 뚜렷한 증거들입니다. 양국의 경제교류와 인적교류도 뗄래야 뗄 수 없는 단계에 와있습니다. 여러분도 잘 아시는 대로 한국과 일본은 서로에게 너무도 중요한 교역의 상대국이자 투자의 파트너입니다. 두 나라를 왕래하는 사람들은 이제 하루에 1만명이 넘어섰습니다. 해외로 여행하는 한국민들의 거의 절반이 일본을 찾고 있습니다. 또, 일본 국민들이 두번째로 많이 방문하는 나라가 한국입니다.

양국간에는 매일 50여회의 항공편이 날고 있지만, 이것도 부족한 형편입니다. 세계적으로도 보기 드문 활발한 교류입니다. 앞으로 빠른 시일 안에 서울과 도쿄를 잇는 셔틀 항공편이 개설되고, 한·일 양국을 비자 없이 자유롭게 왕래하게 되기를 기대합니다. 나는 자연스러운 문화교류가 두 나라 국민간의 이해를 높이는 데 매우 유익하다고 생각합니다. 일본 대중문화의 추가적인 개방조치를 적극 검토해 나갈 것입니다. 또한 젊은 세대들간의 대화와 교류를 더욱 증진시켜 나가겠습니다. 한·일 자유무역협정의 성공적 추진을 위해서도 양국이 함께 노력해가기를 희망합니다.

끝으로, 의원 여러분께 한가지 부탁의 말씀을 드리고자 합니다. 60만 재일 한국인들은 그동안 일본에서 지역사회와 한·일 관계 발전을 위해서 많은 기여를 해왔습니다. 나는 그분들이 일본 사회의 구성원으로서 더욱 적극적으로 공헌할 수 있게 되기를 충심으로 기대합니다. 그분들에게 여러분께서 논의해 오신 지방참정권이 부여된다면 한·일 관계의 미래에 큰 도움이 될 것입니다.

존경하는 의장,

그리고 의원 여러분,

일본 속담에 "아이들은 부모의 등을 보며 자란다"는 말이 있습니다. 부모가 살아가는 모습이야말로 자라나는 세대에게 가장 귀한 가르침이 된다는 뜻이라고 이해하고 있습니다. 우리는 이 아이들에게 어떤 등, 어떤 모습을 보여주어야 하겠습니까. 우리 모두 마음에 가지고 있는 담장을 허물어 냅시다. 진정한 화해와 협력의 시대를 열어갑시다. 그래서 우리의 후손들에게 더욱 멋지고 밝은 미래를 물려줍시다.

우리가 굳게 손잡고 나아갈 때, 미래는 우리의 것이 될 것입니다.

경청해 주셔서 감사합니다.

# 일본 국빈방문 귀국보고

2003년 6월 9일

존경하는 국민 여러분,

나흘 동안의 일본 방문을 무사히 마치고 돌아왔습니다. 그동안 성원해주신 국민 여러분께 진심으로 감사드립니다. 일본으로 떠날 때는 마음의 부담이 컸습니다. 현충일인데다 일본 국회에서 '유사법제'가 통과될 직전이었기 때문입니다. 그러나 저는 한·일 양국의 미래가 과거에 의해 속박받아서는 안 된다는 신념으로 방일에 임했습니다. 그 결과 국민 여러분의 성원에 힘입어 소기의 성과를 거둘 수 있었습니다.

이번 방문에서 가장 주력했던 것은 한·일 관계의 미래지향적인 발전과 북핵 문제 해결을 위한 양국간의 협력 강화였습니다. 나아가 이를 바탕으로 '평화와 번영의 동북아 시대'를 열어 가겠다는 것이 이번 방문의 목적이었습니다.

저와 고이즈미 총리간의 허심탄회하고 진지한 협의로 의미있는 합의가 이루어졌습니다. 일본 조야의 적극적인 호응도 있었습니다. 먼저, 북핵 문제를 평화적으로 해결하기 위해 한·미·일 3국이 더욱 긴밀한 공조를 해 나가기로 합의하였습니다. 북한의 핵 보유는 결코 용납할 수 없다는 것도 재확인했습니다. 이와 함께 북한과 대화를 지속하는 것이 매우 중요하다는 것과 북핵 문제가 평화적으로 해결될 경우 북한에 대한 국제사회의 폭넓은 지원이 가능할 것이라는 데에 인식을 같이했습니다.

지난번 한·미 정상회담과 미·일 정상회담에 이어 이번 회담이 성공적으로 이뤄짐으로써 북핵 문제의 평화적인 해결을 위한 한·미·일간의 공조체제는 더욱 확고해졌습니다. 저는 이러한 한·미·일 공조와 중국·러시아를 비롯한 국제사회의 협력을 통해서 북핵 문제를 반드시 평화적으로 해결할 수 있다는 확신을 가지게 되었습니다. 고이즈미 총리가 우리의 '평화번영정책'에 대해서 적극적인 지지를 표명하고, 한반도의 평화와 안정에 기여하는 방향으로 북·일 관계가 개선되도록 노력하겠다는 뜻을 밝힌 것도 의미 있는 일이었습니다.

저는 고이즈미 총리에게 '유사법제 통과'와 관련한 우리 국민의 우려를 전달하고, 일본이 평화주도세력이라는 믿음을 주변국에게 보여줌으로써 이와 같은 논란으로부터 자유로워 질 수 있음을 전달하였습니다. 고이즈미 총리는 일본의 '전수방위 원칙'에 변화가 없음을 천명하고, 앞으로 한국 등 아시아 각국의 이해와 신뢰를 얻을 수 있도록 노력할 것이라고 약속했습니다.

다음으로 한·일 관계에 대해서 말씀드리겠습니다.

저와 고이즈미 총리는 명확한 역사인식을 토대로 양국관계를 미래 지향적인 관계로 발전시켜 나가자는 데 의견의 일치를 보았습니다. 이를 위해 인적·문화적 교류를 확대하고 실질적인 경제협력을 증진시켜 나가기로 합의했습니다. 좀더 구체적으로 말씀드리면, 현재 진행중인 한·일 자유무역협정(FTA)에 관한 논의를 조기에 정부간 교섭단계로 발전시켜 나가기로 했습니다.

양국간 비자 면제를 실현하기 위해서 우선 일본측이 한국의 수학여행 학생들에 대한 비자면제를 검토하기로 했습니다. 또한, 김포~하네다 간 셔틀항공편의 조속한 운항도 추진키로 하였습니다. 교역의 확대균형과 투자 협력, 그리고 청소년과 스포츠 교류 확대에도 공동노력을 해나가기로 했습니다. 아울러 유엔을 비롯한 WTO, APEC, ASEAN+한·중·일과 같은 각종 국제무대에서도 협력을 강화해 나가기로 하였습니다.

이 같은 양국간의 협력은 동북아 지역에 평화와 번영의 새로운 질서를 만들어 가는 데 소중한 밑거름이 될 것이라고 확신합니다. 그리고 동북아시아의 평화와 번영이야말로 미래의 한민족의 안전과 발전에 필수적인 조건입니다. 중국과도 앞으로 긴밀히 협의해서 반드시 성공시켜 나가야 하겠습니다.

짧은 기간이었지만 일본의 정계·경제계·문화계 인사들과도 두루 만나고, 일본 국회와 경제단체장 공동주최 모임에서 두 차례 연설도 했습니다. 저는 일본 국회 연설을 통해 "솔직한 자기반성을 토대로 평화와 번영의 동북아 시대를 열어가자"고 호소했고, 많은 의원들로부터 호응을 받았습니다. 일본 경제계 지도자들과의 만남에서는 우리의 '동북아 경제 허브' 추진 계획을 소개하고 협력을 당부했습니다. 앞으로 좋은 결과가 있기를 기대하고 있습니다.

일본 국민과 직접 대화하는 시간도 가졌습니다. '평화와 번영의 동북아 시대'에 대한 우리의 구상을 일본 국민들에게 직접 설명할 수 있었던 것은 매우 뜻깊은 일이었습니다. 또한 저와 우리나라에 대한 이해와 친밀도를 높이는 계기도 되었다고 생각합니다.

이번 방일에서 저는 고이즈미 총리와 개인적인 우의와 신뢰관계를 돈독히 할 수 있었습니다. 이러한 신뢰는 북핵 문제의 평화적 해결과 한·일 관계 발전에 큰 도움이 될 것입니다. 고이즈미 총리와 저는 매우 솔직하고 격의 없는 대화를 나누었습니다. 일본에서 열심히 생활하고 계신 재일동포들을 만나 국민 여러분의 따뜻한 인사를 전하고 격려한 것도 큰 보람이었습니다. 저는 고이즈미 총리와 국회 지도자들에게 재일동포에 대한 지방 참정권 부여 등 재일동포의 권익향상을 위해 배려해줄 것을 요청하였습니다.

존경하는 국민 여러분,

일본 방문 중에 저는 천황과 총리를 비롯한 일본 정부와 국민들로부터 정중하고도 따뜻한 환대를 받았습니다. 일본 현지 언론도 한·일간의 미래지향적인 협력 전망에 대해 지대한 관심을 보여주었습니다. 이 모두가 우리나라와 국민 여러분에 대한 높은 평가와 기대를 반영하는 것이라고 생각하면서, 국민 여러분께 감사한 마음을 가졌습니다.

세계는 지금 동북아시아의 미래에 대해 주목하고 있습니다. 우리에게 거는 관심과 기대도 큽니다. 우리가 힘을 모으면 새로운 동북아시대의 주역이 될 수 있습니다. 국민 여러분, 자신감을 가지고 힘차게 나아갑시다. 저는 국민 여러분께 약속드린 대로 앞으로 경제를 챙기고 국정의 안정을 기하는 데 혼신의 노력을 다하겠습니다.

국민 여러분의 성원에 다시 한번 감사드리며, 이번에 저와 동행해서 일본의 정계·경제계 여러 사람들을 만나서 방일활동을 도와주신 경제인 여러분, 그리고 함께 동행하여 의원 외교를 활발하게 펼쳐 주신 민주당과 자민련의 국회의원 여러분께 감사드립니다.

# 6월 항쟁 16주년 기념 메시지

2003년 6월 10일

오늘 6월 항쟁 16주년 기념식을 매우 뜻깊게 생각합니다.

먼저 이 땅의 민주주의를 위해 헌신하신 민주열사들과 애국 시민 여러분께 진심으로 감사와 경의를 표합니다. 아울러 지금까지도 슬픔을 간직하고 계신 유가족 여러분께 깊은 위로의 말씀을 드리며, 독재와 불의에 맞서 앞장서셨던 이 자리에 계신 여러분 모두에게 각별한 존경의 마음을 표합니다.

돌이켜 보면 이 땅에서 민주주의를 쟁취하고 가꾸어 온 국민의 힘은 참으로 위대합니다. 우리 국민의 민주주의를 향한 뜨거운 열망은 4·19혁명, 부마항쟁, 광주항쟁에 이어서 1987년 6월 항쟁으로 분출되었고, 마침내 민주주의와 정의가 승리하는 위대한 역사를 만들어 냈습니다.

이러한 국민의 힘이 오늘에 이어져 참여정부를 탄생시켰습니다. 참여정부는 개혁과 통합의 새로운 시대를 열어 나감으로써 6월 항쟁의 정신을 계승하고 있습니다. 우리는 이러한 국민의 뜻을 받들어 '국민과 함께 하는 민주주의', '더불어 사는 균형발전 사회', '평화와 번영의 동북아 시대'를 반드시 실현해 나갈 것입니다.

이제 우리는 힘과 뜻을 한데 모아야 합니다. 더욱 합심단결해서 우리 앞에 놓인 수많은 개혁과제들을 해결해 나가야합니다. 집단이기주의와 내부 분열로는 희망찬 미래를 기대할 수 없습니다. 16년 전 오늘이 땅에 메아리쳤던 민주주의의 함성에는 남녀노소가 따로 없었고 지역간·계층간의 구분도 없었습니다. 그날의 뜨거웠던 열정을 오늘에 되새기며 국민 모두의 단합된 힘으로 새로운 도약의 시대를 열어 나갑시다. 다시 한번 여러분의 선도적인 역할을 기대합니다.

감사합니다.

# 2003년도 제1회 추가경정예산안 제출에 즈음한 시정연설

2003년 6월 10일

존경하는 국회의장, 그리고 국회의원 여러분.

2003년도 제1회 추가경정예산안을 국회에 제출하고 그 심의를 요청하면서, 추가경정예산안을 편성하게 된 배경과 주요 내용을 설명드리고, 의원 여러분의 이해와 협조를 구하고자 합니다. 최근 세계 경제는 이라크 전쟁의 종결로 경제심리는 다소 회복되었으나, 주요 선진국의 경제는 여전히 부진한 상황입니다. 우리 경제 또한 대내외 여건의 악화로 어려움을 겪고 있습니다. 투자와 소비의 위축 추세가 지속되고 최근 들어서는 수출여건도 나빠지고 있습니다.

이에 따라 청년실업률이 높아지고 서민과 중산층의 경제적 어려움이 가중되고 있으며, 수출·중소기업의 경영여건도 악화되고 있습니다. 그동안 정부는 재정을 조기에 집행하는 등 경제활성화를 위한 노력을 경주해 왔습니다만, 민간투자와 소비심리가 회복되지 않는 등 경기둔화세가 지속되고 있습니다. 이에 따라 정부는 경제회복을 위해 부동산 시장과 금융시장의 안정, 기업의 경쟁력 강화를 위한 지원 등 종합적인 경제대책을 수립하여 추진하고 있습니다.

여야 의원 여러분께서도 우리 경제가 당면하고 있는 어려움을 슬기롭게 극복하고 힘차게 발전해 나갈 수 있도록 도와주실 것을 간곡히 부탁드립니다.

의원 여러분,

정부는 침체된 경기를 진작시키고 서민·중산층의 생활을 안정시키기 위하여 이번 추가경정예산안을 편성하게 되었습니다. 추가경정예산안의 규모는 총 4조 1,775억원으로 그 재원으로는 국채발행 없이 2002년도 세계잉여금과 일반회계 세수경정 등 가용재원을 최대한 동원하여 마련하였습니다. 그리고 대상사업 선정에 있어서는 추가경정예산안 편성의 목적을 효율적으로 달성하면서도 사업 효과가 빠른 시일 내에 나타나도록 하기 위하여 연내 집행가능성을 우선적으로 고려하여 선정하였습니다.

추경내용을 보다 구체적으로 말씀드리면, 경기진작 효과가 큰 사회간접자본 등 건설투자에 총 1조 5,374억원을 계상하고, 최근 어려움을 겪고 있는 서민·중산층 지원을 위해 6,585억원을 반영하였습니다. 또한 수출·중소기업을 지원하기 위하여 5,901억원, 농가소득 보전 및 농업기반시설 투자에 3,857억원, 교부금 정산 등 지역경제 활성화를 위해 9,364억원을 책정하는 한편, 이라크 전후복구 사업 지원과 사스 등 전염병 관리 강화를 위한 소요도 반영하였습니다.

이와 같이 추가경정예산을 편성할 경우 2003년도 일반회계 예산규모는 111조 4,831억원에서 3조 3,492억원이 증가한 114조 8,323억원이 되며, 이는 지난해 예산에 비해 4.7%가 증가한 금액입니다.

정부는 추가경정예산을 편성함으로써 재정지출을 통한 직접적인 경제적 효과 외에도, 경기를 진작시키려는 정부의 의지가 시장에 전달됨으로써 민간의 투자와 소비심리가 회복되어 경제가 전반적으로 활성화 될 것으로 기대합니다.

정부는 이번 추가경정예산안이 국회에서 확정되는 대로 신속하게 집행하여 소기의 성과를 달성할 수 있도록 집행 준비에 만전을 기해 나가겠습니다. 여야 의원 여러분께서는 이와 같은 취지를 깊이 이해하셔서 금년도 제1회 추가경정예산안을 심의·의결하여 주시기 바랍니다.

감사합니다.

# 제1차 공무원 인터넷 조회 말씀

2003년 6월 11일

공무원 여러분, 안녕하십니까?

저는 오늘 처음으로 여러분과 인터넷 조회를 시작합니다. 왜 인터넷 조회를 하는가, 의문을 가진 분들이 많을 것입니다. 저는 이것을 변화의 실천이라고 말씀드리고 싶습니다.

우리는 오래 전부터 디지털 시대, 디지털강국을 얘기했습니다. 전자정부도 말해 왔습니다. 실제로 디지털 방식에 의한 업무처리가 이루어져 오고 있습니다. 전자정부가 여러 분야에서 실시되고 있습니다. 그러나 전자정부의 내용 중에서도 저는 가장 핵심적인 것이 직접적인 커뮤니케이션 또는 쌍방향 커뮤니케이션이라고 생각합니다. 초보적인 시도이긴 하지만 오늘 인터넷 조회를 통해서 직접적인 커뮤니케이션을 한 번 시험해 보는 것이 전자정부 실현의 획기적인 발전과정이 되리라고 생각합니다.

아울러 정확한 커뮤니케이션의 필요 때문에 앞으로 인터넷 조회를 자주 했으면 합니다. 대통령이 무엇을 생각하고 어떤 말을 하는가, 국무회의가 어떤 결정을 내렸는가 하는 것이 국민들에게 정확히 전달되어야 합니다. 공무원들에게 정확하게 전달되는 것은 더욱 더 중요합니다. 대체로 대통령이 지시하거나 국무회의에서 결정한 사항을 집행하는 것은 공무원 여러분이기 때문입니다. 따라서 공무원 여러분이 그 취지를 정확하게 이해하고 실천할 때라야 그 취지가 국민들에게 정확하게 전달될 수 있고, 그래서 그 정책의 효과가 제대로 발휘될 수 있다고 생각합니다.

그런데 오늘날 우리 사회의 커뮤니케이션은 대단히 발전해 있지만, 수많은 미디어가 수많은 뉴스를 전달하고 있지만, 저는 제가 생각하고 말한 것이 진실 그대로 전달되는가에 대해 항상 아쉬움이 있었습니다.

특히 대통령과 국무회의의 결정사항들이 공무원들에게 정확하게 전달되지 않을 경우 그것은 엉뚱한 결과를 초래할 수도 있기 때문에, 저는 오늘 이 조회를 통해서 여러 가지 논란과 의문이 있는 문제들에 관해서 정확한 메시지를 공무원 여러분에게 전달하고 싶습니다. 오늘 인터넷 조회를 계기로 여러분이 이와 같은 행사에 친근감과 관심을 가지고 참여해 주신다면 앞으로 이 방법에 의한 커뮤니케이션을 자주 활용했으면 하는 생각을 갖고 있습니다.

아쉽게도 오늘 인터넷 조회는 제 말이 여러분에게 일방적으로 전달되는 일방향 커뮤니케이션으로 진행됩니다. 그러나 앞으로 이것을 쌍방향 커뮤니케이션으로 발전시켜 나간다면 공무원 여러분이 대통령에게 직접 건의하고 또 민심을 정확하게 전달할 수 있는 그런 기회를 가질 수 있게 될 것입니다.

저는 공무원이 단순히 지시만을 받는 사람이 아니라고 생각합니다. 업무수행 과정에서 말하고 싶은 의사, 민심과 같은 것을 정확하게 대통령과 국무위원에게 전달하는 것은 매우 중요한 의미를 갖습니다. 그 내용도 중요하지만 참여하면서 자부심과 책임감을 한층 더 높일 수 있다는 데에 더 큰 의미가 있다고 생각합니다. 아직 구체적인 안이나 기술적인 문제가 해결되지 않았습니다만 쌍방향 커뮤니케이션으로 발전시켜 나가고자 하는 것이 저의 희망입니다.

저는 이와 같은 커뮤니케이션을 통해서 우리의 행정과 정치를 좀더 개방할 필요가 있다고 생각합니다. 이 과정을 통해서 불필요한 오해나 논란도 많이 해소될 수 있을 것이고, 공무원 여러분이 하고 있는 일들이 국민들한테 보다 더 정확하게 전달될 수 있을 것이라고 생각합니다.

저의 희망은 국무회의도 특별한 국가 기밀사항을 다루지 않는 경우 공무원 여러분께 1차적으로 개방하고 나아가서는 국민들에게도 개방할 수 있지 않겠는가 생각합니다만 아직 이 문제에 관해서는 워낙 생소하기 때문에 좀더 많은 토론이 필요할 것 같습니다. 오늘은 그동안에 제가 대통령으로 취임하고 난 이후에 해 왔던 몇 가지 중요한 일에 관해서 간략하게 보고드리고, 그 다음에 앞으로 제가 국정을 어떻게 운영해 갈 것인가에 관해서도 여러분에게 말씀드리고자 합니다.

대통령에 당선되고 난 이후 가장 중요한 문제가 북핵 문제였습니다. 제가 미국과 일본을 다녀온 것도 북핵 문제의 해결을 위한 것이었습니다. 특히, 북핵 문제의 해결과정에서 우리 국민들에게 많은 불안을 주어서는 안 된다는 생각, 나아가 혹시 있을지도 모르는 어떤 불행한 사태가 있어서도 안 된다는 생각으로 일관했습니다. 북핵은 결코 용납될 수 없지만 그러나 반드시 평화적으로 해결되지 않으면 안 된다는 그런 원칙을 반드시 실현하고 싶었습니다. 지금 이 시점에서 평가해 보면 그 노력은 상당히 성과를 거두고 있다고 생각합니다.

제가 대통령으로 취임할 당시에는 누구의 발언이든간에 미국과 한국의 언론에서 북핵 문제 해결을 위해서 미국이 무력을 행사할 가능성이 높다는 보도를 끊임없이 쏟아내고 있었습니다. 우리 국민들은 불안했고, 그것이 투자자들에게도 불안을 주어서 경제의 불안으로까지 연결되고, 심지어 어느 신용평가기관에서는 우리나라의 신용등급을 낮추기까지 했습니다.

이제 무력행사에 관한 얘기는 많이 사라지고 평화적 해결의 원칙이 강하게 나오기 시작했습니다. 특히 미국 당국에서 평화적 해결원칙을 여러 차례 반복해서 강조하는 상황으로 변했습니다. 저는 이것을 굳이 제가 해결한 것이라고 말하지는 않겠습니다. 그러나 그와 같은 변화는 저와 여러분, 우리 국민 모두에게 대단히 긍정적인 변화였다는 점만은 분명합니다.

그러나 이것은 관측이나 단편적인 발언을 통해서 나온 것이기 때문에 북핵 문제 해결을 위한 한·미·일 공조과정을 통해 공식화할 필요가 절실했습니다. 이런 시점에 저는 미국에 다녀왔습니다. 그리고 일본을 다녀왔습니다. 그 결과에 관해서 여러 평가를 하겠지만 우리에게 가장 중요한 문제인 북핵 문제와 관련한 한국의 불안과 어떤 위협적 요인들을 해소한다는 것만은 어느 정도 성과를 거두었다고 생각합니다.

이제는 우리 국민 그리고 다른 나라의 사람들도 북핵 문제로 인한 위기적 상황은 상당히 많이 해소되었고, 앞으로 평화적으로 잘 해결될 것 같다는 믿음과 기대를 가지고 있는 것이 사실입니다. 저는 미국에 다녀오고 난 뒤에 굴욕외교라는 말을 들었습니다. 가슴이 아픕니다. 저는 미국에 가서 우리 민족과 국가의 자존심을 그렇게 훼손한 일이 결코 없었다고 생각합니다. 미국이 한국에 대해서 예의 있게 하는 만큼 저도 예의를 갖추어서 미국을 칭찬하고, 또 미국에 대해서 인정할 것은 인정하는 그런 자세로 임했습니다.

제가 정치를 하면서 언제나 당당했듯이 미국에 가서도 결코 비굴하지 않으려고 노력했습니다. 그러나 이에 대한 평가는 각기 보는 관점에 따라 다를 수 있기 때문에 저는 이 문제에 대한 대답을 한마디로 요약해서 말씀드리겠습니다. 북핵 문제의 평화적 해결원칙을 확인하고 그것을 통해서 우리나라의 국정과 경제를 안정시키는 것이 미국에 간 목적이었습니다. 그 이외에 달리 주한미군의 문제를 해결한다거나 그 이상의 국가적 관계를 바꾼다거나 혹은 싸움을 한다거나 이런 목적으로 미국에 간 것이 아닙니다. 남은 문제가 많이 있다면 저와 여러분이 충분히 논의하고 합심해서 점차 풀어 나가면 될 것이라고 생각합니다.

일본에 대해서도 많은 얘기들이 있습니다. 막말이라고 하는 표현까지 제가 들었습니다만 이 점에 대해서도 마찬가지입니다. 북핵 문제의 평화적 해결원칙에 대한 인식에 있어서 한 가지라고 일본의 정치 지도자, 일본의 국민들과 합의에 이를 수 있도록 최선의 노력을 다했고 상당히 안정된 합의 수준에 도달했다고 제 스스로는 평가하고 싶습니다.

아직 협상이 진행되는 과정이므로 쌍방은 서로 유효한 협상카드를 쓰기 위해서 노력하고 있습니다. 북한이 이미 핵무기를 개발했다고 말한다거나 혹은 핵연료봉 처리를 마쳤다고 말하는 이런 것은 진실 여부를 떠나서 협상의 카드로서 이용하고 있는 점은 분명합니다. 이에 대응해서 한·미간에 있어서도 추가적 조치라든지, 또는 미·일간에 강경한 조치라든지 하는 언급들을 통해서 협상에 대응해 나가고 있는 것을 두고 상황이 더 강경해졌다고 해석하지 않는 것이 좋으리라고 생각합니다.

경제에 대해서도 국민들이 걱정하고 있습니다. 산업생산이 침체하고 실물경제가 좋지 않다는 점을 모두가 느끼고 있습니다. 그러나 그보다 더 중요했던 것은 금융부문에 불안요인이 생겨 금융위기 혹은 경제시스템 전반에 위기가 오지 않을까 하는 것이었습니다. 많은 국민들이 걱정했고 언론들도 이 점에 초점을 맞추고 있었습니다. 그러나 지금 시점에 와서 보면 적어도 그 점에 관한 한 어느 정도 안정을 찾았다고 생각합니다. 북핵 문제에 대한 불안이 훨씬 감소했다는 것도 안정의 중요한 원인 중의 하나일 것입니다. 아울러 카드채, 가계대출 문제 등의 해결을 위해 우리 정부가 열심히 노력한 결과 어느 정도 안정을 찾아가고 있는 것이 아닌가 생각합니다. 그러나 실물경제에 있어서 산업의 활력이 아직까지 회복되지 않고 있습니다. 수출은 여전히 잘되고 있습니다만 다소 불안한 징후도 없지는 않습니다.

문제는 실물경제가 활력을 찾도록 하기 위해서 경기부양책을 아무

것이나 쓸 수 없다는 것입니다. 저는 이 문제에 관해서 장기적인 성장잠재력을 해치지 않는 건전한 경기부양정책만을 선택적으로 사용하는 것이 적절하다고 생각합니다. 그리고 이와 같은 원칙에 따라서 정부와 한국은행이 적절히 대응해 나가고 있다고 생각합니다. 경제를 활성화하기 위해서 궁극적으로 필요한 것은 투자가 활발하게 일어나야 하고 투자가 활발하게 일어날 수 있는 여건을 조성하는 것이 중요합니다. 우리는 지금 투자를 어떻게 활성화할 것인가에 관해서 전력을 기울이고 있습니다.

지난번 미국 방문 때도 많은 경제인들이 동행했고, 일본에도 동행했습니다. 이와 더불어 우리 경제의 투명성과 공정성, 자유로운 시장, 그리고 원칙에 따른 개혁의 진행을 강조한 것은 투자 분위기를 만들기 위한 것이었습니다. 앞으로 동북아 경제중심 구상, 국가 전체의 균형발전, 기술혁신, 시장개혁, 그리고 시장을 뒷받침할 정치·사회·문화의 개혁을 통해서 우리나라가 지속적으로 활력 있게 성장해 갈 수 있는 발전전략을 꾸준히 추진해 나가는 것이 지금의 어려운 경기 문제를 장기적으로 해결해 나가는 근본적인 방안이라고 생각합니다. 우선 당장 걱정스런 문제에 관해서는 이 정도로 말씀드립니다.

앞으로 차별시정위원회와 노동분야의 태스크포스, 농업분야의 태스크포스를 함께 묶은 국민통합기획단을 만들어서 우리 사회의 갈등을 근본적으로 해소해 가려고 합니다. 그때 그때 갈등에 미봉적으로 임시적으로 대처하는 방식이 아니라 근본적으로 사회갈등을 해소해 나가려고 합니다. 이와 같은 문제를 해결해 가는 과정에서 제가 시스템에 관해서 몇 가지 지적을 했던 것이 공무원 여러분에게 일 못한다는 타박으로 전달되기도 하고, 또 여러분들의 사기에 조금 부담을 준 것도 사실이라고 생각합니다. 그러나 이런 과정을 통해서 완벽하게 국정 시스템을 만들어 나가는 것, 이것이 앞으로 우리의 과제라 하겠습니다. 앞으로 어떻게 일할 것인가? 국무총리에게 보다 더 많은 일을 넘기고, 장관들이 책임을 가지고 자율적으로 업무를 수행해 갈 수 있도록 분권과 자율의 원칙을 강화해 나가려고 합니다.

그러나 막상 구체적으로 적용하려고 하면 지금까지 가지고 있던 오래된 업무 관행과 인식으로 인해 뭔가 잘못되고 있는 것 같다는 느낌을 받는 경우가 왕왕 있습니다. 자율과 분권, 쉽지 않은 일입니다. 저는 아무리 빨라도 1년 정도 아마 혼선이 계속되지 않을까 하는 짐작을 하면서 이 일을 추진합니다. 어떻든 청와대가 할 일, 국무총리실이 할 일, 그리고 각 부처가 할 일에 관해서 지속적으로 분권하고 자율하고, 그리고 그 사이의 관계를 정리해 나감으로써 그야말로 가장 효율적이고, 가장 창조적인 정부 운영의 시스템을 만들어 나가는 것이 제가 하고싶은 일입니다.

그 중에서 청와대가 꼭 해야 할 일이라고 한다면 멀리 내다보고 비전을 제시하는 일이 아닌가 합니다. 국정을 운영해보면 각 부처마다 중요한 일을 하고 있지만 결국 종합적으로 국가의 미래를 내다보고, 큰 문제가 생기지 않도록 사전에 예방하는 등 비전의 기능은 역시 대통령과 청와대가 해야 되는 것이라고 생각합니다. 앞으로 이 점에 청와대가 집중하고 일상적인 업무와 갈등에 관해서는 총리와 장관들이 잘 해소해 나가는 시스템을 갖추어야 할 것입니다. 다만 이와 같은 시스템이 제대로 작동하고 있는가에 대해서 착실히 검증하고 시정조치를 해 나가는 일도 청와대가 해야 할 일이라고 생각합니다. 가급적이면 공무원 여러분이 소신을 가지고 자율적인 판단에 따라서 일하고 스스로 책임지는 자율의 문화를 정착시키려고 합니다. 이를 통해서 여러분이 자부심을 가지고 국정에 참여할 수 있는 분위기를 만들어 가려고 합니다.

저는 대통령이 되기 전부터 또 되고 난 이후에도 하고 싶은 일이 참 많습니다. 개혁에 관한 강력한 포부를 가지고 있습니다. 국민통합에 대한 강렬한 희망 또한 가지고 있습니다. 그러나 하면 할수록 느끼는 것이 저 혼자 할 수 없다는 것입니다. 결국 공무원 여러분이 한다는 것입니다. 공직사회가 제대로 해내지 못하면 개혁을 위한 어떤 계획도 소용이 없습니다. 그런데 공무원 개개인의 결의와 각오만으로 되는 일도 있지만 그렇지 못한 일도 있습니다. 이 경우에는 시스템 개혁이 필요한 것입니다. 저는 두 가지 다 해야 한다고 말씀드리고 싶습니다. 여러분이 시스템 개혁에 적극적으로 나서 주셔야 합니다. 공직사회 개혁, 바로 정부혁신이 모든 개혁의 출발이자 마지막이다, 저는 그렇게 생각합니다.

여러분이 시스템을 개혁하고 더 많은 커뮤니케이션을 통해서 국민들을 위한 새로운 서비스들을 끊임없이 개발해 나가겠다는 결의와 자세를 가지고 이를 실천해 나갈 대, 비로소 전 분야에 있어서 개혁이 성공하는 것이라고 생각합니다. 여러분, 함께 한번 해 보십시다. 시행착오가 있을 수 있겠지만 여러분과 제가 힘과 마음을 모으면 우리는 반드시 성공할 수 있습니다. 반드시 성공한 정부, 성공한 국가를 만들 수 있습니다. 우리 함께 국민들에게 봉사합시다.

대통령이 하는 일이 조금 마음에 들지 않을 때 어떤 경로를 통하든 즉시 건의해 주십시오. 직접 비판해 주십시오. 저도 공무원 여러분에게 강력하게 요구하겠습니다. 해양수산부 장관 할 때부터 지금까지 저는 일관되게 지속적으로 공무원들을 신뢰한다고 말해 왔습니다. 실제로 신뢰합니다. 전혀 고칠 것이 없다는 뜻이 아닙니다. 지금이 최상의 상태라는 뜻이 아니라 앞으로 더 잘할 수 있다는 믿음을 가지고 있기 때문입니다. 신뢰를 가지고 열심히 한번 해 보십시다.

오늘은 제가 일방적으로 여러분께 말씀을 드렸습니다만 앞으로 좀 더 좋은 방식을 갖추고 주제를 잡아 쌍방향 토론이 가능하도록 발전시켜 나가도록 하겠습니다. 여러분, 청와대 홈페이지에 적극적으로 의견을 올려 주십시오. 인터넷 조회 때 명쾌한 답을 해 달라는 요구도 해 주십시오. 그렇게 쌍방향으로 대화합시다. 앞으로는 쌍방향 대화가 가능할 수 있을 것입니다.

경청해 주셔서 감사합니다.

# 국민생활체육전국한마당축전 축하 메시지

2003년 6월 14일

오늘 이곳 마산에서 '2003 국민생활체육 전국한마당축전'이 열리게 된 것을 진심으로 축하드립니다. 전국의 1,500만 생활체육 동호인 여러분, 그리고 행사 준비를 위해 애써 주신 마산시민 여러분과 경남도민 여러분께도 축하와 감사의 말씀을 드립니다. 특별히 한·일간 생활체육 교류를 위해 멀리 일본에서 참석하신 선수단과 임원 여러분께 따뜻한 환영의 인사를 전합니다.

오늘날 생활체육은 문자 그대로 일상적인 생활 속에 자리를 잡아가고 있습니다. 건전한 여가문화를 선도함으로써 우리의 삶을 더욱 풍요롭게 해 주고 있습니다. 이제 생활체육은 온 국민이 함께 즐기는 삶의 활력소로서 사회의 통합과 발전에도 기여하고 있습니다.

참여정부는 국민의 '삶의 질 향상'과 '창조적인 문화역량 강화'를 위해서 생활체육을 보다 활성화시켜 나가는 데 많은 노력을 기울이고 있습니다. 앞으로도 누구나, 언제 어디서든지 생활 속에서 건전한 체육활동을 마음껏 즐길 수 있도록 시설을 갖추고 환경을 조성하는 데 최선의 정책적 지원을 다해나갈 것입니다.

여러분 모두가 그동안 갈고 닦은 실력을 마음껏 발휘하시기를 바랍니다. 이번 대회의 성공을 계기로 온 국민이 생활체육에 적극 참여하는 시대가 한 걸음 앞당겨질 것으로 확신합니다. 보다 활기찬 사회, 건강한 대한민국을 만들어 나가는 데 1,500만 생활체육인 여러분들이 계속 앞장서 주기를 기대하면서, 여러분 모두의 건강과 행복을 기원합니다.

감사합니다.

# 머니투데이 창간 2주년 특별기고

2003년 6월 19일

국민 여러분, 안녕하십니까?

우리는 지난 몇 년 사이 크나큰 변화를 체험하고 있습니다. 바로 산업사회로부터 지식정보화 사회로의 급속한 전환입니다. 우리 사회에 전개되고 있는 지식정보화의 급속한 흐름은 정치·경제·사회·문화 등 다방면에 새로운 인식과 틀을 요구하고 있습니다. 한마디로 우리 사회에 본격적인 형질변화를 요구하고 있습니다. 그 형질변화의 기본 원리를 저는 공정성과 투명성이라고 생각합니다.

참여정부 출범 이후 저는 권력과 정치의 권위주의 탈피, 토론과 대화를 통한 정책 결정의 시스템화, 그리고 언론과 권력의 정상화에 힘을 기울여 왔습니다. 이는 지식정보화 시대를 사는 우리가 성취해야 하고, 더 이상 미룰 수 없는 마지막 과제들입니다. 새롭게 전개되는 거센 흐름으로 보면 다소 혼란스럽고, 때로는 당혹스러울 수도 있습니다. 그러나 결코 포기할 수 없는 시대적 대세입니다.

저는 이 같은 시대적 인식을 바탕으로 국가개조를 시작하고자 합니다. 대한민국의 팔자를 바꾸겠습니다. 제일 먼저 정부부터 바꾸겠습니다. 행정혁신입니다. 정부야말로 국민에 대한 최고·최대의 서비스 기관이 되어야 합니다. 공무원은 가장 유능한 대국민 서비스맨이 되어야 합니다. 그러기 위해서는 행정이 혁신되어야 하고, 구성원인 공무원들이 그 주체세력이 되어야 합니다. 공무원들이 개혁의 대상이 아니라 개혁의 견인차가 되어야 한다는 것이 제가 말하는 '개혁주체세력론'입니다.

정부와 공무원부터 기득권을 버려야 합니다. 잔존하는 관존민비라는 수백년 인습에서부터 벗어나야 합니다. 정부와 공무원에게 권리가 있다면 국민에게 봉사하는 권리입니다. 국민을 위한 봉사에 부처가 따로 있을 수 없고, 소속이 다를 수 없습니다. 부처와 부처, 공무원과 공무원을 잇는 봉사와 혁신의 네트워크를 만들어 가겠습니다.

서비스 행정의 경쟁에서 뒤처지면 공무원도 소속 부서도 줄어들고 사라지게 될 것입니다. 혁신의 경쟁에서 앞서 나가는 부서는 확대되고, 공무원들은 승진하게 될 것입니다. 국민이 평가하고 새로운 감사정책이 이를 판단하게 될 것입니다. 세무서에서 불러도 다리가 후들거리지 않고, 경찰과 검찰에서 오라해도 가슴 졸이지 않는 그런 정부를 만들겠습니다. 왜 이런 정부 개혁이 편가르기이고, 왜 이런 공무원들을 만들겠다는 것이 중국식 문화혁명이라는 말입니까.

정부혁신이 내적 형질변화라면 동북아 경제중심국가 건설과 지역

균형발전 전략은 대한민국의 외형을 바꾸는 양대축입니다. 한반도의 좌우에 경제력을 바탕으로 21세기 초강대국을 꿈꾸는 중국과 일본이 있습니다. 이 양대국을 평화와 번영의 네트워크로 묶지 못하면 한반도는 안정을 유지할 수 없습니다. 군사력 대결이 아닌 경제적 협력으로 묶어야 한·중·일·러의 동북아 모두의 윈-윈이 가능합니다.

궁극적으로 유럽연합과 같은 동북아 공동체적 변화를 추구해야 합니다. 동북아 경제중심국가 건설은 바로 이 같은 전략적 선택입니다. 이를 위해서는 먼저 남북한 평화체제 구축이 선행요건이며, 북핵 문제의 평화적 해결은 필수조건입니다. 저는 미국·일본 방문을 통해 북핵문제의 평화적 해결 원칙을 확인했습니다. 새로운 동북아 시대의 구상도 설명했습니다. 앞으로 중국·러시아 방문을 통해 다시 한번 확인할 것입니다. 시간이 걸리고, 인내가 필요하지만 반드시 한반도 평화체제를 구축해 한반도를 미국·중국·일본·러시아를 잇는 '신 동북아시대'의 평화와 번영의 중심 축으로 만들겠습니다.

한계를 넘어선 수도권과 지방의 격차를 더 이상 방치할 수 없습니다. 무엇보다 지방에 권한을 이양하겠습니다. 권한이 없는 자율은 책임 전가입니다. 지방 스스로 발전을 위한 혁신을 기획하고, 수익모델을 창출해서 서로가 경쟁할 수 있도록 재정·행정권의 대폭적인 수술을 해 나가겠습니다.지역 대학과 연구소, 기업, 시민사회, 언론이 함께 참여해서 지역 특성을 살리고, 스스로 자립·성장할 수 있는 지역별 클러스터를 형성토록 하겠습니다. 지역발전의 희망과 비전의 틀이 만들어지면 수도권 정책도 새로운 비전을 갖도록 바꾸겠습니다. 이런 과정에서 신행정수도 건설은 수도권과 지방간의 균형발전을 이루는 기폭제가 될 것입니다.

국민 여러분,

지금 경제가 어려운 것이 사실입니다. 특히 서민생활이 어렵다는 것을 잘 알고 있습니다. 저는 지난 100여 일 동안 우리 경제환경을 억누르고 있던 본질적인 악재들을 제거하는 데 주력해 왔습니다. 한반도에서 전쟁불안 이상의 경제 악재는 없습니다. 미국과 일본 방문을 통해 한반도에서의 전쟁불안을 제거했습니다. 금융 시스템의 붕괴 우려를 가져왔던 SK글로벌 문제도 시장논리에 의해 해결의 길을 찾고 있습니다. 카드채 문제 역시 서서히 자생적 해결의 방법을 찾아가고 있습니다.

전 세계를 엄습했던 사스가 우리나라에서는 단 한 명의 환자 발생 없이 지나가면서 사스공포로 인한 경제 환경도 회복단계에 접어들고 있습니다. 이를 반영하듯 우리나라 국채가 아시아 국가 중 가장 낮은 금리로 해외에 팔렸습니다. 중요한 국제신용평가기관들도 한국경제에 대해 중장기적으로 안정적이라는 전망을 내놓고 있습니다. 국내 증시에 외국 투자자금도 꾸준히 늘고 있습니다. 이제 서민경제 회생에 주력하겠습니다.

첫째, 주택·아파트 등 부동산 가격 안정은 기필코 이뤄내겠습니다. 서민들의 꿈과 희망을 일순에 앗아가는 부동산 가격의 폭등은 서민경제를 위해 반드시 잡아야 합니다. 적어도 제가 집권하는 동안 부동산 투기로 떼돈을 벌 수 없다는 것만은 분명하게 보여 드리겠습니다.

둘째, 추가경정예산을 청년실업해소, 서민주택 건설 지원, 전략적 SOC투자에 집중투입해 일자리 창출 등 서민보호에 적극 나서겠습니다.

그러나 결코 단기적인 경기부양만을 위한 경기대책을 사용하지 않겠습니다. 단기 경기부양은 결국 물가상승 등 서민경제를 악화시키는 부메랑이 됨을 잘 알고 있습니다.

셋째, 국내외 투자를 막는 행정편의적이거나 실효성이 상실된 규제의 개혁에 과감히 나서겠습니다. 투자야말로 물가를 자극하지 않으면서 경기를 진작시키고 중장기 경제를 튼튼하게 하는 가장 유용한 수단입니다. 대기업들이 26조원의 투자계획을 발표했습니다. 해외 투자자들도 한국시장에 새로운 관심을 높이고 있습니다. 투자를 가로막는 실효성 없는 규제에 대해선 전반적인 재검토를 하겠습니다.

넷째, 자본시장 활성화의 걸림돌이 되고 있는 투신 문제도 연내에 근본적인 해결책을 찾도록 하겠습니다. 투신 문제의 해소야말로 증시 활성화에 새로운 동력을 제공하리라는 인식을 하고 있습니다.

다섯째, 정책과 제도의 실패로 양산된 신용카드 연체자에 대해서도 합리적이고 효율적인 대책을 모색하겠습니다. 수백만 신용카드 연체자들을 신용불량자로 방치해서는 신용사회를 이룰 수 없습니다. 경제정책과 사회정책 차원의 접근이 모색되어야 할 것입니다.

국민여러분,

우리는 1만 달러 시대를 10년 가까이 계속하고 있습니다. 10년을 선진국의 문턱에서 제자리걸음하고 있습니다. 사실상 뒷걸음질하고 있는 셈입니다. IMF 금융위기가 그 첫째 원인입니다. 하지만 IMF위기로만 탓을 돌릴 수 없는 것이 우리 현실입니다. 저는 반문해 봅니다. 세계 최고의 대학진학률, 최고의 IT강국, 자동차·조선·철강·반도체 등 산업

분야의 세계 5대 강국, 세계 최고의 국산영화 점유율, 12대 무역대국, 시골벽촌까지 도로포장이 된 SOC 등 왜 우리가 아직도 선진국 반열에 들어가지 못하고 있는지 의문이 아닐 수 없습니다.

그 뿐이 아닙니다. 수차례에 걸쳐 평화적 정권교체를 이룬 민주주의와 어떤 성역도 용납치 않는 언론 자유가 있는 나라입니다. 이런 외형적 조건만 본다면 왜 외국투자자들이 망설이고 불평한다는 말인지 수수께끼가 아닐 수 없습니다. 불행하고 부끄럽지만 쉽게 답을 찾을 수 있습니다. 근본적인 원인은 50여년 지속되어온 권위주의적이고 중앙집권적인 정치가 우리 사회를 지배하고 규정해 왔다는 것입니다. 권력중심, 사람중심의 권위주의 정치 체제는 지역주의 정치를 유발했습니다. 정치·행정·경제·사회 등 각 분야에도 시스템이 아닌 인치 중심의 관행과 문화를 뿌리깊게 드리웠습니다.

재벌의 경영행태도 예외는 아닙니다. 권력의 부정부패도 마찬가지입니다. 모두가 공정성과 투명성을 상실한 퇴행적 정치문화의 결과입니다. 국민의 힘으로 반드시 공정하고 투명한 정치문화를 이루어 내겠습니다. 시장도 글로벌 스탠다드에 맞는 투명하고 공정한 시스템으로 바꾸어 놓겠습니다. 우리 기업의 주가가 더 이상 경영의 불투명과 시장의 불공정 때문에 코리아 디스카운트를 받지 않도록 만들겠습니다.

국민여러분,

결국 해답은 모든 분야에서 공정성과 투명성을 확보하는 것입니다. 이 토대 위에서 법과 질서, 대화와 타협이라는 진정한 선진 민주주의가 가능해집니다. 공정성과 투명성이야말로 지식정보화 시대의 생존논리이고 국가경쟁력의 원천입니다. 2만 달러 시대를 앞당기는 진정한 지름길입니다.

저는 분명하게 말씀드릴 수 있습니다. 노무현과 대한민국에 투자하십시오. 노무현도 대한민국도 절대 불안하지 않습니다. 새 시대를 향한 국정운영의 방향과 대한민국의 비전이 너무 뚜렷하기 때문입니다. 1년 이내의 단기투자라면 장담할 수 없지만 2년 이상의 장기투자라면 확실합니다. 5년 후에는 큰 이익을 낼 수 있을 것입니다.

우공이산(愚公移山)의 심정으로 한 걸음, 한 걸음 5년을 쉼 없이 가겠습니다. 자신있게 가겠습니다.

# 제1차 중앙부처 실·국장과의 대화 말씀

2003년 6월 20일

오늘 여러분에게 제가 드리고 싶은 가장 중요한 얘기는 '여러분이 누구냐' 하는 것입니다. 여러분은 누구입니까, 너무나 당연한 것 같은데 실제로 자기가 누구이며, 왜 여기에 서 있으며, 무엇을 할 것인가에 대해 가끔 잊어버리고 있는 경우가 많습니다.

여러분은 관료입니다. 관료. 이 말은 학문적인 개념인데 긍정적인 의미와 부정적인 의미를 함께 가지고 있습니다. 법률집에서 찾아보면 여러분은 관료가 아니고 '공무원'입니다. 아마도 관료는 과거 전제군주 시대에도 있었고 민주주주의 시대에도 있는 말입니다. 그런데 공무원은 민주주의 시대에 새롭게 쓰여진 용어가 아닌가 합니다. 공무원은 관료와는 달라서 직업인으로서의 개념 정의가 아니라 국민과의 관계로서의 개념 정의입니다. 제가 여러분에게 '누구냐'고 물었을 대에도 국민과의 관계를 중요하게 생각하면서 한 것입니다. 국민에 대한 봉사자입니다. 이것이 공무원입니다. 여러분은 공무원 중에서 특별히 선발된 엘리트입니다. 단순히 우수한 사람이 아니라 실제로 공적으로 지도자로서의 자격과 책무가 부여된 사람입니다.

이제 한번 역사를 돌이켜 봅시다. 한 나라의 공직사회는 어느날 갑자기 만들어진 것이 아니고 역사 위에서 발전하고 존재하는 것입니다. 우리 역사에서 자유당 시절 공직자 하면 아무 것도 기억나는 것이 없습니다. 연줄, 이것밖에 기억나는 것이 없습니다. 그러나 실제로 자유당 말기부터 경제 개방이나 합리적인 공직사회에 대한 준비가 있었습니다. 제 기억으로 중학교 2학년 때 공무원임용시험 강의록을 사 본 적이 있습니다. 그때 그런 게 있었다는 것은 이미 민주당 정부 시절에 공무원 공개채용제도가 성립되기 시작됐다는 것을 말합니다. 박정희 대통령에 대해 여러 평가가 있지만 그 시기에 관료는 산업화의 역군이었습니다. 때로는 권력의 시녀노릇도 했고, '도둑촌'이라는 말이 있을 정도로 부정과 부패의 상징이었습니다. 그러나 어두운 측면에서는 부정, 그리고 독재의 손발. 이런 것보다는 산업화의 역군이었습니다.

제가 데모를 한 적이 있습니다. 주로 정치권력에 대한 반발이었습니다. 그런데 부닥치는 것은 정치권력이 아니고 공직사회, 특히 권력기관이었습니다. 그들과 부닥치면서 많은 사람들이 공직사회에 대한 반감을 갖고 있었습니다. 그래서 공직자는 다 권력의 주구요, 부정부패나 일삼는 그런 사람들로 생각하고, 당연히 타도의 대상으로 공격하던 때가 있었습니다. 그러나 함께 운동하는 사람들에게 질문을 했습니다. 많은 문제가 있었지만 우리 한국이, 적어도 한국 경제가 이만큼 되게 된 데에는 누군가의 역할이 있지 않았겠느냐, 똑같은 독재국가에서 그래도 한국만 경제가 발전해 오지 않았느냐, 무슨 힘일까, 국민의 힘입니다. 그러나 국민의 힘이 한 방향으로 결집되지 않으면 안 됩니다. 무엇이 우리 국민들을 조직적으로 체계적으로 결집시켰을까? 저는 공무원 조직이라고 생각했습니다. 공무원들이 있었기에 우리가 이만큼 왔습니다.

경제에 대해서 말하지 않아도 잘 알 것입니다. 70대 어르신들이 세계에서 가장 빠른 속도로 우리 경제를 발전시킨 분입니다. 정치가 가장 낙후한 것이라고 말하기도 합니다. 국민들을 짜증스럽게 합니다. 하지만 1945년 이후 지난 58년 동안 한국만큼 빠르게 민주주의 발전시킨 나라도 거의 없습니다. 대단히 자랑스러운 업적입니다. 누가 했든 간에 정치적으로 이만큼 성장해 왔습니다. 이 성장의 선두에 여러분의 선배들이 계십니다.

이제 우리는 무엇을 해야 할 것인가? 여러분께 제시한 것이 국정목표입니다. '참여정부'라고 이름지었습니다. '국민과 함께 하는 민주주의', '더불어 사는 균형발전사회', '평화와 번영의 동북아 시대' 이렇게 국정목표를 내걸었습니다. 우리가 이만큼 살게 됐다 하는데, 다 해결된 거냐, 해결된 것이 참 많습니다. 제가 1980년대 초반에 반정부투쟁의 주류인 사회운동에 참여했을 때 저에게 던져진 큰 화두는 두 가지였습니다.

외채, 이대로 가면 한국 망한다, 그런데 외채가 세계 4위였습니다. 한참 이 문제를 떠들고 다니는 동안에 3위, 2위까지 올라갔습니다. '큰일 났다' 했는데 지나고 보니까 채권국이 됐습니다. 외환보유고도 엄청납니다. 그 비슷한 시기에 읽었던 책 중에 충격적인 책이 리영희 선생이 지은 「분단을 넘어서」였습니다. 여러분이 많이 보신 「전환시대의 논리」, 「10억 인과의 대화」, 「베트남전쟁」이란 책도 읽었습니다.

1980년대 초 「분단을 넘어서」라는 책을 읽고 머리 속에서 떠나지 않은 것은 한반도 정세가 100년 전 상황으로 돌아간다, 이 열강의 각축 속에서 우리 한국이 나갈 길은 어딘가 하는 것이었습니다. 잘 아시듯이 우리 역사가 그랬습니다. 100여 년 전에는 우왕좌왕하다가 무릎을 꿇었습니다. 그런데 또 비슷한 상황이 전개된다는 것입니다. 그래서 홀로 서자, 기대지 말고 홀로 서자, 이것이 우리가 우선 생각해 본 방향이었습니다.

신채호 선생께서는 세수를 할 때도 고개를 숙이지 않았다고 합니다. 이렇게 오로지 자주와 독립의 정신으로 살았습니다. 감동적이었습니다. 독립운동가의 글을 읽고 감동받으며 우리도 자주하자고 생각했습니다. 그러나 국제적인 현실은 현실입니다. 아무리 들여다봐도 일본은 우리보다 훨씬 앞서가고, 돈도 많고, 인구도 많고, 땅도 우리보다 넓습니다. 그러나 언젠가 따라잡는다, 그런데 그게 그렇게 만만치 않습니다.

중국은 까마득하게 뒤떨어져 있는 줄 알았는데 날이 갈수록 달라집니다. 아무리 생각해 봐도 막대한 인구를 가지고 있고 그 인구가 무서운 속도로 성장하고 있습니다. 중국과 일본 사이에서 군비경쟁이 일어날 것이라는 것입니다. 그러면 우리는 어느 편을 들어야 하는가? 물론 혼자 서야 합니다. 그런데 역사를 돌이켜보면 우리는 수백년 동안 중국에서 왕조가 바뀌면, 우리는 어디에 줄을 설 것인가를 놓고 갈라서서 싸웠습니다. 그 뒤 중국의 문제가 아니라 일본이 근대화하고 강대국으로 등장하면서 이제 일본하고 손잡자 하는 문제를 놓고 또 갈라져 싸웠습니다. 나중에 이 문제를 놓고 국정의 중요한 대신이 이 대사관, 저 공사관 돌아다니면서 어떻게 구면소생할 것인가를 궁리하는 처참한 상황이 됐습니다. 그분들이 한 말을 읽어보면 다 나라와 백성을 위해서 그런다는 것이었습니다. 개화파, 수구파, 친일파, 친러파, 어느 것이 해답이었습니까?

돌이켜 생각해 봐도 답이 없습니다. 이 문제를 우리는 풀어내야 합니다. 회피해서는 안 됩니다. 맞닥뜨려야 합니다. 여러 가지 일들이 있지만 우선 우리도 힘이 있어야 합니다. 오늘날 힘은 뭐니뭐니해도 경제입니다. 문화의 힘을 이야기하기도 하지만 경제가 아주 시원찮은 상황에서 문화의 힘만 우뚝 선 경우는 없습니다. 어지간히 잘 살아야 문화를 말할 수 있습니다. 그래서 잘 살자는 말이 아직도 외면할 수 없는 중요한 과제입니다.

그런데 어떻습니까? 1만 달러에서 발이 묶여 있습니다. 앞으로 나가느냐, 주저앉느냐 하는 문제를 놓고 고민하는 이 시대에, 지금까지 나라를 이끌어 왔던 여러분이, 국민의 공복인 여러분이 이 문제에 맞부닥뜨려 있는 것입니다. 해결해야 합니다. 그래서 국민의 정부가 2만 달러 시대로 한번 더 도약하자고 내놓은 것이 '민주주의와 시장경제'였습니다. 여전히 유효합니다. 지식기반사회, 보편적 세계주의, 남북화해, 노사협력, 국민통합 등을 국정지표로 내세웠습니다. 그 토대 위에서 참여정부가 또 국정목표를 세웠습니다.

지금 무엇을 해야 우리 경제가 제대로 될 것인가? 여러번 강조했듯이 기술혁신을 첫 번째로 내세웠습니다. 많은 과제가 있지만 결국 시장은 기술에 의해 좌우됩니다. 기술이 있는 기업은 세계시장이 무대이고, 기술이 없는 기업은 좀 특수한 영역에서 겨우 살아갈 수 있습니다. 기술혁신을 해야 합니다. '제2의 과학입국'을 세워야 합니다.

두 번째는 시장개혁입니다. 시장개혁의 문제는 긴 설명이 필요 없습니다. 더 공정하고 투명한 시장을 만들어야 합니다. 공정하고 투명한 시장에서는 자유로운 경쟁이 이루어지기 때문에 가장 능력 있는 기업이 성공하게 됩니다. 그러려면 그 사회의 문화가 투명하고 공정해져야 합니다. 시장을 운영하는 모든 국민들이 투명하고 공정할 때라야 비로소 투명하고 공정한 시장이 이루어집니다. 기업인들은 아마 '시장'이라고 하는 운동장에서 경기를 펼칠 것입니다. 이 시장을 유지·관리하는 것은 누구인가? 시장이 저절로 하지 않습니다. 국가와 기업이 함께 시장의 시스템을 만들고 관리해야 합니다. 말하자면 축구장을 만들고, 줄을 긋고, 바닥을 고르는 일과 같이 시장제도를 관리하는 책임과 역할이 정부에게 있습니다.

정부가 내놓은 규칙과 제도, 이것이 투명하고 공정해야 합니다. 그렇게 하자면 우리 공직사회가 투명하고 공정하고 합리적이어야 합니다. 원칙과 신뢰의 문화가 있어야 합니다. 모든 측면에서 공직사회가 앞장서지 않으면 안 됩니다. 그것이 답이라고 생각합니다. 그렇게 해서 우리 시장이 경쟁을 촉진하고, 기술을 혁신하고 세계 시장에서 질적으로 경쟁력을 갖게 되면 한국이 2만 달러 시대로 가게 될 것이라고 말하고 싶습니다.

또 한 가지는 동북아시아입니다. 아무리 기술이 발달하고, 시장을 잘 관리하고, 기막힌 마케팅을 해도 동북아가 불신과 적대의 질서 속에서 갈등을 계속한다면, 지금보다 더 나쁜 상황으로 적대관계로 간다면, 우리 한국은 자기 스스로의 안전을 지켜내기 어려울 것입니다. 우리 경제도 제대로 발전할 수가 없을 것입니다. 그래서 동북아 질서를 새롭게 잡아야 합니다. 한국이 최강의 국가가 되어서 앞서 끌고 나갈 수 있으면 좋겠습니다. 물론 그렇게 쉽게 되는 일은 아닐 것입니다.

21세기를 바라보며 한쪽에서는 문명의 충돌을 얘기하고, 한쪽에서는 민족 대결을 얘기하기도 합니다. 1993년부터 상당 기간 동안 전 세계는 화해와 협력의 질서로 가지 않겠는가 기대했습니다. 9·11 테러 이전에는 화해와 협력의 방향으로 간다고 생각했습니다. 그때부터 동북아가 EU의 질서와 함께 가리라고 생각했습니다.

EU가 성립하게 된 경위에 대한 여러 기술(記述) 중에서 특히 감동적으로 접한 것은 아데나워 수상의 얘기입니다. 아데나워가 독일 북부에 있는 작은 도시의 시장 시절 어느 지역에서 강연을 했는데, 유럽은 하나로 가야 한다, 통합하지 않으면 끊임없는 갈등과 분열로 망해 갈 것이라고 말했습니다. 그로부터 35년 뒤 아데나워가 독일의 수상이 됐습니다. 1955년 수상이 되고 난 후 바로 구주 석탄동맹을 만들었습니다. 독일은 매우 중요한 역할을 맡았습니다. 그것이 오늘날 EU로 발전했습니다.

많은 사람들이 전략을 얘기합니다. '동북아에 EU를 얘기하면 될 것인가'하고 의문을 던집니다. 필요한 분석이고 경우에 따라서는 똑똑한 분석으로 보입니다. 그러나 감히 저는 이렇게 말하고자 합니다. 세계 역사는 전략과 정책에 의해 이루어지는 게 아니라 인간의 꿈과 의지로 이루어진다고. 꿈과 의지를 가진 사람이 가고자 하는 방향으로 가려고 할 때 그것을 제시하는 게 전략입니다. 꿈이 먼저 있고 전략이 있습니다.

그래서 내놓은 게 동북아 동반자 시대입니다. 평화와 번영의 시대를 함께 열자는 것입니다. 세계의 정치적 환경 속에서 아주 우수한 정치력을 발휘하고 있는게 EU입니다. 그렇게 앞선 질서로 한발 한발 다가갑시다. 우리의 역사는 변방의 역사였습니다. 그러나 이제 동북아의 새로운 질서를 만들어 냄으로써 변방의 역사를 거두어 내고, 혹 중심의 역사가 아니더라도 동반자의 역사를 열어 가야 합니다. 자주의 역사를 열어 가야 합니다. 저와 여러분이 그 일을 해야 합니다. 그리고 남북 문제가 해결되어야 동북아 시대가 열립니다.

그러면 어떻게 할 것인가? 여러분께 드리고 싶은 말씀은'뜻을 세워 달라'는 것입니다. '과연 되겠느냐?'하는 자세는 버리십시오. 지금까지 대한민국 국민이 하지 못한 일이 있습니까? 개혁은 바로 이런 것을 하는 것입니다. 개혁해야 합니다. 이대로는 안 됩니다. 국민소득 2만 달러 시대로 업그레이드 할 수 없습니다. 동북아 주도세력이 될 수 없습니다. 바뀌어야 합니다. 모든 영역에서 변화가 필요합니다. 국가도 개조되어야 합니다. 지난 30년 동안 수도권으로 집중이 계속되면서 지방이 위축되어 왔습니다. 결단이 필요합니다. 몇 가지 정책으로 되는 것이 아니라'국가개조'라는 특단의 정책을 펴지 않고는 지방과 중앙의 갈등으로 우리는 오도 가도 못할 수 있습니다. 지금 수도권은 과밀 때문에, 지방의 반대 때문에 당장 발목이 잡혀 있습니다. 이것을 풀어내기 위해 국민을 설득해야 하고, 그야말로 획기적인 대책이 나와야 합니다. 그래서 정부혁신을 얘기하는 것입니다. 지방화 시대를 열자는 제안을 하는 것입니다. 행정수도를 옮기는 것이 누구 가정집 옮기는 것처럼 간단한 일이 아닌 줄 잘 압니다. 이는 국가적 역사입니다. 대통령 한 사람의 임기 중 할 수 있는 일이 아닙니다. 하지만 해야 합니다.

개혁이 무엇인가? 자기 극복입니다. 개혁의 첫번째 조건은 절제입니다. 불편없는 개혁, 현재 서 있는 자리가 위험해지지 않는 개혁이 어디 있습니까? 그러나개혁이 성공하면 훨씬 더 좋은 기회를 가질 수 있습니다. 안주하면 우리가 타고있는 배는 가라앉거나 기껏해야 현상유지입니다. 아이들에게 현상유지하는 대한민국을 물려줄 수는 없지 않습니까? 개혁주체세력에 대해 너무 복잡하게 생각하지 맙시다. 어느 사회나 앞서 가는 사람이 있게 마련입니다. 제가 말하는'개혁적'이라는 것은 진보를 말하는 것이 아닙니다. 합리적인 것을 합리적으로 하자는것입니다.

오늘 오전에 국정원을 다녀왔습니다. 대통령 되고 나서 제일 난처한 조직이 국정원이었습니다. 당장 국가 안보가 문제가 되니 보고는 받아야겠고, 보고를 받으려니 내키지 않았습니다. 옛날에는 저희도 협박당하고 끌려다니고 면회를 안 시켜 주어서 손해배상 소송을 걸어 배상을 받아내고 그랬습니다. 세상이 달라지나했더니 국정원 사건만 나오면 정권이 흔들렸습니다. 재임 중에, 퇴임 후에 국정원만 나오면 대통령이 흔들렸습니다. 국정원과 가까이 해서 득 볼 것은 없다는 생각을 했습니다.

국정원 문을 닫으려고 해도 힘이 없고, 본전 생각까지 났습니다. 국정원 공무원을 키우는 데 얼마나 많이 투자했습니까? 우여곡절 끝에 여기까지 왔습니다. 그러나 이제는 달라지고 있습니다. 이제 국정원이 국가정보기관으로서 책임 있게 자기가 할 일을 할 것이라는 믿음이 생겼습니다. 자기 역할이 아님에도 불구하고 권력을 위해 갈등 관리를 해 오던 과거의 일을 하지 않을 것입니다. 기대가 됩니다.

저는 국정원 개혁안을 보고받고 나서 국정원은 해야 할 일만 하고, 아무리 그것이 국가에 기여했다고 해도 하지 않아야 할 일은 이제는 내놓으라고 아주 추상적이고 원칙적인 지시만 했습니다. 그 외에 아무 것도 강요하지 않았습니다. 강요하게 되면 그 다음에 또 시켜야 하기 때문입니다. 그런데 지금 국정원이 잘하고 있습니다.

공무원 여러분이 개혁의 주체입니다. 많은 국민들은 공직사회를 개혁의 대상으로 봅니다. 대통령이 결단해서 공직사회를 개혁하라고 합니다. 그러나 참여정부 출범 이후는 그런 요구가 없습니다. 여러 차례 저는 공무원이 개혁주체라는 것을 천명했습니다. 개혁은 여러분의 몫입니다. 여러분이 개혁에 성공하면 우리나라에 새로운 기회가 옵니다. 나라의 팔자를 고칠 기회가 옵니다. 그러나 성공하지 못하면 여러분은 타율적 개혁을 강요당하게 될 것입니다. 그것은 불행한 일입니다.

여러분이 개혁주체세력이라는 의미는 바깥에서 사람들을 데리고 와서 개혁하지 않겠다는 뜻입니다. 참여정부에는 어느 정부보다 학자들의 자문이 많습니다. 자문기구들이 많이 만들어지고 있습니다. 그분들의 대안과 여러분의 안이 따로가지 않게 하겠습니다. 그분들의 안을 함께 토론하고, 여러분의 경험 속에 다시 소화하고, 여러분의 몸에 맞게 개혁할 것입니다.

부처에 따라 조직을 내놓으라고 하는 곳이 더러 있습니다. 내놓기 싫을 것입니다. 5년 전에 보면 이런 일이 생기면 전 조직이 나섰습니다. 심지어는 선배까지 나서서 뛰고, 무용담도 만들어졌습니다. 그러나 이제 새로운 일을 합시다. 해야 할 일 중에 아직 하지 않고 있는 일들이 많습니다. 해야 할 것은 해야 합니다. 서비스를 더 향상시키고, 국가안전망과 질서망을 더욱 완비해야 합니다. 빈틈이 하나도 없어야 합니다. 일을 새로 만들어야 합니다. 기존 조직의 틀에 매달리지 말고 새롭게 열어 갑시다. 그렇게 하는 부처야말로 성공하는 부처입니다.

개혁은 5년, 10년 만에 끝날 일이 아닙니다. 앞으로 30년, 50년 계속 달려지 않으면 안 될 일이라고 생각합니다. 개혁 그 자체가 여러분의 직무가 되어야합니다.

감사합니다.

# 第53주년 6·25 참전용사 위로연 연설

2003년 6월 25일

존경하는 이상훈 재향군인회장과 군 원로 여러분, 6·25참전용사 여러분, 세계 각국에서 오신 유엔 참전용사와 가족 여러분, 그리고 이 자리에 함께 하신 내외 귀빈 여러분,

6·25전쟁 53주년을 맞아 자유민주주의를 지키기 위해 희생하신 호국영령과 유엔군 장병 여러분의 명복을 머리 숙여 비는 바입니다. 그때의 상흔으로 아직까지 고초를 겪고 계신 분들과 전몰장병 유가족 여러분께도 충심으로 위로의 말씀을 드립니다. 아울러 참전용사 여러분의 숭고한 희생과 공헌에 대해서 무한한 감사와 경의를 표합니다. 특히 해외에서 오신 참전용사와 가족 여러분께 대한민국 국민을 대표해서 깊은 감사와 환영의 인사를 드립니다.

저는 지난 달 미국을 방문해서 '한국전 참전기념비'를 찾은 바 있습

니다. 기념비에 새겨진 '알지도 못하는 나라, 만난 적도 없는 사람들을 위해서'라는 글귀를 보고 지구 반대편의 '알지도 못하는 나라'를 찾게 만든 힘은 무엇이었을까 생각했습니다. 그것은 아마도 자유민주주의에 대한 굳건한 신념이었을 것입니다.

'만난 적도 없는 사람들'을 위해서 목숨 걸고 싸울 수 있었던 것도 자유민주주의를 지키겠다는 불굴의 용기가 있었기에 가능했다고 생각합니다. 그리고 이러한 여러분의 결단은 옳았습니다. 역사가 이를 증명하고 있습니다. 20세기가 다 가기도 전에 공산주의는 패퇴하였고, 자유민주주의가 승리한 역사로 자리매김 했습니다.

존경하는 국군 참전용사, 그리고 UN군 참전용사 여러분,

여러분이 피땀으로 지켜낸 우리 대한민국은 세계에서 가장 가난했던 나라에서 세계 12위권의 경제강국으로 변모했습니다. 남북이 분단되어 있는 상황에서도 군사독재와 권위주의 체제를 물리치고 민주주의를 확립했습니다. 또한 튼튼한 국방력과 안보태세로 이 땅의 평화를 지켜왔습니다. 이제는 유엔군의 일원으로 해외에 나가 세계평화에 기여하는 나라가 되고 있습니다. 참전용사 여러분의 고귀한 희생과 헌신이 이처럼 값진 결실을 거둔 것입니다.

여러분의 헌신이 없었다면 어찌 오늘의 대한민국, 지금의 참여정부가 가능했겠습니까? 다시 한번 참전용사 여러분께 깊은 감사와 경의를 표하는 바입니다.

존경하는 참전용사 여러분,

6·25전쟁은 우리 민족 최대의 재앙이었습니다. 3년이라는 세월 동

안 수백만명에 이르는 사람들이 목숨을 잃거나 부상당했습니다. 국군과 유엔군은 물론 힘없는 여성과 무고한 어린이들의 희생도 컸습니다. 뿐만 아니라 우리의 국토는 잿더미로 변하고 말았습니다. 다시는 이런 비극이 되풀이돼서는 안 됩니다. 만일 또다시 전쟁이 일어난다면 우리는 그 재앙을 감당할 수 없습니다. 지금까지 이룩한 모든 것이 물거품이 되고 맙니다. 그런 점에서 6·25전쟁은 결코 '잊혀진 전쟁'이 될 수 없습니다. 평화는 그것을 지킬 힘이 있을 때만 지켜질 수 있습니다. 확고한 안보태세의 확립이 무엇보다 중요합니다. 한·미 동맹도 더욱 굳건히 유지해야 합니다. 이러한 바탕 위에서 남북간의 화해와 협력을 증진시켜 한반도에 평화를 정착시켜 나가야 하겠습니다.

북한의 핵 개발은 결코 용인될 수 없습니다. 그러나 이 문제는 반드시 평화적으로 해결되어야 하며, 해결될 수 있다고 믿습니다. 이에 대해 한·미·일 3국이 공통의 인식을 갖고 긴밀히 공조하고 있습니다. 앞으로 중국·러시아를 방문해서 적극적인 협력도 구할 것입니다. G8 정상과 EU 각국 등 국제사회도 북핵 불용과 평화적 해결이라는 우리의 입장을 지지하고 있습니다.

우리는 북한과의 대화를 통해 해결의 실마리를 찾는 노력도 다해 나가고 있습니다. 지난 4월과 5월의 남북장관급회담과 남북경협추진위원회 회의를 통해 '추가적인 상황 악화 조치를 취하지 말 것'과 '평화적 해결에 나설 것'을 강력히 촉구한 바 있습니다. 남북관계의 진전도 지속되고 있습니다. 얼마 전에는 경의선·동해선 철도 연결식이 있었습니다. 모레부터 금강산 해로관광이 재개되고 7차 이산가족 상봉도 이루어집니다. 이러한 남북간의 교류와 협력 증진은 북핵 문제의 평화적 해결에 도움이 될 것입니다.

북한이 핵을 포기하고 국제사회의 일원으로 참여할 때 국제사회의 폭넓은 지원이 있을 것입니다. 북한은 이 기회를 놓치지 말아야 합니다. 지난 6월 15일은 남북정상회담 3주년이 되는 날입니다. 6·15 공동선언의 가치가 손상되지 않도록 남북이 함께 노력해야 합니다. 그래서 경의선 철도를 타고 중국과 시베리아를 거쳐 유럽까지 달리게 되는 날이 하루속히 오도록 해야 하겠습니다. 참여정부는 미국을 비롯한 우방국들과의 긴밀한 협력과 공조 속에 대북 '평화번영정책'을 일관성 있게 추진해 나갈 것입니다.

존경하는 참전용사 여러분,

우리 국민은 참전용사 여러분의 공헌을 결코 잊지 않을 것입니다. 그리고 그 희생이 헛되지 않도록 최선을 다해 나갈 것입니다. '국민의 참여 속에 진정한 민주주의가 꽃피는 나라', '정의가 바로 서고 원칙과 상식이 통하는 사회', '평화와 번영의 동북아 시대'를 열어나감으로써 참전용사 여러분의 헌신에 보답하겠습니다. 다시 한번 모든 참전용사 여러분께 감사드리며 해외에서 오신 분들 모두 즐겁고 뜻깊은 시간을 보내시기 바랍니다.

감사합니다.

# 지역협력 및 경제중심에 대한 유럽 사례 세미나 연설

2003년 6월 26일

존경하는 마르코스 고메즈 주한유럽상공회의소 회장님, 장 자크 그로하 소장을 비롯한 회원 여러분, 그리고 각국 대사님과 내외 귀빈 여러분,

먼저 멀리 유럽에서 오신 전문가 여러분을 진심으로 환영합니다. 주한유럽상공회의소 회원 여러분과는 인연이 많습니다. 대통령 후보와 당선자 시절에 만나고, 오늘 이렇게 대통령이 되어서 다시 만나게 됐습니다. 만날 때마다 제 직함이 바뀐 것을 보면 참으로 좋은 인연이라고 생각합니다. 여러분과 함께 유럽의 사례와 경험에 대해서 논의하게 되어 매우 기쁩니다.

저는 오래 전 콘라드 아데나워 서독 초대 총리의 서유럽 통합 구상에 깊은 인상을 받고 유럽의 통합과정에 많은 관심을 가져왔습니다. 동북아시아에도 지금의 유럽연합과 같은 평화와 공생의 질서가 실현되었

으면 하는 소망이 있었기 때문입니다. 이 자리에 함께 한 '동북아경제중심추진위원회' 설립도 바로 그러한 포부와 의지의 반영입니다.

동북아는 오랜 세월 정치·군사적으로 갈등과 긴장상태에 있어 왔습니다. 경제적 잠재력은 충분히 발현되지 못하였고 대립과 불신은 가중되었습니다. 이 불행한 역사의 한가운데에 한반도가 있었습니다. 우리 땅에서 중국과 일본, 일본과 러시아가 싸웠습니다. 급기야 일제의 식민지가 되었고, 해방 후에는 동서 양 진영의 대립 속에서 분단과 동족상잔의 참화까지 겪어야 했습니다. 이것은 강대국에 둘러싸이고 대륙과 해양을 잇는 지정학적 위치에 기인한 바 컸습니다. 그러나 이제 새로운 시대가 열리고 있습니다. 동북아가 세계에서 가장 역동적인 성장이 기대되는 지역으로 주목받고 있습니다. 이미 유럽·북미지역과 함께 세계 3대 경제권으로 부상했습니다. 역내외 기업들간의 연구개발과 생산 네트워크를 중심으로 교류와 협력도 확대되고 있습니다.

한국은 이러한 동북아의 한가운데에 자리하고 있습니다. 주변에 중국·일본·러시아와 같은 거대 시장과 자원의 공급지가 있습니다. 대륙과 해양을 연결하는 동북아의 관문이기도 합니다. 과거에 고통만을 주었던 지정학적 위치가 희망의 조건이 되고 있는 것입니다. 머지않아 남북을 잇는 철도와 도로가 개통되면 시베리아철도, 중국횡단철도와 연계해서 아시아와 유럽이 연결되고 한국은 그 시발점이 됩니다. 서울을 출발한 기차가 평양과 중국, 몽골, 러시아를 거쳐 파리, 런던에까지 가게 되는 것입니다. 우수한 인적자원과 물류 기반, 정보화 수준은 여러분도 잘 알고 계실 것입니다. 이러한 조건을 바탕으로 한국을 '동북아 평화와 번영의 허브'로 발전시켜 나가고자 합니다. 그 출발은 '경제'입니다. 한국을 동북아의 물류와 연구개발·IT·금융 허브로 만들어 우리는 물론 동북아와 세계경제에 새로운 활력을 불어넣겠다는 구상입니다.

궁극적인 지향점은 '동북아지역에 협력과 통합의 새로운 질서를 구축'하는 것입니다. 과거 유럽이 철강과 석탄을 매개로 경제통합을 추진한 것처럼 동북아도 철도 연결, 에너지 공동개발 등을 통해 새로운 협력의 질서를 창출해갈 수 있을 것입니다. 그러나 동북아 국가들만을 위한 지역협력으로는 한계가 있습니다. 동북아 국가들간의 관계개선을 기초로, 세계 주요기업이 의욕적으로 활동할 수 있는 장이 동북아에 만들어질 때 안보도 개선되고 역동성도 제고될 것입니다.

관건은 한반도의 평화입니다. 한반도 평화와 동북아 질서는 서로 밀접한 관계에 있습니다. 한반도에 평화가 정착되지 않고는 동북아의 평화와 번영을 기약할 수 없습니다. 마찬가지로 중국·일본·러시아가 서로 불신하고 경계하는 상황에서는 한반도에 진정한 평화는 오지 않습니다. 그런 점에서 '평화와 번영의 동북아 시대'는 단순한 구호가 아닌 우리의 절실한 목표입니다. 하지만 그러한 시대가 쉽게 열리리라고 생각하지는 않습니다. 어려움이 있을 것입니다. 그러나 꿈과 의지가 있으면 반드시 성취할 수 있는 미래라고 생각합니다.

당장 시급한 것이 북핵 문제의 평화적인 해결입니다. 저는 얼마 전 미국과 일본을 방문하여 이 문제의 평화적 해결 원칙을 재확인했습니다. 앞으로 중국·러시아도 방문해서 협력을 구할 것입니다. G8 정상과 EU 각국 등 국제사회도 북핵 불용과 평화적 해결이라는 우리의 입장을 지지하고 있습니다. 반드시 평화적으로 해결될 것이라고 확신합니다.

한국이 대외적으로 적극적인 역할을 하기 위해서는 내부역량을 키워야 합니다. 중점전략으로 저는 세 가지를 강조하고 있습니다. 첫째는 시장 개혁입니다. 한마디로 글로벌 스탠더드에 부합하는 시장경제 시스템을 구축하자는 것입니다. 둘째, 과학기술 혁신입니다. 제2의 과학기술 입국을 통해 미래의 성장동력을 키워나갈 것입니다. 셋째, 문화 혁신입니다. 원칙과 신뢰, 공정과 투명, 대화와 타협, 분권과 자율의 문화를 뿌리내려 사회 전반의 생산성과 활력을 높여나가고자 합니다.

동북아의 비즈니스 거점으로 발전하기 위해서는 더 많은 외국인투자가 필요합니다. 2010년까지 외국인투자를 국내총생산의 14% 수준까지 끌어올리는 것이 목표입니다. 아울러 유럽연합의 네덜란드나 벨기에처럼 지역협력과 관련된 국제기구를 유치하는 것도 적극 추진해 나갈 것입니다.

이 달 초 주한유럽상공회의소가 "참여정부의 외국기업 정책을 지지하며, 외국인투자 유치에 적극 나서겠다"는 뜻을 밝힌 바 있습니다. 이 자리를 빌려 감사를 드립니다. 한국과 유럽, 나아가 동북아와 유럽을 잇는 경제협력의 가교로서 더 많은 역할을 해주시길 바랍니다. 우리가 지닌 장점과 유럽 기업들이 상호보완적으로 접목될 때 보다 큰 공동의 이익을 실현할 수 있다고 확신합니다. 아무쪼록 오늘 이 자리가 유럽의 경험으로부터 많은 시사점을 얻는 소중한 기회가 되기를 바라며, 여러분의 기탄 없는 충고와 조언을 기대합니다.

감사합니다.

# 참여정부 경제비전 국제회의 기조연설

2003년 6월 30일

존경하는 도널드 존스턴 OECD 사무총장을 비롯한 회의 참가자 여러분, 그리고 자리를 함께 하신 내외귀빈 여러분,

참여정부 경제비전에 대한 국제회의를 개최하게 된 것을 매우 뜻깊게 생각합니다. 회의에 참석하신 세계적인 석학 여러분들과 각계 지도자 여러분을 진심으로 환영합니다. 여러분의 고견을 듣게 되어 매우 뜻깊게 생각합니다.

조금 전 우리 한국 경제의 강점과 문제점에 관해서 하나하나 빠짐없이 말씀해주시고, 그 대안을 제시해주신 도날드 존스턴 OECD 사무총장의 말씀을 잘 들었습니다. 정말 빠짐없이 하나하나를 다 지적해 주신데 대해 놀라움을 금할 수가 없었습니다. 더욱이 다행스러운 것은 도날드 존스턴 사무총장께서 제시하신 여러 가지의 대안이 지금 한국정부가

추진하고 있는 정책과 구체적으로 방향을 함께 하고 있다는 점에 대해서 매우 안도합니다. 그리고 그동안 우리 한국 경제에 대해 많은 관심을 가지고 조언과 도움을 아끼시지 않으셨던 많은 석학 여러분들께서 오늘도 이 자리를 함께 해 주신 데 대해 거듭 감사 인사말씀을 드립니다.

참여정부가 출범한 지 4개월이 지났습니다. 참여정부는 '국민과 함께 하는 민주주의', '더불어 사는 균형발전 사회', '평화와 번영의 동북아 시대'를 국정목표로 삼고 있습니다. 경제적으로는 자유롭고 공정하며 투명한 경제, 노와 사, 남성과 여성, 수도권과 지방이 함께 참여하고 고루 혜택을 누리는, 정의롭고 풍요로운 경제를 지향하고 있습니다.

새 정부 출범 초기 우리 경제의 주변 여건에 대한 우려가 있었습니다. 북핵문제, 한·미관계, 신용불량자 급증으로 인한 금융위기설 등이 그것입니다. 그동안 국민 여러분과 함께 최선을 다해 온 결과 대체로 큰 불안요인은 아닌 것으로 해결되어가고 있습니다. 물론 문제가 없는 것은 아닙니다. 세계경제의 회복이 지연되고 있습니다. 국내 소비와 투자심리를 조속히 회복시켜야 합니다. 서민경제과 노사관계의 안정도 시급한 과제입니다.

우선, 위축된 경기를 회복시켜 나가겠습니다. 이를 위해 재정정책을 적극적으로 운용할 것입니다. 재정건전성이 신뢰를 잃지 않는 범위 내에서 새로운 시장수요를 만들 수 있는 다각적인 방안을 추진할 것입니다. 투자 활성화에도 중점을 두겠습니다. 이것은 중장기적인 성장잠재력을 확충하기 위해서도 꼭 필요한 일입니다. 기업투자를 가로막고 있는 규제는 과감히 고쳐나가고, 금융·세제 면에서도 적극 뒷받침해 나갈 것입니다.

우리 국민은 저력이 있습니다. 전쟁의 폐허 위에서 세계 12위의 경제를 이룩해냈습니다. 5년 전 외환위기도 세계 어느 나라보다 모범적으로 극복해낸 것이 우리 국민들의 힘입니다. 지금의 어려움도 틀림없이 잘 극복해낼 것이라고 확신합니다. 문제는 앞으로 5년, 10년 후의 비전입니다. 바로 다음 세대에게 선진한국의 기틀을 물려주는 일입니다. 한국 경제는 지난 8년 동안 국민소득 1만 달러 수준에 발목이 잡혀 있었습니다. 국민소득 2만 달러 시대를 하루속히 열어야 합니다. 선진국 문턱을 뛰어넘어야 하는 것입니다. 무엇으로 그렇게 할 것이냐, 저는 다섯 가지 성장전략을 강조해오고 있습니다.

첫째는 기술혁신과 인재의 양성입니다. 시장은 결국 기술에 의해 좌우됩니다. 앞선 기술로 첨단제품을 만들어 해외시장을 넓히는 동시에 우리 기술력을 보고 외국인들이 투자를 결정하도록 해야 합니다. 한국정부와 기업은 우리의 미래가 기술혁신과 연구개발에 달려 있다는 것을 잘 알고 있습니다. 한국의 R&D 투자는 2001년 130억 달러로서, GDP에서 차지하는 비중이 스웨덴, 핀란드, 일본에 이어 세계 네 번째입니다. 지난 10년간 연평균 14%씩 R&D 투자를 늘려온 결과입니다. 참여정부는 지속적인 R&D 투자와 '제2의 과학기술 입국'을 통해서 자동차·조선·철강 등 주력산업의 경쟁력을 높이고, IT·BT·NT와 같은 첨단분야에서 새로운 성장동력을 창출해나갈 것입니다.

둘째, 시장개혁입니다. 개혁 방향은 글로벌 스탠더드에 부합하는 경제시스템을 만드는 것입니다. 미완의 개혁은 경제적 정체를 장기화했음을 과거 경험은 말해주고 있습니다. 기업의 투명성과 책임성·건전성을 높이는 노력을 일관성 있게 추진해나가야 하겠습니다. 특히 투명성의 확보가 중요합니다. 앞으로 '집단소송제', '사업보고서에 대한 CEO 인증제도'를 도입하여 한국 기업의 투명성을 선진국 수준으로 끌어올리고자 합니다. 이미 이를 전담하는 태스크포스를 민·관 합동으로 설치하였습니다. 여기에서 시장개혁 3개년 계획을 세워 개혁의 방향과 비전을 제시하고, 기업은 장기적인 관점에서 점진적·자율적으로 이를 추진해나갈 것입니다. 이를 통해 '코리아디스카운트'를 없애고 기업가치를 지속적으로 높여나갈 계획입니다.

셋째, 문화혁신입니다. 모든 것은 사람에 의해 좌우됩니다. 사람들의 사고방식과 행동양식이 바뀌어야 시장이 바뀔 수 있습니다. 사회 전반의 문화가 바뀌어야 하는 것입니다. '원칙과 신뢰', '공정과 투명', '대화와 타협', 그리고 '분권과 자율'이 참여정부의 한국경제를 움직여 가는 원리입니다. 이러한 가치를 경제와 사회 전반에 뿌리내려 우리 경제의 경쟁력을 높여 나가겠습니다. 한국의 노사문화도 이제는 달라질 것입니다. '원칙과 신뢰', 그리고 '대화와 협력'을 통해 노사 모두 윈-윈 하는 새로운 노사문화를 만들어나가고자 합니다. '노사정위원회'를 중심으로 추진전략을 마련해서 앞으로 1~2년 안에 선진적인 노사관계를 정착시켜 나가겠습니다. 노동 관련 제도와 관행뿐만 아니라 노동시장의 유연성과 근로자의 권리·의무까지 국제적인 기준에 맞추어 나갈 것입니다. 저와 정부는 노사 어느 쪽에도 치우치지 않고 엄정 중립의 입장에서 중재하고 조정해 나갈 것입니다. 어떠한 경우에도 불법은 용납되지 않습니다. 법과 원칙에 따라 철저하게 대응해 나갈 것입니다. 정부도 변화하고 있습니다. 더 이상 행정이 경제의 걸림돌이 되지 않도록 하겠습니다. 서비스 행정으로 경제를 뒷받침하겠습니다.

넷째, 동북아 경제중심으로의 도약입니다. 한국은 대륙과 해양경제권을 연결하는 요충에 자리하고 있습니다. 21세기 지식기반 경제를 이끌어갈 우수한 인적자원이 있습니다. 정보화 기반과 IT 능력은 세계 선두권입니다. 인천국제공항·부산항·광양항과 같은 세계적인 물류 인프라도 갖추고 있습니다. 이러한 조건을 바탕으로 한국을 동북아의 비즈니스 거점으로 발전시키는 계획을 추진하고자 합니다. 이를 위해 대통령 직속으로 민·관·학 그리고 외국인까지 참여하는 '동북아경제중심추진위원회'를 두고 전략을 수립해 나가고 있습니다. 이 계획은 동북아 역내 협력을 강화하여 이웃나라와 함께 공동번영을 추구하는 개념입니다. 나아가 동북아 지역에 협력과 통합의 질서를 만들자는 것입니다.

관건은 한반도의 평화입니다. 한반도에 군사적 긴장이 지속되는 한 동북아의 진정한 평화는 어려울 것입니다. 그런 점에서 북핵 문제의 평화적 해결과 남북한 평화체제의 구축은 동북아시대를 여는 첫 걸음입니다. 또한 동북아에 평화와 협력의 질서가 구축될 때 우리의 '동북아 비즈니스 허브' 계획도 더욱 촉진될 수 있을 것입니다. 북한은 하루 속히 핵문제를 평화적으로 해결하고 평화와 번영의 동북아 시대에 함께 동참해야 합니다.

끝으로, 남은 전략은 지방화 전략입니다. 지방을 혁신의 주체, 역동적 발전의 주체로 착실히 육성해 나감으로써 '지방화를 통한 국가의 선진화'를 실현해 나가고자 합니다. 이를 위해 지방분권, 재정분권, 신행정수도 건설 등 종합적인 방법으로 접근을 해나갈 것입니다. 또한 고기술·고부가가치·고생산성을 추구하는 혁신주도형 지역경제 기반을 정착시킬 것입니다. 올해 중에 지방 스스로의 발전전략을 고려한 균형발전 5개년 계획을 수립하겠습니다. 이와 함께 '국가균형발전특별법'을 제정하여 제도적 기반도 마련해 나갈 것입니다.

존경하는 참석자 여러분,

오늘 회의 주제가 '투명하고 세계화된 경제'라고 알고 있습니다. 그렇습니다. 참여정부는 한국경제를 보다 개방되고 세계화된 경제로 만들어가고자 합니다. DDA 협상과 FTA 등 세계적인 개방추세에 능동적으로 참여하고, 우리의 경제적 위상에 걸맞은 책임과 의무를 다해 나갈 것입니다. 서비스·농업과 같은 취약분야는 구조조정과 개방을 병행해서 한국 경제 전반의 경쟁력을 향상시키는 계기로 만들겠습니다.

외국인투자 유치를 위해서도 많은 노력을 기울여 나갈 것입니다. 1997년 말 외환위기 이후 한국경제는 600억 달러가 넘는 외국인투자를 유치했습니다. 그 결과 「포춘지」 선정 세계 500대 기업의 45%인 223개 기업이 한국에 투자하고 있습니다. 이들의 총투자 규모는 182억 달러입니다. 한국 경제의 미래를 그만큼 밝게 보고 있다는 증거라고 생각합니다. 하지만 여기에 만족할 수는 없습니다. 2010년까지 외국인투자를 국내총생산의 14% 수준까지 끌어올리겠습니다. 이를 위해 외국인의 생활환경과 경영여건을 획기적으로 개선해 나갈 것입니다. 국내 기업과 외국기업을 구분하는 차별은 더 이상 존재하지 않을 것입니다.

사람과 상품, 기술과 정보가 자유롭게 왕래하며 국내외 기업들이 국적을 불문하고 공정하게 경쟁하는 나라, 동북아의 물류와 연구개발, 그리고 IT·금융의 허브, 이것이 바로 5년, 10년 후에 한국이 이루고자 하는 청사진입니다.

존경하는 참석자 여러분,

저는 이번 회의가 참여정부의 경제정책 방향에 대한 이해를 높이고 여러 석학들의 새로운 제안을 수렴하는 좋은 계기가 되리라고 확신합니다. 여러분의 정책 제의는 앞으로 참여정부의 경제정책에 적극적으로 반영될 것입니다. 이번 회의를 위해 멀리 해외에서 오신 여러분께 다시 한 번 감사드리며, 여러분의 한국 방문이 보람차고 아름다운 추억으로 남게 되기를 바라 마지않습니다.

감사합니다.

# 7월

# 제241회 임시국회 개회에 즈음한 대국회 서신

2003년 7월 2일

존경하는 박관용 국회의장, 그리고 국회의원 여러분.

저는 제241회 임시국회 개회에 즈음하여 민생과 경제회생에 필요한 주요 법안과 추가경정예산안의 조속한 국회심의와 의결을 특별히 당부드리고자 합니다. 잘 아시다시피 저와 참여정부는 지난 4개월간 우리나라를 둘러싼 안팎의 불안 요소를 해소하고, 국정운영의 기본틀을 새롭게 마련하는 데 온 힘을 기울여 왔습니다. 한 미간 긴밀한 공조와 신뢰구축을 통해 급박하게 몰아치던 북핵 위기의 먹구름을 거두어 냈습니다. 전 세계를 휩쓴 사스의 공포에도 불구하고 우리나라는 안전지대로 남았습니다. 국가신인도 하락의 우려가 해소되었고, 불안했던 금융시장도 정상화되었습니다. 이런 과정에서 이라크 파병 동의안과 철도개혁법안 통과 등 우리 국회가 보여준 협력과 지원이 큰 힘이 되었습니다. 다시 한번 감사를 드립니다.

이제 침체된 국내경기를 진작시키고, 어려움을 겪고 있는 서민생활을 보고하고 지원하는 일이 긴급한 과제입니다. 경제회생과 민생보호에는 정부와 국회, 여야가 따로 있을 수 없습니다. 그동안 여야의 내부사정과 정치적 쟁점으로 인해 민생안정과 경제회생에 필요한 추경예산과 주요 법안에 대한 국회의 논의가 뒷전으로 밀렸습니다.

무엇보다 정부가 지난 6월 임시국회에 제출한 4조 1,775억원 규모의 추경안을 국회가 조속히 통과시켜 줄 것을 강력히 요청합니다. 추경안은 침체된 경기를 회생시키고 서민과 중산층의 생활을 안정시키기 위한 긴급대책입니다. 특히 추경예산은 투입시점을 놓치면 그 효과가 크게 저하된다는 점에서 국회의 특별한 배려를 요청합니다.

아시다시피 이번 추경안은 경기진작효과가 큰 사회간접자본 등 건설투자에 1조 5,374억원, 어려움을 겪고 있는 서민과 중산층을 지원하기 위해 6,585억원이 계상되었습니다. 또한 수출·중소기업을 지원하기 위해 5,901억원, 농가소득 보전과 농업기반시설 투자에 3,857억원이 들어가게 됩니다. 또한 지방교부금 등 지역경제 활성화를 위해 9,364억원을 책정했습니다. 이번 추경안은 건전재정기조를 유지하기 위해 국채를 발행하지 않고, 연내 집행가능한 필수사업만을 반영하였습니다.

이제 외국인고용허가제 도입은 더 이상 미룰 수 없습니다. 중소기업의 원활하고 합리적인 인력수급을 위해 합법적인 외국인력의 도입이 필요합니다. 코리안드림을 안고 온 외국인 노동자를 범죄자로 몰아 가서는 개방화 시대, 인권국가로서 세계에 당당할 수 없습니다. 외국인 고용허가제가 도입되지 않을 경우 다음달 말까지 20여만명에 달하는 불법체류자의 강제출국조치가 불가피합니다. 사회혼란과 중소기업의 인력난이 불을 보듯 뻔합니다. 정부는 단기적으로 외국인 고용허가제를 산업연수생제도와 병행실시하기로 한 바 있습니다. 외국인 고용허가제 도입에 따른 부작용과 우려는 해소되었습니다. 더 이상 외국인 고용허가제를 미룰 이유가 없습니다.

경제체질 개선과 투명성 강화를 위해 증권 관련 집단소송제의 도입도 더 이상 미룰 수 없습니다. 최근 드러난 대기업의 분식회계 전체 경제에 큰 혼란과 불안을 가져왔습니다. 기업경영의 투명성 확보는 우리 경제의 국제경쟁력을 높이는 관건입니다. 세계는 지금 우리 경제가 글로벌 스텐더드에 걸맞게 체질을 개선할 수 있을지 주목하고 있습니다. 기업회계의 투명성을 높이고, 자의적인 기업경영의 폐단을 막기 위해 증권 관련 집단소송법안의 조속한 통과가 필요합니다. 여야정책협의회 등을 통해 도입에 따른 보완책도 충분히 논의된 만큼, 이번 임시국회에서 법률안의 통과가 이루어져야 할 것입니다.

기업의 구조조정을 촉진하고, 양산된 개인신용 불량자의 조속한 해소도 우리 경제와 민생의 긴급한 과제입니다. '채무자 회생 및 파산에 대한 법률안'은 부실기업의 효율적 처리를 통해 기업이 신속한 구조조정이 이루어지도록 하고 있습니다. 또 신용불량자 가운데 정기적 수입이 있는 채무자에 대해서는 복잡한 파산 절차에 따르지 않고서도 신속히 채무를 조정하여 경제활동이 정상화될 수 있도록 하고 있습니다.

한 칠레 FTA 비준은 개방경제시대에서 우리 경제가 살아남기 위한 불가피한 선택입니다. 세계 각국이 글로벌 시대에 살아남기 위해 FTA를 체결하고 추진하는 현실 속에서 우리나라만 예외가 될 수가 없습니다. 정부는 그동안 농업인 등의 의견수렴 과정에서 제시된 의견을 반영하여 종합대책안을 마련한 바 있습니다. 앞으로도 정부는 개방에 따른 충격을 최대한 줄이고, 농업의 새로운 활로를 개척할 수 있도록 최대한의 지원을 아끼지 않을 것입니다.

존경하는 국회의장, 국회의원 여러분.

국정의 반 이상은 국회 몫입니다. 국회의 절대적인 협력이 필요합니다. 저는 국정의 동반자인 국회를 존중하고 협력하는 데 최선을 다하겠습니다. 아무쪼록 추경을 비롯하여 주요 민생·경제 법안에 대해 국회의 적극적인 협조를 당부드립니다.

감사합니다.

# 제8회 여성주간 기념식 연설

2003년 7월 4일

존경하는 여성 지도자 여러분, 그리고 이 자리에 참석하신 내외 귀빈 여러분,

올해로 여덟번째 맞는 '여성주간'을 진심으로 축하합니다. 그동안 여성발전과 양성평등 사회를 실현하기 위해서 헌신해 오신 여러분 모두에게 깊은 감사의 말씀을 드립니다. 영예로운 상을 받으신 단체와 유공자 여러분께도 각별한 축하를 드립니다. 제가 대통령에 취임하고 맨 먼저 참석한 행사들은 학군장교 임관식과 육·해·공군 사관학교의 졸업식이었습니다. 그때 저는 남성만의 영역으로 여겨졌던 사관학교에서도 신선한 여성 참여의 바람이 불고 있다는 것을 확인하고, 변화를 실감했습니다.

이처럼 참여의 범위가 확대되었을 뿐만 아니라 여성들은 실력으로

도 각계에서 두각을 나타내고 있습니다. 올해 공군사관학교에서는 여성 생도가 수석으로 졸업했습니다. 여러 국가고시에서도 여성들의 합격비율이 꾸준히 늘고 있고, 수석을 차지하는 사례도 많아지고 있습니다. 이렇게 능력 있는 여성들의 참여를 확대하고 여성 인력을 적극 활용하는 것은 국가경쟁력을 높이는 데 필수적인 과제입니다.

현재 48% 수준인 여성의 경제활동 인구비율을 55%까지 끌어올리면 우리 경제의 잠재성장률을 1%포인트 높일 수 있습니다. 이를 바탕으로 기술혁신과 시장개혁, 문화혁신, 그리고 동북아 경제중심으로의 도약과 지방화 전략을 꾸준히 실행해 가야 합니다. 참여정부는 여성의 참여와 기여를 '신성장전략'의 핵심 동력으로 삼아서 국민소득 '2만 달러 시대'를 열어갈 것입니다.

존경하는 여성 지도자 여러분,

'국민통합과 양성평등의 구현'은 참여정부가 중점적으로 추진하고 있는 국정과제입니다. 모든 종류의 사회적 차별을 해소하고 국민통합을 이루어 내고자 노력하고 있습니다. 그러나 아직도 정치와 행정 분야에서의 여성 참여 비율은 만족할 만한 수준에 와 있지 못합니다. 저는 지난주에 관리직 여성 공무원들과 만난 자리에서 공무원 인사제도와 공직문화를 근본적으로 고쳐 나가겠다고 약속했습니다. 현재 5.2%에 불과한 5급 이상 여성 관리자 비율을 3년 이내에 10%수준까지 늘려 나갈 것입니다. 또한 더 많은 여성들이 정치와 행정을 비롯한 국가적 의사결정 과정에 참여할 수 있도록 제도를 마련하고 개선해 나갈 것입니다.

경제적 분야에서의 여성 진출은 이미 권리의 차원이 아닌 국가와 기업의 생존전략 차원에서 논의되고 있습니다. 무엇보다 여성의 일자리가 늘어나야 합니다. 정부는 여성 '일자리 50만개 창출'을 위해서 빠른 시일 안에 구체적이고 범정부적인 종합계획을 수립해 추진할 것입니다.

친애하는 여성 여러분,

작년 선거 때 저는 '아이를 마음놓고 낳으십시오. 노무현이 키워 드리겠습니다'라는 말씀을 드렸습니다. 여성이 마음놓고 사회활동을 할 수 있도록 하기 위해서 자녀보육 문제는 시급히 해결해야 할 과제이기 때문입니다. 그 약속을 꼭 지키겠습니다. 이를 위해 정부는 '보육지원'을 2004년 국가재원 배분의 중점분야로 선정했습니다. 보육료 지원대상을 현재의 25%에서 임기 내에 대폭 확대해 나갈 것입니다. 보육 서비스의 질과 다양성도 높여 나가겠습니다. 여성들이 안심하고 경제활동에 참여할 수 있도록 하겠습니다.

무엇보다 중요한 것은 우리 사회 전반에 양성평등을 사회적인 가치와 문화로 정착시켜 나가는 노력입니다. 여성에 대한 뿌리깊은 편견과 차별의 풍토가 아직도 여성의 사회진출을 가로막는, 보이지 않는 진입장벽으로 남아있기 때문입니다. 따라서 '양성평등, 새로운 문화의 시작'이라는 이번 여성주간의 주제에는 매우 큰 의미가 담겨있습니다. 저는 이번 여성주간이 남성중심적인 문화 속에서 놓치고 있었던 여러 가지 여성문제들을 제대로 살펴보고 풀어나갈 수 있는 뜻깊은 계기가 되기를 기대합니다.

존경하는 여성지도자 여러분, 그리고 내외 귀빈 여러분,

지금 저와 참여정부는 '국민과 함께하는 민주주의', '더불어 사는 균

형 발전 사회', 그리고 '평화와 번영의 동북아 시대'를 실현하기 위해서 최선을 다해 노력하고 있습니다. 이러한 목표를 여성들의 적극적인 참여를 통해서 반드시 이루어내야겠습니다. 우리 여성의 힘과 열정으로 성공하는 대한민국의 역사를 만들어 나갑시다. 여성과 남성이 함께 행복해지는 건강한 사회를 만들어 갑시다. 제8회 여성주간을 거듭 축하드리면서 여성계의 발전과 여러분의 건승을 기원합니다.

감사합니다.

# 한·중 경제인(베이징) 초청 오찬연설

2003년 7월 8일

존경하는 완 지페이 중국 국제무역촉진위원회 회장님, 그리고 이 자리에 함께 하신 양국 경제계 지도자 여러분,

안녕하십니까. 이처럼 따뜻하게 환대해 주셔서 감사합니다. 여러분과의 만남을 기쁘고 뜻깊게 생각합니다. 이곳에 오기 전 사스 퇴치를 위한 중국 국민들의 일치된 노력에 대해서 많은 이야기를 들었습니다. 불굴의 의지와 노력으로 엄청난 재난을 극복해내신 중국 국민들께 깊은 위로와 존경의 인사를 드립니다.

어제 이곳에 처음 와서 만 하루밖에 되지 않았습니다. 그러나 그 짧은 기간에도 역동하는 중국을 실감했습니다. 넘쳐나는 활력과 경이적인 발전 모습에 깊은 감명을 받았습니다. 중국 지도자의 탁월한 리더십과 국민들의 헌신적인 노력, 그리고 여기 계신 여러분의 기업가정신이 만들

어낸 위대한 성과라고 생각합니다.

양국의 경제인 여러분,

지금 우리가 살고 있는 동북아 지역은 전 세계 GDP의 20%, 교역의 14%를 담당하고 있습니다. 부존자원과 경제발전 단계에서 협력의 여지가 많은데다 역동적인 성장을 지속하고 있어 향후 세계경제의 중심무대가 될 것이 확실합니다. 무엇보다 중국 경제의 눈부신 성장이 이를 뒷받침해 주고 있습니다. 중국은 성공적인 개혁·개방 정책으로 지난 20여년간 연평균 10%에 이르는 성장을 기록하며 세계 5위의 경제대국이 되었습니다. 2008년 베이징 올림픽과 2010년 상하이 엑스포의 개최는 중국의 위상을 다시 한번 세계에 드높일 것입니다.

한국 역시 이동통신·디지털가전·자동차 등의 분야에서 세계적인 기술력과 경쟁력을 갖추고 있으며, 강도 높은 개혁과 구조조정을 통해서 선진경제로의 도약을 준비하고 있습니다. 이를 바탕으로 양국간 경제협력은 지난 10여년간 비약적으로 발전해 왔습니다. 서로간에 세번째 교역상대국이 되었고, 지난해 교역규모는 410억 달러를 넘어섰습니다. 또한 작년에는 중국이 우리 기업의 첫번째 투자대상국으로 부상했습니다. 양국간 문화교류도 '한류(韓流)'와 '한풍(漢風)'으로 표현될 정도로 빠르게 확대되고 있습니다. 이는 자연스럽게 상호 이해를 높이고 협력의 저변을 넓히는 계기가 되고 있습니다.

존경하는 경제계 지도자 여러분,

저는 어제 후진타오 주석과 정상회담을 갖고 동북아의 평화와 번영을 위해서 함께 협력하기로 합의했습니다. 저는 회담을 마치면서 한·중

관계의 발전은 물론 동북아 경제의 밝은 장래에 대해서 더 큰 확신을 갖게 되었습니다. 그러나 저의 이러한 확신이 현실이 되기 위해서는 정치 지도자의 노력만으로는 부족합니다. 더욱 중요한 것은 민간 차원의 실질적인 교류와 협력입니다. 동북아 국가간 협력의 제 일선에 계신 여러분들이 바로 그 주인공들입니다. 이제 양국간 교류는 미래지향적·호혜적 경제협력 관계로 발전되어야 합니다. 아시아 경제의 발전과 양국의 산업구조 고도화에 도움이 되는 분야로 협력의 영역이 확대되어야 합니다. 에너지와 자원개발, 금융, 환경, 차세대 IT와 BT 등 미래첨단기술 부문에서 양국 경제인들이 보다 긴밀한 교류와 협력을 추진해 나가야 하겠습니다. 아울러 중국 경제발전의 새로운 이정표가 될 '서부 대개발 사업'에 우리 기업들이 적극 참여할 수 있게 되기를 희망합니다. 또한 베이징 올림픽과 상하이 엑스포 관련 사업에 한국 기업이 참여함으로써 두 행사의 성공적인 개최에 기여할 수 있게 되기를 바랍니다.

존경하는 경제인 여러분,

지금 세계 경제환경은 급변하고 있습니다. 전 세계적으로 '글로벌라이제이션'이 급속히 진행되고 있는가 하면, 다른 한편에서는 지역협력을 강화하려는 움직임이 활발합니다.

그동안 동북아 지역은 이러한 지역 협력 움직임에 상대적으로 뒤처져 있었습니다. 이제는 동북아도 지역 전체의 성장잠재력을 극대화하고 공동번영을 이룰 수 있는 협력 강화를 모색해야 할 때입니다. 이를 위해서는 이 지역 핵심국가인 한·중·일 3국간의 경제협력 체제를 강화하는 노력이 필요합니다. 이런 점에서 올해 10월 한·중·일 정상회의에서 3국정상이 '한·중·일 3국간 경제협력에 관한 공동선언'을 발표하자는 중국의 제의는 매우 시의적절한 것이라고 생각합니다. 또한 올해 시작된 한·중·일 3국 연구기관간의 'FTA 공동연구'가 동북아 지역의 장기적인 경제협력에 초석이 될 것으로 기대합니다.

한반도의 평화체제 구축도 동북아 경제협력과 안정을 위한 필수 전제조건입니다. 이는 중국 경제의 안정적인 발전에도 매우 중요한 요소입니다. 다행히 지난 5월과 6월, 관련국간 정상회담과 G8 정상회의를 통해서 '북핵 불용'과 '평화적인 해결 원칙'에 대한 국제사회의 컨센서스가 거듭 확인되었습니다. 북한 핵문제는 관련국간 긴밀한 공조와 국제사회의 협력을 통해서 반드시 평화적으로 해결될 것이라고 확신합니다. 그랬을 때 한·중 협력은 물론 동북아 지역협력도 더욱 활기를 띠게 될 것입니다.

존경하는 양국 경제인 여러분,

한국과 중국은 동북아 지역의 평화와 번영에 공동의 이익과 책임을 나누어 갖고 있습니다. 중국이 대외개방을 가속화하는 한 중국경제의 빠른 성장은 한·중 두 나라 경제인에게 더 많은 협력과 사업의 기회를 가져다줄 것입니다. 그리고 이러한 협력 강화는 평화와 번영의 동북아 시대를 앞당길 것입니다.

"먼길도 친구와 함께 가면 가깝다"고 했습니다. 저는 한국과 중국이 상생의 협력을 바탕으로 함께 발전하는 벗이 되기를 바랍니다. 그래서 양국의 발전은 물론 동북아 지역에 협력과 통합의 질서를 이루는 데 이바지하게 되기를 희망합니다.

1988년 서울 올림픽 개최시 우리는 "손에 손잡고, 벽을 넘어서"라고 얘기했습니다. 4년 뒤 한국과 중국은 벽을 허물고 수교를 해냈고, 오늘 여기까지 발전했습니다. 그리고 2002년 월드컵을 치르면서 우리는 "꿈은 이루어진다"는 말을 했습니다. 중국인들도 2008년 베이징 올림픽과 2010년 상하이 엑스포를 치르면서 꿈은 이루어질 것이라는 생각을 할 것입니다. 저는 그 꿈이 중국인들만의 꿈이 아니라 한·중·일, 나아가 아시아 전체의, 전 세계의 꿈이 되기를 바라 마지않습니다.

경청해 주셔서 감사합니다.

# 청화대학 초청 연설

2003년 7월 9일

존경하는 꾸빙린 총장님과 교수 여러분, 쩌우지 교육부장을 비롯한 귀빈 여러분, 그리고 친애하는 학생 여러분,

안녕하십니까. 반갑습니다. 그리고 제가 들어올 때 따뜻한 박수로 환영해주신 데 대해 감사말씀 드립니다. 들어오면서 보니까 캠퍼스가 아주 크게 보이지는 않지만 아름답고 품위가 있었습니다. 중국을 대표하는 명문 '칭화따쉐(清華大學)'다운 모습이라고 생각했습니다. 요즘 중국 젊은이들 사이에 "칭화대 학생들은 사귈만하다"는 이런 유행어가 있다고 하는데, 사실인지요. 그리고 사실이라면 이 말은 세계의 모든 젊은이들 사이에서도 그렇게 통한다고 들었습니다. 그래서 저도 오늘 여러분과 사귀고 싶어서 이곳에 왔습니다. 이렇게 귀한 기회를 마련해 주신 데 대해서 감사드립니다.

오늘날 세계가 놀라고 있는 중국의 발전에는 칭화대 동문들의 땀과 열정이 배어있다고 합니다. 존경하는 후진타오 주석께서 여러분의 자랑스런 선배라는 점도 칭화대인들의 자부심을 더욱 돋보이게 하고 있습니다. "끊임없이 연마하고, 덕을 앞세워 발전을 이룬다(自强不息 厚德載物)"는 '칭화정신'은 모든 배움의 근본 자세라고 생각합니다. 이러한 자세로 매진해 나간다면, 칭화대는 '세계 일류대학' 건설이라는 큰 목표를 반드시 이루어낼 수 있을 것입니다.

대학은 미래를 준비하는 곳입니다. 이 시간 제가 말씀드리려고 하는 것도 우리의 미래에 대한 이야기입니다. 이번에 저는 중국을 처음 방문했습니다. 위대한 문화유산과 눈부신 경제발전, 그리고 근면하고 역동적인 국민들의 모습, 이 모든 것이 참으로 놀랍고 감명 깊습니다. 그 감동을 다 표현하기 어려울 정도입니다. 아울러, 국민들의 일치된 노력으로 사스의 재난을 극복해 내신 데 대해서도 위로와 찬사의 말씀을 드립니다.

중국은 지금 2008년 올림픽과 2010년 세계박람회를 앞두고 있습니다. 중국 사회 전반의 새로운 도약과 번영을 가져올 아주 중요한 계기라고 생각합니다. 저와 한국 국민들도 이 행사들이 큰 성공을 거둘 수 있도록 최선을 다해 협력할 생각입니다.

저는 덩샤오핑 지도자, 장쩌민 중앙군사위 주석과 주룽지 전 총리, 그리고 후진타오 주석의 탁월한 통찰력과 지도력에 대해서도 깊은 존경심을 갖고 있습니다. 이분들이 주도해 온 개혁과 개방이 선진 중국을 건설해 나가는 최선의 길이라는 것은 지난 20여년의 역사가 증명하고 있기 때문입니다. 앞으로도 중국이 활력있는 경제와 역동성을 바탕으로 더욱 풍요로운 사회, 그리고 모두가 바라고 있는 '샤오캉(小康)' 사회를 실현할 것으로 확신합니다.

한국과 중국은 다음달에 수교 11주년을 맞이하게 됩니다. 이번에 저와 후진타오 주석은 우리 양국이 '전면적 협력 동반자 관계'로 나아갈 것을 합의했습니다. 한국 국민들이 해마다 가장 많이 찾는 나라가 바로 중국입니다. 지난해에는 양국에서 모두 230만명의 국민들이 서로를 방문했습니다. 10년 전보다 열일곱 배가 늘어난 숫자입니다. 중국에서 공부하고 있는 한국인 유학생들이 지금 3만 6천명에 이르고 있습니다. 외국인 학생 열 명 가운데 네 명이 한국에서 온 학생들입니다. 여기 칭화대학에도 자랑스런 '칭화 동문'이 되기 위해서 500명이 넘는 한국 학생들이 공부를 하고 있습니다.

또 두 나라는 서로에게 세번째로 큰 교역상대국입니다. 지난해의 교역규모는 410억 달러를 넘어섰습니다. 최근 들어 한국의 기업들에게 중국은 최대의 투자파트너로 각광받고 있습니다. 신기술 분야에서의 협력도 활발합니다. 다음주에는 칭화대학과 한국 전자부품연구원이 공동으로 추진해온 '한·중 전자부품 산업기술 협력센터'가 문을 엽니다. 진심으로 축하드립니다. 이러한 미래 첨단분야의 협력은 앞으로 더욱더 가속될 것입니다. 아주 놀라운 발전입니다.

그러나 또한 돌이켜보면 한·중 관계가 이렇게 비약적으로 발전한 것은 결코 놀랄만한 일이 아닐 수도 있습니다. 우리 두 나라는 5천년에 이르는 교류와 우호친선의 역사를 갖고 있습니다. 그만큼 두 나라 국민들은 서로를 가깝게 느끼며 서로의 삶과 문화에 대해서 큰 관심을 가지고 있습니다.

그 좋은 예가 바로 '한풍(漢風)'과 '한류(韓流)'로서 나타나고 있는 것이라고 생각합니다. 요즘 한국에서는 중국어와 중국문화를 배우려는 열기가 아주 뜨겁습니다. 어디를 가나 중국상품이 넘쳐나기도 합니다. 서울의 지하철에서는 중국어 안내방송을 들을 수 있습니다. 또 장이머우 감독이나 공리, 리밍 등은 우리 젊은이들이 다 좋아하는 스타들입니다. 중국에서도 '한류'가 큰 물줄기를 이루고 있다고 들었습니다. 많은 분들이 한국의 가요나 영화, 드라마를 즐긴다는 말을 들었습니다. 최근에는 김치도 인기가 있다는 얘기를 들었습니다. 김치는 참 좋은 식품입니다. 그런데 김치만 좋은 식품이 아니고 김치 냉장고도 한국제가 참 좋습니다. 박수를 쳐주시니까 한 마디 더 하겠습니다. 김치냉장고에는 김치만 넣는 것이 아니고, 맥주를 넣어두었다가 먹으면 아주 좋습니다.

한·중 우호협력의 토양은 이처럼 두텁고 그리고 비옥합니다. 문제는 이 비옥한 땅에 우리가 어떤 씨앗을 뿌릴 것인가 하는 것입니다. 어떤 씨앗이냐에 따라서 20년, 30년 이후의 우리의 운명이 달라질 수 있는 문제라고 생각합니다.

저는 오랫동안 씨앗 하나를 간직해 왔습니다. 그것은 21세기의 동북아시아에 대한 희망입니다. 동북아시아에 '평화와 번영의 시대'를 열어 가자는 비전이 바로 그것입니다. 지난날의 동북아시아는 대립과 갈등의 역사를 되풀이해 왔습니다. 대륙과 해양 세력의 충돌, 동서양의 갈등, 동서진영의 이념적 대립으로 오랜 세월 동안 불신과 반목에서 벗어나지 못했습니다. 이로 인해서 우리는 많은 고통을 받았고, 아직도 과거를 잊지 못한 데서 비롯되는 경계심은 이 지역 국민들의 마음속에 아물지 못한 상처처럼 그렇게 남아 있습니다.

이제 우리는 동북아시아의 역사는 다시 써야 합니다. 다시는 침략과 지배로 고통받았던 과거의 역사를 되풀이해서는 안 됩니다. 대립과 갈등의 상처를 치유하고 협력과 통합의 새로운 질서로 나아가야 합니다. 우리끼리 경계하고 불신하는 동안에는 세계사의 흐름에서 우리는 뒤처질 수밖에 없을 것입니다. 이제는 자국만의 이익, 소아(小我)의 울타리를 넘어서, 대동(大同)의 새 역사를 일궈나가야 할 때라고 생각합니다. 무엇보다 마음의 벽을 허물어 내야 합니다. 그리고 그 자리에 화해와 협력의 씨앗, 평화와 번영의 씨앗을 심어야 합니다.

유럽의 여러 나라들은 이미 반세기 전에 공동의 미래를 위한 목표를 세우고 평화와 번영의 씨앗을 뿌렸습니다. 그 결과 오늘의 유럽연합은 세계가 부러워하는 공동의 평화와 번영의 질서를 누리고 있습니다. 국가간의 경계도, 마음의 장벽도 이미 거의 다 허물어냈습니다.

저는 우리 동북아시아에서도 이러한 평화와 번영의 미래가 가능하다고 확신합니다. 1980년대 초까지만 해도 한국과 중국은 서로 만날 수 없는 사이였습니다. 국민들은 만나면 처벌을 감수해야 했던 그런 시절이 있었습니다. 그러나 그 후 불과 십 수년만에 오늘처럼 한·중 관계는 정말 상상할 수 없는 관계로 이렇게 발전을 이뤄냈습니다. 우리가 과거에는 생각하지도 못했던 오늘을 만들어 왔듯이, 우리가 지금 생각하지도 못했던 미래를 얼마든지 우리는 만들어 나갈 수 있다고 생각합니다.

올해 들어서 한국과 중국에서는 모두 새 정부가 출범했습니다. 양국의 국민들이 저와 후진타오 주석처럼 젊은 지도자를 선택한 것은 저는 결코 우연이 아니라고 생각합니다. 중요한 의미가 담겨 있다고 생각합니다. 저는 국민의 요구도, 시대의 요구도 이제 달라지고 있다는 것을 절감하고 있습니다. 그리고 세계는 새로운 시대, 새로운 조류가 흐르고 있다고 생각하고, 그 중요한 흐름의 하나가 바로 '동북아시대'라고 생각합니다. 이제 한국과 중국은 새로운 시대에 대비하기 위해서 보다 진지하게 논의를 시작해야 할 시점이라고 생각합니다. 동북아 공동의 평화와 번영이라는 원대한 비전을 향해서 함께 협력해야 합니다.

지금 동북아시아는 세계 경제의 성장엔진으로 떠오르고 있습니다. 전 세계 GDP의 20%를 생산하고 있고, 10년이나 15년 후에는 30%가 넘을 것이라는 전망을 가지고 있습니다. 풍부한 자원이 있고 열정적인 사람들이 있습니다. 찬란한 문화적 전통과 무한한 잠재력을 함께 가지고 있습니다. 여기에 우리 공동의 비전, 바로 '평화와 번영'의 새 패러다임이 자리를 잡게 된다면 동북아의 역사는 그야말로 달라질 것입니다. 예상보다 훨씬 빠른 시일 안에 유럽·북미와 어깨를 나란히 하는 세계 경제의 3대 축으로 도약할 수 있을 것입니다. 나아가 세계의 평화와 번영을 주도해 나갈 수 있는 그야말로 세계의 중심지가 될 것입니다.

한국은 그 동북아 시대의 생산과 투자, 금융과 물류, 정보와 기술이 모여들고 퍼져 나가는 '번영의 허브'가 되고자 합니다. 그러나 더 중요한 것은 우리 모두의 미래입니다. 베이징의 학생들은 기차를 타고 평양과 서울, 부산을 거쳐서 도쿄까지 수학여행을 가는 시대, 평화롭고 풍요로운 '동북아시대'의 한 모습을 우리 모두 함께 꿈꾸어야 합니다.

경제가 가장 중요할 것입니다. 그러나 경제만으로 충분하지는 않을 것입니다. 다행히도 한·중 양국을 비롯한 동북아시아의 나라들은 전통적인 가치관을 함께 해왔습니다. 유교적 전통에서 비롯된 인간중시의 사상이라든지, 그리고 상생과 화합, 대동의 세계관은 동북아시아가 공유하고 있는 소중한 정신적 자산이라고 생각합니다. 저는 여기에 '미래지향적인 개방성'과 '협력지향적인 참여'의 가치를 더해야 한다고 생각합니다. 미래를 위해서 마음을 열고 협력을 위해서 참여하는 노력을 지속해 나간다면, 대립과 갈등의 역사는 종식되고 협력과 통합의 새로운 질서가 만들어질 것입니다.

우선 대화와 교류를 꾸준히 늘려 나가고 구체적인 협력사업부터 하나하나 실천하면서 신뢰를 쌓고 공동의 이익을 확대해 나가야 합니다. IT·에너지·자원·환경분야에서의 지역 협력과 한반도에서 중국 그리고 유럽으로 이어지는 '철의 실크로드' 건설 같은 사업들이 그 좋은 시범사업이 될 수 있을 것입니다. 매년 'ASEAN과 한·중·일 회의'를 계기로 열리는 한·중·일 3국 정상회담도 동북아시아의 미래를 논의하는 유익한 대화의 장이 될 것입니다.

당면한 최대의 관건은 역시 한반도의 평화정착입니다. 북한을 어떻게 평화와 번영의 대열에 합류시킬 것인가 하는 것은 한국과 중국 모두에게 대단히 중요한 문제입니다. 북한이 개방을 통해서 경제적 안정을 이루고 국제사회에 건설적으로 참여하게 된다면, 한·중 양국은 물론이고 동북아 전체의 평화와 번영에도 크게 도움이 될 것입니다. '동북아시대'를 열어 나가는 데 있어서 어느 누구도 소외되어서는 안 됩니다. 그리고 그 어떤 구성원도 주변국의 안보나 동북아의 안정을 해칠 권리는 없다고 생각합니다. 북한은 핵을 포기해야 합니다. 그리고 평화와 공생의 길을 선택해야 합니다. 국제사회의 어느 누구도 북한의 핵이 북한의 미래를 보장할 것이라고 생각하지는 않습니다.

우리는 북한이 평화와 번영의 대열에 동참하기를 진심으로 바랍니다. 북한이 핵을 포기하고 대화와 개방의 길로 나올 때, 국제사회는 필요한 지원과 협력을 아끼지 않을 것입니다. 지금 한국은 북핵 문제의 평화적 해결을 위해 최선을 다하고 있습니다. 중국 정부는 북핵 문제의 해결과 한반도 평화를 위해서 적극적이고 건설적인 역할을 해주고 있습니다. 그 점에 관해서 매우 감사하게 생각합니다. 그리고 이러한 노력이 결실을 맺어서 북한도 동참하는 가운데 '평화와 번영의 동북아시대'가 열리기를 간절히 희망합니다.

나머지는 저에 관해 얘기가 좀 있습니다만 시간이 좀 늦은 것 같아서 줄이고 원고에 없는 말씀 한 마디만 더 보태겠습니다. 1988년 우리 한국은 서울 올림픽을 치르면서 "손에 손잡고, 벽을 넘어"라는 구호를 내걸고 올림픽을 성공적으로 치러냈습니다. 그 4년 뒤에 우리는 중국과 수교됐고, 그리고 지금까지 그야말로 손에 손잡고 벽을 넘어서 이처럼 두터운 친선 우호관계를 만들어내고 있습니다. 작년 2002년 우리 한국은 월드컵을 치르면서 모두들 "꿈은 이뤄진다"하고 뛰었습니다. 그리고 우리는 4강이 됐습니다. 앞으로 중국은 2008년 베이징올림픽을 치르고, 2010년 세계박람회를 치릅니다. 우리가 그랬듯이 중국도 그때 확실하게 꿈을 이룰 수 있다는 것을 증명하게 될 것이다. 저는 그렇게 되기를 간절히 바랍니다.

저는 그렇게 키워 가야 할 여러분들의 꿈 위에 제 꿈 하나를 더 보태고 싶은 것입니다. 바로 동북아시아의 미래를 위해서, 그리고 우리 미래를 위해서 뜻과 지혜를 모아 평화와 번영의 동북아 시대를 함께 열자는 꿈입니다.

감사합니다.

# 한·중 경제인(상하이) 초청 오찬연설

2003년 7월 10일

존경하는 한 중 경제인 여러분,

먼저, 저와 우리 일행을 이처럼 따뜻하게 맞아주신 데 대해서 깊이 감사드립니다. 이번 중국 방문의 마지막 일정으로 여러분과 함께 하게 된 것을 매우 기쁘고 소중하게 생각합니다.

저는 오늘 오전 매우 의미 있는 두 곳을 방문했습니다. 그 한 곳은 대한민국 정부의 법통이 시작된 임시정부 청사입니다. 일제치하의 암울했던 시기에 독립에 대한 희망을 불어넣어 주었던 유서 깊은 장소입니다. 지난해 22만명에 이르는 한국 국민이 이곳을 찾았습니다. 이처럼 상하이는 임시정부와 함께 한국 국민의 가슴에 늘 희망의 이름으로 간직되어 있습니다.

다른 한 곳은 푸동(浦東)입니다. '푸동신구'를 둘러보면서 "중국의 미래는 상하이에 있고, 상하이의 미래는 푸동에 있다"는 말을 실감했습니다. 그렇습니다. 이곳 상하이는 개혁·개방 정책의 선봉에 서서 중국의 경제발전을 이끌고 있습니다. 10년 이상 두 자리 수 성장을 지속하고 있습니다. 40여개 다국적기업의 지역본부가 자리하고 있으며, 지난해만도 185억 달러의 외국인투자를 유치했습니다. 중국 대학생들이 졸업 후에 가장 일하고 싶어하는 도시도 이곳 상하이라고 들었습니다. 이러한 상하이의 성공사례는 우리에게 많은 시사점을 제공해 주고 있습니다.

상하이는 또한 한국과의 교류·협력이 가장 활발한 지역 중의 하나입니다. 500여 개에 이르는 한국 투자기업이 활동하고 있고, 한국의 6개 도시와 직항으로 연결되어 있습니다. 한·중간 교역의 약 28%가 상하이 지역을 통해 이루어지고 있습니다. 지난해 상하이를 축으로 하는 '장강 삼각주 지역'에 대한 한국의 투자는 대 중국 투자 총액의 32%에 이르고 있습니다. 특히 한국의 첨단기술 산업 투자가 이곳에 집중되고 있습니다. 그만큼 상하이는 한·중 경제협력에 있어서 중요한 위치를 차지하고 있는 것입니다.

존경하는 상하이 경제인 여러분,

상하이는 한국의 여수와 함께 2010년 엑스포 유치를 위한 선의의 경쟁을 벌였습니다. 다시 한번 상하이의 엑스포 유치를 축하드립니다. 역사상 가장 성공적인 행사가 되기를 진심으로 기원합니다. 한국은 1988년 서울 올림픽, 1993년 대전엑스포, 2002년 월드컵대회와 같은 대형 국제행사를 성공적으로 치른 경험이 있습니다. 이러한 성공을 이끄는 데 크게 기여한 한국 기업들의 경험과 역량이 상하이 엑스포의 성공적인 개최에 유용하게 활용될 수 있기를 바라 마지않습니다.

양국의 경제인 여러분,

한국과 중국은 비슷한 시기에 새 정부를 출범시켰습니다. 바로 올해 2월과 3월의 일입니다. 또한 두 나라 국민 모두 젊은 지도자를 선택했습니다. 개혁과 변화에 대한 열정과 추진력이 강력하다는 점도 공통점입니다. 이러한 양국 사이의 특별한 공감대는 실질 협력관계를 더욱 활성화하는 기반이 될 것입니다. 여기에 양국의 잠재력과 경제협력 가능성, 그리고 동북아 지역의 미래를 생각할 때 협력의 여지는 무궁무진하다고 하겠습니다.

우선 협력의 폭과 깊이를 더욱 넓혀나가는 노력이 필요합니다. 에너지와 자원개발, 금융, 환경, 차세대 IT와 BT 등 미래첨단기술 부문에서 보다 긴밀한 교류와 협력을 추진해 나가야 하겠습니다. 나아가 협력의 방식도 다양화해 나가야 하겠습니다. 아시아 경제의 발전이라는 큰 틀에서 새로운 산업을 공동 창출해 나가고, 지리적 인접성을 활용하여 장기적으로는 인력, 설비를 공유할 수 있는 협력의 틀도 모색할 수 있을 것입니다. 한국 정부는 이러한 여러분의 협력이 더욱 증대되도록 최대한 지원해나갈 것입니다.

존경하는 경제인 여러분,

우리가 살고 있는 동북아 지역은 명실공히 세계경제의 견인차 역할을 하고 있습니다. 세계 총생산의 20% 이상이 동북아 지역 국가에 의해 이루어지고 있습니다. 10여년 후에는 30% 이상을 담당하게 될 것이라는 예측도 있습니다.

한국은 이러한 동북아 시대를 여는데 기여할 수 있는 여건을 갖추고 있습니다. 그것은 이곳 상하이도 마찬가집니다. 대륙과 해양을 연결하는 요충에 자리하고 있으며, 한국에 인천공항이 있다면 이곳에는 푸동공항이 있습니다. 부산항과 상하이항은 세계적인 컨테이너 항구로서 선의의 경쟁을 하고 있습니다. 그리고 양국 모두 수준 높은 정보화 기반과 IT 능력, 그리고 우수한 인적자원을 보유하고 있습니다. 이를 바탕으로 상하이는 '3항(港), 2망(網) 프로젝트'와 2010년 엑스포의 성공적인 개최를 통해서 세계의 중심도시로 발전하려는 계획을 가지고 있습니다.

한국 역시 '평화, 번영을 위한 동북아 구상'을 가지고 있습니다. 이 계획은 한국을 동북아의 물류와 금융, IT, R&D 허브로 만들고, 역내 협력을 강화해서 이웃나라와 함께 공동번영을 추구하겠다는 구상입니다. 나아가 동북아 지역에 협력과 통합의 질서를 구축하자는 것입니다. 한·중 양국이 동북아 경제권을 양국 경제 발전의 큰 축으로 만들어 상호존중과 호혜의 원칙 위에서 서로 협력해 나간다면, 양적인 '규모의 경제' 이익을 확대함은 물론 질적인 '네트워크의 경제' 이익을 구현해 나갈 수 있을 것입니다.

존경하는 경제인 여러분,

맹자는 "천시(天時)는 지리(地理)만 못하고, 지리는 인화(人和)만 못하다"고 했습니다. 아무리 좋은 시대적 여건, 아무리 좋은 지리적 조건도 '긴밀한 협력'만은 못합니다. 상하이와 서울, 부산, 중국과 한국이 21세기 동북아 시대의 사이좋은 이웃으로서 함께 전진해 나갑시다. '평화와 번영의 동북아시대'를 열어 나갑시다. 다시 한번 소중한 자리를 마련해

주시고 경청해 주신 양국의 경제인 여러분께 진심으로 감사드립니다.

# 중국 국빈방문 귀국보고

2003년 7월 10일

존경하는 국민 여러분,

저는 나흘간의 중국 방문을 무사히 마치고 돌아왔습니다. 국민 여러분의 큰 성원에 대해서 진심으로 감사드립니다.

이번 방문에는 세 가지 목표가 있었습니다. 첫째는 북한 핵문제를 평화적으로 해결해 나가기 위해서 중국과의 협조를 강화하는 것이었습니다. 북핵 문제의 해결에 있어서 중국의 건설적인 역할은 매우 중요합니다. 두 번째는 경제와 통상관계의 확대였습니다. 중국은 이미 우리에게 제1의 투자대상국이자 제2의 수출시장입니다. 따라서 중국의 급속한 성장이 우리에게도 도움이 되도록 여건을 만들어 나가려면 긴밀한 상호 협력이 필요합니다. 세번째 목표는 올해 새로 취임한 양국 지도자들간의 신뢰구축입니다. 양국의 정상이 직접 만나서 양국관계를 한 차원 더 강화시키는 것은 북핵 문제의 평화적 해결뿐만 아니라, '평화와 번영의 동북아 시대'를 열어나가는 데 있어서도 중요한 관건입니다.

저는 이러한 목표들을 이루기 위해서 최선을 다했고, 또 소기의 성과를 거둘 수 있었다고 자평합니다. 동행해 주신 경제인들과 국회의원들께서도 헌신적인 도움을 주셨습니다. 이 기회를 빌려 깊은 감사의 말씀을 드립니다.

국민 여러분,

이번에 저는 후진타오 주석과 첫 정상회담을 가졌습니다. 솔직하고 진지한 대화를 통해서 의미있는 합의들을 이루어 냈습니다. 이 내용들은 양국이 함께 발표한 공동성명에 담겨 있습니다. 먼저 양국은 북한의 핵문제를 해결해 나가기 위한 협조를 더욱더 강화해 나가기로 하였습니다. 북핵 문제를 대화를 통해 평화적으로 해결해야 한다는 공동의 인식을 거듭 확인하고, 한반도의 비핵화를 위해서 노력하기로 의견일치를 보았습니다.

중국은 지난 4월 '3자 대화'에서 보여준 것과 같은 적극적이고 건설적인 역할을 다해 나갈 것임을 다짐했습니다. 한·중 양국은 이러한 대화의 모멘텀을 유지하고 계속 발전시켜 나가자고 합의했습니다. 이로써 지난 5월의 한·미 정상회담과 6월의 한·일 정상회담에 이어서 북핵 문제의 평화적 해결을 위한 주변국과의 협력이 더욱 강화되었다고 하겠습니다. 또 후진타오 주석을 비롯한 중국 지도자들이 우리의 '평화번영정책'을 적극 지지하고, 한반도의 평화와 안정을 위한 역할을 계속해 나가겠다고 밝힌 것도 의미 있는 일이었습니다.

이번 정상회담을 계기로 한국과 중국은 외교와 경제, 사회, 문화, 그리고 인적교류를 포함한 모든 분야에서 '전면적 협력동반자 관계'를 발전시켜 나가기로 합의했습니다. 양국 관계를 종전의 '전면적 협력관계'에서 한 단계 격상시킨 것입니다. 정부간의 교류는 물론 의회와 정당간의 교류를 확대하고, 청소년을 비롯한 민간 교류도 대폭 늘려 가기로 하였습니다. 또 양국 정상간 전화 통화와 같은 상시적 대화채널을 긴밀히 유지해 나가자는 데에도 의견을 모았습니다. 아울러 이러한 교류확대를 제도적으로 뒷받침하기 위해서 '민사·상사 사법공조 조약' 등 세 개의 조약과 협정들을 체결했고, 청두(成都)에 우리 총영사관을 설치하기로 했습니다.

특히 양국은 경제와 통상분야의 협력을 한층 더 심화, 발전시켜 나가기로 합의했습니다. 지금까지 중국에 진출한 우리 기업들이 CDMA 상용화와 자동차, 금융, 이동통신 분야에서 많은 성과를 거두었습니다. 앞으로는 차세대 IT산업을 비롯해서 전력산업과 자원개발, 환경, 유통분야에 이르기까지 협력의 폭과 깊이를 더욱 확대해 나가기로 했습니다.

중국이 야심차게 추진하고 있는 '서부 대개발 사업'과 황사방지 사업, 그리고 나노기술과 생명공학 같은 첨단분야에서도 미래지향적인 협력관계를 구축해 나갈 것입니다. 지금 중국은 2008년 베이징 올림픽과 2010년 상하이 엑스포 준비에 한창입니다. 여기에도 우리 기업들의 참여기회가 크게 확대될 것으로 기대됩니다. 연간 400억 달러 규모인 양국간 교역은 향후 5년 이내에 1,000억 달러 수준까지 증대될 것으로 기대됩니다. 양국간의 투자도 더욱 늘려 나갈 수 있도록 '투자보장협정'의 개정을 추진하고, '1일 항공 생활권'을 구축하기 위한 협의도 계속해 나갈 것입니다.

이번에 저는 중국의 명문대학 가운데 하나인 칭화대학을 방문해서 학생들과 대화하는 시간을 가졌습니다. 미래 세대의 주역들에게 '평화와 번영의 동북아 시대'를 열어가자는 비전을 설명하고 토론도 했습니다. 중국의 젊은이들이 한 중 관계와 동북아시아의 미래에 대해서 더욱 깊은 관심을 갖고 공감대를 넓혀갈 수 있는 좋은 기회였다고 생각합니다.

한·중간의 경제협력을 현장에서 이끌어 가는 주역은 양국의 기업인들입니다. 이분들과도 만나서 허심탄회하고 유익한 대화를 나누었습니다. 중국에서 활동하고 계신 우리 국민들께도 따뜻한 격려의 말씀을 드렸습니다.

존경하는 국민 여러분,

중국이 달려오고 있습니다. 이미 세계 5위의 경제력을 갖춘 13억 중국 국민이 미래를 향해서 뛰고 있습니다. 저는 이번에 베이징과 상하이에서 중국 경제의 급성장과 역동성을 직접 확인하면서 우리경제의 앞날에 대해 깊은 생각을 할 기회를 가졌습니다. 경계의 눈으로 바라보고 위기의식만 가질 일은 아닙니다. 그러나 결코 자만해서도 안 될 것 같습니다. 우리도 변해야 합니다. 기득권의 목소리에 묻혀서 우리가 개혁을 이뤄내지 못한다면 그동안에 쌓아왔던 소중한 성공도 물거품이 될 수도 있습니다. 지금 우리는 우리의 주위를 둘러싸고 있는 이러한 도전을 동북아 경제의 허브로 도약할 수 있는 기회로 활용해야 합니다.

문제는 우리의 자세입니다. 충분한 준비를 갖추어 나간다면 중국의 개방과 성장은 우리에게 더 큰 시장, 더 큰 기회를 가져다줄 것입니다. 나아가 한·중간의 든든한 유대를 바탕으로 '평화와 번영의 동북아시대'를 앞당겨서 실현할 수 있을 것입니다. 지금 세계가 우리를 지켜보고 있습니다. 동북아의 미래를 주목하고 있습니다. 더 이상 지체할 수는 없습니다. 힘을 모으고 지혜를 모아야합니다. 여와 야, 그리고 노와 사가 새로운 마음가짐으로 협력해야할 때입니다.

앞으로도 저는 경제와 민생을 챙기고, 북한 핵문제를 조속히 해결해 나가는 데 더욱 최선을 다하겠습니다. 저는 미국·일본 방문에 이어서 이번 방문에 이르기까지 상당한 예우를 받았다고 생각합니다. 제가 현명하고 유능해서 받은 예우라고 생각하지 않습니다. 그동안에 국민 여러분들께서 땀흘려 노력하신 결과 오늘 우리 한국의 위상이 그만했기 때문에, 제가 가서 그만한 대우를 받은 것이라고 생각합니다. 이 점에 관해서 국민 여러분들께 깊이 감사말씀 드립니다. 다시 한번 국민 여러분의 성원에 감사드리면서 저의 귀국보고를 마치겠습니다. 열심히 하겠습니다.

감사합니다.

# 하워드 호주 총리내외를 위한 오찬사

2003년 7월 18일

존경하는 존 하워드 총리 각하 내외분, 그리고 자리를 함께 하신 내외귀빈 여러분,

총리 각하 내외분의 방문을 진심으로 환영합니다. 아시아·태평양 지역의 평화와 공동번영을 위해서 큰 지도력을 발휘해 오신 각하를 만나게 되어 반갑기 그지없습니다. 한국과 호주는 한 세기가 넘는 교류의 역사를 가지고 있고, 1961년 수교 이래 동반자적 협력관계를 지속적으로 발전시켜온 전통의 우방입니다. 오늘 정상회담을 통해서 이러한 우리 두 나라의 긴밀한 우호협력을 거듭 확인하고, 각하와의 신뢰와 우의를 돈독히 다지게 된 것을 기쁘고 뜻깊게 생각합니다.

총리 각하,

호주의 경제는 최근까지 OECD 국가 가운데 최상위 수준의 성장

률을 기록해 왔습니다. 매년 4%가 넘는 높은 성장을 지속해 왔고, 지난 해와 같은 세계적인 불황 속에서도 3.8%의 성장을 이룩했습니다. 이것은 바로 각하께서 지난 1996년 취임이래 일관되게 추진해 오신 개혁의 성과입니다. 금융과 노사관계, 그리고 조세제도의 과감한 개혁을 통해서 호주 경제의 안정적인 성장기반을 튼튼히 다져오셨습니다. 또한, 각하께서는 원칙과 소신의 정치인으로서 호주 국민들의 지지와 존경을 받고 계십니다. 국민들의 단합을 이끌며 작년 10월 '발리 테러사건'의 슬픔과 고통을 슬기롭게 극복해 내셨고 테러 방지를 위한 국제협력에도 앞장서 오셨습니다. 각하의 높은 식견과 탁월한 지도력에 경의를 표하면서 앞으로도 호주는 물론 아·태 지역의 공동번영을 위해서 더욱 큰 업적을 이룩해 나가실 것으로 확신합니다.

총리 각하,

이번 달 27일은 6·25 전쟁 정전 50주년이 되는 날입니다. 호주는 우리와 함께 자유와 민주주의를 지키기 위해서 싸웠고, 1,600명에 이르는 호주 젊은이들이 목숨을 잃거나 부상을 당했습니다. 한국 국민들은 그분들의 고귀한 희생과 호주 국민들의 진정한 우정을 영원히 잊지 않을 것입니다. 많은 한국민들에게 호주는 가장 가보고 싶은 나라, 가장 살기 좋은 나라로 꼽히고 있습니다. 이러한 친밀감은 양국관계의 발전에도 소중한 밑거름이 되고 있습니다.

양국은 서로에게 중요한 교역과 투자의 파트너입니다. 양국 경제의 상호보완성도 매우 큽니다. 이러한 실질협력과 IT를 비롯한 첨단 산업 기술 분야에서의 협력은 앞으로 더한층 강화되어 나갈 것으로 확신합니다. 특히 우리 두 나라는 아시아·태평양 지역의 공동발전을 위해서 중추적인 역할을 수행해 왔습니다. 양국의 선도적인 노력에 힘입어 출범했던 APEC은 이제 이 지역 경제협력의 구심체로 자리잡고 있습니다. 동티모르의 독립과 평화유지를 위한 양국의 지원활동도 훌륭한 결실을 맺어 가고 있습니다.

지금 한국은 21세기 동북아시아 경제의 중심으로 발돋움하기 위한 계획을 추진하고 있습니다. 대륙과 대양을 잇는 물류와 금융, 비즈니스와 R&D의 허브로 발전해 나감으로써 동북아 시대를 열어 가는 평화와 번영의 다리가 되고자 하는 것입니다. 호주에게도 동북아는 중요한 지역이라고 생각합니다. 호주의 연간 수출의 40%가 동북아를 무대로 이루어지고 있습니다. 평화와 번영의 동북아시대, 나아가 아시아· 태평양의 시대를 열어가는 데 우리 두 나라가 더욱 긴밀히 협력해 나가기를 희망합니다.

총리 각하, 그리고 내외 귀빈 여러분,

한국 정부는 한반도에 평화를 정착시키기 위해서 평화번영정책을 추진하고 있습니다. 또한 당면과제인 북한 핵문제를 평화적으로 해결해 나가기 위해서 국제사회와 함께 다각적인 노력을 기울이고 있습니다. 그동안 적극 협력해 주신 각하와 호주 정부에게 깊이 감사드리면서 앞으로도 변함없는 협조를 부탁드립니다. 엘리자베스 여왕 폐하의 건강과 하워드 총리 각하 내외분의 건승을 위해서, 그리고 호주의 번영과 우리 두 나라 국민의 영원한 우의를 위해서 축배를 들어 주시기 바랍니다.

감사합니다.

# 한·영 정상 공동기자회견 모두말씀

2003년 7월 20일

먼저 블레어 총리 각하 내외분의 방한을 진심으로 환영합니다. 총리께서는 참여정부가 출범한 이후 유럽의 정상으로는 처음으로 우리 한국을 방문해 주셨습니다. 한국과 한·영 관계의 발전에 대해 각별한 관심과 의지를 보여 주신 블레어 총리께 깊은 감사의 말씀을 드립니다.

오늘 우리 두 정상은 북한 핵문제와 양국관계 증진방안, 그리고 주요 국제문제를 비롯한 공동관심사에 대해서 폭넓은 의견을 서로 나눴습니다. 평소 나는 국제사회에서 탁월한 식견과 강력한 지도력을 발휘해 오신 블레어 총리에 대해서 깊은 호감을 가지고 있었습니다. 오늘 만나서 허심탄회한 대화를 나누고 돈독한 유대와 신뢰를 갖게 된 것을 매우 기쁘게 생각합니다. 아울러 이번 회담을 통해 양국의 전통적인 우호협력 관계가 한층 더 굳게 다져진 것을 매우 만족스럽게 생각합니다.

우리 두 정상은 북한의 핵문제에 대해 진지한 협의를 가졌습니다. 북한 핵문제가 대화를 통해 평화적으로 해결돼야 하며, 북한의 핵개발 계획이 검증가능하고 불가역적인 방식으로 폐기해야 된다는 데 인식을 같이 했습니다. 또한 북한이 다자대화에 조속히 호응하도록 설득하기 위한 외교적 노력을 계속해 나가기로 했습니다. 특히, 총리께서는 우리의 한반도 평화정착 노력을 높이 평가하고, 우리의 평화번영정책에 대해 적극적인 지지를 표명하셨습니다. 또 유엔 안전보장이사회의 상임이사국이자 EU의 중심국가인 영국이 북한 핵문제의 평화적 해결과 함께 북한을 국제사회의 책임 있는 일원으로 참여시키기 위한 노력을 경주해 나감에 있어 우리와 긴밀히 협력해 나가겠다는 의지를 밝히셨습니다.

영국은 6·25 전쟁 때 연인원 5만7천명의 병력을 참전시켰고, 4,300명에 이르는 사상자를 내면서 우리와 함께 자유와 민주주의를 지켜낸 각별한 우방국입니다. 우리 두 정상은 이러한 양국이 여러 분야에서 우호와 실질협력 관계를 급속히 발전시켜온 데 대해 만족을 표시하고, 앞으로 우리 양국관계를 한차원 높게 발전시켜 나가기로 합의했습니다.

특히, 정보통신, 생명과학과 같은 첨단분야에서의 호혜적인 협력을 더욱 강화하고 교육과 문화, 과학기술 등의 분야에서도 교류와 협력을 더욱 가속화할 것을 합의하기로 의제는 설정되어 있었으나 핵문제 얘기가 너무 길어서 미처 다 얘기하지 못했습니다. 만찬 때 그렇게 마저 합의하도록 하겠습니다.

우리 두 정상은 대량살상무기의 확산 방지, 테러 근절 그리고 이라크 재건을 위한 지원 등의 국제적 현안을 해결해 나가는데 있어서도 양국이 국제무대에서 긴밀히 협력해 나가고자 합니다. 오늘 정상회담이 성공적인 결과를 얻게 된 것을 매우 만족스럽게 생각하며, 양국관계가 미래지향적인 동반자 관계로 더욱더 발전해 나갈 것을 확신합니다.

감사합니다.

# 정치자금에 관한 특별회견 모두 말씀

2003년 7월 21일

존경하는 국민 여러분,

저는 최근 대선자금에 관한 사회적 공방을 지켜보면서 안타깝고 착잡한 심경을 금할 수가 없습니다. 역대 어느 선거보다 깨끗하게 치러졌다고 자부해 온 지난 대선 과정이 새삼스럽게 불신의 대상이 되고 있기 때문입니다. 심지어 수많은 유권자들이 자발적으로 참여한 국민성금까지 정쟁거리가 되면서 그 의미가 폄하되고 있습니다. 성금을 보내주신 분들께 송구스럽기 그지없습니다.

깨끗한 정치에 써달라며 10년 근속메달을 보내 온 부부, 까만 비닐 봉투에 꼬깃꼬깃 돈을 모아준 시장 상인들, 그리고 스스로 생활보호 대상자임에도 불구하고 우편환으로 10만원을 보내 주신 강원도의 할머니, 저는 이분들에게서 새로운 정치를 바라는 간절한 염원을 확인하며 눈물과 감동으로 선거를 치렀습니다. 이것만으로도 우리 정치 발전에 큰 계기가 되었고, 또 큰 기여를 한 것이라고 자부했습니다.

비단 저뿐만 아니라 국내외의 여론도 한국 정치사에 유례가 없던 일로 높이 평가했습니다. 여야 모두 모범적인 선거를 치렀다고 박수를 보내주었습니다. 대부분 국민들도 이에 동의하고 계실 것으로 믿습니다. 저는 이로써 다시는 대선자금 시비가 반복되지 않을 것이라는 기대를 가졌습니다. 그러나 지금의 상황은 그와 같은 기대를 여지없이 짓밟고 있습니다.

물론 우리 정치의 해묵은 병폐가 완전히 해결된 것은 아니었습니다. 저 자신, 그동안 법과 제도상의 문제점을 절감해 왔습니다. 불합리하고 잘못된 제도와 관행을 바로잡아야겠다고 굳게 다짐했습니다. 대통령에 당선된 이후에도 여러 차례 정치개혁에 대한 소신과 의지를 밝혀왔습니다. 지난 4월 국회 연설에서도 우리의 현실을 국민들에게 솔직히 말씀드리고 제도를 바꾸어 나가자고 호소했습니다. 또 이러한 호소가 받아들여지지 않을 것에 대비해 깊이 고심하고 준비도 해오고 있습니다.

그런 와중에 민주당의 책임 있는 인사가 대선자금에 대해 한 마디 실언을 한 것을 빌미로 야당은 정치공세를 펼치고 있습니다. 야당은 지금 역대 가장 깨끗했던 지난 대선에 엄청난 부정과 사기가 있었던 것처럼 매도하고 있습니다. 국민의 신뢰는 땅에 떨어지고 우리 스스로 이룩한 소중한 성과마저 부인하는 상황에 이른 것입니다.

이제 선택의 여지가 없습니다. 이왕 대선자금 문제가 국민적 의혹으로 제기된 이상 투명하게 밝히고 가야 합니다. 그렇게 하지 않고는 정치에 대한 우리 국민의 신뢰를 회복할 길이 없습니다. 이 상황에서 여야를 불문하고 아무리 새로운 정치를 외쳐도 그것을 믿어줄 국민이 어디 있겠습니까? 여당과 야당 모두 16대 대선자금을 있는 그대로 소상히 밝히고 철저하게 검증을 받읍시다. 대선자금 논란은 정파간 소모적인 정쟁으로 끝낼 일도, 또한 특정 사건의 진상 규명에 그칠 일도 아닙니다. 더 이상 피할 일도 아닙니다. 분명하게 밝히고 국민들과 더불어서 뜻을 모아 새로운 출발의 계기로 삼아야 합니다.

대선자금을 공개하는 데 있어 무엇이 대선자금이고, 어느 시점부터 공개하는 것이 옳은지에 대해서 논란이 있습니다. 저는 선관위에 신고된 법정선거자금만이 아니라 각 당의 대선 후보가 공식 확정된 시점 이후 사실상 대선에 쓰여진 정치자금과 정당의 활동자금 모두를 포함해야 한다고 생각합니다. 여야가 합의해서 그 대상을 달리 정할 수도 있겠지만 반드시 국민들이 납득할 수 있는 수준에서 대선자금의 전모를 밝히는 것이어야 한다고 생각합니다.

나아가 대선 잔여금이 얼마이며 그것을 어떻게 처리했는지까지 밝혀져야 합니다. 지출뿐만 아니라 수입금 내역도 공개하는 것이 좋겠습니다. 다만 이를 공개했을 때 경제계가 다시 정치자금의 소용돌이에 휘말릴 우려가 있고, 이를 우려하는 사람들이 있습니다. 가뜩이나 경제가 어려운데 국제신인도에 부정적인 영향을 미칠 수도 있습니다. 따라서 재계가 자발적으로 공개하는 것도 하나의 방법이 될 수 있을 것입니다. 이를 통해 우리 재계도 앞으로는 정치자금 문제를 법과 원칙대로 투명하게 하겠다는 결의를 밝히는 기회가 된다면 오히려 기업에 대한 신뢰도를 높이는 데도 도움이 될 수 있을 것입니다.

그러나 이도 여의치 않을 경우 수사는 하되 자금을 제공한 기업이나 기업인은 철저히 비공개로 하는 것도 하나의 방법일 것입니다. 공개만으로만 그쳐서도 안 됩니다. 국민이 신뢰할 수 있는 절차를 통해 철저하게 검증을 받아야 합니다. 여야가 합의한다면 특별검사도 좋고 검찰수사도 좋다고 생각합니다. 다만 수사권이 있는 기관에서 조사하는 것이라야 진실 여부를 충분히 밝힐 수 있고, 그래야 효과가 있다고 생각합니다.

민주당이 먼저 공개하라는 요구도 있습니다. 공개 못할 이유는 없다고 생각합니다. 그러나 대선자금 공개는 여야가 함께 하지 않으면 공개한 쪽만 매도되고 정치개혁에 아무런 실효를 거둘 수 없는 결과가 될 수도 있습니다. 어느 일방의 공개가 다른 일방의 공개로 이어질 만큼 우리 정치권의 신뢰가 높지 않다는 것을 분명히 인정해야 합니다.

존경하는 국민 여러분,

정치개혁은 이제 더 이상 미룰 수 없는 시대적인 과제입니다. 지금 우리 정치가 일대 혁신을 하지 않으면 선진국으로 도약하고 2만 달러 시대로 나아가는 데 큰 걸림돌이 될 것입니다. 이것은 역사와 국민 앞에 씻을 수 없는 죄를 짓는 일이 될 것입니다. 저는 이번 정치자금 논란이 오히려 하늘이 준 기회가 아닌가 생각합니다. 이 기회를 빌려 투명한 정치, 깨끗한 정치로 나아가는 전기로 만듭시다. 국민들이 우리 정치에 다시 한번 희망과 기대를 걸 수 있도록 노력해야 합니다. 낡은 정치의 악순환을 끊고 정치개혁의 새로운 전기를 만들고자 하는 저의 충정에 정치권의 용기 있는 결단과 국민 여러분들의 협력이 있으시기를 바랍니다.

감사합니다.

# 차세대 성장산업 국제회의 기조연설

2003년 7월 24일

존경하는 존 나이스빗 교수와 폴 로머 교수, 기 소르망 사장과 정운찬 총장을 비롯한 국내외 학계와 경제계 지도자 여러분, 그리고 이 자리에 함께 하신 내외 귀빈 여러분,

오늘 '차세대 성장산업'을 주제로 국제회의를 열게 된 것을 매우 뜻깊게 생각합니다. 회의 참석을 위해서 세계 곳곳에서 찾아주신 분들께 깊은 감사와 환영의 인사를 드립니다. 앞서 좋은 말씀을 해주신 존 나이스빗 교수께도 감사의 말씀을 드립니다. 특별히 제게 관심을 가지고 좋은 말씀을 해 주신 데 대해서 따로 또 감사를 드립니다.

저는 대통령이 모든 것을 결정한다고 생각지 않습니다. 대통령을 움직이는 사람들은 많이 있습니다. 이 자리에 계신 여러분께서 생각하시고 발표하시는 많은 의견들이 대통령을 움직입니다. 따라서 나이스빗 교

수께서는 한번도 대통령을 해 보신 적이 없다고 말씀하셨지만, 그렇지만 저보다 더 큰 힘으로 우리 세계를 움직여 나가고 있을지 모릅니다. 오늘 여러분들께서 논의하신 많은 말씀들과 나온 의견들은 아마 우리 정부의 진로를 결정하는데 매우 큰 기여를 할 것이라고 그렇게 생각합니다.

마침 오늘은 참여정부가 출범한지 5개월 되는 날입니다. 그동안 우리는 다음 세대를 이끌어 갈 성장동력이 무엇인지에 대해서 많은 고민을 해왔습니다. 오늘 이 자리는 그 해답을 찾는 데 도움을 얻기 위한 자리입니다. 아무쪼록 유익한 제안들이 풍성하게 제시되기를 기대합니다.

여러분도 아시는 대로 한국경제는 전쟁의 잿더미 위에서 출발했습니다. 본격적인 산업화가 시작된 1960년 당시만 해도 1인당 국민소득은 79불에 불과했습니다. 세계에서 가장 못사는 전형적인 최빈국 중의 하나였습니다. 그로부터 불과 40여년만에 세계 13위의 GDP를 창출하는 경제로 성장했습니다. 반도체, 자동차, 조선, 철강, 섬유와 같은 제조업은 세계 5위권의 수준에 있습니다. 세계에서 가장 앞섰다고 자부하는 IT 인프라도 갖추고 있습니다.

그러나 최근 우리는 새로운 도전을 맞고 있습니다. 지식·정보·기술혁명이 가속화되고 있습니다. 경쟁의 양상 또한 자본이나 노동보다 국가나 지역이 가지고 있는 종합적인 혁신역량이 경쟁력을 좌우하고 있습니다. 이러한 가운데 선진국과의 격차는 줄어들지 않고, 후발국들은 또한 무섭게 쫓아오고 있는 상황입니다. 특히 중국의 추격이 만만치 않고 많은 사람들이 두려워하고 있습니다. 국민소득도 1995년에 달성한 1만 달러의 덫에서 8년째 헤어나지 못하고 있습니다. 대부분의 선진국들이

1만 달러 달성 이후 5년에서 10년 안에 2만 달러로 도약했다는 사실을 생각할 때 불안하고 안타까운 일이 아닐 수 없습니다. 이제 더 이상 지체할 수가 없습니다. 하루속히 돌파구를 찾아야 합니다. 새롭게 도전해야 합니다.

지금 한국은 국민소득 1만 달러 수준에서 주저앉고 말 것이냐, 아니면 2만 달러 수준의 선진경제로 나아갈 것이냐는 갈림길에 서 있습니다. 참여정부 5년은 한국경제가 제2의 도약을 할 수 있는지 여부를 결정하는 '마지막 기회'가 될 것입니다. '2만 달러 시대'로의 도약은 정치·경제·행정·사회·문화의 모든 영역에서 개혁과 변화가 수반되어야만이 가능하다고 생각합니다. 그동안 우리가 추구해 온 방식과는 다르고 선진국이 수십년 전에 추진했던 2만 달러 전략과도 다른, 새로운 전략이 필요할 것입니다.

그 핵심에 바로 새로운 성장동력의 창출과 발전전략이 놓여 있다고 생각합니다. 5년, 10년 후에 큰 부가가치를 창출할 수 있는 분야를 찾아서 지금부터 경쟁력을 강화하고 성장잠재력을 확충해 나가야 합니다. 차세대 성장동력은 한국 경제에서 절대적인 위치를 차지하고 있는 주력기간산업에 신기술을 접목해서 고도화하는 것으로부터 출발해야 합니다. 경제는 연속적이며, 산업구조는 단기간에 모두가 바뀔 수는 없기 때문입니다.

OECD국가들이 지난 수십년간 가장 많은 흑자를 기록하고 있는 품목도 일반기계류인 것으로 알고 있습니다. 대표적인 전통산업 분야지만 끊임없이 경쟁력을 높여 온 결과입니다. 주력기간산업의 고도화와 함께 신기술산업 분야에서 새로운 성장동력을 아울러 찾아야 합니다. 신기술산업의 발전 없이는 당장 새로운 제품, 새로운 시장, 새로운 일자리를 만드는 것도 어려울 뿐 아니라 미래를 기약하기도 어렵습니다. 더욱이 IT·BT·NT와 같은 신기술 분야는 소수의 앞선 나라가 시장의 대부분을 독점하는 특징이 있습니다. 동시에 지식기반 서비스 산업도 함께 발전시켜 나가야 합니다.

그래서 전통산업과 신산업, 제조업과 지식기반 서비스 산업이 서로 균형있게 선순환 구조로 발전을 하도록 해야 할 것입니다. 지난 3월부터 기업인을 중심으로 각계 전문가들이 참여한 가운데 차세대 성장동력에 대한 연구를 꾸준히 해 왔습니다. 이번 회의를 통해 각계 의견을 수렴해서 종합적인 발전전략을 제시해 주실 것으로 기대하고 있습니다.

앞으로 제시될 차세대 성장동력은 과거와 같이 자본을 싸게 들여오고 임금을 싸게 하는 방식만으로는 어려울 것입니다. 오로지 '혁신'을 통해서 생산성을 높이고 경쟁력을 향상시켜야 가능할 것입니다. 사회 각 부문의 모든 시스템이 혁신 주도형으로 바뀌어야 하는 것입니다. 비능률을 최소화하고 효율을 극대화할 수 있도록 개인은 물론 기업과 정부도 변화해서 국가 혁신 역량을 확충해 나가야 합니다.

어떻게 할 것이냐? 저는 무엇보다도 '인적자원의 확충'이 필요하다고 생각합니다. 차세대 성장동력의 창출은 결국 '혁신'을 선도해 나갈, 우수하고 창의적인 인적자본에 달려 있기 때문입니다. 기업이 필요로 하는 인력이 양성될 수 있도록 교육·훈련 시스템을 개혁해 나가야 합니다. 특히 이공계 교육 시스템을 수요지향적으로 개편하고 이공계 출신자에 대한 우대정책을 지속적으로 펼쳐 나가야 합니다. 아울러 성공적인 산·학 협동 모델을 전국적으로 보급해서 대학 교육과 기업의 수요와의 괴리를 해소해나갈 것입니다. 차세대 성장동력 산업별로 고급 연구개발 인력뿐만 아니라 생산·기능인력을 포함하는 '국가기술인력지도'를 작성해서 체계적인 인력 양성과 활용방안을 마련하도록 하겠습니다. 나아가서 국내 인적자원의 한계를 극복할 수 있도록 해외 우수인력을 유치하기 위한, 보다 효율적인 제도도 강구해 나가고자 합니다.

다음으로 이러한 인재 양성을 바탕으로 한 '기술혁신'입니다. 이 자리에 계신 폴 로머 교수가 지적하신 대로 경제성장은 기술혁신 노력과 혁신 의욕을 고취하는데 달려 있습니다. 기술혁신으로 경쟁력 있는 상품을 만들어 해외에 수출하고, 또한 해외 유수의 기업들이 우리 기술을 보고 찾아오게 해야 할 것입니다. 그것이 자원은 빈약하지만 우수한 인력이 많은 한국 경제의 활로입니다. 제가 '제2의 과학기술입국'을 강조하고 있는 것도 바로 이 때문입니다.

그동안 기술개발 투자를 꾸준히 확대해온 결과 양적으로는 세계 8위 수준에 이르렀지만 기술개발의 생산성은 아직 선진국과 상당한 격차가 있습니다. 무엇보다도 연구개발 투자의 효율성을 더욱 높여 나가야 합니다. 국가연구개발체계를 성과 중심으로 개편해서 기술혁신을 추진하는 기업에게 더 많은 혜택이 돌아갈 수 있도록 해야 할 것입니다. 또한 우수한 인력이 모여 있는 연구소와 대학이 기업과 연계되어 '윈-윈'할 수 있도록 국가 연구개발을 산·학 협력과제 중심으로 추진해 나가고자 합니다.

그러나 이 모든 것은 정부의 노력만으로 해서는 안 됩니다. 경제계의 적극적인 동참이 있을 때 가능할 것입니다. 기업의 '경제하려는 의지', 즉 기업가 정신이 발현될 수 있는 환경조성이 중요합니다. 기업이 투자를 촉진할 수 있도록 불필요한 규제는 과감히 철폐하고 기업 환경을 글로벌 스탠더드에 맞게 개선해나갈 것입니다. 무엇보다도 원칙과 신뢰에 기반한 노사관계의 정착을 위해서 정성과 노력을 아끼지 않을 것입니다. 이와 함께 공정하고 투명한 경제 시스템을 만드는, 시장개혁의 노력도 지속적으로 추진해 나가겠습니다.

차세대 성장동력의 발전은 적극적인 국제협력을 통해서 이루어질 수 있습니다. 한국의 산업도 글로벌 혁신 네트워크의 일원으로서 발전해 나가야 합니다. 외국의 우수한 기업과 자본, 인력과 기술을 적극 유치해서 우리 경제의 체질을 개선하고, 차세대 성장동력을 발전시키는 중요한 에너지원이 되도록 해야겠습니다. 기술 선진국과의 공동연구를 촉진하고 국제기술협력을 획기적으로 확충해나가겠습니다.

존경하는 참석자 여러분,

저는 앞으로 '2만 달러 비전' 달성을 위한 핵심전략으로서 차세대 성장동력의 창출에 국가적 역량을 집중하고자 합니다.

참여정부가 목표하고 있는 국정과제와 개혁과제들도 '2만 달러 시대'를 향한 차세대의 성장동력 창출에 맞추어서 다시 점검해 나가겠습니다. 이것은 과거처럼 정부가 주도적으로 특정산업을 선정하고 지원하려는 것이 아닙니다. 차세대 성장동력의 주체는 어디까지나 민간기업입니다. 기업이 먼저 비전을 제시하고, 산·학·연·관이 기업의 비전을 공유하면서 이를 실현할 수 있도록 역할분담을 해나가야 할 것입니다. 또한 성장만이 목표도 아닙니다. 성장도 결국은 국민의 삶의 질 향상을 위해서 하는 것입니다. 존 나이스빗 교수가 언급한 결국 'high-tech, high-touch', 즉 '기술혁신과 인간성간의 조화'가 이루어지도록 해야 할 것입니다.

참석자 여러분, 저는 이번 회의가 한국의 차세대 성장동력에 대한 로드맵을 그리고, 국가적 공감대를 확산하는 계기가 되기를 바랍니다. 미래를 예견하고 대안을 제시하는 데 높은 식견을 가진 세계적인 석학 여러분들이 모이신 만큼 많은 제안과 조언이 있을 것으로 기대합니다.

이번 회의의 큰 성과를 기대하면서 여러분 모두의 건강과 행복을 기원합니다. 그리고 저는 정치인으로서 혁신 주도형 정치를 끊임없이 추구해 가겠다는 약속을 여러분께 드리면서 말씀을 마치도록 하겠습니다.

감사합니다.

# 클라크 뉴질랜드 총리를 위한 오찬사

2003년 7월 25일

존경하는 헬렌 클라크 총리 각하, 그리고 자리를 함께 하신 내외귀빈 여러분,

오늘 우리는 평화와 풍요의 나라, 뉴질랜드의 번영을 이끌고 계신 세계적인 여성지도자를 이 자리에 모셨습니다. 헬렌 클라크 총리 각하와 일행 여러분을 진심으로 환영합니다. 각하께서는 한국을 네 번이나 방문하시면서 각별한 관심과 애정을 보여주셨습니다. 오전에 가진 정상회담에서도 진지하고 적극적으로 임해 주셨습니다. 깊은 감사의 말씀을 드립니다. 우리 두 정상의 만남을 통해서 한국과 뉴질랜드의 우호와 협력이 한차원 높게 발전하게 된 것을 매우 만족스럽게 생각합니다.

총리 각하,

뉴질랜드는 선구적이고 모범적인 민주·복지국가로서 이름이 높

습니다. 세계 최초로 여성 참정권을 정착시켰으며, 계층간 차별이 없고 소득격차도 가장 적은 평등사회를 구현해왔습니다. 특히 각하께서는 1999년 취임 이래 뉴질랜드 경제의 안정적인 성장을 주도해 오셨습니다. '혁신을 통한 성장'과 '재분배에 의한 불평등 해소'라는 각하의 경제정책은 이미 큰 성과를 거두고 있습니다. 지난해와 같은 세계 경기의 침체 속에서도 4.4%의 높은 성장과 함께 최근 15년이래 가장 안정적인 고용수준을 유지한 것입니다.

총리 각하의 강력하고 탁월한 지도력에 아낌없는 찬사와 경의를 표합니다. 앞으로도 뉴질랜드의 번영은 물론 아시아·태평양 지역의 평화와 공동번영을 위해서도 더욱 큰 업적을 남기실 것으로 확신합니다.

총리 각하,

모레 27일은 6·25 전쟁의 총성이 멎은 지 50주년이 되는 날입니다. 지금까지 뉴질랜드 국민들은 자유와 평화를 위한 국제사회의 요청이 있을 때마다 능동적 역할을 회피하지 않았습니다. 6·25 참전을 비롯해서 제1, 2차 세계대전에서부터 동티모르 평화유지 활동에 이르기까지 적극 참여하고 공헌해 왔습니다. 우리는 자유와 민주주의를 위해서 함께 피를 흘렸던 뉴질랜드 국민들의 용기와 희생을 영원히 잊지 않을 것입니다.

각하께서는 이번 정전협정 50주년 기념행사에 참석하실 때 특별히 청소년 대표들을 동반하신다고 들었습니다. 자라나는 세대에게 자유와 평화의 소중함을 일깨워 주고, 양국의 각별한 우의를 직접 체험케 하는 귀중한 기회가 될 것으로 믿습니다.

우리 두 나라의 전통적인 우호관계는 외교와 경제, 사회, 문화 등 모든 분야에서 명실상부한 동반자적 협력관계로 발전하고 있습니다. 한국은 뉴질랜드에게 여섯 번째로 큰 수출시장이며, 양국의 교역규모도 꾸준히 늘어나고 있습니다. 특히 인적교류는 매우 빠른 속도로 확대되고 있습니다. 매년 10만명이 넘는 한국민들이 뉴질랜드를 방문합니다. 또 뉴질랜드에는 1만 5천명의 유학생을 포함해서 3만 3천여명의 우리 동포들이 거주하고 있습니다. 이것은 불과 10여년 동안에 30배가 늘어난 숫자입니다.

그러나 양국의 경제규모와 상호보완적인 경제구조에 비추어 볼 때 양국간 교역은 확대 균형의 방향으로 더욱 증대되어야 할 것입니다. 최근 뉴질랜드가 중점적으로 육성하고 있는 IT와 생명공학, 영상산업과 같은 첨단 분야에서도 호혜적인 협력을 강화해 나가야 하겠습니다. 아시아·태평양 지역의 공동번영을 위한 양국의 협력과 선도적인 역할 역시 더한층 발전시켜 나가기를 희망합니다.

총리 각하, 그리고 내외귀빈 여러분,

지금 한국은 '평화번영 정책'을 추진하고 있습니다. 한반도에 평화를 정착시키고, 동북아시아에 평화와 번영의 시대를 열어가고자 하는 것입니다. 북한의 핵문제도 대화를 통해서 평화적으로 해결해 나갈 것입니다. 그동안 적극 협력해 주신 각하와 뉴질랜드 정부에게 깊이 감사드리면서 변함없는 성원과 협력을 부탁드립니다.

내일 방문하시는 부산에서도 뜻깊고 보람있는 일정이 되시기를 바라며 총리 각하의 건강과 성공적인 방한일정을 위해서, 그리고 뉴질랜드의 무궁한 번영과 우리 두 나라 국민의 영원한 우의를 위해서 축배를 제의합니다.

감사합니다.

# 정전협정 50주년 기념식 연설

2003년 7월 27일

존경하는 6·25 참전용사 여러분, 그리고 헬렌 클라크 뉴질랜드 총리를 비롯한 내외귀빈 여러분,

오늘은 6·25 전쟁의 총성이 멎은 지 50주년이 되는 날입니다. 먼저 조국을 위해서 생명을 바치신 호국영령들의 거룩한 희생을 기리며 명복을 빕니다. 아울러 대한민국의 자유와 평화를 위해 산화하신 유엔군 전몰용사들의 영전에 충심으로 경의를 표합니다. 21개 참전국에서 오신 대표단과 참전용사 여러분께도 각별한 환영과 감사의 인사를 드립니다.

참전용사와 내외귀빈 여러분,

6·25는 우리 모두에게 결코 잊혀질 수 없는 전쟁입니다. 3년 1개월 2일 동안 무려 400만명이 목숨을 잃었습니다. 한반도 전체가 잿더미로 변했고, 1천만 이산가족의 슬픔과 고통은 반세기가 지난 오늘까지도 그

치지 않고 있습니다. 이 뼈아픈 역사의 교훈을 우리가 어찌 잊을 수 있겠습니까. 피땀으로 지켜낸 자유와 민주주의, 그리고 평화의 소중함을 어찌 한시라도 망각할 수 있겠습니까.

우리는 이 엄청난 비극이 다시는 되풀이되지 않도록 다짐하기 위해서 이 자리에 모였습니다. 오늘 제막되는 기념 조형물은 자유와 평화를 확고히 지켜 나가겠다는 우리 모두의 단호한 의지를 상징하고 있습니다. 20만 전몰용사들에 대한 추모와 존경의 마음, 그리고 세계 평화와 인류의 화합을 향한 간절한 염원이 담겨 있습니다. 평화를 위한 우리의 결의는 조금도 늦추어질 수 없습니다. 갈등과 분쟁의 역사를 마감하고 화해와 통합의 새로운 역사를 써 나가야 합니다. 이것만이 전몰용사들의 희생을 헛되지 않게 하는 유일한 길이라고 확신합니다.

존경하는 21개국 참전용사 여러분,

그동안 우리 한국민들은 여러분의 헌신과 기대에 부응하기 위해서 최선을 다해 노력해왔습니다. 대한민국은 전쟁의 폐허를 딛고 일어나 세계 12위권의 경제강국으로 성장했습니다. 남북분단이라는 악조건 속에서도 평화와 안정을 유지하며, 성숙하고 역동적인 민주주의를 뿌리내리고 있습니다. 지금 한국은 유엔의 평화유지 활동에도 적극 참여하고 있습니다. 도움을 받던 나라에서 이제 도움을 주는 나라, 세계 평화에 기여하는 나라가 된 것입니다. 참전용사 여러분의 헌신이 없었다면 이처럼 자랑스러운 대한민국의 모습은 실현되지 못했을 것입니다. 이 자리를 빌려 여러분 모두에게 다시 한번 깊은 감사의 말씀을 드립니다.

참전용사 여러분, 그리고 내외 귀빈 여러분,

평화는 의지만으로 지켜질 수 없습니다. 평화를 지키기 위한 힘이 뒷받침되어야 합니다. 지금 대한민국은 어느 때보다 확고한 안보태세를 갖추고 있습니다. 한·미 동맹을 비롯한 우방들과의 협조도 공고하게 유지되고 있습니다. 우리는 지금 '평화번영 정책'을 추진하고 있습니다. 한반도에 평화를 정착시키고, 나아가 동북아시아 전체에 평화와 번영의 시대를 열어가고자 하는 것입니다. 이를 위한 국가간 협력을 강화해 나가고 있습니다.

가장 시급한 당면과제는 북한의 핵문제입니다. 이 문제는 반드시 대화를 통해서 평화적으로 해결되어야 합니다. 한국 정부는 북핵 문제를 평화적으로 해결해 나가기 위해서 관련국들과 함께 다각적인 노력을 기울이고 있습니다. 국제사회도 이를 적극 지지하고 있습니다. 북한은 하루속히 대화의 장으로 나와야 합니다. 핵을 포기하고 평화와 공생의 길을 선택할 것을 강력히 촉구합니다. 북한이 그 길을 선택할 때 우리와 국제사회는 필요한 모든 지원을 아끼지 않을 것입니다.

존경하는 참전용사 여러분,

저와 우리 국민은 여러분을 영원히 잊지 않을 것입니다. 더욱더 최선을 다해서 여러분의 기대와 성원에 보답해 나갈 것입니다. 앞으로도 변함없는 관심과 애정을 부탁드립니다. 21개 참전국의 모든 국민들에게 평화와 우정의 인사를 전해 드리면서 여러분의 건승과 행복을 기원합니다.

감사합니다.

# 한국전 정전협정 50주년 기념식 메시지

2003년 7월 27일

존경하는 참전용사 여러분, 그리고 미국 국민 여러분,

오늘 미국 워싱턴에서 열리는 '한국전 정전협정 50주년 기념식'을 맞아 참전용사와 미국 국민 여러분께 깊은 감사의 인사를 드립니다. 자유와 평화, 민주주의와 정의를 위해 목숨을 바치신 미합중국 전몰용사들의 희생과 업적을 기리며 경의를 표합니다.

한국전쟁은 결코 잊혀진 전쟁이 될 수 없습니다. 당시 우리는 공산 전체주의가 한국을 무력으로 공산화하고 세계로 확산해 나가려는 기도를 단호히 물리쳤습니다. 막대한 희생을 치르면서도 대한민국과 미합중국, 그리고 자유세계가 공유해온 가치와 신념을 끝내 지켜냈습니다. 참전용사 여러분의 헌신과 희생, 또한 미국민들의 위대한 용기는 오늘날 우리가 함께 누리고 있는 자유와 평화의 토대를 이루었습니다. 이 어찌 잊혀질 수 있겠습니까.

피로써 맺은 한·미 동맹은 그 후 50년 동안 한국의 안보는 물론 동북아시아의 평화와 안정을 굳건히 지켜왔습니다. 저와 부시 대통령은 지난 5월의 정상회담에서 이러한 한·미 동맹관계를 더욱 공고하게 발전시켜 나가기로 합의했습니다. 그때 저는 한국전 참전용사들의 큰 자부심과 한국에 대한 변함없는 애정을 거듭 확인하며 깊은 감명을 받았습니다.

여러분의 피와 땀, 여러분의 우정과 신뢰는 결코 헛되지 않았습니다. 세계에서 가장 가난한 나라 가운데 하나였던 한국은 전쟁의 폐허를 딛고 세계 12위의 경제강국으로 성장했습니다. 성숙하고 역동적인 민주주의를 뿌리내리고 이제 미국과 함께 세계평화와 공동번영에 이바지하고 있습니다.

저와 우리 국민은 한반도에 항구적인 평화를 정착시키기 위해 더욱 노력할 것입니다. 최선을 다해서 동북아시아에 평화와 번영의 21세기를 실현해 나갈 것입니다. 오늘의 기념식이 자유와 평화를 향한 우리 모두의 의지를 다시 한번 확인하고, 확고한 한·미 동맹과 양 국민간 우호협력의 영원한 발전을 다짐하는 뜻깊은 계기가 되기를 바랍니다.

여러분의 건강과 행복을 기원합니다.

감사합니다.

# 남도대교 준공 기념 영호남 한마당큰잔치 축하 메시지

2003년 7월 29일

존경하는 전라남도와 경상남도 도민 여러분,

안녕하십니까? 남도대교의 개통을 진심으로 축하드립니다. 지난 3년 동안 밤낮으로 애써 주신 공사관계자들과 주민 여러분께 깊이 감사드립니다. 이번에 개통되는 남도대교는 여러 가지 의미가 담겨있는 다리입니다. 우선 이 공사를 위해서 경상남도와 전라남도가 힘과 뜻을 모았고 사업비도 공동으로 부담했습니다. 그런 점에서 남도대교는 영호남 '화합의 다리'라고 할 것입니다. 또한 이 다리를 통해서 두 지역간 물류비가 절감되고 지역 경제가 더욱 활성화 될 것으로 기대됩니다. 따라서 남도대교는 영호남이 함께 해나갈 '번영의 다리'입니다.

지금 우리는 '2만 달러 시대'를 열어가는 출발점에 서 있습니다. 2만 달러 시대는 단순히 국민소득을 두 배로 늘리자는 것이 아닙니다. 삶의 질을 한 단계 높이고 우리의 의식과 문화도 달라져야 한다는 것을 의미합니다. 지역주의와 같은 낡은 생각에 발목이 잡혀서는 진정한 2만 달러 시대를 기대할 수 없습니다. 남도대교의 개통으로 갈라졌던 마음이 이어지고, 협력과 통합의 큰길을 열어나가는 뜻깊은 계기가 되기를 진심으로 바랍니다. 남도대교의 개통을 거듭 축하드리면서 전라남도와 경상남도의 무궁한 발전과 도민 여러분의 건승을 기원합니다.

감사합니다.

# 한국학 학술대회 개막식 축하 메시지

2003년 7월 30일

여러분, 안녕하십니까?

오늘 '한국학 학술대회'의 개막을 진심으로 축하드립니다. 아울러 어려운 여건 속에서도 재외동포들의 교육을 위해 힘써 오신 선생님 여러분을 마음으로부터 환영합니다. 여러분의 노고에 대해서 각별한 감사의 말씀을 드립니다. 최근에 저는 미국과 일본, 그리고 중국을 방문했습니다. 가는 곳마다 많은 동포들이 나와서 반갑게 맞이해 주셨습니다. 저는 그분들이 멀리 타향에서 조국을 잊지 않고 열심히 살아가시는 모습을 보면서 깊은 감동과 함께 뿌듯한 자부심을 느꼈습니다.

600만 재외동포는 우리 민족의 힘이요, 자산입니다. 세계 곳곳에서 대한민국의 위상을 높이고 있을 뿐만 아니라 경제적으로도 큰 역할을 하고 있습니다. 이미 재외동포사회는 국내 총생산의 4분의 1에 이를 만큼 거대한 경제권을 형성하고 있습니다. 전 세계 '한민족 네트워크'의 중요성이 갈수록 커지고 있는 것입니다.

우리말과 우리글은 이러한 재외동포사회를 하나로 묶어 주는 가장 중요한 구심점입니다. 민족의 얼과 자부심은 바로 언어와 문화 속에 담겨 있기 때문입니다. 그만큼 여러분이 하시는 일은 참으로 귀하고 뜻깊습니다. 여러분의 땀과 정성으로 600만 재외동포가 더욱 단합하고 동북아 시대의 중심, 자랑스런 대한민국을 이룩해 나가는 데 모두 동참하게 되기를 진심으로 바랍니다.

여러분 모두의 건승과 행복을 기원하면서 이번 행사에서 큰 성과를 거두시기를 기대합니다.

감사합니다.

# 第22회 대구하계유니버시아드 서포터스 합동발대식 축하 메시지

2003년 7월 30일

존경하는 대구 시민과 경북도민 여러분, 그리고 2만 5천여 대구시민 서포터즈 여러분,

안녕하십니까? 전 세계 젊은이들의 축제, 대구유니버시아드대회가 22일 앞으로 다가왔습니다. 그동안 열과 성을 다해서 준비해 오신 시민 여러분과 도민 여러분께 진심으로 감사드립니다. 특히 오늘 발대식을 갖는 대구시민 서포터즈 여러분 모두에게 각별한 축하와 감사의 말씀을 드립니다. 이번 대구유니버시아드대회의 주제는 '하나가 되는 꿈'입니다. 세계 170여개국에서 모인 1만여명의 젊은이들이 국경을 초월하고 마음의 벽을 뛰어넘어서 우정과 화합을 다지게 됩니다.

이 자리에는 북한의 젊은이들도 함께합니다. 한반도에 평화를 정착시키고 동북아의 평화와 번영의 시대를 열어가고자 하는 우리의 의지를

전 세계에 보여줄 수 있는 뜻깊은 기회가 될 것으로 생각합니다. 이번 대회를 통해서 대구는 '평화와 화합의 도시', 그리고 '성장과 도약의 도시'로 세계인들의 기억 속에 새겨질 것입니다.

무엇보다 중요한 것은 시민 여러분의 자발적이고 적극적인 참여입니다. 모두가 한마음 한뜻으로 굳게 뭉쳐서 대구의 저력을 보여 줍시다. 대한민국의 저력을 보여줍시다! 저와 정부도 최선을 다해서 돕겠습니다. 대구유니버시아드대회의 큰 성공을 확신하면서 여러분의 건승을 기원합니다.

감사합니다.

# 8월

# 우주센터 기공식 축하 메시지

2003년 8월 8일

안녕하십니까?

오늘 우리는 우주기술 자립을 이루기 위한 큰 걸음을 내딛습니다. 우주로 향하는 우리의 꿈을 실현할 우주센터의 착공을 온 국민과 함께 기쁘게 생각합니다. 우리는 지난 1990년대 초부터 우주 개척을 위한 발걸음을 한발 한발 내디뎌 왔습니다. '우리별 위성'과 '아리랑 위성', 그리고 '과학로켓'의 개발이 바로 그것입니다. 그리고 오늘 국가 우주개발의 전초기지가 될 우주센터가 역사적인 첫 삽을 뜹니다.

이제 우주시대는 먼 나라 얘기도, 머나먼 꿈도 아닙니다. 우리는 2015년까지 스무 기의 위성을 자력으로 개발하고, 세계 10위권의 우주 산업 선진국으로 진입하게 될 것입니다. 이곳 우주센터에서 조립한 인공위성이 우리가 개발한 로켓에 실려 발사되는 그날, 우주를 향한 우리의 꿈은 성큼 현실로 다가올 것입니다. 참여정부는 '제2의 과학기술입국'을 최우선 국정과제로 추진하고 있습니다. 우주기술은 과학기술입국을 앞당기는 핵심 전략기술입니다. 그런 점에서 오늘 우주센터의 기공에는 과학기술입국을 향한 우리의 의지가 담겨 있습니다. 여러분 모두 과학기술입국의 선봉장, 대한민국 우주개발의 개척자라는 사명감으로 우주센터의 성공적인 건설에 최선을 다해주시기 바랍니다.

감사합니다.

# 2003 서울 국제만화 · 애니메이션페스티벌 축하 메시지

2003년 8월 12일

여러분, 안녕하십니까?

2003년 '서울국제만화·애니메이션 페스티벌(SICAF)'의 개막을 진심으로 축하드립니다. 그동안 어려운 여건 속에서도 만화와 애니메이션 산업의 발전을 위해서 노력해 오신 관계자 여러분께 감사드립니다. 이번 행사를 위해서 애써 주신 분들께도 깊은 감사의 말씀을 드립니다.

21세기는 문화의 세기입니다. 개인의 성공과 나라의 운명이 문화적 역량과 창의력에 의해서 좌우됩니다. 문화산업이 거대한 시장으로 떠오르면서 문화콘텐츠의 중요성도 커지고 있습니다. 우리가 만화와 애니메이션 산업에 큰 관심을 갖는 것도 바로 이러한 이유 때문입니다.

만화와 애니메이션은 어린이들에게 꿈과 희망을, 어른들에게는 동심과 추억을 가져다주는 매력적인 문화 콘텐츠입니다. 최근 들어 높은 성장잠재력을 지닌 고부가가치 문화산업으로서 더욱 각광받고 있습니다. 만화와 애니메이션 산업을 '2만 달러 시대'를 향한 핵심 분야로 성장시켜 나가야 할 것입니다. 올해로 일곱 번째를 맞는 '시카프(SICAF)'는 국내 만화·애니메이션에 대한 관심을 높이고, 해외 진출에도 큰 역할을 해왔습니다. 오늘 행사가 만화 애니메이션 강국, 대한민국으로 도약하는 계기가 되기를 기대합니다.

여러분 모두의 건승을 기원합니다.

감사합니다.

# 2003 경주세계문화엑스포 개막식 연설

2003년 8월 13일

존경하는 경주 시민과 경북 도민 여러분, 세계 각국에서 오신 참가자 여러분, 그리고 자리를 함께 하신 내외 귀빈 여러분,

세계인의 문화 축제 '경주 세계 문화엑스포'의 개막을 진심으로 축하합니다. 한국을 찾아 주신 각국의 문화예술인과 관람객 여러분을 국민과 함께 환영합니다. 특별히 이의근 지사님를 비롯한 경북 도민 여러분, 경주시민 여러분, 그리고 모든 행사 관계자들께 각별한 치하의 말씀을 드립니다. 그동안 정말 수고 많으셨습니다.

이곳 경주는 세계적인 문화와 역사의 도시입니다. 대한민국만의 자랑이 아니라 60억 인류 모두의 소중한 자산입니다. 돌멩이 하나, 이끼 한 줌에도 찬란했던 1천년의 신라문화와 신라인들의 예술혼이 살아 숨쉬고 있습니다. 유네스코는 이미 이 일대를 인류문화유산으로 지정한 바

있습니다. 이렇게 유서 깊은 곳에서 우리는 세계 최초이자 단 하나밖에 없는 문화 박람회를 열고 있습니다. 경주만이 해낼 수 있는 참으로 값지고 뜻깊은 일이 아닐 수 없습니다. 세 번째를 맞는 올해 행사도 온 국민과 세계인들의 참여 속에 큰 성공을 거둘 것으로 확신합니다.

친애하는 문화예술인 여러분,

그리고 내외귀빈 여러분,

21세기는'문화의 세기'입니다. 지식과 문화창조력이 국가경쟁력을 좌우하고, 문화강국이 곧 경제강국이 되는 시대입니다. 우리에게는 '문화의 세기'를 선도해갈 수 있는 수준 높은 문화적 전통이 있습니다. 무려 5천년 동안 민족과 문화의 정체성을 유지해온 것만으로도 우리 문화와 문화창조력의 우수성을 입증하기에 충분합니다.

'지식문화 강국' 실현은 참여정부의 핵심 국정과제입니다. 이제 우리는 우리의 문화적 저력을 국가발전의 동력으로 승화시켜 나가려고 합니다. 선조들이 물려주신 유형·무형의 문화적 유산들을 오늘날 높은 부가가치를 창출할 수 있는 훌륭한 자산으로 발전시키려고 합니다. 관광산업은 물론 여러 가지 문화콘텐츠 산업으로 연계시켜 나갈 것입니다. 이번 엑스포 행사가 그 좋은 본보기가 되고 있습니다.

정부는 문화와 문화산업의 발전을 위해서 집중적인 노력을 기울여 나갈 것입니다. 영상과 음반, 애니메이션, 게임을 비롯한 문화산업이 세계적인 경쟁력을 갖추도록 할 것입니다. 우리가 목표하고 있는 2만 달러 시대의 중요한 성장동력으로 발전시켜 나가겠습니다. 문화산업의 토대가 되는 순수예술과 전통문화도 발전시켜 나가겠습니다. 이를 위해서 최선의 지원을 다하겠습니다. 이러한 노력을 바탕으로 앞으로 5년 이내에 '세계 5대 문화산업 강국', 그리고 '외국인 관광객 1천만명 시대'를 실현해 나가도록 하겠습니다.

존경하는 경북도민 여러분, 그리고 세계 각국에서 오신 참가자 여러분,

이번 행사의 주제는 '천마의 꿈'입니다. 그 옛날 신라인들이 삼국통일을 꿈꾸었고, 마침내 그 꿈을 이뤄냈습니다. 오늘의 우리에게도 꿈이 있습니다. 그것은 대립과 갈등의 역사를 마감하고 평화와 번영의 시대를 열어 가는 것입니다. 한반도에 평화를 정착시키고, 나아가 동북아시아 전체에 통합과 협력의 새 질서를 주도해 나가자는 것입니다. 바로 지구촌의 평화, 그리고 인류의 화합과 번영에 기여하는 대한민국이 제 꿈입니다.

이번 축제를 통해서 이러한 꿈과 희망의 메시지가 지구촌 구석구석까지 퍼져 나가기를 기대합니다. 아울러 다음주에 이곳 대구·경북 지역에서 열리는 유니버시아드 대회에도 여러분께서 적극 동참해 주시고 성원해 주실 것을 부탁드립니다. 다시 한번 '경주세계문화엑스포'의 개막을 축하드리면서 여러분 모두의 건강과 행복을 기원합니다.

감사합니다.

# 제58주년 광복절 경축사

2003년 8월 15일

존경하는 국민 여러분, 그리고 해외동포 여러분,

오늘은 참으로 뜻깊은 날입니다. 58년 전 오늘 우리의 아버지 어머니들은 일본 제국주의의 압제에서 해방되었습니다. 빼앗겼던 나라와 자유를 되찾았습니다. 그로부터 3년 후에는 민주공화국을 세웠습니다. 국민이 주인이 되는 나라를 건설한 것입니다. 그리고 지금 우리는 이러한 해방과 건국의 역사 위에서 자유를 누리며 새로운 미래를 준비하고 있습니다. 참으로 감격스러운 일이 아닐 수 없습니다.

우리 국민들은 자자손손 영원히 이 날을 기억하고 기념할 것입니다. 당시 간교하고 무자비한 탄압에 온 세상이 숨을 죽였고, 믿었던 동지들마저 엄청난 무력과 경제력에 놀라 희망을 버리고 일제에 빌붙어 버렸습니다. 그런 절망적인 상황에서도 오로지 역사와 대의에 대한 믿음하나로 목숨을 바쳐 싸워 오신 애국 선열들의 숭고한 헌신을 우리는 영원히 잊지 않을 것입니다.

나라를 사랑하는 국민 여러분,

국민 여러분은 단지 오늘을 기념만 하고 넘어가지는 않을 것입니다. 우리가 어쩌다가 나라를 잃는 부끄러운 일을 당하게 되었는지, 또다시 그러한 부끄러운 역사가 되풀이되지는 않을 것인지, 어떻게 해야 후손들에게 불행한 역사를 물려주지 않을 것인지, 노여움과 원망과 부끄러움이 뒤엉킨 가슴으로 새로운 다짐을 하고 계실 것입니다.

불과 100여년 전만 해도 우리는 나라를 지켜낼 군대도, 군대를 키울 경제력도 없었습니다. 급변하는 세계 질서를 읽어내고 새로운 질서에 대처할 방도를 세울만한 지혜도, 국민의 뜻과 힘을 하나로 모을 역량도 없었습니다. 그러나 지금은 다릅니다. 우리는 온 세계가 놀랄 만한 경제적 성공을 이루어 냈습니다. 이제 정보화 시대의 선두주자로 세계의 주목을 받고 있습니다. 민주주의의 발전에도 온 세계가 찬사를 보내고 있습니다. 튼튼한 경제와 민주주의를 바탕으로 충성스럽고 강한 국군이 나라를 지키고 있습니다.

저는 미·일·중 3국을 방문하고 돌아오면서 우리나라의 위상을 새삼 확인했습니다. 세 나라 모두로부터 저는 정중한 예우를 받았습니다. 그리고 우리 국민들의 뜻이 동북아 질서에 중대한 영향력을 행사하고 있다는 사실을 거듭 확인했습니다. 억압과 수탈로 자주적 발전의 기회를 박탈당했던 식민지 역사와 분단의 아픔, 그리고 동족상잔의 전쟁을 딛고 일어서 나라를 여기까지 발전시켜 온 국민 여러분께 진심으로 존경과 찬사를 올립니다.

존경하는 국민 여러분,

이제 다함께 다짐합시다. 다시는 그 치욕의 역사를 되풀이하지 않도록 합시다. 자라나는 우리 아이들은 보다 넉넉하고 안정된 세상에서 제 나라와 역사를 자랑스럽게 여기고 저마다의 꿈을 자유롭게 펼치면서 당당하게 세계 질서에 참여하고 주도하는 국민으로 살게 합시다.

경제와 안보를 보다 튼튼하게 다져야 합니다. 분단을 극복하고 한반도와 동북아시아에 평화와 번영의 질서가 자리잡게 해야 합니다. 결코 쉬운 일은 아닙니다. 먼저 국민이 하나가 되어야 합니다. 그러자면 민주주의를 더욱 발전시켜 대화와 타협의 문화를 뿌리내려야 합니다. 국민 모두가 존중하고 가꾸어야 할 원칙과 대의명분을 뚜렷하게 세워나가야 합니다.

경제의 성공이 중요합니다. 경제의 성공 없이는 다른 성공도 어렵습니다. 앞으로 10년 이내에 국민소득 2만 달러 시대로 들어가야 합니다. 이미 여러 차례 말씀드린 대로 정부는 기술혁신과 인재양성, 시장개혁과 사회문화의 개혁, 그리고 동북아 시대와 지방화 시대를 경쟁력 강화 전략으로 채택하고 실천에 박차를 가하고 있습니다.

민생을 안정시키고 장기적인 성장잠재력을 높이기 위해서 주택가격을 비롯한 부동산 안정정책은 지속적으로 추진해 나갈 것입니다. 선진 노사문화의 정착을 위한 대책도 곧 내놓겠습니다. 노사간의 갈등과 대립이 우리 경제의 발목을 잡는 일은 없도록 하겠습니다. 개방은 돌이킬 수 없는 대세입니다. 자유무역협정도 적극적으로 추진해 나갈 것입니다. 개방으로 인한 농민들의 피해에 대해서도 근본적인 대책을 세우고 있습니다. 교육도 경쟁력을 뒷받침할 수 있도록 개혁해 나갈 것입니다.

저는 이러한 정책들을 임기 내내 일관되게 추진해 나갈 것입니다. 결코 일시적인 인기에 연연하지 않을 것입니다. 그렇게 하면 임기 내에 2만 달러 시대의 토대를 마련할 수 있을 것이고 임기 후에는 우리 경제가 더 빠른 속도로 성장할 것이라고 확신합니다.

중국이 빠르게 성장하고 있습니다. 그러나 두려워할 일만은 아닙니다. 우리도 열심히 뛰고 있습니다. 북핵 문제가 풀리면 남북간에 평화와 협력의 물꼬가 트일 것이고, 이어서 동북아 시대가 열릴 것입니다. 동북아 시대가 열리면 중국의 발전은 우리 경제가 한 단계 도약할 수 있는 좋은 기회를 제공할 것입니다. 우리 하기에 달려 있습니다.

당장의 어려움도 잘 알고 있습니다. 청년실업이 늘고, 신용불량자가 300만명을 넘어섰습니다. 더욱이 생활고를 이기지 못한 사람들의 안타까운 죽음을 접할 때는 참으로 가슴이 아프고 송구스럽기 그지없습니다. 그러나 이 어려움도 곧 넘어 설 것입니다. 그동안 정부는 경제 시스템이 무너지거나 성장잠재력이 손상되지 않도록 최선을 다해 대처해 왔습니다.

이제는 이들 고통받는 분들을 위한 대책을 마련하고 있습니다. 경제가 회복되는 대로 빈부격차를 줄이고, 의지할 데 없이 죽음으로까지 내몰리는 사람들이 없도록 사회안전망을 다시 정비하겠습니다. 산·학·연 협동 프로그램을 대폭 확충해서 청년실업에 대한 항구적인 대책도 세우고 있습니다.

존경하는 국민 여러분,

주한미군 문제를 놓고 국민들간의 의견이 갈리고 있습니다. 한쪽에서는 주한미군의 일부가 축소되거나 배치만 바꾸어도 나라의 안보가 위태로워진다며 재배치를 반대합니다. 일부이지만 다른 한 쪽에서는 주한미군이 나라의 자주권을 침해한다며 철수를 주장합니다. 국민들간에 서로 승복하지 않는 대립이 계속되지 않을까 우려됩니다. 양쪽 모두 지난날 이념적 대결시대의 논리에 매몰되어 역사와 현실을 냉정하게 보지 못하고 있는 것이 아닌가 하는 걱정을 지울 수 없습니다.

6·25전쟁에서 미군은 수많은 젊은이들의 목숨을 바쳐 우리의 자유를 지켜주었고, 오늘날까지 이 땅의 자유와 평화를 지키고 있습니다. 앞으로도 동북아의 평화와 안정을 유지하는 데 기여할 것입니다. 그리고 우리는 그 평화의 토대 위에서 오늘의 성공을 이루어 왔고 앞으로도 그렇게 할 것입니다.

그러나 그렇다고 해서 우리의 안보를 언제까지나 주한미군에 의존하려는 생각도 옳지 않습니다. 자주독립국가는 스스로의 국방력으로 나라를 지킬 수 있어야 합니다. 우리 국군은 6·25전쟁을 거친 이후 꾸준히 성장하여 능히 나라를 지킬만한 규모를 갖추고 있습니다. 그럼에도 아직 독자적인 작전 수행의 능력과 권한을 갖지 못하고 있습니다.

미국의 안보전략도 수시로 바뀌고 있습니다. 미국의 전략이 바뀔 때마다 국방정책이 흔들리고 국론이 소용돌이치는 혼란을 반복할 일이 아닙니다. 대책없이 미군철수 반대만 외친다고 될 일도 아닙니다. 이제 현실의 변화를 받아들일 때가 되었습니다. 저는 저의 임기동안, 앞으로

10년 이내에 우리 군이 자주국방의 역량을 갖출 수 있는 토대를 마련하고자 합니다. 이를 위해 정보와 작전기획 능력을 보강하고, 군비와 국방체계도 그에 맞게 재편해 나갈 것입니다.

주한미군의 실질적인 전력이 약화되지 않는 것을 전제로 부대의 재조정도 수용하려고 합니다. '용산기지'는 가능한 최단시일 안에 이전하도록 할 것입니다. 주한미군 제2사단의 재배치 등 전반적인 재조정은 북한 핵문제와 한반도 안보상황에 맞추어서 그 시기를 조절해 시행하도록 부시 미국 대통령과 협의하겠습니다. 정부가 수립된 지 55년이 되었습니다. 세계 12위의 경제력도 갖추었습니다. 이제 스스로의 책임으로 나라를 지킬 때가 되었습니다.

존경하는 국민 여러분,

우리가 자주국방을 하더라도 한·미동맹 관계는 더욱 단단하게 다져나가야 합니다. 세계 대부분의 나라들이 상호동맹 또는 집단안보동맹으로 평화체제를 관리하고 있습니다. 자주국방과 한·미동맹은 결코 서로 모순되는 것이 아닙니다. 상호 보완의 관계입니다.

동북아시아의 질서가 평화와 번영의 질서로 발전하게 되더라도 한편으로는 대립과 갈등의 잠재적 가능성이 계속 존재할 것입니다. 그동안 한·미동맹 관계는 동북아 평화와 안정의 지렛대 역할을 할 것입니다.

평화를 사랑하는 국민 여러분,

강한 군대와 융성한 경제만으로 나라와 국민의 안전을 완벽하게 보장할 수는 없습니다. 전쟁이 일어나지 않도록 해야 합니다. 한반도와 동북아시아에 평화체제를 구축해야 합니다.

유럽은 50년 전부터 공동체 질서를 출범하여 평화와 공동번영의 질서를 구축하고 이제 국가간 통합의 길로 들어서고 있습니다. 오랜 세월 계속된 전쟁으로 생긴 대립과 반목의 장벽을 거의 허물어 버리고 그 위에 화해와 통합의 질서를 세우고 있습니다. 저는 정치를 시작하기 전부터 유럽이 만들어 가는 새로운 역사를 부러운 눈으로 바라보았습니다. 1989년 베를린 장벽이 무너지고 동구권까지 통합의 질서 속으로 편입되었습니다. 그 과정을 지켜보면서 지역협력을 통한 평화와 공동번영의 질서가 세계적으로 확산되어 가는 것이 21세기 세계사의 조류가 될 것이라는 믿음을 갖게 되었습니다.

동북아시아에도 협력과 통합의 새로운 질서를 만들어 가야 합니다. 그래서 다시는 강대국의 틈바구니에서 어디에 기댈 것인가를 놓고 편을 갈라 싸우다 치욕을 당하는 역사를 반복하지 말아야 합니다. 이것이 저의 동북아 시대 구상의 핵심입니다. 뿐만 아니라 동북아 시대는 우리에게 그 이상의 기회를 약속하고 있습니다. 유럽 인구의 4배에 이르는 거대한 시장이 빠른 속도로 성장하고 있습니다. 여기에 유럽과 같은 협력과 통합의 질서가 자리잡게 되면 동북아시아는 그야말로 세계 경제의 중심으로 떠오를 것입니다.

한국은 그 중심에 있습니다. 새로운 질서 속에서 동북아시아가 더 이상 세계의 변방이 아니듯이 한국도 더 이상 변방이 아닐 것입니다. 수백년 동안 우리를 움츠리게 했던 변방의 운명을 벗어던지고, 주변 강대국들과 어깨를 나란히 하면서 당당하게 세계 질서를 함께 이끌어 가는 자랑스러운 나라가 될 것입니다. 나라와 국민의 운명이 달라지는 것입니다.

국민 여러분,

평화와 번영의 동북아 시대로 가는 길목에 북한 핵 문제와 남북관계가 가로놓여 있습니다. 이 문제를 풀지 않고는 평화와 번영의 동북아 시대도 없습니다. 잘못하면 한반도 문제가 동북아시아의 새로운 갈등의 빌미가 될 수도 있습니다. 그것은 우리 모두를 불행에 빠뜨리는 결과가 될 것입니다. 북한 핵 문제는 조속히 해결되어야 합니다. 그리고 반드시 평화적으로 해결되어야 합니다. 우리는 전쟁이 끝난 지 50년이 지난 오늘까지도 동족상잔의 상처를 치유하지 못하고 고통을 겪고 있습니다. 또다시 불행한 일이 반복된다면 우리 민족은 상상하기조차 어려운 상처를 입게 될 것입니다.

저는 이러한 사정을 우방국의 지도자들에게 간곡히 설득했습니다. 다행히 북핵 문제는 이제 해결의 실마리가 보이기 시작합니다. 북한은 이 기회를 놓치지 말아야 합니다. 핵을 포기하고 개혁과 개방을 성공시켜야 합니다. 핵무기는 결코 체제보장의 안전판이 될 수가 없습니다. 오히려 고립과 위기를 자초하는 화근일 뿐입니다. 이제 북한이 핵을 포기하면 우리는 북한의 경제개발을 위해서 앞장 설 것입니다. 이웃나라들과 협력해서 국제기구와 국제자본의 협력도 아울러 끌어들일 것입니다. 그렇게 하면 새로운 동북아 시대가 열리고 북한은 빠른 속도로 발전하여 평화와 번영을 함께 나누게 될 것입니다.

지난 2000년 6·15 남북공동선언은 남북한만의 합의가 아닙니다. 세계를 향한 평화의 약속이었습니다. 이 약속은 반드시 지켜져야 합니다. 우리는 현재 추진 중인 각종 협력사업을 계속 추진해 나갈 것입니다. 금강산 관광사업도 반드시 계속되도록 하겠습니다. 앞으로 북핵 문제가 해결되면 남과 북은 평화체제 구축과 군사적 신뢰 구축을 위한 협의를 본격적으로 추진해야 할 것입니다.

존경하는 국민 여러분,

이제 우리 앞에 새로운 시대가 열리고 있습니다. 우리에게 고난과 시련을 안겨주었던 제국주의의 냉전질서는 역사의 뒤편으로 사라졌습니다. 그 자리에 화해와 협력, 평화와 공존의 새 질서가 싹트고 있습니다. 우리의 운명을 우리 스스로 개척해갈 수 있는 시대가 도래한 것입니다. 동북아 시대의 주역으로 도약할 것인가, 아니면 그 문턱에서 주저앉고 말 것인가 하는 것은 이제 전적으로 우리 자신의 선택에 맡겨져 있습니다.

우리가 가야 할 길은 분명합니다. 분열과 갈등을 극복하고 국민통합의 길로 나아가야 합니다. 그리고 그 통합된 힘으로 경제를 개혁하고 정치를 혁신해야 합니다. 정부도 변해야 하고 기업과 근로자 모두 변화해야 합니다. 통합과 혁신, 그것만이 지금 우리에게 주어진 시대 흐름에 부응하고 동북아 중심국가로 도약할 수 있는 길입니다.

우리는 할 수 있습니다. 냉전의 산물인 분단과 전쟁, 그리고 오랜 군사독재도 우리의 전진을 가로막지 못했습니다. '금모으기운동'으로 외환위기를 극복하고, 하나된 함성으로 월드컵 4강 신화를 이루어 낸 우리 국민입니다. 마음을 모으면, 그리고 마음만 먹으면 못해낼 것이 없습니다. 자신감을 가지고 도전합시다. 힘을 모아 함께 나아갑시다. 그리하여 동북아의 평화와 번영을 주도하는 자랑스런 대한민국을 다음 세대에게 물려줍시다.

감사합니다.

# 태평양경제협의회 총회 개막식 연설

2003년 8월 24일

존경하는 조석래 태평양경제협의회(PBEC) 회장, 그리고 아·태 지역 경제지도자와 언론계, 학계 전문가 여러분,

안녕하십니까? 태평양경제협의회 제36차 총회의 개막을 축하드립니다. 이번 총회가 서울에서 열리게 된 것을 매우 뜻깊게 생각합니다. 대한민국 정부를 대표해서 각국 대표단 여러분을 환영합니다. 아울러 지난 36년 동안 아·태 지역의 협력 증진에 기여해 온 PBEC의 공헌에 대해서 깊은 경의와 찬사를 표합니다.

PBEC이 출범한 1967년 당시만 해도 베트남전이 한창이었습니다. 동아시아 지역은 물론 전 세계가 냉전의 중압감에 짓눌려 극도의 대립과 긴장 속에 있었습니다. 평화와 협력은 요원해 보였습니다. 그 암울한 상황에서 PBEC은 태동했습니다. 아·태 지역의 미래와 협력 가능성에

대한 혜안과 확신이 없이는 결코 가능하지 않은 일이었습니다.

이제 그 확신은 현실이 되고 있습니다. 지금 아·태 지역은 전 세계 GDP의 62%와 교역의 47%를 담당하고 있습니다. 명실공히 세계경제를 이끌어 가는 중심무대입니다. 역내 기업들간의 교류와 협력도 그 어느 때보다 활발합니다. 한국만 해도 전체 무역의 70% 가까이가 이 지역 안에서 이루어지고 있습니다.

하지만 이것은 시작에 불과하다고 생각합니다. 발전 가능성이 무궁무진합니다. 인구·자원과 같은 이 지역의 엄청난 잠재력에 비추어 볼 때 그렇습니다. 협력의 여지 또한 무한합니다. 아·태 지역은 문화와 종교가 다양하고 정치와 경제의 발전 단계도 차이가 있습니다. 이로 인해 오랜 동안 충분한 협력이 이뤄지지 못했습니다. 그러나 이제는 다릅니다. 다양성이 미덕인 시대입니다. 서로 다른 '차이'는 상호 발전을 위한 보완요소가 되고 있습니다. 협력의 장애요인이 아니라 협력의 필요성을 더욱 높여 주고 있는 것입니다.

여기 계신 여러분 같은 민간 경제계의 역할이 중요합니다. 오늘날 국제질서를 이끌어 가는 힘은 경제협력에서 나오고 그 주역은 바로 기업인 여러분이기 때문입니다. PBEC이 APEC의 토대가 되었듯이, 민간 분야에서의 협력은 정치와 안보, 정부 차원의 협력으로 이어져 평화와 번영의 아·태 시대를 꽃피울 것입니다.

한국은 PBEC 의장국으로서, 그리고 2005년 APEC 정상회의 개최국으로서 보다 개방되고 자유로운 아·태 지역의 발전에 기여해 나갈 것입니다. 역내 기업간의 투자와 교역, 자원개발과 기술협력이 활발히 이뤄질 수 있도록 모든 지원을 아끼지 않겠습니다. APEC은 물론 WTO에서의 무역자유화 노력에도 적극 참여해 나갈 것입니다.

존경하는 아·태 지역 경제계 지도자 여러분,

한국은 유라시아 대륙과 태평양 경제권을 연결하는 위치에 있습니다. 미·일·중·러 4대 강국에 둘러싸여 있는 유일한 나라이기도 합니다. 과거 제국주의와 냉전 시대에는 불리한 위치였지만 이제는 대륙과 해양을 연결하고, 4대국의 큰 시장과 풍부한 자원을 활용할 수 있는 위치입니다.

인천국제공항과 부산항·광양항 같은 물류인프라도 잘 갖춰져 있습니다. 앞으로 남북간 철도·도로가 연결되면 더욱 그러할 것입니다. 인적자원과 정보화 기반도 손색이 없습니다. 이를 바탕으로 한국은 아시아·태평양 시대를 앞당기는 '평화와 번영의 다리'가 되고자 합니다. 태평양에서 대륙으로, 대륙에서 태평양으로 사람과 상품, 자본과 기술과 정보가 자유롭게 왕래하며, 국내외 기업들이 공정하게 경쟁하는 나라! 태평양과 유라시아 대륙을 잇는 동북아의 물류와 금융, 비즈니스와 R&D 허브로 발전시켜 나가고자 합니다.

무엇보다 세계와 함께 호흡할 수 있는 경제시스템을 구축해 나갈 것입니다. 기업회계와 지배구조에서부터 시장의 경쟁질서와 금융시스템에 이르기까지 글로벌 스탠더드에 부합하지 않는 모든 것을 개혁해나갈 것입니다. 어떤 어려움에도 흔들리지 않는 경쟁력 있는 경제, 투명하고 공정하며 자유롭고 개방된 시장경제 체제를 확립하는 것이 목표입니다.

나아가 원칙과 신뢰, 대화와 타협, 분권과 자율의 문화를 사회 전반에 뿌리내리도록 할 것입니다. 그래서 효율과 활력이 숨쉬는 경제를 구현하고자 합니다. 아울러 과학기술 혁신과 인재 양성을 통해서 미래 성장 동력을 키워 나갈 것입니다. 내외국인의 구분도 없습니다. 오직 경쟁력만이 성패를 가름할 것입니다. 경쟁력만 있으면 세계 어느 나라, 어느 기업이라도 성공을 거둘 것이고, 이런 기업과 함께 한국 경제도 성장해 갈 것입니다.

외국인투자 환경도 적극적으로 개선해 가고 있습니다. 올해 안에 인천과 부산·광양이 경제자유구역으로 지정됩니다. 외국인이 불편을 느끼는 의료·교육 여건이 획기적으로 개선될 것입니다. 불필요한 규제나 복잡한 행정절차는 현격히 줄어듭니다. 상담에서 인·허가까지 한 곳에서 해결하는 원-스톱 시스템을 실현해 나가겠습니다. 외국인투자 인센티브도 더욱 강화해 나갈 것입니다. 세계 어느 나라보다 유리한 투자환경을 조성해 나가겠습니다.

끝으로 강조해서 말씀드리고 싶은 것은 노사관계입니다. 노사간 대립과 갈등은 한국 경제에 상당한 부담이 되어 온 것이 사실입니다. 그러나 한국의 노사문화는 달라지고 있고 앞으로 더 많이 달라질 것입니다. 불법과 폭력은 용납되지 않습니다. 대화와 타협으로 풀어 가는 노사관계만이 지지를 받고 있습니다. 노사관련 법과 제도도 국제기준에 맞게 고쳐질 것입니다. 이제 곧 중립적인 공익위원을 중심으로 원칙과 신뢰에 기반한 노사관계 개혁방안이 마련됩니다. 앞으로 1~2년 안에 선진적인 노사관계를 정착시키겠습니다. 적어도 노사문제 때문에 한국에 투자하기를 주저하는 일은 없도록 하겠습니다. "밀짚모자는 겨울에 준비하라"

는 말이 있습니다. 저는 지금이야말로 한국에 투자해야 할 때라는 것을 강조하고자 합니다.

존경하는 각국 대표 여러분, 그동안 외국인 투자가들의 우려가 컸던 북한 핵 문제도 해결의 실마리를 찾아 가고 있습니다. 앞으로 사흘 후면 중국 베이징에서 북핵 문제 해결을 위한 6자 회담이 열립니다. 북한 핵문제는 반드시 평화적으로 해결될 것입니다. 주변국을 비롯한 국제사회 모두가 평화적 해결 원칙에 동의하고 있습니다. 북핵 문제의 평화적 해결과 북한의 개혁·개방은 동북아 지역을 화해와 개방으로 이끄는 촉매제가 됩니다. 아·태 지역의 협력 강화에도 이바지할 것입니다. 이러한 길에 여러분의 더 많은 관심과 협조를 당부 드립니다.

존경하는 참석자 여러분,

저는 1989년 베를린 장벽이 무너지는 것을 지켜보면서 지역협력을 통한 평화와 공동번영의 질서가 21세기의 조류가 될 것이라는 확신을 가졌습니다. 그리고 유럽과 같은 평화와 공생의 질서가 우리가 살고 있는 이 지역에도 실현되고 나아가 세계의 질서로 확산되기를 꿈꾸어 왔습니다. 이것은 비단 저만의 꿈은 아닐 것입니다. 우리 모두의 꿈입니다. 한 사람의 꿈은 꿈으로 끝나지만 우리 모두의 꿈은 현실이 됩니다. PBEC과 아·태 지역의 눈부신 발전이 그것을 말해줍니다.

이미 우리는 '아·태 경제공동체'라는 꿈을 향해 한발 한발 전진해가고 있습니다. 그 하나가 '자유무역협정'(FTA)의 체결입니다. 한·칠레간 자유무역협정은 태평양을 가로질러 체결된 첫 자유무역협정입니다. 유럽이나 미주지역에 비해 뒤져 있던 아시아 지역에서도 자유무역협정이 속속 체결되고 있습니다.

그렇습니다. 아·태 경제공동체는 결코 꿈이 아닙니다. 우리 모두가 PBEC 출범 당시의 확신과 비전을 갖고 노력해 나간다면 반드시 실현될 수 있는 미래입니다. 우리 함께 손잡고 나아갑시다. 21세기를 평화와 번영의 태평양 시대로 만듭시다. 다시 한번 이번 총회의 큰 성공을 기원하며 여러분의 한국 방문이 즐겁고 보람차기를 바라 마지않습니다.

경청해 주셔서 감사합니다.

# 탁신 치나왓 태국 총리를 위한 만찬사

2003년 8월 25일

존경하는 탁신 치나왓 총리 각하, 그리고 자리를 함께 하신 내외귀빈 여러분,

총리 각하와 일행 여러분의 방한을 진심으로 환영합니다. 특히 아시아의 지역협력 강화를 위해서 큰 지도력을 발휘해 오신 각하를 모시게 된 것을 매우 기쁘게 생각합니다. 각하께서는 3년 전 야당 당수 시절에도 서울을 방문하셨고, 지금까지 한국과 태국의 우호협력 증진을 위해 변함없는 애정을 보여 주셨습니다. 나는 오늘 정상회담에서도 각하의 이러한 관심과 의지를 거듭 확인할 수 있었습니다. 우리 두 정상의 만남을 통해서 양국의 전통적인 우호협력 관계가 미래를 향해 더욱 발전해 나갈 것임을 확신합니다.

총리 각하,

태국은 각하께서 취임하신 2001년 이후 연 5%의 높은 실질성장률을 기록하고 있습니다. 지속적인 경상수지 흑자를 바탕으로 대외채무도 1997년 금융위기 당시 보다 절반 가까이 감소했습니다. 태국 경제가 건실한 지속성장의 기반을 다지게 된 것입니다. 이는 각하께서 강력하게 추진해 오신 경제개혁의 성과입니다. 빈곤해결과 마약퇴치, 그리고 부패척결을 위한 사회개혁 정책도 큰 성과를 거두고 있습니다. 무엇보다 각하의 탁월한 지도력과 기업가적인 경영 마인드가 이와 같은 개혁 성공의 열쇠가 되었다고 생각합니다.

또한 각하께서는 범 아시아 지역의 협력 강화를 위해서도 많은 노력을 기울여 오셨습니다. 지난해 '아시아협력대화(Asian Cooperation Dialogue)'의 출범을 주도하셨고, 어제 개막된 태평양경제협의회(PBEC) 총회에도 적극 참여해 주셨습니다. 각하께서 심혈을 기울여 오신 '아시아협력대화'가 아시아 국민간의 협력 증진에 크게 기여하기 바라며, 오는 10월 태국에서 열리는 아시아태평양경제협력체(APEC) 정상회의도 큰 성과가 있기를 기대합니다.

총리 각하,

태국에 대한 우리 국민의 친밀감은 매우 각별합니다. 1950년 한국전쟁이 일어났을 때 태국은 미국에 이어 두번째로 참전했고, 우리와 함께 자유와 민주주의를 지키기 위해 싸웠습니다. 우리 국민은 6,300여 태국 젊은이들의 헌신과 희생, 그리고 태국 국민들의 진정한 우정을 영원히 잊지 않을 것입니다. 우리 두 나라는 1958년 수교 이래 외교와 경제·사회·문화를 비롯한 모든 분야에서 긴밀한 동반자 관계를 발전시켜 왔습니다. 양국간 연간 교역은 40억 달러를 넘어섰고, 작년에는 약 80만명에 이르는 양국 국민이 서울과 방콕을 왕래했습니다.

앞으로도 양국간 협력 증진의 잠재력은 무한합니다. 이번에 우리 두 나라는 '형사사법공조 조약'과 'IT협력 약정', 그리고 '투자협력약정'을 체결하고, 이를 한층 심화·발전시키기 위한 양국 정상의 공동선언을 발표했습니다. 두 나라 모두의 미래를 위해서 참으로 뜻깊은 일이라고 생각합니다.

총리각하,

지금 동아시아는 세계 경제의 성장축으로 발전하고 있습니다. 21세기 동아시아 협력의 구심점이 될 아세안(ASEAN)과 한·중·일간의 협력도 궤도에 오르기 시작했습니다. 한국은 동북아시아에 평화와 번영의 새로운 시대를 열어 나가기 위해서 노력하고 있습니다. 이와 함께 태국을 비롯한 아세안과 협력하는 가운데 실질적인 동아시아 협력기반을 구축하는 데에도 기여해 나갈 것입니다.

무엇보다 시급한 당면 과제는 한반도의 평화와 안정입니다. 이를 위해 우리 정부는 평화번영정책을 추진하고 있습니다. 북한의 핵문제도 대화를 통해서 평화적으로 해결해 나갈 것입니다. 모레부터 시작되는 6자회담도 이러한 노력의 결과입니다. 그동안 각하와 태국 정부는 한반도 평화를 위한 우리의 노력을 적극 지지해 주셨습니다. 이 자리를 빌려 깊이 감사드리면서 앞으로도 변함없는 협조를 부탁드립니다.

총리 각하, 그리고 내외귀빈 여러분,

"진정한 친구는 변함없는 황금과 같다"는 태국의 속담이 있다고 들었습니다. 황금과 같이 귀하고 변치 않는 우리 두 나라의 협력과 우정이 언제까지나 계속되기를 희망합니다. 푸미폰 국왕 폐하와 탁신 총리 각하의 건승을 위해서, 그리고 태국의 번영과 우리 두 나라 국민의 영원한 우의를 위해서 다 함께 축배를 들어주시기 바랍니다.

감사합니다.

# 9월

# 세계도자비엔날레 개막식 연설

2003년 9월 1일

존경하는 경기도민과 도자 예술인 여러분, 그리고 자리를 함께 하신 내외 귀빈 여러분,

'제2회 경기도 세계도자비엔날레'의 개막을 진심으로 축하합니다. 이처럼 뜻깊은 세계인의 도자 축제에 참석하게 된 것을 매우 기쁘게 생각합니다. 아울러 이 행사를 준비해 온 손학규 경기도 지사와 관계자 여러분, 그리고 1천만 경기도민 여러분의 노고에 깊이 감사드립니다. 귀한 작품을 다듬어 이번 축제에 참여해 주신 도자 예술인 여러분께도 각별한 치하의 말씀을 드립니다. 특히 해외에서 오신 도예인 여러분, 진심으로 환영합니다.

친애하는 도자 예술인 여러분,

이곳 이천을 비롯한 광주와 여주는 우리 조상들의 예술혼이 살아있

는 역사의 고장입니다. 세계인의 찬사를 받고 있는 우리나라 도자 문화의 산실입니다. 이러한 역사와 전통의 토대위에서 열리는 이번 비엔날레는 그 의미가 매우 큽니다. 우리 도자기의 우수성을 널리 알리고 각국의 도예인들이 교류하는 세계 도자문화의 제전입니다. 국내외 460여명의 작가들이 2,400여점의 작품을 통해 보여주는 다양한 전시와 학술행사는 우리의 도자예술을 한층 발전시키는 계기가 될 것입니다.

'국제공모전'과 '세계현대도자전', 그리고 '조선도자 500년전', 하나하나가 도예인들의 창작열정을 느끼게 하는 풍성한 볼거리가 될 것입니다. 또한 관람객들이 스스로 참여할 수 있는 문화공연과 체험 프로그램은 도자 문화의 활성화와 대중화에 크게 기여할 것으로 기대합니다. 이번 행사를 더욱 돋보이게 하는 것은 바로 '어울림'에 있다고 생각합니다. 이천의 예술도자와 광주의 왕실도자, 그리고 여주의 생활도자가 한데 어우러져 한국도자의 진수를 세계에 선보이고 있습니다. 이것은 우리의 지역문화축제가 어떻게 해야 성공할 수 있는 지를 보여 주는 좋은 사례입니다.

존경하는 내외 귀빈 여러분,

우리는 이 축제를 통해 우리의 문화와 문화관광산업의 무한한 저력을 다시 한번 확인하게 됩니다. 지금은 바로 지식기반과 문화창조력이 국가경쟁력을 좌우하는 시대입니다. 우리의 독창적인 문화유산을 창조적으로 계승, 발전시키는 것이 매우 중요합니다. 그래서 정부는 지식문화 강국을 주요 국정과제로 삼아 집중적인 노력을 기울이고 있습니다. 우리의 문화적 저력을 국가발전의 성장동력으로 키워나가고자 합니다.

우리의 도자 산업은 이미 세계적인 경쟁력을 갖추고 있고 부가가치 또한 매우 높습니다. 세계 도자기 시장 또한 50조원에 이르고 있고 앞으로 크게 성장할 것으로 기대됩니다. 이러한 도자산업이 우리의 문화관광 산업 발전을 앞장서서 이끌 수 있도록 여러분이 더욱 분발해 주시기 바랍니다. 정부도 최선을 다해 여러분을 도울 것입니다. 이와 함께 문화산업 발전의 토대가 되는 순수예술과 전통문화의 진흥에도 정책적인 노력을 다하겠습니다. 앞으로 5년 안에 '세계 5대 문화산업강국'이 될 수 있도록 하겠습니다.

존경하는 내외귀빈 여러분,

'창조의 열정, 전통의 격조, 생활의 향기'를 주제로 열리는 이 행사가 큰 성공을 거두게 되기를 희망합니다. 아울러 국내외에서 오신 참가자 모두에게 즐겁고 보람된 시간이 되시기를 바랍니다. 다시 한번 관계자 여러분의 노고를 치하 드리며, 여러분 모두의 건강과 행복을 기원합니다.

감사합니다.

# 민족화해협력 범국민협의회 창립5주년 축하 메시지

2003년 9월 3일

'민족화해협력범국민협의회'의 창립 5주년을 진심으로 축하합니다. 이수성 상임의장을 비롯한 관계자 여러분의 노고와 헌신에 깊은 감사와 존경의 인사를 드립니다. 민화협은 정당과 시민사회 단체가 두루 참여하는 국내 최대의 민간 통일운동 협의체입니다.

지난 5년 동안 민족의 화해와 협력을 위해서 열심히 일해 왔고, 특히 온 국민이 공감하고 참여하는 남북 교류의 증진을 위해 크나큰 공헌을 해왔습니다. 이러한 민화협의 업적과 관계자 여러분의 헌신에 대해서 정부와 국민은 절대적인 신뢰와 애정을 보내고 있습니다. 남북한의 진정한 화해와 협력을 바탕으로 한반도에 평화를 정착시키고, 나아가 동북아시아에 평화와 번영의 시대를 열어가는 것은 참여정부가 추구하는 최우선의 국정목표입니다. 한반도 평화는 모든 것의 출발점입니다. 평화의 기반 위에서 개혁도, 경제번영도 기대할 수 있습니다.

지금 정부는 당면한 북핵 문제를 대화를 통해 평화적으로 해결하기 위해서 최선의 노력을 기울이고 있습니다. 국제사회도 우리 정부의 노력을 적극 지지하며, 아낌없는 협력과 지원을 보내주고 있습니다. 머지않아 북핵 문제가 평화적으로 해결되고 한반도 평화와 민족의 화해협력을 실현하기 위한 우리 모두의 노력이 큰 결실을 맺게 될 것을 확신합니다.

남북간 화해와 교류·협력은 국민의 적극적인 관심과 참여가 뒷받침되어야 가능합니다. 따라서 민화협의 선도적인 역할과 기여에 대한 기대는 매우 큽니다. 앞으로도 남북간 민간교류·협력의 선두에서 변함 없이 노력해 주실 것을 부탁드립니다. 다시 한번 창립 5주년을 축하드리며, 민화협의 더 큰 발전과 민화협을 사랑하고 후원해 주시는 모든 분들의 건승을 기원합니다.

# 아시아·태평양 도시관광진흥기구(TPO) 총회 축하 메시지

2003년 9월 4일

안녕하십니까? 반갑습니다.

'아시아태평양 도시관광진흥기구(TPO)'가 창설되고, 오늘 그 첫번째 총회를 맞게 된 것을 진심으로 축하드립니다. 대한민국 부산을 찾아주신 각 도시의 대표자 여러분을 마음으로부터 환영합니다.

오늘날 관광산업은 21세기 '굴뚝 없는 기간산업'으로 자리잡고 있습니다. 국가경제에 미치는 역할과 비중이 갈수록 커지고 있습니다. 특히 아시아·태평양 지역은 어느 곳보다도 뛰어난 관광자원을 가지고 있습니다. 세계 관광객의 3분의 1 이상이 방문하고, 세계 관광 지출의 절반가까이가 이곳에서 이뤄지고 있습니다. 이로 인해서 1억2천만명에 이르는 사람들이 일자리를 얻고 있습니다. 더욱이 관광은 국가간의 교류를 촉진하고 국민들간의 우의를 다지는 효과도 가져옵니다.

이러한 점을 감안할 때 아·태지역 주요 도시들이 뜻을 모아서 TPO를 창설한 것은 매우 의미있는 일이라고 생각합니다. 아·태지역의 관광산업 진흥을 모색하고, 역내 도시와 국가간의 우호협력을 더한층 굳게 다지는 소중한 계기가 되기를 바랍니다. 이러한 협력의 정신을 바탕으로 우리는 평화와 번영의 아시아 태평양시대를 열어 갈 수 있을 것이라 확신합니다.

그동안 TPO의 창설에서부터 오늘 첫 총회에 이르기까지 애써주신 부산시와 시민 여러분께 각별한 감사의 말씀을 드립니다. 앞으로도 우리 부산이 TPO의 회장도시로서 이 지역 도시들의 공동번영을 위해서 큰 역할을 해 주시기 바랍니다. 새롭게 첫발을 내딛는 TPO의 무궁한 발전과 이번 총회의 성공, 그리고 여러분 모두의 건강과 행복을 기원합니다.

감사합니다.

# 2003 해외 한민족 경제공동체대회 축하 메시지

2003년 9월 6일

안녕하십니까?

올해로 여덟번째 맞는 '해외 한민족 경제공동체대회'의 개최를 진심으로 축하합니다. 600만 해외동포는 우리 민족의 힘이요 자산입니다. 세계 곳곳에서 대한민국의 위상을 높이고 있을 뿐 아니라 경제적으로도 큰 역할을 하고 있습니다. 특히 해외동포 경제인 여러분은 한국 경제를 알리는 홍보사절이자 모국 상품의 수출역군으로서 큰 역할을 해오셨습니다. 그동안 모국의 경제발전을 위해서 애쓰신 노고에 이 자리를 빌려 깊은 감사의 마음을 전합니다.

지금 우리는 '2만 달러 시대'를 열어 가는 출발점에 서있습니다. 참여정부는 한반도와 동북아의 평화를 바탕으로 동북아 경제중심으로 도약하고자 노력하고 있습니다. 지방분권과 국가균형발전을 도모하고 차세대 성장동력을 발굴하고 육성함으로써 2만 달러 시대를 앞당기는 초석을 마련하고자 힘쓰고 있습니다.

이를 위해 무엇보다 우리 국민 모두가 힘을 합쳐 노력해 나가야 합니다. 해외에 계신 동포 여러분들께서도 그동안 축적한 경험과 지식을 토대로 모국의 발전과 수출 증대에 더욱 힘써 주실 것을 부탁드립니다. 정부도 해외동포 경제인 여러분의 활동에 대해서 관심과 지원을 아끼지 않겠습니다. 이번 대회가 해외동포 경제인 서로간의 교류는 물론 모국과의 유대를 한 단계 높이는 좋은 기회가 되기를 기대합니다. '2003해외한민족 경제공동체대회'의 개최를 거듭 축하드리며, 여러분의 건승을 빕니다.

감사합니다.

# 대한매일 2만 호 기념 특별 기고
## -공정한 언론, 투명한 정부-

2003년 9월 8일

대한매일 지령 2만 호 발간을 진심으로 축하합니다.

참여정부가 출범한 지도 반년이 넘었습니다. 그동안 주위에서 가장 많이 들은 말 중에 하나가 "언론과 사이좋게 지내라"는 것입니다. 또 "개인적으로 언론에 대한 감정이 있으면 이제 그만 풀라"고 충고합니다. 언론과 맞서 싸우면 손해를 입을 수밖에 없으니 그만 양보하고 타협하라는 것입니다.

저는 그런 말에 동의할 수 없습니다. 우선, 일부 언론과의 편치 않은 관계가 사사로운 감정에서 비롯된 것이 아니기 때문입니다. 우리 사회에서 언론과 맞서는 것이 얼마나 힘들고 손해 보는 일인지를 잘 알고 있습니다. 그러나 이런 환경과 관계가 옳지 않기 때문에 불편함을 감수하며 국정운영에 임하고 있는 것입니다. 이것은 참다운 민주주의를 실현하는 중요한 일이라고 믿습니다.

왜 언론과의 합리적 관계 개선이 중요한가?

첫 번째 이유는 어떤 권력이든 상호 견제와 균형의 건전한 긴장관계가 필요하기 때문입니다. 많은 사람들은 '권력'하면 '정치권력'을 머릿속에 떠올립니다. 그러나 우리 사회에는 보이지 않는 많은 권력집단들이 존재합니다. 그 중 대표적인 것이 '언론권력'입니다. 언론은 국가나 공동체가 나아가야 할 방향을 결정하는 데 있어 정치권력 이상으로 큰 영향력을 행사한다고 할 수 있습니다. 그 때문에 '제4의 권력'이라고도 합니다. 시민단체나 노동단체도 마찬가지입니다. 이 모두 우리 사회에 엄청난 영향을 미치고 있는 '권력'인 것입니다. 이러한 권력은 노력에 대한 보상이나 전리품이 아니라 국민이 부여한 '소명'입니다. 권력을 마치 전리품인 것처럼 착각하는 순간, 권력에 도취하게 되고 그것을 남용하게 됩니다. 그 결과 많은 국민들을 불행에 빠뜨리고 권력 스스로도 정당성을 잃고 맙니다. 소명을 저버리게 되는 것입니다. 나아가 권력은 미래지향적이고 창의적이어야 합니다. 국가와 국민의 운명을 보장하고 개척해 가는 것이 권력의 소명이기 때문입니다.

그러므로 모든 권력은 스스로 절제해야 합니다. 힘을 행사하는 자격과 합리성을 갖춘 권력이 되어야 합니다. 외부 견제장치가 제도화되어 있지 않은 언론은 더욱 그렇습니다. 언론 내부의 자정과 견제, 비판이 필요한 것입니다. 대통령의 경우도 마찬가지입니다. 국회를 지배하려 하거나 검찰·국가정보원 등을 정권의 도구로 이용하려는 유혹을 물리쳐야 합니다. 그러나 권력 스스로의 절제만으로는 충분하지 않습니다. 상호견제가 있어야 합니다. 일방적인 힘의 행사로 자기 의견만 관철하겠다는 자세는 민주주의 질서를 파괴합니다. 그런 권력이 허용되어서는 안 됩니다. 상호견제를 통해서 반드시 절제되어야 합니다.

민주주의의 근간인 삼권분립 제도도 여기서 출발합니다. 국가권력을 나누어 서로 견제하게 함으로써 권력의 남용을 막고 국민의 권리와 자유를 보장하는 것입니다. 뿐만 아니라 행정부 내에서도 감사원 등을 통해서 견제와 균형이 이루어지고 있습니다. 권력 스스로의 절제는 불완전하며 믿을 수 없다는 전제에서입니다.

언론과 정부 관계도 마찬가지입니다. 상호 긴장관계를 유지해야 합니다. 언론과 정치권력이 결탁했을 때 야기되는 많은 폐해들은 역사가 잘 말해주고 있습니다. 가장 강한 권력인 정치권력과 언론이 '누이 좋고 매부 좋고' 식으로 불의의 공생을 도모했습니다. 그 때마다 시대정신은 후퇴하고 국민들이 피해를 입었습니다. 특히 저항할 힘이 없거나 정의의 편에 서고자 하는 사람들의 피해가 컸습니다. 일제시대가 그랬고 독재정권 시절이 또한 그러했습니다. 우리 사회에서 힘을 정의로 믿는 기득권이 형성된 것도 정치권력과 언론권력이 야합한 결과라고 생각합니다. 이처럼 정치권력과 언론은 어느 한 쪽이 다른 쪽을 일방적으로 장악하거나 서로 유착할 때 편한 관계가 됩니다. 그러나 잘못된 것이 바로 잡히지 않습니다. 오로지 어느 한쪽의 굴종이나 서로간의 음험한 거래가 있을 뿐입니다. 힘들고 불편하지만 각자의 정도를 가야합니다. 정부기관의 가판구독을 중단한 것도, 기자실을 폐지하고 브리핑 제도를 도입한 것도 그러한 생각에서입니다.

언론과의 관계에 대한 참여정부의 입장은 분명합니다. 정부와 언론 모두 자기절제의 토대 위에서 각자의 소임에 충실하자는 것입니다. 정정당당하게 상대방을 견제해 나가자는 것입니다. 그리하여 '건전한 긴장관계'를 유지해 가자는 것입니다. 그랬을 때 정부도 언론도 바로 설 수 있다고 확신합니다.

언론과의 합리적 관계 개선이 중요한 두번째 이유는 우리 사회에 '건강한 공론의 장'을 만드는 일이 시급하기 때문입니다. 민주사회에서는 이익집단이나 사회계층간에 다양한 의견들이 분출하며, 많은 경우 이해가 서로 다르고 대립하게 됩니다. 이같이 서로 다른 의견들이 공론의 장에서 자유롭게 주장되고 또 경쟁하는 것이 민주사회의 기본원리입니다. 그런 가운데 상충하는 의견들이 대화와 토론을 통해 타협점을 찾고 합의에 이릅니다. 이는 일찍이 존 밀턴이나 존 스튜어트 밀이 주장한 자유언론사상의 핵심 내용이기도 합니다. 이 과정에서 언론의 역할은 절대적입니다. 언론이 설정하는 의제는 곧바로 사회적 의제가 됩니다. 언론이 '지금 이 상황에서 가장 중요한 것은 바로 이것이다'라고 규정하면 국민들 사이에서 그것을 중심으로 열띤 논의가 벌어지고 여론이 형성됩니다. '데모크라시'를 '미디어크라시'라고 하는 이유도 여기에 있습니다.

따라서 언론의 의제 설정은 매우 신중하고 공정해야 합니다. 편파적이거나 불공정한 의제는 국민들간에 갈등과 분열을 부추기고 합의를 어렵게 합니다. 과거지향적이거나 창조적이지 못할 때는 우리 사회를 정체 또는 퇴보하게 합니다. 정확한 사실에 근거한 냉정한 논리의 제공도 필수적입니다. 그래야 서로 다른 의견과 주장 사이에서 공정한 토론이 이루어지고 합리적인 결론에 이를 수 있습니다.

안타깝게도 정부가 할 수 있는 일은 많지 않습니다. 언론이 펼치는 공론의 장에 관여하는 것은 대단히 제한적입니다. 우선 정부가 할 수 있는 일은 사실이 잘못 전달되었거나 왜곡 보도되었을 때 합법적으로 대응해서 바로잡는 것입니다. 이는 정부가 할 수 있는 최소한의 일이고 응당 해야 할 일입니다. 언론 또한 공론의 장에서 이런 견제를 받는 것을 당연하게 받아들여야 합니다. 언론의 자유가 사실을 왜곡, 과장하거나 억측을 사실인 양 호도하는 자유까지 의미하진 않기 때문입니다. '사실은 신성하다'는 언론의 금언도 있지 않습니까?

균형 있고 건강한 공론을 만들기 위해 정부가 할 수 있는 두 번째 일은, 정부가 하고 있는 일을 최대한 투명하게 공개하는 것입니다. 실제로 참여정부는 과거 어느 정부보다 행정정보와 정책을 적극 공개하고 있으며, 이를 통해 국민의 알 권리와 국정 참여 기회를 확대해오고 있습니다. 이 달 초 개통한 인터넷 국정브리핑도 그런 취지에서입니다. 이러한 과정을 통해서 언론과 정부는 공론의 장에서 국가 발전과 국민의 행복, 그리고 보다 나은 사회 건설을 목표로 경쟁하고 협력해야 합니다. 서로에 대한 존중이 바탕이 되고, 앞서 언급한 견제와 균형의 원리가 적용되어야 함은 물론입니다.

끝으로, 언론이 시장경제의 공정한 룰을 지키도록 원칙을 지속할 것입니다. 사회환경의 감시가 소명인 언론사의 위법행위와 불공정거래는 일반 기업들보다 엄격하게 다루는 것이 원칙일 것입니다. 저는 무엇보다 최소한의 공정한 경쟁환경을 만들기 위해 노력할 것입니다. 비정상적인 방법으로 언론을 압박하는 일도 없겠지만 예외적인 특권이 용납되어서는 안 될 것입니다.

많은 사람들이 언론개혁을 요구하며 그 당위성을 강조합니다. 언론의 영향력과 중요성에 비춰볼 때 그 어떤 다른 개혁보다 시급하게 단행되어야 한다는 것입니다. 왜 정부가 나서지 않는가를 질타하는 목소리도 있습니다. 그러나 언론개혁은 정부가 주도할 성격의 일이 분명 아닙니다. 언론과 언론인 스스로의 몫입니다. 또 언론의 수용자인 국민들이 언론개혁의 분위기를 만들어갈 것이라고 생각합니다. 정부는 언론이 국민과 사회의 발전에 기여할 수 있도록, 그리고 건강하게 성장하도록 제한된 범위 내에서 도움을 줄 수 있을 뿐입니다.

참여정부는 임기를 마치는 날까지 당당하고 차분하게 언론과의 관계를 정립해갈 것입니다. 좌고우면하지 않고 처음 세운 원칙 그대로 일관된 길을 갈 것입니다. 지름길이나 뒤안길 대신 가장 올바른 길을 찾아 우직하게 걸어갈 것입니다. 그래서 앞으로 3~5년 후에는 정부와 언론 모두 힘들었지만 그 길을 선택하길 잘 했다고 자부하게 되길 바랍니다. 또 그렇게 국민들이 평가해 주기를 기대합니다. 공정한 언론과 투명한 정부가 건강한 관계를 이루는 가운데 우리 사회가 보다 밝고 건강하며 투명해지기를 소망합니다.

다시 한번 대한매일의 지령 2만 호 발간을 축하합니다.

# 아리랑FM 개국 축하 메시지

2003년 9월 9일

국제방송교류재단 임직원과 아리랑 방송 애청자 여러분, 반갑습니다.

국내 최초의 영어 라디오 방송인 아리랑 FM의 개국을 진심으로 축하합니다. 아리랑 FM은 지난 월드컵 대회의 성공을 바탕으로 국가이미지를 한층 높여나가기 위해 출범하게 되었습니다. 이제 아리랑 FM은 21세기 동북아 시대를 열어 나가는 한국의 역동적인 모습을 전하는 '한국바로알리기'의 일익을 담당하게 됩니다. 세계 공용어인 영어를 통해 우리 기업의 해외진출과 해외 관광객의 유치에 기여하게 될 것으로 기대합니다. 뿐만 아니라 우리 국민의 국제화 역량을 키우는 데도 큰 힘이 될 것입니다.

이와 함께 아리랑 FM이 국제자유도시로 발돋움하고 있는 제주에서 첫 전파를 발사하게 된 것도 매우 뜻깊은 일입니다. 제주도가 동북아

문화·관광·레저산업의 중심도시로 성장하는데 기여하기를 바랍니다. 아리랑 FM이 크게 발전할 수 있도록 애청자 여러분의 아낌없는 사랑과 성원을 부탁드립니다.

감사합니다.

# 판 반 카이 베트남 총리를 위한 오찬사

2003년 9월 16일

존경하는 판 반 카이 총리 각하, 그리고 자리를 함께 하신 내외귀빈 여러분,

총리 각하의 방한을 진심으로 환영합니다. 나는 오늘 각하와 처음 만났습니다. 하지만 각하께서 베트남의 개혁·개방정책을 선두에서 이끌면서 국민들로부터 깊은 존경을 받고 계시다는 이야기를 오래 전부터 들었습니다. 그리고 조금 전 만남에서 그 이유를 직접 확인할 수 있었습니다. 짧은 시간이었지만 각하의 높은 식견과 확고한 비전에 큰 감명을 받았습니다.

총리 각하,

베트남은 지난 17년 동안 도이모이 정책을 통해서 정치·경제·사회적으로 빛나는 발전을 이룩했습니다. 특히 1990년대 이래 연평균 8%

가까운 성장을 이루면서 많은 국가들에게 깊은 인상을 심어주고 있습니다. 나는 근면하고 우수한 베트남 국민들과 이를 번영의 원동력으로 결집시킨 지도층의 탁월한 리더십에 대해서 깊은 경의를 표합니다. 앞으로 더 큰 성공을 거두어서 베트남 정부가 목표하고 있는, '부유한 국민', '부강한 국가', '공평하고 민주적인 문명사회'가 빠른 시일 안에 건설될 것이라고 확신합니다. 한국도 베트남 정부의 노력이 성공할 수 있도록 협력과 성원을 아끼지 않을 것입니다.

총리 각하,

베트남 속담에 "친구간의 우정은 넓은 바다도 메운다"는 말이 있다고 들었습니다. 그동안 눈부시게 발전해 온 우리 두 나라 관계를 잘 나타내는 말이라고 생각합니다. 지난해에만 11만 명이 넘는 양국 국민이 두 나라를 오가며 '바다를 메울 돈독한 우정'을 나누었습니다. 1992년 수교 당시 5억 달러에도 못 미쳤던 양국간 교역규모는 지난해 27억 달러를 기록했습니다. 한국의 베트남에 대한 투자총액도 39억 달러를 넘어섰습니다. 이제 한국은 베트남의 여섯번째 교역상대국이자 네번째 투자국이 되었습니다. 그러나 아직도 협력의 여지는 충분합니다. 지금까지의 교역과 투자, 교류와 협력을 바탕으로 '21세기 포괄적 동반자 관계'를 더욱 발전시켜 나가야 하겠습니다. 베트남의 풍부한 자원과 우수한 노동력, 그리고 한국의 기술과 자본이 결합한다면 양국 모두에게 큰 이익과 번영을 가져다 줄 것으로 확신합니다.

총리 각하,

우리 정부는 한반도에 평화를 정착시키기 위해 '평화번영정책'을 추진하고 있습니다. 또한 북한 핵 문제를 평화적으로 해결하기 위해서 국제사회와 다각적인 노력을 기울이고 있습니다. 그동안 협력해 주신 각하와 베트남 정부에 감사드리며, 앞으로도 변함없는 지지와 성원을 부탁드립니다. 아울러 ASEAN+한·중·일, 그리고 내년에 베트남에서 열리는 ASEM과 같은 국제무대에서도 양국간 협력이 더욱 강화되기를 희망하는 바입니다.

자리를 함께 하신 귀빈 여러분!

판 반 카이 총리 각하의 건강과 베트남의 번영, 그리고 우리 두 나라 국민의 영원한 우의를 위해 다 함께 축배를 들어주시기 바랍니다.

감사합니다.

# 한겨레신문 미주판 창간 특별기고

2003년 9월 16일

한겨레신문 미주판 창간을 진심으로 축하합니다. 미주 동포 여러분께도 따뜻한 안부의 인사를 전합니다.

한겨레신문은 1987년 6월 항쟁 직후 참된 언론에 대한 국민의 열망 속에서 탄생했습니다. 그로부터 지난 16년 동안 정확하고 공정한 보도와 논평으로 국민의 목소리를 대변해 왔습니다. 민주화와 개혁의 선도자로서, 정의와 인권의 수호자로서, 그리고 평화와 번영의 길잡이로서 한겨레신문이 이룩해 온 공헌은 누구도 부인하기 어려울 것입니다.

이제 이러한 한겨레신문을 미주지역에서도 직접 받아볼 수 있게 됐습니다. 반갑고 기쁜 일이 아닐 수 없습니다. 미주 동포들에게 고국 소식을 보다 정확하게 전하고 고국을 바라보는 다양한 시각을 제공하게 될 것으로 기대합니다. 동포사회의 결속과 발전에도 크게 이바지할 것으로 믿습니다. 그런 가운데 미주 동포들에게 큰 사랑을 받는 신문으로 성장해 가기를 바랍니다.

저는 지난 미국 방문 길에 미국 사회의 당당하고 자랑스런 일원으로 생활하고 계신 동포 여러분을 뵙고 진한 감동을 받았습니다. 피부색이 다르고 말도 잘 통하지 않는 이역 땅에서 성공적으로 뿌리내리는 일이 어찌 쉬운 일이겠습니까? 남들보다 몇 배 이상의 땀을 흘려야 했을 것입니다. 남몰래 뜨거운 눈물도 훔쳤을 것이라고 생각합니다. 힘들고 주저앉고 싶을 때는 자녀들을 보면서, 그리고 멀리 고향의 혈육들을 생각하며 두 주먹을 불끈 쥐고 다시 일어섰을 것입니다. 그 결과 오늘날 미주 한인사회의 모습은 어떻습니까? 200만명이 넘는 괄목할만한 성장을 이루었습니다. 우리 2세대 자녀들이 현지 언론의 주목을 받으며 주류사회에 속속 진출하고 있습니다. 뛰어난 자질과 부지런함으로 한민족의 우수성과 기상을 유감없이 보여 주고 있는 것입니다.

이뿐만이 아닙니다. 미주 동포들은 늘 고국의 일에 깊은 관심을 가지고 성원을 아끼지 않았습니다. 독재정권 아래서 고통받던 시절에는 조국의 민주화를 위해 헌신해주었습니다. 민족의 화해와 한반도의 평화를 위해서도 많은 역할을 했습니다. 또한 1997년 외환위기와 2002년 월드컵 대회 등 나라에 큰 일이 있을 때마다 두 팔을 걷어부치고 진정한 혈육의 정을 느끼게 해 주었습니다. 이 기회를 빌려 다시 한번 존경과 감사의 말씀을 드립니다.

여러분께 보답하고 여러분을 돕는 길은 우리 대한민국을 세계 속에 우뚝 서는 더욱 당당하고 자랑스런 나라로 만드는 것이라고 생각합니다.

참여정부는 '국민과 함께하는 민주주의', '더불어 사는 균형발전사회', '평화와 번영의 동북아시대' 실현을 국정목표로 삼고 있습니다. 최선을 다해서 여러분과 여러분의 자녀들이 조국에 대한 자랑과 긍지를 가지고 생활할 수 있도록 하겠습니다. 한·미 우호협력의 증진과 동맹관계의 발전을 위해서도 지속적인 노력을 경주해 나가겠습니다. 북한 핵문제도 지금까지의 노력을 바탕으로 반드시 평화적으로 해결해 나갈 것입니다.

지금은 세계화 시대입니다. 우리의 활동무대를 한반도에만 국한할 수 없습니다. 우리 동포들이 해외로 진출해서 활동영역을 넓히는 것이 국가 발전의 큰 힘이 됩니다. 여러분의 성공이 곧 대한민국의 성공인 것입니다. 그런 점에서 우리 인구의 10분의 1이 넘는 600만 재외동포는 우리 민족의 장래에 더없이 소중한 자산입니다. 저와 참여정부는 해외동포 여러분이 거주국에서 더욱 성공하고 조국과의 관계에서도 불편함이 없도록 최대한 지원하고 협력할 것입니다.

아무쪼록 우리 재미동포 사회가 서로 돕고 화합하는 가운데 미국 안에서 더욱 영향력 있고 존경받는 일원으로 발전해 가기를 기대합니다. 아울러 한·미간의 가교 역할에도 더욱 힘써주시기를 당부드립니다. 우리 함께 힘을 모아 우리의 다음 세대들이 한민족임을 자랑스럽게 여기며 마음껏 꿈을 펼치도록 합시다.

한겨레신문 미주판의 창간을 거듭 축하하며, 재미동포 여러분의 건승을 기원합니다.

# 민주평화통일자문회의 전체회의 연설

2003년 9월 24일

존경하는 민주평화통일 자문위원 여러분, 그리고 내외귀빈 여러분,

참으로 반갑습니다. 진심으로 환영합니다. 방금 좋은 말씀을 해주신 여러분에게 감사드립니다. 건의해주신 내용은 정부의 통일정책에 적극 반영해서 추진토록 하겠습니다. 오늘 제11기 민주평통자문회의가 출범하게 되어 매우 기쁩니다. 특히 민주평통 창설이래 처음으로 해외 자문위원들이 전체회의에 참석하신 것을 무척 뜻깊게 생각합니다. 이번 자문회의에는 국내외에서 1만5천명의 지도자들이 참여했습니다. 참여정부의 '평화번영정책'을 성공적으로 추진해 나갈 국민적 대열에 동참해 주신 여러분에게 감사의 말씀을 드립니다.

민주평통은 지난 20여년간 통일정책의 수립과 추진에 크게 기여해 왔습니다. 국론을 결집하고 청소년들의 통일관을 세우는 데에도 많은 노

력을 기울였습니다. 신상우 부의장님을 비롯한 민주평통 관계자 여러분의 노고를 치하드립니다. 이 자리를 빌려 지난번 태풍으로 인한 피해로 고통받고 있는 모든 분들에게 다시 한번 깊은 위로의 말씀을 드립니다. 정부는 하루속히 피해를 복구하고, 항구적인 재난방지대책을 마련하는 데 최선을 다하겠습니다.

친애하는 자문위원 여러분,

참여정부는 한반도의 평화증진과 공동번영을 목표로 하는 평화번영 정책을 추진하고 있습니다. 국민의 정부의 햇볕정책을 계승하고 발전시킨 것입니다.

한반도의 평화정착을 우선적으로 추진하고 지속적인 경제협력의 틀을 정립하며, 국민이 폭넓게 참여하는 대북정책을 추진하고자 합니다. 우선 북핵문제를 평화적으로 해결해 나가야 합니다. 6·25전쟁이 끝난지 반세기가 지난 지금까지 동족상잔의 상처를 치유하지 못하고 있습니다. 또다시 한반도에서 전쟁이 일어난다면 상상하기조차 어려운 상처를 입게 될 것입니다. 그래서 저는 취임 이후 미국과 일본·중국을 방문해서 북핵 문제는 대화로 풀어야 한다는 점을 역설했습니다. 그 결과 베이징에서 6자 회담이 열렸습니다. 북핵 문제 해결을 위한 구체적이고 실질적인 대화의 틀이 갖추어진 것입니다. 아직도 어려움은 많습니다. 그러나 대화를 통해 평화적으로 해결한다는 원칙에는 변함이 없습니다. 물론 북한 스스로 핵개발을 포기하는 것이 최선의 길입니다. 우리는 핵문제가 해결되면 북한의 개혁과 개방이 성공할 수 있도록 국제사회의 적극적인 협력을 이끌어 낼 것입니다.

남북간 교류협력은 더욱 확대되어야 합니다. 많은 어려움 속에서도 남북당국간의 대화는 지속되고 있습니다. 남북간의 신뢰를 구축하고 경제협력을 제도화하는 노력이 하나하나 이루어지고 있습니다. 참으로 다행스런 일입니다. 대구유니버시아드 대회에 북한 선수단과 응원단이 참가하여 뜨거운 동포애를 나누었습니다. 금강산에 이어 평양관광도 시작되었습니다. 남북간의 인적교류가 더욱 확대된 것입니다. 투자보장과 이중과세 방지를 비롯한 남북간의 4대 경협합의서도 발효되었습니다. 우리 기업인이 북한에서 자유롭게 사업할 수 있는 토대가 구축된 것입니다. 이제 우리나라 기업인과 북한의 노동자가 한솥밥을 먹으며 경쟁력 있는 상품을 만들어 제3국으로 수출하게 될 것입니다.

이러한 남북간 교류·협력사업은 앞으로 더욱 활성화되어야 합니다. 정부는 절차를 보다 구체화하고 안정적인 투자환경을 조성해 나갈 것입니다. 이것은 우리 중소기업의 새로운 활로가 될 수도 있습니다. 또한 인적, 물적 교류가 크게 늘어나면 남북간의 신뢰는 한층 더 굳건해질 것입니다. 무엇보다 국민이 폭넓게 참여하는 대북정책의 추진이 매우 중요합니다. 국민적 합의가 바탕이 되어야만 대화도 협상도 힘을 얻을 수 있습니다.

오늘 여러분이 정치적인 입장을 떠나 민주평통의 자문위원으로 참여한 것처럼 초당적인 협력이 필요합니다. 남북문제는 결코 정치적 이해에 따른 정쟁의 대상이 될 수 없습니다. 이제야말로 통일·외교·안보 문제에 관한 한 냉전시대의 흑백논리에서 하루빨리 벗어나야 합니다. 소모적인 논쟁으로 국력을 낭비하는 일이 없어야 합니다. 6·15 공동선언은 반드시 실천되어야 합니다. 이산가족 문제도 하루속히 근본적인 해결의 실마리를 찾아야 합니다. 북한에 대한 인도적인 지원도 계속되어야 할 것입니다.

이러한 평화번영정책을 추진하여 민족의 화해협력을 실현하고, 남북분단의 장벽을 하나하나 극복해 나가야 합니다. 그러한 바탕 위에서 우리는 '평화와 번영의 동북아 시대'를 열어가야 합니다.

존경하는 자문위원 여러분,

여러분은 평화번영정책 추진의 주역입니다. 대북정책의 수립과 추진에 여러분의 적극적인 활동을 기대합니다. 각계각층의 활발한 대화와 토론을 통해 국민적 통일여론을 수렴해야 합니다. 또한 남북간의 교류, 협력과 통일의 과정에서 드러날 수 있는 과제들을 해결하는 데에도 앞장서 주시기 바랍니다. 여러분은 다양한 경험과 경륜을 가진 분들입니다. 우리 사회 각 분야의 갈등을 해소하고 국론을 결집하는 데 큰 힘을 발휘해 주실 것으로 기대합니다.

최근 들어 대화와 토론 자체를 배제한 채 일방적인 주장으로 갈등을 증폭시키는 경우가 많습니다. 이렇게 해서는 절대 합리적인 결론에 도달할 수가 없습니다. 더욱이 지금은 권위주의 시대에 있었던 권력기관들의 강압적인 조정장치도 없습니다. 힘으로 누르던 시대가 아닙니다. 대화와 타협으로 최선의 대안을 찾아가야 합니다.

이렇게 문제를 푸는 것이 법과 원칙의 기본입니다. 이제야말로 우리 사회에 갈등해소를 위한 대화와 타협의 문화가 한층 더 성숙되기를 바랍니다. 그런 면에서 민주평통이 역점사업으로 추진하고 있는 '남남대화'를 매우 뜻깊게 생각하며, 감사의 말씀을 드립니다.

친애하는 자문위원 여러분,

그리고 내외귀빈 여러분,

참여정부는 기술혁신과 인재양성, 시장개혁과 사회·문화개혁, 그리고 지방화 시대를 국가경쟁력 강화의 전략으로 삼아온 힘을 다하고 있습니다. 앞으로 10년 안에 국민소득 2만 달러 시대를 열어야 합니다. 8년째 묶여 있는 1만 달러 시대의 멍에를 벗어야 합니다. 이제 우리 모두 힘을 모읍시다. 효율적이고 긍정적인 것은 두 배로 늘려갑시다. 비효율적이고 부정적인 것은 절반으로 줄여 갑시다. 그리하여 평화와 번영의 시대를 열어갑시다.

다시 한번 자문위원 여러분의 큰 역할과 성원을 부탁드립니다. 해외에서 오신 자문위원 여러분, 즐거운 시간 보내시기 바랍니다.

감사합니다.

# 제2회 전국평생학습축제축하 메시지

2003년 9월 26일

여러분, 안녕하십니까?

제2회 전국 평생학습축제를 축하드립니다. 그동안 평생학습의 보급을 위해서 힘써 오신 관계자 여러분, 그리고 행사를 준비하느라 애써 주신 여러분께 감사드립니다. 일본에서도 많은 분들이 참석하신 줄 압니다. 진심으로 환영합니다. 학습은 대단히 중요한 삶의 일부분입니다. 생활에 필요한 지식과 기능을 주기도 하지만 그 자체로 큰 즐거움입니다. 자아를 실현하는 동시에 국가적 역량을 키워가는 과정입니다.

평생 동안 학습하는 문화가 뿌리내린 사회는 밝고 건강한 사회입니다. 그런 의미에서 평생학습 관계자 여러분은 성숙한 시민사회를 열어 가는 주역이라 하겠습니다. 배우고 싶어 하는 사람에게 배움의 기회를 제공하는 것은 국가의 기본적인 책무입니다. 특히 21세기 지식정보화 사회에서 평생학습은 개인과 국가의 발전을 위해 더욱 활성화되어야 합니다. 참여정부는 국민들이 즐기고 활용할 수 있는 다양한 평생학습의 장을 마련하는 데 관심과 지원을 아끼지 않을 것입니다. 뜻깊은 이 축제가 국제적인 교류를 통해서 평생학습을 질적으로 성숙시키고, 더욱 많은 사람들이 평생학습에 참여하는 계기가 되기를 기대합니다. 여러분의 건강과 행복을 기원합니다.

감사합니다.

# 뉴욕 한인 추석맞이 민속대잔치 축하 메시지

2003년 9월 27일

친애하는 미주지역 동포 여러분!

올해로 스물한번째를 맞는 뉴욕 한인 추석맞이 민속대잔치와 모국 농특산물 박람회를 진심으로 축하드립니다. 이국 땅에서 동포들이 한자리에 모여 우리 민족의 풍속을 즐기고 선보이는 행사를 스무 해 넘게 지속하는 일은 결코 쉽지 않습니다. 문화민족으로서 자긍심을 지켜나가는 여러분이 자랑스럽습니다. 조국 농민들을 돕기 위해 우리 농특산물을 홍보하는 행사도 함께 연다니 반갑고 고마운 일이 아닐 수 없습니다. 매년 이 행사를 개최해 오신 뉴욕한인청과협회의 노고에 감사와 박수를 보냅니다.

올해는 한국인의 미국 이민 100주년이 되는 해입니다. 말도 잘 통하지 않고 생활양식도 다른 곳에서 지난 한 세기 동안 우리 동포들은 특유의 근면함과 창의력으로 괄목할 만한 성공을 일구어 냈습니다. 여러분은 또한 우리나라의 민주화를 앞당기고 평화를 정착시키는데 헌신하였습니다. 1997년 외환위기와 지난해 월드컵대회 등 나라에 큰 일이 있을 때마다 제 일처럼 힘을 모아주었습니다. 어려운 여건을 도약의 기회로 바꾸면서 한민족 한마음으로 나라 사랑을 실천하고 계신 동포 여러분은 국가 발전의 큰 힘인 동시에 저와 우리 국민들에게 감동과 도전이 되고 있습니다.

개혁과 통합이라는 국민의 여망을 담아 새롭게 출범한 참여정부는 여러분의 기대에 어긋나지 않는 자랑스런 조국을 건설하는 데 최선의 노력을 다할 것입니다. 조국을 떠올리며 긍지와 자부심을 가질 수 있도록 평화와 번영의 새 역사를 써내려 가겠습니다.

미국과의 우호협력관계를 더욱 굳건히 하는 데에도 지속적인 노력을 경주할 것입니다. 동포 여러분이 그곳에서 생활하는 데 불편함이 없도록 적극 지원하고 협력할 것입니다. 이번 행사가 동포 여러분의 화합과 단결을 도모하는 즐겁고 소중한 자리가 되기를 기대하며, 여러분 모두 건강하시고 하시는 일마다 발전을 거듭하시길 기원합니다.

감사합니다.

# 한·미 동맹 50주년 기념 만찬사

2003년 9월 29일

허바드 주한 미국대사 내외분, 라포트 주한 미군사령관 내외분, 오버린 암참 회장 내외분, 그리고 내외귀빈 여러분,

안녕하십니까. 진심으로 환영합니다.

오늘은 정말 귀한 손님을 모셨습니다. 오랜 친구를 만난 것처럼 기쁩니다. 여러분은 한·미 양국의 우호협력을 위해 가장 많은 노력을 기울이시는 분들입니다. 여러분의 노고에 깊은 감사의 말씀을 드립니다. 이제 한·미동맹을 체결한 지 꼭 50주년이 됩니다. 이 자리는 반세기 동안 한번도 흔들림이 없었던 우리 두 나라 동맹관계를 다시 한번 확인하고, 자축하는 자리입니다. 한·미동맹은 우리 안보는 물론 동북아시아 평화와 번영을 지키는 든든한 버팀목이 되어 왔습니다. 우리 두 나라는 세계평화의 한 축을 맡아 왔습니다. 저는 한·미동맹이 다른 어떤 동맹관계보

다 긴밀하고 모범적이라고 생각합니다.

내외귀빈 여러분,

우리는 6·25전쟁에서 함께 피땀 흘려 싸운 미군 장병들의 헌신을 결코 잊지 않고 있습니다. 수많은 용사들이 머나먼 이국 땅에서 고귀한 목숨을 바쳤습니다. 그러나 그들의 희생은 헛되지 않았습니다. 우리는 엄청난 대가를 치르면서도 자유와 민주주의를 끝내 지켰습니다. 참전용사들의 헌신과 미국 국민들의 용기가 오늘 우리들이 누리는 자유와 평화의 밑거름이 되었습니다.

6·25당시 세계에서 가장 가난한 나라 가운데 하나였던 한국은 이제 세계 12위의 경제강국으로 성장했습니다. 민주주의는 한층 더 성숙하여 지금의 참여정부가 출범했습니다. 한국은 미국과 함께 세계평화와 인류번영에 이바지하고 있습니다. 우리 두 나라 장병들은 지구촌 곳곳에서 세계평화를 지키기 위해 함께 활동하고 있습니다. 한국의 이러한 성장에 대해 미국 시민 여러분은 큰 자부심을 가져도 좋을 것입니다.

내외귀빈 여러분,

최근 한·미간에 용산기지 이전과 미 2사단 재배치를 비롯한 주한미군 재조정 방안이 논의되고 있습니다. 양국은 한반도에서 전쟁 억지력을 약화시키지 않는 가운데 공동의 이익을 증진할 수 있도록 긴밀히 협의하여 추진해 나갈 것입니다. 주한미군의 역할은 지금도 막중합니다. 한반도의 항구적인 평화체제 구축을 위해서, 동북아시아의 안정과 균형을 위해서 매우 중요합니다. 지금 한반도 안정을 위해서는 북핵 문제를 평화적으로 해결하는 것이 최우선 과제입니다. 저는 지난 5월 부시 대통령과 만나 북한 핵을 용납하지 않는다는 것과 이를 평화적으로 해결한다는 원칙에 합의했습니다. 이러한 바탕 위에 지난 8월에는 베이징에서 6자 회담이 열렸습니다. 머지않아 2차 회담이 열리고 좋은 성과가 나오기를 기대합니다.

존경하는 내외귀빈 여러분,

"10년이면 강산이 변한다"는 한국 속담이 있습니다. 50년이면 강산이 다섯 번은 변했을 참으로 긴 세월입니다. 그러나 한 미 동맹은 변하지 않았습니다. 앞으로도 변치 않을 것으로 저는 확신합니다. 친구 나라인 한국에 사시면서 늘 보람있는 하루하루가 되시기를 바랍니다. 오늘 저녁 즐거운 시간 되었으면 좋겠습니다.

감사합니다.

# 2003 부산국제육상경기대회 축하 메시지

2003년 9월 30일

존경하는 부산시민 여러분,

오늘 부산에서 국제육상경기대회가 열리게 된 것을 진심으로 축하드립니다. 한국을 방문하신 선수단 여러분을 마음으로부터 환영합니다. 이번 대회를 위해서 애써 주신 대회 관계자 여러분과 부산시민 여러분께 깊은 감사의 말씀을 드립니다. 아울러 지난번의 태풍으로 뜻하지 않은 재해를 당하신 분들께 깊은 위로의 말씀을 전합니다. 하루속히 완전한 복구가 되도록 최선을 다하겠습니다.

부산 아시안게임이 개최된 지 1년이 됐습니다. 부산은 37억 아시아인들의 스포츠 축제를 성공적으로 치러내어 월드컵에 이어서 다시 한번 대한민국의 저력을 세계에 과시했습니다. 전 세계가 여러분의 질서정연한 시민의식과 효율적인 경기 운영에 아낌없는 찬사를 보내주었습니다.

이 모두가 부산 시민 여러분의 적극적인 참여로 이뤄낸 값진 성과라고 생각합니다. 더욱이 북한 선수단과 응원단이 참가하여 남북한의 평화와 화합 의지를 다지는 소중한 기회가 되기도 했습니다.

이제 부산은 동북아 물류와 비즈니스의 허브 도시로서, 나아가 국제 문화와 스포츠의 중심도시로서 그 명성을 더해가고 있습니다. 오늘 아시안게임의 열기가 살아 있는 부산에서 지난해의 성공을 기념하는 국제육상대회가 열리게 된 것은 매우 뜻깊습니다. '더 높이, 더 멀리, 더 빠르게' 최선을 다하는 23개국 선수 여러분의 선전에 뜨거운 응원과 박수를 보내 주시기 바랍니다. 2003 부산국제육상경기대회의 개막을 다시 한번 축하드리면서 부산시민 여러분의 건승을 기원합니다.

감사합니다.

# 제6회 충주세계무술축제 축하 메시지

2003년 9월 30일

안녕하십니까?

오늘 제6회 충주세계무술축제가 열리게 된 것을 진심으로 축하드립니다. 그동안 대회 준비를 위해서 애써주신 22만 충주시민 여러분과 관계자 여러분께 깊은 감사의 말씀을 드립니다. 한국을 방문하신 각국의 무술인 여러분께도 따뜻한 환영의 인사를 전합니다.

무술은 몸과 마음을 강하게 합니다. 높은 경지의 무술은 예술로도 훌륭한 평가를 받습니다. 세계의 수준 높은 무술을 충주에서 만나볼 수 있게 된 것을 매우 기쁘게 생각합니다. 충주는 우리의 전통무술인 택견의 본고장이자 세계무술연맹의 본부도시입니다. 명실상부한 세계 민속무술의 메카라 할 만합니다. 올해로 여섯번째 맞는 충주세계무술축제가 세계적인 관광축제로 발전해 나가기를 바랍니다. 이를 계기로 충주가 문화와 관광의 중심도시로 더욱 도약해 나갈 것을 기대합니다. 다시 한번 제6회 충주세계무술축제의 개막을 축하하면서, 여러분 모두의 건승을 기원합니다.

감사합니다.

# 10월

# 제55주년 국군의 날 기념식 연설

2003년 10월 1일

친애하는 국군장병 여러분, 그리고 내외귀빈 여러분,

오늘은 대한민국 국군의 창설을 기념하는 뜻깊은 날입니다. 나는 오늘 우리 군의 막강한 위용을 보면서 국군통수권자로서 무한한 자부심을 갖게 됩니다. 우리 국민 모두가 참으로 마음 든든할 것입니다. 온 국민과 더불어 건군 55주년 국군의 날을 진심으로 축하합니다. 국가안보의 주역으로서 국가와 국민을 위해 헌신해 온 국군장병 여러분의 노고를 치하합니다. 우리 군이 오늘의 '정예강군'으로 성장할 수 있는 굳건한 토대를 만들어 주신 창군 원로와 예비역 여러분에게 감사의 말씀을 올립니다. 우리와 함께 한반도의 평화를 지키기 위해 수고해 온 주한미군 장병 여러분에게도 감사를 드립니다.

광복군을 계승한 우리 군은 분단과 전쟁, 그리고 끊임없는 안보위협 속에서도 국가방위의 사명을 다해 왔습니다. 우리의 평화와 번영에 크게 기여해 왔습니다. 이제 우리 군은 이라크와 아프카니스탄·동티모르를 비롯한 지구촌 곳곳에 평화유지군을 보내서 세계인의 자유와 인권을 지키는 '선진강군'으로 성장하고 있습니다.

평상시의 각종 재난을 극복하는 데에도 앞장서 왔습니다. 특히 이번 태풍으로 인한 피해를 복구하기 위해서 인력과 장비를 총동원해서 국민과 함께 땀흘리고 있습니다. 국가에 대한 충성심으로 국민을 위해 봉사하는 우리 군에 대해서 깊은 애정과 신뢰를 표하고자 합니다.

친애하는 국군 장병 여러분,

최근 국내외 안보정세는 여전히 유동적이고 불확실합니다. 북한 핵 문제와 주한미군 재배치, 그리고 이라크 추가파병 문제를 비롯한 여러 과제들이 산적해 있습니다. 국제사회에서도 이라크의 안정과 전후복구 문제를 둘러싼 논란이 지속되고 있습니다. 주변 상황이 어려울수록 튼튼한 안보태세의 확립이 무엇보다도 중요합니다. 우리가 소망하는 평화와 번영은 굳건한 안보의 토대 위에서만 가능한 것입니다.

굳건한 안보태세를 갖추기 위해서는 첫째, 앞으로 10년 이내에 자주국방의 역량을 갖추어 나가야 합니다. 나는 임기 동안 이러한 자주국방의 토대를 구축해 나갈 것입니다. 스스로를 지킬만한 국방력을 가지는 것은 자주독립국가로서 너무나 당연한 일입니다. 세계 12위의 경제력을 가진 대한민국입니다. 이미 여러 나라에 평화유지군을 파견하여 세계 평화에 기여하고 있습니다. 이와 같은 나라가 자주국방력을 가지지 못한다면 국제사회에서도 떳떳하다 할 수 없을 것입니다. 우리 국민들도 부끄러울 것입니다.

이제야말로 우리국가의 핵심적인 방어는 우리 스스로 담당해야 합니다. 어렵다고 포기해서는 안 됩니다. 힘이 들지만 가야 할 길을 가야 합니다. 무엇보다 자주국방을 이루겠다는 확고한 의지가 가장 중요한 일입니다. 오늘 내일 당장 이루자는 것은 아닙니다. 앞으로 10년 안에는 자주국방을 실현하자는 것입니다. 우리 군의 정보와 작전기획 능력을 보강하고, 국방운영 체계도 개선해야 합니다. 급변하는 현대전 양상에 대비한 인력의 정예화와 전력의 첨단화도 함께 추진해 나가야 합니다. 지금까지 우리는 안보의 주체적 당사자가 되지 못하고, 외부 환경의 변화에 흔들리는 일이 더러 있었습니다. 그때마다 국민들은 불안감에 떨었습니다. 이런 문제를 해소하고 우리의 안보역량과 안정성을 높이자는 것이 바로 자주국방입니다. 이제부터 시작합시다. 자신과 용기를 가지고 앞으로 10년 동안 차근차근 준비해 나갑시다. 우리의 자주국방력이 커질수록 우방국과의 안보협력도 한층 더 굳건하게 될 것입니다.

둘째, 공고한 한·미동맹을 기본 축으로 하는 주변국과의 안보협력을 한층 더 강화해 나가야 합니다. 한·미동맹을 체결한 지 50년이 되었습니다. 한·미동맹은 지금까지 한반도는 물론 동북아의 평화와 안정을 지키는 든든한 버팀목이었습니다. 세계평화를 지키는 한 축이 되어 왔습니다. 이제 반세기를 넘어선 한·미동맹 관계는 더욱 공고하게 발전시켜 나가야 합니다. 주한미군은 한·미동맹을 실천하고 우리의 안전을 보장하는 데 크게 기여해 왔습니다. 6·25전쟁에서 피땀 흘려 자유와 민주주의를 수호해온 선배들의 훌륭한 전통을 이어왔습니다.

앞으로도 주한미군의 역할은 매우 중요할 것입니다. 최근 한·미간에 용산기지 이전과 미 2사단 재배치를 비롯한 주한미군 재조정 방안이 논의되고 있습니다. 양국은 한반도에서의 전쟁억제력을 약화시키지 않는 가운데, 공동의 이익이 증진될 수 있도록 긴밀히 협의해 나갈 것입니다. 한·미간의 이러한 논의와 우리의 자주국방 계획을 바탕으로 장차 우리 군이 모든 전선에서 주도적 방어임무를 수행하고, 미국과 주한미군이 함께 새로운 관계로 발전시켜 나가야 합니다. 이를 위해 우리의 안보역량을 착실히 키워 나가야 할 것입니다.

셋째로는 군의 사기를 높이고 복지 여건을 개선하여 선진군대로 발전시켜 나가야 합니다. 우리 군의 사기와 복지 수준은 바로 우리의 국방력과 직결되는 문제입니다. 그동안 국방예산의 한계로 인해 이러한 문제들을 해결하는 데 어려움이 많았습니다. 정부는 내년도 예산을 올해에 비해 2.1% 증가시키는 긴축예산으로 편성했음에도 불구하고 국방비는 8.1%를 늘렸습니다. 물론 이것으로도 충분하지 않다는 것을 저는 잘 알고 있습니다. 앞으로 우리 않다가 회복되는 대로 우리 군의 사기와 복지 증진, 그리고 국방전력을 강화하입니다. 한층 더 노력하고 또 지원해 나갈 것입니다. 병영시설 개선과 의료지원 확대를 비롯한 다각적인 방안을 강구하고 있습니다.

군인임을 무엇보다 자랑스럽게 여기고 예비역과 참전용사들이 존경받을 수 있는 풍토를 조성해 나갈 것입니다. 전역 이후 사회복귀에 도움이 될 수 있는 다양한 프로그램을 개발하여 재취업을 위한 지원도 강화하겠습니다. 우리 군은 변화하는 시대상황에 효과적으로 부응할 수 있도록 부단히 스스로를 혁신해 나가야 할 것입니다. 의식과 제도, 전력구조에 이르기까지 적극적인 개혁을 통하여 효율성과 합리성을 제고해 주기를 바랍니다. 현재 국방부가 힘있게 추진하고 있는 국방개혁이 큰 성과가 있기를 기대합니다.

존경하는 국민여러분,

그리고 국군장병 여러분,

정부는 미국이 요청한 이라크 추가파병 문제를 신중히 검토하고 있습니다. 국내 여론과 국제 동향을 면밀히 분석하고, 우리의 안보상황과 이라크의 내부 상황을 종합적으로 고려하고 있습니다. 파병문제를 검토하는 데 있어서 한반도의 평화와 안정에 대한 낙관적인 전망과 확신은 매우 중요한 요소입니다. 무엇보다 북핵 문제의 평화적 해결을 확신할 수 있는 보다 안정된 대화 국면의 조성이 필요할 것입니다.

이라크의 평화와 재건에 대한 국제적인 공감대 형성도 매우 중요한 변수라고 판단합니다. 아랍권의 정세와 이라크 국민들이 무엇을 원하는지를 철저히 확인한 다음 파병여부를 결정할 것입니다. 정부는 어떠한 결정이든, 국민들의 기대에 부응하는 '최선의 선택'이 될 수 있도록 모든 요소를 고려하여 이 문제를 검토하고 있습니다. 파병문제가 어느 쪽으로 결정이 되더라도 이것이 국민통합을 저해하는 새로운 불씨가 되어서는 안 됩니다. 정치권을 비롯한 국민 모두가 지혜를 모아 나가야 하겠습니다.

친애하는 국군장병 여러분,

참여정부는 평화와 번영의 동북아 시대, 국민소득 2만 달러 시대를 열기 위해 다각적인 노력을 기울이고 있습니다. 이러한 목표를 달성하기 위해서는 반드시 튼튼한 안보가 뒷받침되어야 합니다. 우리의 안보가 불안할 때 세계 어떤 기업인이 우리나라에 투자하겠습니까?

북핵 문제를 평화적으로 해결하는 것이 최우선 과제입니다. 나는 취임 이후 미국과 일본·중국을 방문해서 북핵 문제는 반드시 북핵문제는 대화로 풀어야 한다는 점을 역설했습니다. 그 이후 베이징에서 6자회담이 열렸습니다. 머지않아 2차 회담이 열리고 좋은 결과가 나오게 되기를 기대하고 있습니다. 북한도 우리와 국제사회가 마련한 이 기회를 놓쳐서는 안 됩니다. 하루빨리 핵개발을 포기하고 평화와 공존의 길로 나올 것을 거듭 촉구합니다.

북핵 문제가 해결되면 우리는 북한과 군사적 신뢰를 구축하기 위한 협의를 본격적으로 추진할 수 있을 것입니다. 북한의 개혁과 개방을 성공시키기 위한 다양한 지원방안도 추진해 나갈 것입니다. 남북한이 '평화와 번영의 동북아 시대'를 함께 열고, 그 혜택도 함께 누리게 되기를 진심으로 바랍니다.

친애하는 국군장병 여러분,

군인의 길은 힘들지만 명예로운 길입니다. 조국을 위한 여러분의 헌신은 무엇보다 값지고 영광된 일입니다. 여러분의 늠름한 모습에서 큰 힘과 용기를 얻습니다. 우리의 안보태세에 한치의 빈틈이 없다는 것을 확신합니다. 우리 모두가 하나가 되어 평화와 번영, 그리고 도약의 시대를 열어 갑시다. 동북아의 중심에 우뚝 선 자랑스런 대한민국을 다 함께 열어갑시다. 다시 한번 국군장병 여러분의 노고를 치하하며, 여러분의 무운과 건승을 기원합니다. 감사합니다.

# 2003 부산국제모터쇼 축하 메시지

2003년 10월 2일

여러분, 안녕하십니까?

2003부산국제모터쇼의 개막을 진심으로 축하합니다. 행사를 준비하느라 애써 주신 관계자 여러분께 감사드립니다. 먼저 지난 태풍으로 큰 고통을 당하고 계신 수재민 여러분께 위로의 말씀을 드립니다. 고맙게도 많은 국민들이 자기 일처럼 복구에 앞장서고 계십니다. 정부도 조속한 복구에 최선을 다하겠습니다.

지금 우리에게는 동북아 경제중심으로 우뚝 서는 꿈이 있습니다. 오늘 개막된 부산국제모터쇼는 그 꿈을 실현해 가는 의미있는 걸음이라 생각합니다. 부산, 경남, 울산지역은 세계 6위의 자동차 강국으로 성장한 우리나라 자동차산업의 중심지입니다. 이제 동북아 자동차 산업의 메카를 향해 나아가고 있습니다. 그리고 희망찬 목표를 위해 부산·경남·울산이 한마음으로 단합하였습니다. 참으로 보기 좋은 모습이 아닐 수 없습니다.

저는 지방을 살리는 일이 나라를 살리는 길임을 강조해 왔습니다. 부산·경남·울산지역이 동북아 자동차 산업의 핵심기지로 발전할 수 있도록 관심과 지원을 아끼지 않겠습니다. 2003부산국제모터쇼가 우리나라 자동차 산업을 한 단계 도약시키고, 국민에게 꿈과 희망을 주는 세계적인 모터쇼로 발전하기를 기대합니다. 참석자 여러분 모두 즐거운 시간 보내십시오.

감사합니다.

# 제7회 노인의 날 기념식 연설

2003년 10월 2일

존경하는 어르신 여러분, 자원봉사자와 내외귀빈 여러분,

대단히 반갑습니다. 제7회 노인의 날을 축하드립니다. 남다른 봉사와 헌신으로 오늘 영예로운 상을 받으신 수상자 여러분께서도 축하의 박수를 보냅니다. 어릴 적에 저는 동네 어르신들께 인사를 잘한다고 칭찬을 많이 받으면서 자랐습니다. 제가 대통령이 되어서 이 자리에 서게 된 것도 어르신들을 잘 공경한 덕분이 아닌가 생각합니다.

개인적으로는 저의 아버지께서 일흔여섯의 나이로 제가 고시 합격하던 해에 돌아가셨고, 저의 어머니는 아흔셋까지 사시다가 1998년도에 돌아가셨습니다. 형님이나 저나 아버지 어머니께 잘 순종하면서 살았습니다. 그래서 제가 대통령 된 것이 부모님을 잘 공경했기 때문이라는 마을 어른들의 말씀을 듣기도 했습니다.

이 자리에 계신 어르신 여러분 모두 정말 우리 국민들로부터, 자라나는 젊은 세대들로부터 공경받을 만한 충분한 자격을 갖추고 있습니다. 지난 40년 동안 우리 한국은 100배의 경제성장을 이룩하였습니다. 누가 했냐고 물으면 바로 여러분들입니다. 어느 누구도 부인할 수 없는 명백한 사실입니다. 이것은 세계 최고의 업적이라고 말할 수 있습니다. 여러분이 지난 40년 동안 우리나라를 바꿔놓은 것입니다. 요즘 젊은 사람들이 새로운 것을 만들어 내면서 우리 사회를 주도하는 것 같이 보입니다. 그러나 여러분, 결코 기죽지 마십시오. 젊은 사람들이 지금 그렇게 활기차게 눈부시게 자기의 뜻을 펼쳐갈 수 있도록 우리 사회를 만드신 분들은 바로 여러분들입니다. 존경받을 충분한 자격이 있습니다. 당당하게 큰 소리 치십시오.

우리는 지금 지식정보화 사회로 가고 있습니다. 선진국의 문턱에서 있습니다. 우리가 지식정보화 사회로, 선진국으로 진입한다면 그 밑천 또한 여러분들이 만들어주신 것입니다. 논 팔고 소 팔고 허리띠 졸라매며 자식들을 공부시켰습니다. 여러분들이 공부시킨 그 사람들이 지금 세계 최고의 실력을 갖추고 우리 한국 사회를 지식정보화 사회로 만들어 나가고 있는 것입니다.

중국이 무섭게 쫓아오고 있고 우리나라가 많은 어려움에 처해 있기 때문에 혹시 이대로 가다가 주저앉아 버리지는 않을까 걱정하는 사람이 많이 있습니다. 하지만 저는 분명히 믿습니다. 우리 한국 사람들의 우수한 자질과 어떤 일에도 굴하지 않는 투지, 반드시 성취하고야 말겠다는 의지, 여러분의 희생 속에 쌓아올린 실력이 있습니다.

반드시 대한민국은 성공할 것입니다. 그리고 그것은 여러분들이 희생과 헌신이 있었기에 가능한 것입니다. 거듭 여러분들께 존경과 감사의 말씀을 올립니다. 앞으로도 저는 자라나는 젊은이들에게 계속해서 이 이야기를 할 것입니다. 우리 사회의 어른들은 존경받을 가치가 있다. 정말 존경받아야 할 분들이라고 말할 것입니다.

존경하는 어르신 여러분,

고령화 사회의 대책은 이제 더 이상 미룰 수 없는 우리 사회의 과제입니다. 이 문제에 제대로 대응해 나가지 못하면 20년, 30년 뒤 우리 사회가 심각한 상황에 부닥치고 어쩌면 정상적 운영마저 불가능하게 될 지도 모릅니다. 지금 우리가 가지고 있는 많은 희망적인 계획들도 좌절될지 모릅니다. 그래서 노인정책에 대한 해박한 지식과 열정을 지닌 사람이 정부에서 중요한 발언권을 가지고 일을 해야 합니다. 제가 보건복지부장관을 선임할 때에도 이 부분을 깊이 고려하였습니다. 정부 정책을 책임지고 있는 사람으로서 저는 여러분께 분명히 약속드립니다. 조금 전 보건복지부 장관이 보고 드린 노인정책이 차질 없이 시행될 수 있도록 확실하게 뒷받침하겠습니다. 결코 빈말이 되지 않을 것임을 제가 보증하겠습니다.

오늘 보고드린 정책 중의 절반 정도는 제 나이 또래의 사람들을 위한 것인 것 같습니다. 능력에 따라 오래도록 일할 수 있게 한다든지, 일자리를 더 많이 만든다든지, 좀 더 보람되고 적극적인 사회 참여를 보장하는 일과 같은 것은 앞으로 노인이 될 사람들에게 더 중요한 문제입니다. 지금 당장 어르신 여러분들에게 중요하고 고민스러운 문제는 호주머니에 용돈이 없어서 자식들 눈치보기가 힘들고 소일거리가 없어 심심하고 몸 아픈 일 아닙니까? 앞으로의 문제인 고령사회 대책도 차질 없이 세워 나가겠습니다. 그러나 당장 여러분들에게 필요한 것, 이 문제 해결하는데 전력을 다하겠습니다.

정말 살기 어려운 어르신들께 용돈 한푼이라도 더 드리도록 하고, 심심하지 않도록 다양한 프로그램들을 마련하겠습니다. 건강하게 지내실 수 있도록 정책적으로 뒷받침하겠습니다. 이것은 또한 국민 전체를 위해서도 큰 도움이 될 것입니다. 요즘 건강보험료 부담이 적지 않습니다. 보험료의 20%를 노인요양에 쓰고 있다고 합니다. 돈을 써야 할 곳에는 써야 합니다. 하지만 이는 어르신 여러분들이 충분히 건강하지 않다는 것을 의미합니다. 여러분들이 병원에 자주 가지 않아도 되도록 질병을 사전에 예방하고 건강을 돌볼 수 있는 프로그램을 만들겠습니다. 의료비 지출이 줄어듦으로써 생긴 예산을 또 다른 노인 프로그램에 투자할 수 있는 대책도 마련해 나가겠습니다. 이 자리에 계신 우리 사회의 노인 지도자 여러분, 그리고 노인 복지를 위해 여러 모로 봉사하고 계신 사회단체 지도자 여러분들도 함께 노력해 주시리라고 믿습니다. 정부도 최선을 다하겠습니다.

존경하는 어르신 여러분,

여러 가지로 미흡합니다. '잘 하라'고 채찍질해 주십시오. 여러분의 채찍질은 언제든지 달게 받겠습니다. 그렇지만 '왜 빨리 안되느냐', '기대에 못미친다'고 너무 많이 때리지는 마시고 일 잘할 만큼 살금살금 때려 주십시오. 그리고 많이 말씀해 주시고 격려해 주십시오. 어르신 여러분, 잘 모시겠습니다. 감사합니다.

# 제7차 ASEAN+3 정상회의 참석 출국인사

2003년 10월 6일

존경하는 국민 여러분,

저는 7일부터 8일까지 인도네시아 발리에서 열리는 제7차 ASEAN +3 정상회의에 참석하기 위해 오늘 출국합니다. ASEAN +3 정상회의에는 동남아국가연합(ASEAN) 10개국과 동북아의 한·중·일 3개국 정상들이 참석합니다. 출범 7년째인 이 정상회의는 동아시아 전체의 협력 강화를 모색하는 중심적인 협의체로 자리잡게 되었습니다.

이번 정상회의에서는 동아시아 협력 심화를 목표로 그동안 제시된 동아시아 협력구상의 이행방안과 각국간의 경제협력 강화방안 등이 폭넓게 논의될 예정입니다. 동아시아는 교역규모가 2조5천억 달러에 달하고 인구 19억명의 거대한 시장입니다. 1980년대 중반 이후 세계에서 가장 역동적인 경제성장을 지속하고 있습니다. 교역과 투자, 그리고 인적

교류가 급증하면서 역내 국가간 상호 의존도가 매우 높아지고 있습니다. 그만큼 동아시아는 우리에게 매우 중요한 시장입니다.

이와 함께 이 지역 국가들이 공동으로 대처해야 할 도전과 과제도 많습니다. 지난 1997년의 아시아 금융위기나 최근의 사스 사태에서 보듯이 동아시아 전체 차원의 협력이 긴요하게 되었습니다. 이러한 인식에서 ASEAN과 한·중·일 3국은 동아시아 협력의 틀에 관해 논의해 왔습니다. 역내 무역·투자 의존도가 높은 우리로서는 이러한 논의에 주도적으로 참여하는 것이 매우 중요합니다.

이번 정상회의에서 저는 동아시아의 평화와 공동번영을 위한 비전을 공유하고 실천해 나갈 것을 강조할 예정입니다. 우리 정부가 주도하여 작성한 '동아시아 연구그룹'보고서의 협력사업을 충실히 이행할 것을 촉구할 생각입니다. 그리고 동아시아 지역의 무역·투자 자유화 등 역내 경제협력의 활성화 방안에 관해서도 진지하게 논의하고자 합니다. 또한 ASEAN 회원국간 개발격차를 해소하기 위한 우리의 지원 방침을 설명하고, 한·ASEAN 협력의 기본 틀을 마련하는 방안에 대해서도 협의할 계획입니다.

이와 함께 한반도의 평화와 안정이 동아시아 안보와 번영에 필수적인 과제임을 설명하고, 북한 핵문제의 평화적 해결을 위한 동아시아 차원의 협력을 확보하기 위해 노력할 것입니다. 우리 정부의 '평화와 번영의 동북아 구상'이 동북아에서의 협력을 확대하여 동아시아 전체의 평화와 번영에 기여하려는 것임을 설명할 것입니다. 저는 이 기간 중에 제5차 한·중·일 정상회담을 주재하여 동북아 3국간의 협력을 강화하기 위한 방안을 협의하고, 향후 협력 방향을 제시할 공동선언의 채택을 추진할 것입니다. 또한 일본·인도네시아·말레이시아·캄보디아·브루나이 및 인도 정상과 개별 회담을 갖고, 지역정세와 실질적 우호협력 증진방안 등을 협의하게 될 것입니다. 국민 여러분의 성원과 기대에 부응할 수 있도록 최선을 다하겠습니다.

감사합니다.

# ASEAN 비즈니스투자 정상회의 기조연설

2003년 10월 7일

존경하는 루디 페식 ASEAN 민간자문위원회 위원장, 탄리 아벵 ASEAN 비즈니스 투자 정상회의 조직위원장, 그리고 이 자리에 함께 하신 아시아 경제계 지도자 여러분,

안녕하십니까? 반갑습니다. 이렇게 귀한 자리에 초대해 주셔서 감사합니다.

오늘 이 자리는 아시아 기업인간의 교류와 협력을 증진하기 위해 만들어졌습니다. 세계 경제가 어렵고 역내 기업간 협력이 중요한 시점에서 열리는 매우 뜻깊은 회의입니다. 이 회의가 역내 기업인간의 유대를 돈독히 하고 서로의 지혜를 나누는 소중한 기회가 되기를 바랍니다. 나아가 아시아는 물론 세계 경제에 활력을 불어넣는 계기가 되기를 기대합니다.

존경하는 참석자 여러분,

동남아 각국 지도자들은 일찍이 1960년대 중반에 ASEAN을 창설하고 결속을 다져 왔습니다. 1980년대 이후에는 무역과 투자 자유화 정책을 통해서 역동적인 성장을 지속해 왔습니다. 동남아 지역은 전 세계 개도국들에게 모범적인 경제성장 모델을 제시하고 있습니다. 이러한 결실은 서로 다른 언어와 문화, 그리고 경제발전 단계의 차이를 극복하면서 성취해 낸 것이기에 더욱 값지다고 하겠습니다.

이제 역내 경제통합을 꿈꾸는 ASEAN 회원국들은 단계적인 ASEAN 자유무역지대(AFTA) 실현계획에 따라 작년 말 1차 관세인하 목표를 달성하고, 2015년까지 역내 완전 무관세화를 목표로 매진하고 있습니다. 이번에 처음 열리는 'ASEAN 비즈니스 투자 정상회의'가 그동안 ASEAN이 이룩해 온 성장과 통합의 결실을 민간부문으로 확산하는 중요한 계기가 될 것으로 확신합니다.

아시아 경제계 지도자 여러분,

한국과 ASEAN 국가는 세계사의 소용돌이를 함께 경험하면서 두터운 우의와 협력을 쌓아 왔습니다. 가까운 역사만 보더라도 2차 대전 이후 식민주의에 항거하여 독립한 역사를 공유하고 있습니다. 독립 후에도 반세기 가까이 지속된 냉전체제와 강대국들의 틈바구니에서 자존과 번영을 추구해야 하는 어려운 시기를 경험하였습니다.

한국이 분단과 전쟁으로 인해 고통받고 있을 때 ASEAN의 많은 나라들은 물심양면으로 우리를 도왔습니다. 국제무대에서도 적극적으로 지원해 주었습니다. 1990년대 후반에는 아시아 경제위기의 풍파를 서로

도우면서 극복했습니다. 우리 국민은 ASEAN 친구들의 고귀한 우정을 결코 잊지 않고 있습니다.

한국은 지난 10년간 ASEAN 여러 나라와 산업연수생 협력을 증진시켜 오고 있습니다. 현재 한국에 체류 중인 산업연수생의 절반 가까이가 ASEAN 국가 젊은이들입니다. 이들은 우리 경제에 큰 도움이 되고 있을 뿐만 아니라 해당국과의 이해 증진에도 기여하고 있습니다. 한국 정부는 외국인 근로자의 처우개선과 인권 보호를 위해 노력해 왔으며, 올해 7월말 '외국인고용허가법'을 제정하였습니다. 이제 외국인 근로자도 취업기간 동안 내국인과 동등한 대우를 제도적으로 보장받게 되었습니다. 새로운 제도 아래서 한·ASEAN간 인적교류와 산업인력 협력이 더욱 활성화되기를 희망합니다.

한국은 경제발전 경험을 ASEAN 국가들과 나누고, ASEAN이 자체적으로 추진하고 있는 'ASEAN 통합 이니셔티브' 등을 지원하는 노력도 지속해 나갈 것입니다. 특히 우리의 정보화 경험과 성과를 ASEAN과 공유해 나갈 것입니다. ASEAN 역내 정보화 격차의 해소를 위해서도 지원을 아끼지 않겠습니다. 또한 우리 정부는 앞으로 연간 1천명 규모의 '개발협력단'을 파견할 예정입니다. 내년에는 우선 500명 규모의 개발협력단을 ASEAN 국가를 중심으로 파견해서 ASEAN 젊은이들이 자국의 밝은 미래를 이끌어갈 수 있도록 지원해 나갈 것입니다.

새로운 21세기, 이제 한국과 ASEAN은 서로에게 너무도 중요한 교역과 투자의 파트너가 되고 있습니다. 한·ASEAN간 교역규모는 지난해 352억 달러를 기록하면서 서로에게 제5위의 교역상대국으로 다가서고 있습니다. 한국은 올해 상반기까지 ASEAN 지역에 96억 달러를 투자해서 ASEAN 전체 투자유입액의 약 5%를 차지하고 있기도 합니다. 그만큼 한·ASEAN 관계는 상호보완성이 깊어지고 협력 분야도 넓어졌습니다. 뿐만 아니라 지난해 132만 명의 한국 관광객이 ASEAN 국가들을 방문할 정도로 ASEAN은 우리 국민에게 매우 친근한 지역이기도 합니다. 그러나 이 정도의 결과에 만족해선 안 될 것입니다. 지금까지 쌓아 온 신뢰와 협력을 바탕으로 한·ASEAN 관계를 '21세기 포괄적 동반자 관계'로 발전시켜 나가야 하겠습니다.

존경하는 참석자 여러분,

저는 오늘과 내일 ASEAN국가 지도자들과 만나 이러한 비전에 관해 논의하게 됩니다. 이를 토대로 ASEAN과의 중장기적인 협력방안을 하나씩 구체화해 나갈 것입니다.

첫째, 그동안 정치·외교 분야에서만 진행되어 오던 한·ASEAN간 협의 채널을 경제·통상 분야로 확대해 나가고자 합니다. 구체적으로는 내년부터 한·ASEAN간 '경제장관회의'와 '고위경제관리회의'를 신설해서 정례화하고자 합니다. 이를 통해서 무역과 투자 활성화를 비롯한 미래지향적인 경제협력 관계를 발전시켜 나갈 것입니다.

둘째, ASEAN을 중심으로 이루어지고 있는 동아시아 통합 움직임에도 적극적으로 동참해 나갈 것입니다. 이를 위해 내일 개최되는 한·ASEAN 정상회의에서 한·ASEAN FTA 추진방안에 대한 저의 구상을 밝힐 계획입니다. 저는 현재 ASEAN이 AFTA를 통해서 경제적인 통합을 이루어가고 있고, 중국·일본·인도 등 인근 국가들과도 FTA를 비롯한 포괄적인 경제협력관계 구축을 위해 노력하고 있는 것을 주목하고 있습니다. 그동안 한국도 동아시아 전체의 협력과 통합을 위해서 많은 노력을 기울여 왔습니다. ASEAN과 한·중·일 정상회의를 통해서 1998년과 2000년에 '동아시아 비전그룹(EAVG)'과 '동아시아 연구그룹(EASG)'을 제안한 바 있습니다. 두 그룹은 지난 수년 동안 ASEAN과 한·중·일 13개국의 참여와 협조 아래 성공적으로 연구를 진행시켜 왔습니다. 특히 동아시아 연구그룹은 동아시아 지역의 정체성과 공동체 의식을 높이기 위한 26개 협력조치를 권고한 바 있습니다. 한국은 이들 26개 협력조치 중에서 우선 '동아시아 포럼(EAF)'을 올 12월에 서울에서 개최할 예정입니다. 이 자리에는 역내 회원국들의 산·관·학 대표들이 참석해서 동아시아의 평화와 번영, 진보를 위한 협력방안을 논의하게 될 것입니다. 이러한 노력들은 ASEAN의 통합에 기여하고 동아시아 전체의 결속을 강화하는 데 이바지하게 될 것이라고 믿습니다.

셋째, 현재 ASEAN과 한·중·일 재무장관회의 등을 통해서 추진 중인 역내 금융협력에도 적극 참여해 나가고자 합니다. 아울러 21세기 신성장산업인 IT·BT·NT분야에서 ASEAN과의 협력방안을 적극 모색해 나갈 것입니다.

존경하는 아시아 경제계 지도자 여러분,

한국은 동아시아 지역에서의 지정학적 위치를 기반으로 이 지역의 협력 확대에 더 적극적으로 기여하는 나라가 되고자 합니다. 이를 위해 저는 한국을 개방된 동북아 경제중심으로 도약시키겠다는 장기적인 목표를 가지고 있습니다. 한국의 적극적인 역할과 기여를 통해서 동북아는 물론 동아시아 전체의 공동번영을 도모하겠다는 계획입니다.

이러한 목표를 이루기 위해서 한국 경제를 보다 투명하고 공정하며, 효율적인 시장경제 시스템으로 만들어갈 것입니다. 기업회계와 지배구조, 금융과 노사관계 등 경제 전 분야를 글로벌 스탠더드에 맞게 개선해 나갈 것입니다. 또한 인천국제공항과 부산항·광양항과 같은 물류 인프라를 확충해서 동아시아의 교류 확대에 기여하고자 합니다. 이들 인근지역에는 자유로운 비즈니스 활동이 가능한 경제자유지역도 조성할 계획입니다. 그 궁극적인 목표는 한국을 세계 어느 나라보다 투자하기에 좋은 나라로 만드는데 있습니다. 거듭 강조하지만 한국은 동북아만을 중심으로 하는 지역협력을 추구하고 있지 않습니다. 동북아 지역에서 역할을 증대해 나가는 동시에 ASEAN 국가들과의 협력을 더욱 강화해 나갈 것입니다. 그리하여 동아시아 전체의 번영과 결속에 기여해 나갈 것입니다.

존경하는 아시아 경제계 지도자 여러분,

여러분들께서도 북한 핵문제를 두고 많은 걱정을 하고 계실 줄 압니다. 한반도의 군사적 긴장과 대립은 동아시아 전체의 안정과 번영에 장애물이 아닐 수 없습니다. 북한 핵문제의 평화적 해결과 남북한 평화체제의 정착은 동아시아의 평화와 번영에 필수적인 요소입니다.

북한 핵문제는 조속히 해결되어야 합니다. 그리고 반드시 평화적으로 해결되어야 합니다. 다행스럽게도 지난 8월 중국 베이징에서 6자 회담이 성사되었습니다. 북한 핵문제의 평화적 해결을 위한 길이 열린 것입니다. 가까운 장래에 제2차 회담이 열려 좋은 결과가 있기를 기대하고 있습니다. 북한이 핵을 포기할 경우 우리는 국제사회와 협력해서 북한이 개혁과 개방의 길로 나아오는 데 필요한 지원을 아끼지 않을 것입니다. 북핵 문제의 평화적 해결을 위한 우리의 노력에 ASEAN 경제계 지도자 여러분의 지속적인 관심과 성원을 당부 드립니다.

존경하는 아시아지역의 경제계 지도자 여러분,

우리 앞에 놓인 21세기는 도전과 기회가 교차하고 있습니다. 제국주의 시대와 냉전의 시기에 겪어야 했던 억압과 대결의 역사는 종언을 고했습니다. 동아시아는 북미·EU지역과 더불어 세계 경제의 3대 축으로 부상했습니다. 이 지역만큼 발전 가능성과 협력의 여지가 큰 곳도 없습니다. 그러나 도전 또한 만만치 않습니다. 갈수록 심화되고 있는 경쟁구도 속에서 한국과 ASEAN이 함께 번영하기 위해서는 동아시아 역내 협력을 강화해야 합니다. 동아시아 지역에 개방과 협력의 질서를 진전시켜 나가야 합니다. 그리고 이를 토대로 미주·유럽지역 등과도 협력을 강화해나가야 하겠습니다. 그 실질적인 주역은 여기 계신 기업인 여러분입니다. 오늘의 만남을 계기로 한국과 ASEAN 각국의 경제계간 협력이 더욱 활성화 되도록 함께 노력해나갑시다. 우리가 힘을 합쳐 노력해 나간다면 한국과 ASEAN 회원국, 나아가 동아시아는 세계경제 성장의 견인차가 될 것이며 21세기는 동아시아의 시대가 될 것입니다.

경청해 주셔서 감사합니다.

# 2003년도 제2회 추가경정예산안 제출에 즈음한 시정연설

2003년 10월 8일

존경하는 국회의장, 그리고 국회의원 여러분!

2003년도 제2회 추가경정예산안을 국회에 제출하고 그 심의를 요청하면서 추가경정예산안을 편성하게 된 배경과 주요 내용을 설명드리고, 의원 여러분의 이해와 협조를 구하고자 합니다. 먼저 지난 9월 중순 우리 국토를 강습한 태풍 '매미'로 인해 희생되신 분들의 명복을 빌면서 유가족 여러분께 다시 한번 깊은 위로의 말씀을 전하고자 합니다. 아울러 지금 이 시각에도 피해복구에 여념이 없으신 수해지역 주민 여러분께 진심으로 위로와 격려의 말씀을 드립니다. 또한 이 자리를 빌려 그동안 피해복구와 이재민 지원에 적극 동참해 주신 국민 여러분과 의원 여러분께도 깊은 감사의 말씀을 드리고자 합니다.

의원 여러분!

정부는 태풍 매미로 인해 수해를 입은 국민들이 하루빨리 생활의 안정을 되찾을 수 있도록 그동안 세 차례에 걸쳐 예비비를 지원하는 등 피해복구를 위해 최선의 노력을 다해 왔습니다. 교통, 통신 등 생활기반 시설의 경우 정부와 지방자치단체, 그리고 군이 보유하고 있는 인력과 장비, 물자 등을 총동원하여 응급복구를 실시하였습니다. 또한 피해 주민의 조속한 생활안정을 위하여 피해규모 파악과 이에 기초한 복구계획이 확정되기 전이라도 이재민 구호와 사유시설 복구에 예비비를 지원해 왔습니다. 국고지원이 신속하고 효율적으로 집행될 수 있도록 지원방식을 '선-복구, 후-지원'에서 '선-지원, 후-정산' 방식으로 전환하는 등 제도 개선에도 만전을 기하였습니다.

지난 9월 22일에는 전국 14개 시·도를 '특별재해지역'으로 지정함으로써 정부 지원을 대폭 확대한 바 있습니다. 이와 함께 국세·지방세의 감면 등 세제상 특례조치와 대출 확대, 상환 연기 등 금융 지원도 병행하여 수해를 입은 국민들의 경제적 부담을 덜어 나가고 있습니다. 아울러 침수가옥 붕괴와 전염병 등 예상되는 추가적인 피해를 방지하기 위한 방제 방역활동에도 만전을 기하였습니다.

의원 여러분,

정부는 이번 태풍으로 인한 이재민 구호와 사유시설에 대한 국고지원은 예비비 지출을 통해 충당하였습니다만, 공공시설의 피해복구를 차질 없이 뒷받침하기 위하여 부득이 추가경정예산안을 편성, 제출하게 되었습니다. 정부는 신속한 피해복구를 위해 중앙정부의 올해 예산뿐만 아니라 지방비와 수재의연금 등을 적절히 활용할 계획으로 있습니다. 복구비용 중 국고 지원 소요는 총 4조 7천억원 내외로서 올해 예산의 약 4.2%에 이르는 재원이 소요될 것으로 추정됩니다.

올해 확보된 예산만으로는 공공시설의 복구 소요를 충당하기에는 부족함에 따라 3조원 규모의 추가경정예산안을 편성하게 된 것입니다. 이번 추가경정예산안을 통하여 증액되는 3조원의 재원은 전액 국채발행을 통해 조달할 계획입니다.

존경하는 의원 여러분,

이번 추가경정예산안은 태풍피해를 조기에 복구하기 위한 것으로서 적정소요를 반영하여 최대한 신속하게 국회에 제출하였습니다. 정부는 이번 추가경정예산안이 확정되는 즉시 피해복구 계획에 따라 신속하고 효율적으로 복구사업을 추진해 나가면서 예산의 낭비적인 집행과 부실공사를 방지하기 위하여 집행관리에도 만전을 기하겠습니다. 아울러 중앙정부뿐만 아니라 모든 지방자치단체가 태풍피해의 상처를 하루속히 치유해 나가도록 최대한의 노력을 경주해 나가겠습니다. 의원 여러분께서는 이와 같은 추가경정예산안 편성 취지를 깊이 이해하시어 2003년도 제2회 추가경정예산안을 심의·의결하여 주시기 바랍니다.

감사합니다.

# 제7차 ASEAN+3 정상회의 참석 귀국보고

2003년 10월 9일

존경하는 국민여러분

저는 인도네시아 발리에서 열린 ASEAN과 한·중·일 정상회의에 참석하고 지금 돌아왔습니다. 국민 여러분들의 성원 덕분에 모든 일정을 무사히 마쳤습니다. 아시아 13개국 정상들과 직접 만나서 이들 나라들과의 협력관계를 더욱 돈독히 하고, 아시아 지역에서 우리의 위상을 다시 한번 확인하는 소중한 기회가 되었다고 생각합니다.

ASEAN과 한·중·일 정상회의에서는 동아시아 각국이 직면한 경제와 안보과제에 대해서 공동으로 대처하고 협력하는 방안을 폭 넓게 논의했습니다. 저는 기조발언을 통해서 동아시아가 하나의 공동체라는 인식을 갖고 노력해 나가는 것이 중요하다고 강조하고, 이를 위해서 지난해 우리나라가 주도해서 제시되었던 동아시아 연구그룹의 협력 비전과 사업을 충실히 실천해 나갈 것을 제안했습니다.

아울러 그 노력의 일환으로 오는 12월 서울에서 '동아시아 포럼 창립총회'를 개최할 계획임을 밝혔습니다. 이에 대해 각국 정상들은 큰 공감과 지지를 보내주었습니다. 또한 동아시아 지역의 경제통합을 위해서는 경제협력의 제도화와 역내 국가간의 개발격차 해소가 필요하다는 데에도 의견을 함께 했습니다.

동아시아는 교역규모 2조 5천억 달러, 인구 19억의 거대 시장입니다. 최근 이 지역 국가간에 공동번영을 위한 협력의 틀을 모색하려는 움직임이 그 어느 때 보다 활발해 지고 있습니다. 이러한 흐름에 주도적으로 참여하는 것은 우리의 국익을 위해서 매우 긴요하다고 생각합니다.

ASEAN과 한·중·일 정상회의와 함께 의미가 컸던 자리는 한·중·일 정상회담이었습니다. 올해로 5번째를 맞는 이번 회담에 우리 국민은 물론 국제사회의 관심이 모아졌습니다. 이 자리에서 한·중·일 정상은 3국간의 협력을 전면적이고 미래지향적으로 추진해 나가기로 합의했습니다. 구체적인 협력의 원칙과 분야를 명시한 공동선언도 채택을 했습니다. 공동선언에서 한·중·일 3국은 안보와 무역, 투자, 금융, IT, 환경, 초국가 범죄 등 열네 개 분야에서 긴밀한 협력을 하기로 했습니다.

또한 공동선언의 이행을 점검하기 위해서 '한·중·일 3자위원회'를 설립하기로 약속했습니다. 이번 공동선언은 한·중·일 3국 관계사에 처음 있는 일로서 3국간 협력이 제도화되고 있다는 것을 의미하는 것입니다. 앞으로 평화와 번영의 동북아 시대를 열어가는 초석이 될 것으로 기대합니다.

ASEAN과 경제협력 관계를 강화한 것도 이번 방문의 성과라 할 수 있을 것입니다. 동남아지역 열 개 나라로 구성된 ASEAN은 우리 교역의 12% 정도를 차지하고 있습니다. ASEAN의 경제개발을 지원하고 통상·투자 관계를 확대하는 것은 우리 경제의 저변을 넓히는 중요한 과제가 되고 있습니다. 저는 '한·ASEAN 정상회의'에서, 한·ASEAN 간의 실질적인 협력 기반을 강화하는 방안을 깊이 논의했습니다. 우리의 경제개발 경험을 바탕으로 ASEAN 내 후발 개도국의 경제발전 지원 사업을 지원하고, 내년부터는 농어촌 개발 분야를 중심으로 천명 규모의 '개발협력단'을 파견하기로 했습니다. ASEAN 정상들은 이러한 우리의 노력에 대해서 높은 평가와 감사의 표시를 해주었습니다. 앞으로 무역, 투자 자유화를 비롯한 한·ASEAN간의 경제통상관계 확대가 상호이익을 위해서 매우 긴요하다는데 대해서도 의견의 일치를 봤습니다.

저는 한국과 ASEAN이 자유무역협정 체결을 포함한 경제 긴밀화 방안을 공동으로 연구하기 위해서 전문가그룹을 구성하자고 제의했고, ASEAN 정상들은 이에 적극적으로 찬동했습니다.

내년은 한국과 ASEAN이 대화관계를 수립한지 15주년이 됩니다. 이를 계기로 포괄적인 협력 동반자 관계를 구축하기 위해서 내년의 한·ASEAN 정상회의에서 공동선언을 발표하기로 합의하였습니다.

ASEAN 각국의 경제계 지도자들이 모인 'ASEAN 비즈니스 투자 정상회의'에서도 기조연설을 했습니다. 저는 이 자리에서 한국과 ASEAN과의 협력 증진 방안을 제시했고, 앞으로 좋은 결과가 있을 것으로 기대합니다.

이번 방문의 또 하나 목표는 북한 핵문제의 평화적 해결을 위해서 역내 국가들과의 협력을 강화하는 것이었습니다. 저는 방문 기간 동안 모든 기회를 통해서 한반도의 평화와 안정 없이는 동아시아 전체의 번영도 어렵다는 점을 강조하고 한반도 평화정책을 설명했습니다. 각국 정상들은 북핵 문제의 평화적 해결과 우리의 평화번영정책을 적극 지지하고 협력할 뜻을 밝혔습니다. 특히 한·중·일 3국 정상은 북핵 문제의 평화적 해결과 한반도 비핵화 원칙을 재확인하고, 2차 6자회담 개최를 위한 협력을 강화해 나가기로 했습니다.

다자회의 못지 않게 주력한 것은 각 정상과의 개별회담이었습니다. 중국, 일본, 인도네시아, 말레이시아, 캄보디아, 브루나이, 인도 등 7개국 정상들과 진지한 의견을 서로 교환했습니다. 이들 국가의 정상들은 한결같이 우리나라와의 경제협력과 국제무대에서의 협력이 확대되기를 희망했습니다. 저는 이들 나라들과 더 적극적으로 협력하고 국제사회에서도 굳게 손잡고 나아갈 것을 약속했습니다. 아울러 저는 인도네시아에 사는 동포들을 만나서 국민 여러분들의 따뜻한 인사를 전했습니다.

저는 이번 정상회의 참석을 통해서 세계 경제의 중심축으로 떠오르고 있는 동아시아 경제의 역동성을 확인할 수 있었습니다. 우리 경제의 진출 기반 확대를 위해서 동아시아 국가들과의 협력 강화가 중요하다는 것도 실감했습니다. 동아시아 국가들이 우리에게 거는 기대 또한 매우 크다는 것도 피부로 느낄 수 있었습니다. 저는 이러한 이웃나라들의 기대에 부응해서 북한 핵문제를 평화적으로 해결하고 우리 경제의 경쟁력을 더욱 튼튼히 다지는 데 최선을 다해 나가고자 합니다. 나아가서 동아시아 지역의 협력을 강화하는데 적극적인 역할도 계속해 나가겠습니다.

국민 여러분의 더 큰 성원을 당부 드립니다.

감사합니다.

# 第84회 전국체육대회 개막식 연설

2003년 10월 10일

존경하는 국민여러분. 전국도민과 선수단 여러분.

第84회 전국체육대회의 개막을 진심으로 축하드립니다. 전라북도 지사님, 그리고 전북도민여러분, 정말 대단합니다. 준비하시느라고 정말 수고하셨습니다. 이번 대회에는 전에 없었던 여러 가지 새로운 의미가 부여되어 있습니다. 드릴말씀도 많고 또 이렇게 가득 적어 왔습니다만 선수단 여러분 다리 아프실 겁니다. 짧게 말씀드리겠습니다.

열심히 싸우십시오. 시·도의 명예를 위해서 힘껏 싸우십시오. 이 자리에는 여러분의 시·도민들을 대표해서 전국의 시장, 도지사 분들이 오셔서 여러분을 응원하고 계십니다. 해외에서 참가해 주신 동포 여러분, 정말 반갑습니다. 그리고 정말 감사합니다. 이 자리에 계신 모든 분들, 그리고 이 자리를 지켜보고 계신 국민 모두가 정말 가슴 찡한 감동으로 여러분의 참가에 감사하고 계실 것입니다.

이제 선수단 여러분께 한 말씀만 드리겠습니다. 이기십시오. 그러나 이기는 것보다 더 소중한 것이 있습니다. 정정당당하게 싸우십시오. 모두다 경기에서 이길 수는 없겠지만, 다 함께 정정당당한 경기로서 승리할 수 있을 것입니다.

감사합니다. 성공을 바랍니다.

# 제243회 정기국회 시정연설

2003년 10월 13일

존경하는 국민 여러분, 그리고 국회의장과 의원 여러분,

저는 지난주에 국민의 재신임을 받겠다는 선언을 했습니다. 얼마나 놀라셨습니까? 여러 날을 두고 고심했습니다. 지난 8개월 동안 제가 해왔던 일을 하나하나 돌이켜 보면서 자성하는 시간도 가졌습니다. 그 무엇보다 국민 여러분, 특히 서민 여러분께 즐거움과 기쁨을 드리지 못한 점이 가장 가슴아픈 일입니다. 서민들은 장사가 안 돼서 울상이고, 택시 기사들도 손님이 없어서 시름이 이만저만이 아닙니다. 잦은 비와 냉해로 자식 같은 농사를 망치고 절망에 빠져 탄식하는 농민들을 생각하면 가슴이 아픕니다. 여기에 태풍까지 겹쳐서 삶의 터전을 잃어버린 수재민들의 고통을 생각하면 차마 밤잠을 이루기도 어렵습니다. 일부 지역의 아파트 값이 천정부지로 뛰어서 서민들은 삶의 의욕마저 위협하고 있고,

사정이 이런데도 대통령은 정치권·언론과 싸움만 하는 모습으로 비쳐지고 있습니다. 그런데 여기 제 주변 사람의 비리 의혹이 터져 나왔습니다. 차마 국민 여러분을 대할 면목이 없습니다.

존경하는 국민 여러분,

경제는 시간을 두고 최선을 다하면 살릴 수 있을 것입니다. 그 밖에 국정도 노력하면 해결할 수 있을 것입니다. 그러나 정부가 아무리 노력해도 할 수 없는 일이 있습니다. 정치권의 일상화된 부정부패와 그에 대한 도덕적 불감증입니다. 대통령 선거에는 으레 수천억원의 돈이 들고, 국회의원 선거에는 수십억원이 든다고 국민들은 믿고 있고, 또 이기기 위해선 어떤 돈이든 거두고 무슨 수단이든 쓰는 것이라고 정치인도 믿고 유권자도 믿고 있습니다.

이와 같은 도덕적 마비증상을 고치지 않고는 어떻게 우리가 미래를 열어 나갈 수 있겠습니까? 더 이상 경제 발전도 없고 선진국 진입도 불가능할 것입니다. 이제 우리 국민들이 결단을 내려야 합니다. 기업의 장부가 압수될 때마다 비자금이 나오고, 비자금이 나오면 당연히 정치권으로 연결되는 이 낡은 사슬은 반드시 끊어내야 합니다. 돈을 받은 정치인이 '나만 받았는가', '누구 누구는 받지 않았는가' 하며 서로의 잘못에 의지하고 또는 정치탄압, 야당탄압이라는 핑계로 적당하게 피하고 넘어가고, 그래서 다시 비자금이 또 터지는 이런 악순환의 고리를 반드시 끊어야 합니다.

저는 제 자신이 먼저 몸을 던져야 할 때라고 판단했습니다. 금액의 많고 적음을 떠나 국민의 의혹을 받고 있는 한 과감히 국민의 심판을 받고, 그리고 이것을 계기로 해서 앞으로 우리 사회의 부정부패가 철저한 조사, 그리고 고해성사, 필요하면 대사면, 제도개혁 이런 절차를 통해서 우리 사회 지도층의 도덕적 신뢰를 바로 세울 수 있다면, 그리고 깨끗한 정치, 투명한 정치가 실현될 수 있다면 남은 임기 동안 모자라는 솜씨로 국정운영을 통해서 해 낼 수 있는 그 어떤 개혁보다 더 큰 정치 발전을 이루는 길이라고 저는 판단했습니다. 그렇게만 된다면 기쁜 마음으로 대통령직을 내놓을 각오가 되어 있습니다. 그 이상도 그 이하도 아닙니다. 재신임 요구에 어떤 조건도 붙이지 않겠습니다.

재신임을 하는 동안 얼마간의 국정 불안과 국정 혼란이 있을 것입니다. 그러나 이 정도의 진통은 감수해 나갑시다. 저부터 국정의 중심을 잡아 나가겠습니다. 이를 계기로 정치인과 공직자, 기업인, 언론인 등 모든 사회 지도층에 대해서 국민들이 당당하게 도덕적 요구를 할 수 있는 새로운 시대를 열어 갔으면 좋겠습니다.

원고에 없는 말씀, 한두 말씀 보태겠습니다. 저의 재신임 선언에 대해서 여러 가지 추측과 평가들이 있습니다. 그러나 정말 무모하게, 쉽게 내린 결론은 아닙니다. 처음 인도네시아 발리에서 최도술씨 사건에 대해서 보도를 보았을 때 눈앞이 캄캄했습니다. 미리 알고는 있었지만, 그러나 그 허물이 드러나는 것은 또 다른 충격이었습니다. 당장 한국에 돌아가야 할 텐데 국민들을 어떻게 볼까. 국정연설이 예정돼 있는데 그 준비했던 많은 말들이 무슨 의미가 있을 것인가. 국무회의를 주재해야 하는데 여기에서는 옳은 소리, 바른 소리를 항상 해야 하는데 무슨 낯으로 국무위원들에게 옳은 소리, 바른 소리를 할 수 있을 것인가. 참으로 참담했습니다. 앞으로 진행될 과정을 눈 감고 생각해 보았습니다.

지난 날 안희정, 노건평, 이기명, 장수천의 기억이 떠올랐습니다. 그 문제들에 관해서 자랑할 일은 아니지만 그러나 그 문제라면 큰 부끄러움 없이 감당할 수 있었습니다. 정말 감당하기 힘든 공세에 시달렸지만 그러나 감당할 수 있었습니다. 제 자신에게 자신감이 있었기 때문입니다. 그러나 이 문제에 대해서는 제가 할 말이 없을 것 같았습니다. 그리고 앞으로 스스로 양심에 자신감을 갖지 못하는 일로 끊임없는 논란과 보도가 이어질텐데 이 상황을 두고 어떻게 내가 국정에 전념할 수 있으며, APEC에 가서 세계적인 정상들과 만나서 무슨 떳떳한 일을 할 수 있겠는가. 수사 결과 사실은 밝혀질 것입니다.

그러나 그것이 밝혀질 때까지 도저히 감당할 수가 없었습니다. 저는 이것이 국정의 혼란, 아니 혼란을 넘어서 바로 마비라고 생각했습니다. 이렇게 갈 수는 없다는 생각이 들었습니다. 더욱이 저의 정치적 지지기반이 매우 취약하고 국민들 지지도 매우 낮지 않습니까. 여소야대 정치를 정말 모범적으로 한번 성공시켜 보고 싶었습니다. 그러나 제 부덕한 탓에 성공하지 못했습니다. 어쩌면 이렇게 해서는 정말 대통령이 제 할 일을 하기가 어렵다고 할 상황에까지 이르렀습니다. 지난 날 대통령들께서 야당 의원을 빼오기도 하고 정계를 개편하고 했던 그 심정이 어렴풋이 이해가 되기도 했습니다.

그러나 제가 그렇게 할 수도 없고 할 힘도 없는 것이 명백하지 않습니까. 언론상황도 좋지 않습니다. 지역 정서도 좋지 않습니다. 저는 호남인도 아니고 영남인도 아닙니다. 그 경계 위에 서서 양쪽으로부터 공격을 받는 이런 정치적 토대 위에서 대통령이 일을 하자면 그래도 양심에 부끄러움이 없고 떳떳해야 어려움을 무릅쓰고 극복을 해 나갈텐데 지금이 상황으로서는 자신이 없었습니다. 이대로는 앞으로 4년, 국정을 아무리 발버둥쳐도 제대로 하기 어렵다는 생각을 하게 됐습니다.

그래서 결심했습니다. 제게 임기를 채우지 못하는 불행이 있더라도 우리 정치를 바꾸는 조그만 계기가 될 수 있다면, 그나마 제 할 몫을 어느 정도는 하는 일이라고 생각했습니다. 그래서 제 직을 걸고 정치개혁을 할 수 있는 기회로 한번 살려 보고자 결심을 했습니다. 이 점을 잘 받아들여 주시고 이 결단에 대한 제 잘못과 허물이 중요한 것이 아니라 이와 같은 자성의 결단을 계기로 우리 사회 정치가 한 단계 발전하는 그런 계기가 되기를 저는 간절히 바랍니다.

이제 불필요한 논란과 혼란을 피하기 위해서 재신임의 방법과 시기에 관해서 제 생각을 말씀드리겠습니다. 제가 결정할 수 있는 일은 아닙니다만 국민투표가 옳다고 생각합니다. 법리상 논쟁이 없는 것은 아니지만 정치적 합의가 이뤄지면 현행법으로도 국가 안위에 관한 상황을 좀 더 폭넓게 해석함으로써 가능할 것으로 생각합니다. 과거 한나라당도, 그리고 민주당도 중간평가 또는 재신임을 요구한바 있으므로, 그리고 저의 재신임 선언 이후에 즉시 재신임을 받아야 한다고 말씀하셨기 때문에 합의가 쉽게 이루어질 것으로 저는 그렇게 생각합니다.

재신임에 있어서 어떤 정책을 결부시키는 방법이 논의되고 있습니다만 그렇게 하지 않는 것이 좋겠다고 생각합니다. 있는 그대로 정책과 결부하지 않고 재신임 여부를 그냥 묻는 것이 좋겠다고 생각합니다. 혹시 정치권이나 또는 국민들 사이에서 아울러서 정책에 관한 국민투표의 요구가 있다고 한다면 그것은 그냥 별개로 묶어서 진행하는 한이 있더라도 재신임 그 자체를 묻는 것이 필요하다고 생각합니다.

시기는 12월 15일 전후가 좋을 것 같습니다. 그 이전에 이번 사건의 진실도 수사가 다 끝나고 명백하게 밝혀질 것으로 그렇게 기대합니다. 제가 12월 15일로 생각한 것은 두 가지 이유가 있습니다. 불신임을 되었을 경우, 다음 대통령 선거는 부담을 줄이기 위해서 4월 15일 내년 총선과 함께 하는 것이 적당하다고 생각합니다. 그렇게 하자면 12월 15일경 재신임 투표를 하고 한두 달 동안 각 당이 대통령 후보를 준비하고, 그리고 2월 15일경에 대통령직을 사임하면 그로부터 60일 이내인 4월 15일 총선과 동시에 대통령 선거를 치를 수 있을 것입니다.

반대로 국민들께서 저를 재신임 해 주셨을 경우 저는 다가오는 12월에 그동안의 국정 운영을 평가하여 내각과 청와대를 개편하고 국정쇄신을 단행할 계획을 가지고 있었습니다. 재신임 과정에서 보여진 민심을 토대로 광범위한 의견을 수렴해서 새로운 국정운영의 방향을 설정하기 위해서는 최소한의 시간이 필요합니다. 개편된 내각과 청와대의 일체감을 형성하기 위해서도 12월 중순부터는 내년도의 새로운 국정운영 준비에 착수해야 합니다. 그래야 국정이 조기에 안정되고 새로운 출발을 할 수 있을 것이라고 생각합니다.

존경하는 국민 여러분, 그리고 의원 여러분,

앞서 말씀드렸듯이 경제가 어렵습니다. 최선을 다했지만 고충도 적지 않았습니다. 경제는 참여정부 출범 시기에 이미 내리막길을 걷고 있었습니다. 가계 대출과 신용카드, 투신사 환매사태로 금융시장이 흔들리고, 투자와 소비도 급격히 위축되고 있었습니다. 여기에 북한 핵문제와 한반도 전쟁 위기, 이라크전쟁, 사스 공포까지 우리 경제를 어렵게 만들었습니다.

무엇보다도 금융시장의 붕괴를 막는 것이 가장 급한 일이었습니다. 정부는 신속히 카드사의 자구 노력과 함께 금융권 공동의 카드채 만기 연장 등을 유도해서 급한 불을 껐고, 그 이후 지속적인 대책을 추진해 가고 있습니다. 금융시장은 지금 안정을 찾았고 앞으로도 안정은 계속될 것으로 생각합니다. 소비 진작과 투자 촉진을 위해서 특소세 감면과 소득세액 공제 확대, 추가경정 예산 편성, 각종 규제완화 조치를 시행했습니다. 추가경정예산 편성 과정에서는 불경기로 고통받는 서민들의 생활 안정에 각별히 역점을 두었습니다.

금융시장 개입을 두고 '관치경제'라는 비판도 없지 않았습니다만, 그러나 시장이 정상적으로 작동할 때는 정부가 개입하지 않아야 하지만 시장이 붕괴될 위기에 처했을 때에는 신속히 시장을 복원시킬 의무가 있습니다. 저는 가장 무책임한 정부는 위기 앞에서 수수방관하는 정부라고 생각합니다.

부동산 가격은 반드시 안정시키겠습니다. 아직도 많은 사람이 정부의 부동산 대책을 믿지 않고 있습니다. 공공연히 '강남불패'라는 말까지 회자되고 있습니다. 그러나 정부는 결코 포기하지 않을 것입니다. 주택가격 안정은 서민생활 그 자체입니다. 주택가격의 폭등은 임금 인상을 불러오게 되고, 임금 인상은 우리의 경쟁력을 떨어뜨립니다. 부동산 가격 상승은 기업의 생산원가에 바로 부담을 주기도 합니다. 서민생활을 위해서도, 그리고 우리 경제를 위해서도 부동산 투기는 결코 용납하지 않겠습니다. 지금 정부는 종합적인 부동산 대책을 준비하고 있습니다. 그리고 그것으로도 부족할 때에는 강력한 '토지공개념제도'의 도입도 검토하겠습니다. 토지는 국민생활과 기업경영의 필수적인 요소인 데 반해서 확대 재생산이 불가능합니다. 일반상품과는 달리 취급해야 할 이유가 있습니다. 사교육비 문제는 서민생활의 안정을 위해서 반드시 해결해야 합니다. 결코 쉬운 일은 아닙니다. 지난 수십년 동안 해결되지 못한 문제입니다. 그렇다고 손놓고 있진 않겠습니다. 대책을 내놓겠습니다. 그리고 근본적인 교육혁신 방안도 함께 마련하겠습니다.

존경하는 국민 여러분,

힘이 드실 것입니다. 그러나 용기를 잃지 마십시오. 우리 경제는 반드시 회복될 것입니다. 그리 많은 시간이 걸리지도 않을 것입니다. 중요한 것은 경기가 회복된 이후라고 생각합니다. 경기가 회복된 이후에 오랜 기간 동안 높은 성장이 지속되도록 성장잠재력을 확충해 나가야 합니다. 정부는 장기적인 성장을 위해서 모든 역량을 집중하고 있습니다. 기술 혁신과 우수인력의 양성을 위한 정책이 그 핵심이고 또한 착착 준비되어 가고 있습니다.

10대 성장동력산업을 선정하여 투자를 집중하고 있습니다. 투자의 효율성을 높이기 위한 연구와 제도개혁도 이미 시작하여 진행중입니다. 시장개혁, 그리고 사회개혁은 이미 여러 차례 말씀드렸습니다. 세계 시장에서 경쟁력을 높이기 위해서는 노사관계가 달라져야 합니다. 그 원인이 어디에 있건간에 분명한 것은 우리가 다른 나라보다 노사분규가 훨씬 많고, 또 그 과정이 지나치게 격렬해서 노사 모두에게 큰 피해를 주고 있고 우리 경제에도 부담이 되고 있다는 것이 사실입니다.

일부 대기업 노조의 투쟁방식은 바뀌어져야 합니다. 타협을 배제하고 처음부터 파업으로 들어가는 이런 방법은 국민의 지지를 얻기 힘들 것입니다. 강력한 노동조합으로 사회변혁을 추구하는 시대도 이제 지나갔습니다. 기업도 투명한 경영으로 신뢰를 얻어야 합니다. 공권력 이전에 대화와 타협을 통해서 노조를 진지하게 설득하는 노력이 선행되어야 할 것입니다. 지금 노·사·정위원회에서 논의 중인 노사관계 혁신방안에 반드시 합의를 이루어 주기 바랍니다. 정부는 노사간의 논의 결과와 국민 여론을 토대로 해서 올해 말까지는 노사관계 혁신방안을 확정하고, 이를 지속적으로 강력하게 추진해 나가겠습니다. 그래서 해마다 노사분규를 절반씩 줄여나가도록 하겠습니다.

서울과 수도권은 이미 포화상태입니다. 인력과 기술, 산업과 자본의 집중이 한계에 이르렀습니다. 이제 지방으로부터 새로운 동력을 찾아내야 합니다. 서울로, 서울로만 올라오던 이삿짐 보따리가 다시 지방으로 되돌아가는 전환점을 만들어야 합니다. 전국 16개 시·도가 독자적인 산업 경쟁력을 갖춘, 역동적인 발전의 주체가 되도록 지역산업을 육성하고 그를 위해서 지방대학에 대한 투자도 과감하게 늘려 가겠습니다.

행정수도 이전도 차질 없이 추진하겠습니다. 올해 안에 입지 선정 기준을 발표하고 내년 중에는 후보지가 선정됩니다. 지금 수도권의 부동산 상황이 심각하기 때문에 이 계획은 가능하면 빠르게 앞당기도록 노력하겠습니다. 이를 위해서 '지방분권특별법', '국가균형발전특별법', '신행정수도 건설을 위한 특별조치법'을 이번 국회에 제출하겠습니다. 조속히 통과해 주시기를 당부드립니다. 지금 국회에는 우리 경제의 성장력 배양과 민생의 안정, 그리고 우리 사회의 개혁을 위해서 꼭 필요한 여러 법안들이 계류되어 있습니다. 가능하면 신속히 심의하여 차질 없이 통과시켜 주시기 바랍니다.

WTO체제와 더불어서 자유무역협정은 이제 세계 경제의 새로운 대세가 되어가고 있습니다. 조만간 전 세계적으로 300여개의 자유무역협정이 발효될 전망입니다. 우리는 아직 단 하나의 자유무역협정도 체결하지 못하고 있는 실정입니다. 한·칠레 자유무역협정이 그 첫번째 출발입니다. 여러 가지 어려움이 있겠지만 우리도 세계의 대세에 동참하지 않으면 안 됩니다. 비준동의안이 이번 회기 내에 반드시 통과되도록 마음을 꼭 좀 모아주십시오.

우리 농민들이 어려움을 겪고 있는 것은 저도 잘 알고 있습니다. 농민들의 피해에 대해서는 'FTA 이행특별법'을 비롯한 지원 법안들이 이미 제출되어 있습니다. 함께 대책을 마련해 갑시다. 농민들이 어려움을 극복할 수 있도록 지속적이고 다양한 지원대책과 아울러 농업의 경쟁력을 강화하고, 또 구조조정이 신속히 이루어질 수 있도록 여러 가지 정책을 강구해 나가겠습니다.

존경하는 의원 여러분,

정치개혁 방향은 이미 나와 있는 것입니다. 첫째, 선거제도를 고쳐서 지역구도를 반드시 극복해야 합니다. 지역간의 대결구도를 만들어 놓고 유권자의 정서를 볼모로 불신과 증오만 부추기면 선거에서 승리하는 정치구도에서는 국회가 합리적인 정책 토론의 장이 될 수가 없습니다. 이성의 정치도 불가능합니다. 싸움만 있을 뿐입니다. 그렇게 해서는 우리 국회가 국민을 위한 국회가 되기 어렵습니다. 지역구도는 반드시 해소되어야 합니다. 지역구도를 극복할 수 있는 선거제도의 개혁이 반드시 이루어지기를 바랍니다. 의원 여러분의 각별한 결단을 촉구합니다. 저는 확신합니다. 지역구도가 결코 오래가지는 않을 것입니다.

둘째, 정치자금을 투명화하고 또한 현실화해야 합니다. 지금의 제도는 원천적으로 비정상과 편법을 강요하는 구조입니다. 합법적인 정치비용은 현실에 맞게 올리고 선거공영제를 확대할 필요가 있습니다. 정치신인도 합법적으로 자금을 모을 수 있도록 해주어야 합니다. 수입과 지출을 투명하게 하고 불법에 대해서는 처벌을 강화해야 합니다. 특히 정치자금법의 공소시효를 연장하는 특단의 결단도 함께 내려주실 것을 제안합니다. 여러분께 이런 저런 요구만 하지는 않겠습니다. 저부터 잘못된 권력문화를 바꿔가겠습니다. 검찰이 달라지고 있습니다. 이제 검찰은 정권으로부터 독립해서 수사하고 있습니다. 더 이상 권력의 눈치를 보지 않습니다. 그야말로 소신에 따라 독립적인 수사권을 행사하고 있습니다. 여러분이 지금 보고 계신 그대로입니다.

검찰권 독립의 핵심은 공정한 인사에 달려 있습니다. 지난 두 차례에 걸친 검찰 인사에 대해서는 그 누구에게도 저는 떳떳하게 말할 수 있습니다. 국정원도 이제 제 자리로 돌아가고 있습니다. 더 이상 야당 의원의 뒷조사를 하는 일도 없고, 권력의 손발 노릇을 하는 일도 없습니다.

기관원이라는 이름으로 권세를 부리고 국민을 괴롭히는 일도 없을 것입니다. 대신에 우리 경제를 위해서 기업의 기술정보를 보호하고, 우리 정보통신망에 대한 위해를 방지하는 업무를 새롭게 개발해 나가고 있습니다. 국민을 위해 봉사하는 새로운 정보기관으로 거듭나고 있습니다.

권력기관만 변한 것은 아닙니다. 특정 고등학교 인맥이 요직을 독식하는 일도 없고, 은행장 인사도 은행 대출도 신용보증도 이제 청와대 전화가 통하는 시절은 지나갔습니다. 저는 여러 경로를 통해서 이를 확인했습니다. 이제는 대통령 곁에 와서 사진 찍고 위세 부리는 기업인도 없을 것이며, 설사 누가 사진 좀 찍었다고 하더라도 아무 데서도 특별한 대접을 받지 못할 것입니다. 저는 이것이 결코 작은 변화가 아니라고 생각합니다. 수십년에 걸친 우리 부조리의 문화가 구조적으로 해체되어 가고 있다고 생각합니다.

존경하는 국민 여러분, 그리고 의원 여러분,

정부는 이라크 추가 파병문제를 신중히 검토하고 있습니다. 지금까지 쌓아 온 미국과의 관계, 그리고 경제에 미칠 영향을 걱정하는 사람도 있고, 비용과 명분, 한반도의 안보를 걱정하는 사람도 있습니다. 그러나 이것은 결코 조급하게 결정할 문제는 아닙니다. 여러 가지 사정을 충분히 고려하여 가장 명분 있고 가장 국익이 극대화하는 방향으로 신중히 결정해 나가야 합니다. 얼마간의 시간을 부탁드립니다.

끝으로, 2004년도 재정운영과 기금운용 계획에 대해서 간략하게 말씀드리겠습니다. 내년도 재정운영은 참여복지를 구현하고 미래의 성장잠재력을 키우는 데 역점을 두었습니다. 내년도 예산은 일반회계 기준으로 올해보다 2.1% 증가한 117조 5천억원 규모로 책정하였습니다.

주요 분야별로 보면, 우선 서민들의 복지 분야에 올해 대비 9.2% 증가한 12조 2천억원을 반영하였습니다. 보육과 청년실업 대책을 크게 늘리고 저소득층과 취약계층에 대한 지원을 확대하는데 중점을 두었습니다. 동북아 물류중심 기반 구축을 위한 투를 확대하고 국가균형발전 사업도 최대한 지원하도록 했습니다. 10대 성장동력 산업에 대한 투자를 중점 지원하고 R&D 투자와 정보화에 대한 투자도 크게 확대했습니다. 교육투자는 6% 늘어난 26조 4천억원을 반영하였습니다. 대학교육의 경쟁력 향상과 이공계에 대한 지원을 확대하고, 지방대학을 지역혁신과 인재양성의 중심으로 육성하고자 합니다.

내년도 기금운용 규모는 올해보다 24.8% 증가한 237조 3천억원으로 책정했습니다. 기금운용의 투명성을 높이고 예산과 기금간의 연계운용을 통해서 국가 전체의 가용재원을 효율적으로 활용되도록 하겠습니다.

존경하는 국민 여러분,

그리고 국회의장, 의원 여러분,

저는 많이 부족한 사람입니다. 제가 대통령이 된 것은 제가 잘나서 된 것이 아닙니다. 새로운 정치, 새로운 시대를 요구하는 국민의 여망과 시대의 물결이 저를 대통령으로 만들었다고 생각합니다. 제가 대통령이 되고자 했던 것은 권력을 누리고 위세를 부리기 위한 것이 아니었습니다. 우리 정치가 바뀌어야 나라가 발전하고 국민이 행복해진다는 신념이었습니다. 제 자신이 비록 정치인으로서 성공하지 못하더라도 그 신념이 이루어진다면 저는 더 이상 바라지 않겠습니다.

이제 재신임 결정이 어떻게 나든 그 결과를 겸허히 수용하고, 그 때까지 혼신의 힘을 다해 국정에 임하겠습니다. 그것이 저를 뽑아 주신 국민 여러분에 대한 도리이고 제게 맡겨진 책무라고 생각합니다.

끝으로 송두율 교수에 대한 문제가 크게 논란이 되고 있습니다. 이 점에 관해서 정부가 무슨 기획을 해서 초청하였거나 또는 어떤 의도를 가지고 있는 것은 아닙니다. 적어도 청와대로서는 전혀 관여한 바 없다는 것을 다시 한번 말씀드립니다. 송두율 교수에 대한 수사와 처벌의 문제는 분단시대 극단적인 대결구도 속에서 만들어진 그 법과 상황에서 지금 거론되고 있습니다. 그러나 세상은 많이 바뀌고 있습니다. 엄격한 법 집행을 하지 말자는 뜻은 아닙니다. 그러나 이제는 대결과 불신과 증오의 시대가 아니라 민족간의 화합과 포용을 말하는 시대가 되었습니다. 이런 시대정신을 생각하면 이제는 엄격한 법적 처벌도 중요하지만 우리 한국 사회의 폭과 여유와 포용력을 전 세계에 보여 주는 것도 또한 의미가 있을 것으로 생각합니다.

따라서 어느 한쪽의 극단적인 견해가 일방적으로 여론을 지배하는 데 대해서는 상당히 전 우려스럽게 생각합니다. 처벌을 하더라도 제가 조금 전에 말씀드렸던 이 양면에 대한 성찰이 함께 진행되면서 처벌되어야 한다고 생각합니다. 우리 사회의 다양한 의견이 수용되고 보다 폭넓은 화해와 포용이 이루어지는 그와 같은 논의가 진행되기를 바랍니다.

감사합니다.

# 2003 서울공연예술제축하 메시지

2003년 10월 13일

안녕하십니까, 반갑습니다.

2003 서울공연예술제의 개막을 진심으로 축하드립니다. 풍성한 문화 축제를 준비하느라 애써 주신 문화예술인과 관계자 여러분께 감사의 말씀을 드립니다. 21세기는 문화의 세기입니다. 개인의 성공과 나라의 운명이 문화적 역량과 창의력에 의해서 좌우됩니다. 문화에 대한 관심이 커지면서 공연예술도 새롭게 성장하고 있습니다. 많은 공연 작품이 세계로 진출하여 좋은 반응을 얻고 있습니다. 열악한 환경 속에서도 꿋꿋하게 공연예술계를 지켜 오신 문화예술인 여러분의 땀과 노력 덕분입니다.

공연예술은 우리의 삶의 질을 보다 풍요롭게 합니다. 시민들과 함께 호흡하며 삶의 활력소가 돼줍니다. 수준 높은 공연문화를 누구나 골고루 즐길 수 있을 때 우리 국민의 문화적 자신감도 더욱 높아질 것입니다. 이러한 자신감은 21세기 지식문화강국을 열어 가는 토대가 될 것입니다. 춤과 연극, 그리고 음악이 흥겹게 펼쳐질 이번 공연 축제에 거는 기대가 큽니다. 서울시민들의 관심과 성원 속에서 문화의 향기가 넘쳐나는 활기찬 예술제가 되기를 진심으로 바랍니다. 다시 한번 서울공연예술제의 개막을 축하드리며, 여러분 모두의 건강과 행복을 기원합니다.

감사합니다.

# 제4회 세계지식포럼 연설

2003년 10월 16일

존경하는 장대환 세계지식포럼 집행위원장, 에디트 크레송 전 프랑스 총리, 에드윈 퓰너 헤리티지 재단 이사장, 도널드 존스턴 OECD 사무총장을 비롯한 내외귀빈 여러분,

안녕하십니까? 여러분과 자리 함께 하게 된 것을 매우 기쁘게 생각합니다. 제4회 세계지식포럼의 성공적인 개최를 진심으로 축하드립니다. 아울러 해외에서 오신 전문가 여러분을 환영합니다.저는 지난해 이 자리에서 대통령 후보 자격으로 한국 사회의 변화와 혁신을 위한 다섯 가지의 의제를 제시했습니다.

첫째, 수평적 네트워크형 정치체제의 도입, 둘째, 경제·시장 개혁, 셋째, 노사문화의 혁신, 넷째로 지방화, 다섯째, 동북아 시대의 개막이었습니다.

그 이후 만 1년이 지났습니다. 제가 대통령에 취임한 지도 8개월이 다 지나가고 있습니다. 그동안 우리 사회에 어떤 변화들이 있었다고 생각하십니까? 나름대로 최선을 다해 왔습니다만, 그 평가는 여기 계신 여러분과 국민들의 몫인 것 같습니다. 1년 전이나 지금이나 제 구상과 목표에는 변함이 없습니다. 좀더 구체화되고 이미 실천하고 있다는 점이 다를 뿐입니다. 더디지만 차근차근 준비하면서 한 걸음 한 걸음 착실히 앞으로 나아가고 있습니다. 그 내용을 오늘 여러분께 말씀드리고자 합니다.

여러분도 잘 아시는 것처럼 한국은 지난 몇 년 동안 IT와 정보화 분야에서 눈부신 발전을 해왔습니다. 그러나 이보다 더 중요하고 어려운 일이 남아 있습니다. 정보화의 성과를 경제 전반의 혁신과 경쟁력 향상으로 이어가고, 정치를 비롯한 우리 사회 모든 영역으로 확산시켜 나가는 일입니다. 그래서 경쟁력 있는 나라, 투명하고 공정한 사회를 만드는 과제가 남아 있습니다.

우선적인 과제는 권력문화를 바꾸는 것입니다. 21세기는 지식경제 시대입니다. 권위적이고 수직적인 정치체제 아래서는 지식경제가 요구하는 자율과 분권의 의사결정 시스템이 발전될 수 없습니다. 제가 1년 전에 수평적 네트워크형 정치체제의 필요성을 강조한 것도 바로 이런 이유에서입니다. 저는 그동안 검찰·국정원과 같은 권력기관을 제자리로 돌려놓기 위해서 노력해 왔습니다. 이제 어떤 권력기관도 청와대 눈치를 보지 않고 대통령도 이래라 저래라 간섭하지 않습니다. 각자 해야 할 일을 충실히 수행하고 있습니다. 권력이 아니라 국민을 위해 봉사하는 조직으로 탈바꿈하고 있습니다. 과거와 같이 대통령이 정당을 지배하고 국회를 좌지우지하던 시대도 이미 끝났습니다. 언론과 정부와의 건강한 긴장관계도 시작되고 있습니다. 국정운영 전반이 대통령이나 정부의 일방적인 결정이 아니라 시스템에 의해 협의·조정되는 방향으로 전환되고 있습니다. 수평적 네트워크형 정치체제로 가는 기본 토대가 만들어지고 있다고 생각합니다. 물론 하루아침에 모든 것이 바뀌지는 않을 것입니다. 변화의 물꼬를 트고 이것을 거스를 수 없는 흐름으로 만드는 것이 중요합니다.

혁신이 활발히 이루어지려면 시장원리에 따라 자원이 배분되는 시스템이 정착되어야 합니다. 이른바 시장개혁이 이루어져야 하는 것입니다. 1997년 말 외환위기 이후 기업과 금융부문은 강도 높은 구조개혁을 추진한 결과 부실을 상당히 제거했습니다. 선진 시장경제 질서를 구축하기 위한 법과 제도도 상당히 많이 도입되었습니다. 그러나 아직 새로운 시스템이 완전히 뿌리내리지 못했고, 부실요인도 적지 않게 남아 있습니다. 더욱이 공정하고 효율적인 경쟁질서, 투명하고 책임성 있는 기업 지배구조, 그리고 편리하고 건전한 금융 시스템을 구축해 나가야 합니다. 실력 있는 기업과 그렇지 않는 기업이 시장에서 판가름이 나고, 정도를 걷는 기업과 반칙을 일삼는 기업이 가려져서 각각 그에 상응하는 대우를 받는 경제 시스템을 정착시켜 나가고자 합니다.

우선, 올해 말까지 '시장개혁 3개년 계획'을 확정해서 대기업집단 관련 정책의 목표와 중장기 추진일정을 제시할 것입니다. 경영의 투명성을 높이기 위해 회계제도를 개혁하고 '증권분야 집단소송제'도 제도화할 것입니다. 이를 위한 법안들이 이미 국회에 제출돼 있습니다. 은행 민영화를 조기에 마무리하고 그동안 미진했던 제2금융권의 구조조정도 적극적으로 추진할 것입니다. 불필요한 규제는 과감하게 철폐하되 불공정한 거래에 대해서는 예외 없이 법과 원칙을 엄격히 적용해 나가겠습니다. 권력문화를 바꾸고 시장을 개혁하는 것은 우리 경제의 토양을 바로 다지는 일이라고 생각합니다. 그 기틀 위에서 경제가 힘차게 도약하기 위해서는 무엇보다 기술혁신과 인재양성이 관건이라고 생각합니다. 한국 경제는 이미 투입주도형 성장단계에서 혁신과 창의력이 주도하는 단계로 들어섰습니다. 혁신주도형 경제에서는 기술력이 곧 경쟁력입니다. 그동안 기술개발 투자를 꾸준히 확대해 온 결과 연구개발 투자규모는 이미 세계 여덟번째 수준에 이르렀습니다. 그러나 절대적인 기술수준과 기술개발의 생산성은 아직 선진국에 미치지 못하고 있습니다.

기술 파급효과가 크고 미래 성장을 이끌어 갈 핵심기술을 선정해서 기초연구개발을 집중 지원해 나갈 것입니다. 내년도 예산 편성에서 10대 성장동력산업과 기초과학 분야에 대한 투자를 크게 확대한 것도 그러한 의지의 반영입니다. 지금 민·관 합동으로 미래 성장동력을 확충하기 위한 준비가 착착 진행중입니다. 이와 함께 국가연구개발체계를 성과중심으로 개편해서 기술혁신에 주력하는 기업에 더 많은 연구개발 혜택이 지원되도록 할 것입니다. 기술혁신의 결과가 철저히 보호될 수 있도록 지적재산권 보호에도 역점을 두겠습니다.

우수하고 창의적인 인력이 기술혁신의 관건입니다. 우리는 세계 어느 나라보다 국민들의 교육열이 높습니다. 그러나 높은 교육투자에도 불구하고 시대의 변화에 부응하는 인력을 적절히 배출해 내지 못하고 있습니다.

저는 참여와 자율, 그리고 개방과 경쟁의 원리를 도입해서 우리 교육을 근본적으로 혁신해 나가려고 합니다. 기업이 필요로 하는 인력이 양성될 수 있도록 교육·훈련시스템을 개혁해 나갈 것입니다. 특히 이공계 교육과정을 산업수요에 맞게 개편하고 이공계 출신자에 대한 우대정책을 지속적으로 펼쳐 나가고자 합니다. 또한 산·학·연 협력을 강화해 나가겠습니다. 특히 지방대학에 대한 연구개발 지원을 확대하여 이를 지방산업의 발전과 동력이 되도록 하겠습니다.

앞서 말씀드렸듯이 저는 이 자리에서 신뢰와 협력의 새로운 노사관계를 구축하겠다는 의지를 밝힌 바 있습니다. 그러나 여전히 노사간 대립과 갈등이 한국 경제에 큰 부담이 되고 있습니다. 외국인투자자들은 한국에 투자하기를 꺼리는 첫번째 이유로서 노사문제를 꼽고 있습니다. 이런 상태가 오래 지속되어서는 안 됩니다. 노사 모두 피해자가 되기 때문입니다. 이대로는 경쟁력 향상도, 2만 달러 시대도, 선진국 진입도 어렵습니다.

저는 불신과 대결의 노사관계를 반드시 바꾸어 나갈 것입니다. 법과 원칙을 확고히 지키는 가운데 노사가 공동의 목표를 위해서 함께 힘을 모으는 생산적인 노사관계를 만들어 나갈 것입니다. 이미 국제기준에 부합하는 노사관계 개혁방안이 노·사·정위원회에 제출돼 있습니다. 이 개혁안은 노사갈등으로 인한 사회적 비용의 최소화 하고, 유연한 노동시장을 구현과 근로계층간 격차 완화를 목표로 하고 있습니다. 노·사·정위원회에서 연내에 합의가 도출되기를 기대하지만, 그것이 뜻대로 되지 않을 경우에는 이 개혁안을 토대로 정부가 주도하여 조속히 입법이 이루어지도록 하겠습니다. 그래서 노사분규를 해마다 절반씩 줄여나갈 계획입니다.

저는 취임 직후 지방분권과 국가균형발전을 주요 국정과제로 설정하고, 정부혁신 지방분권위원회와 국가균형발전위원회를 설치했습니다. 중앙정부의 기능을 과감하게 지방으로 넘겨줄 것입니다. 이와 함께 재원을 지방으로 내려보내서 지방이 재정운영의 자주성을 확보할 수 있도록 하겠습니다. 행정수도 이전을 구체화하기 위한 작업도 차질없이 진행되고 있습니다. '지방분권특별법', '국가균형발전특별법', '신행정수도 건설 추진을 위한 특별법' 등 3대 특별법이 만들어지면 새로운 국가발전전략을 추진하는 강력한 동력이 될 것입니다.

개방과 경쟁은 피할 수 없는 시대 흐름입니다. 적극적인 개방으로 도전을 기회로 바꿔야 합니다. 우리가 중국보다 앞서있을 수 있는 것도 20년 정도 먼저 개방정책을 먼저 취했기 때문입니다. 우리가 선점하고 있는 기술과 생산성 우위를 지속적으로 지키기 위해서는 개방을 가속화하지 않으면 안 될 것입니다. 평화와 번영의 동북아 시대도 결국은 개방을 확대함으로써 강한 추진력을 얻을 수 있고 또한 완성될 수 있습니다. 서비스업의 생산성이 선진국 절반 수준에 불과한 실정입니다. 이 또한 과감한 개방을 통해 경쟁력을 높여야 합니다.

정부는 WTO 등 다자간 협상에 적극 참여하고 FTA 협상도 적극적으로 추진해 나갈 것입니다. 한·칠레 FTA의 비준을 위해서 노력하고, 싱가포르·일본과의 FTA 협상을 빠른 시일 내에 시작할 예정입니다. 개방과 더불어 외국 기업의 투자환경을 개선하는 일도 적극적으로 추진해 나가고 있습니다.

외국인 임직원에 조세 부담도 낮추고, 임대료가 무상에 가까운 저렴한 입지도 공급해 나갈 것입니다. 첨단산업 투자에 대해서는 현금지원도 제공할 계획입니다. 투자상담에서부터 인·허가까지 전 과정을 한 사람의 프로젝트 매니저가 지원하는 원-스톱 서비스도 이루어질 것입니다. 외국인 학교와 주거·의료시설 확충에도 과감한 결단을 내릴 것입니다. 이미 출범한 인천 경제자유구역과 연내 지정될 부산·광양 경제자유구역은 이러한 노력을 상징적으로 보여 주는 지역이 될 것입니다.

존경하는 내외 귀빈 여러분,

지금 우리 경제가 어려운 게 사실입니다. 그러나 인기에 급급해서 단기부양책을 쓰게 되면 장기 성장잠재력을 갉아먹을 수도 있습니다. 경기의 회복도 중요하지만 회복된 경제가 지속적으로 힘차게 비상하고 오랫동안 호황을 지속하는 것은 더 중요합니다. 그것은 혁신과 경쟁력 강화를 통해서만 가능한 것입니다.

저는 한국 경제의 미래에 대해 강한 확신을 가지고 있습니다. 우리 국민이 지난 반 세기 동안 보여 준 저력과 놀라운 성과가 확신의 근거입니다. 과거 외환위기가 우리의 각성과 체질 전환 노력을 촉발하는 계기가 되었듯이, 우리 경제는 지금의 어려움을 딛고 2만 달러 시대를 향한 힘찬 도전을 계속할 것입니다. 창의력과 첨단기술로 무장한 기업과 근로자, 투명하고 공정한 정부가 함께 이끌고 오늘 제가 말씀드린 정책들이 그 동력을 제공하게 될 것입니다. 감사합니다.

# 제11차 APEC 정상회의 참석 및 싱가포르 국빈방문 출국인사

2003년 10월 19일

존경하는 국민여러분,

저는 오늘 태국 방콕에서 열리는 제11차 아시아·태평양 경제협력체(APEC) 정상회의에 참석하고, 싱가포르를 국빈방문하기 위해 출국합니다. APEC은 우리가 참여하고 있는 유일한 경제협력체입니다. APEC 국가들은 우리나라 교역의 70%와 우리나라에 대한 외국인 투자액의 64%를 담당하고 있습니다. APEC은 대외 무역의존도가 높은 우리나라가 선진국의 경제 통상 압력을 완화할 수 있는 협력의 장이기도 합니다. 또한 우리의 외교·안보에 있어서도 매우 중요합니다. 미국, 일본, 중국, 러시아 등 4대 강국이 모두 참가하는 회의입니다.

저는 이번 정상회의에서 아·태 공동체 건설을 위한 경제·기술 협력 증진, 지식기반경제 확충과 금융 협력, 그리고 반테러 협력방안에 대해 각국 정상들과 협의할 예정입니다. 최근 개최된 칸쿤 세계무역기구(WTO) 각료회의 이후 도하개발어젠다(DDA) 협상의 진전 방안에 대해서도 논의할 것입니다. 아울러 2005년 APEC 정상회의를 우리나라가 주최하는 만큼 APEC이 경제협력과 지역현안에 대한 효과적인 논의의 장으로 발전될 수 있도록 적극 기여해 나갈 것임을 밝힐 것입니다.

우리의 평화번영정책을 설명하고 적극적인 지지를 확보하도록 노력하겠습니다. 특히 주요 국가 정상들과의 양자회담을 통해 북핵 문제의 평화적인 해결 방안을 중점 논의하겠습니다. 저는 APEC에 이어 22일부터 싱가포르를 국빈으로 방문합니다. 싱가포르는 세계 수준의 물류, 교통, 금융, 관광의 허브입니다. 싱가포르와 FTA 추진 문제에 대해 집중 협의하고 건설, IT, 생명공학 등 여러 분야의 경제협력 방안을 적극적으로 강구하겠습니다. 이번 APEC 정상회의 참석과 싱가포르 방문이 우리의 평화와 번영에 큰 도움이 될 수 있도록 최선을 다하겠습니다.

국민 여러분의 적극적인 성원을 기대합니다.

# 제11차 APEC 정상회의 참석 및 싱가포르 국빈방문 귀국보고

2003년 10월 24일

존경하는 국민여러분,

저는 지금 태국 방콕에서 개최된 APEC 정상회의와 싱가포르 국빈방문을 무사히 마치고 귀국했습니다. 이번 순방을 성공적으로 수행할 수 있도록 성원해 주신 국민 여러분에게 깊은 감사의 말씀을 드립니다.

APEC 21개 회원국 지도자들이 참석한 이번 정상회의는 아·태지역 국가들의 협력을 가속화하는 매우 뜻깊은 자리였다고 생각합니다. 이번 회의에서는 무역과 투자 자유화 촉진, 회원국 국민의 안보 보장 등을 담은 '미래를 위한 파트너십에 기초한 방콕선언'을 채택했습니다. 경제뿐만 아니라 안보문제에 이르기까지 광범위하게 논의하는 계기가 되었다는 데 큰 의미를 둘 수 있을 것입니다. 초국가적인 테러집단의 해체와 대량살상무기의 확산에 따른 안보위협을 함께 해소해 나가기로 합의했습니다. 또 역내 무역과 투자 자유화를 촉진하기 위해 WTO 도하개발아젠다 협상을 진전시키기로 약속했습니다. 이것은 다자무역체제가 세계 자유무역의 활성화를 위해 무엇보다 중요하다는 점을 다시 한번 확인한 것입니다. APEC 정상들은 세계화에 대한 사회의 대응력을 강화하고 국민들의 능력을 배양하는 것이 필요하다는 데 의견을 같이했습니다. 이를 위해 중소기업의 육성과 사회안전망의 확충, 여성·청년의 능력배양에 각별한 노력을 기울이기로 하였습니다.

APEC 정상들은 북한에 의해 제기된 안보우려를 포함한 관련국들의 관심사항이 대화를 통해 평화적으로 해결되기를 희망했습니다. 또 6자회담의 지속적인 추진과 항구적인 한반도 비핵화를 향한 구체적인 진전을 기대한다고 밝혔습니다. 이것은 지금까지 북핵 문제를 해결하기 위해 기울여 온 우리의 노력에 대한 국제사회의 적극적인 지지라고 생각합니다.

존경하는 국민여러분,

저는 이번 APEC 정상회의를 계기로 미국·일본·중국·러시아 정상들과 각기 양자회담을 가졌습니다. 먼저 한·미 정상회담에서 부시 미국 대통령은 우리의 이라크 파병결정에 경의와 감사의 뜻을 표했습니다. 이라크 파병이 한·미 동맹관계를 더욱 굳건히 하고 이라크 재건과 안정에 큰 도움이 되며, 국제사회에서 한국의 위상을 높이게 될 것이라고 말했습니다.

저는 이라크 파병부대의 성격이나 형태, 규모나 시기에 대해서는 국내여론 수렴과 추가조사단 활동 결과 우리 군의 특성을 종합적으로 고려하여 결정하겠다고 밝혔습니다. 부시 대통령은 또 미국이 북한을 침략할 의도가 없음을 거듭 확인했습니다. 북한이 핵 폐기에 진전을 보인다면 다자틀 내에서 북한에 대해 안전보장을 제공할 수 있다는 뜻에 대해 설명했습니다. 이는 정상 차원에서 북한에 대한 안전보장 제공을 최초로 확인한 의미 있는 성과라고 생각합니다. 저와 부시 대통령은 한·미 동맹과 주한미군이 한반도는 물론 동북아의 평화와 안정에 크게 기여하고 있음을 평가했습니다. 또 주한 미군기지 재배치는 한반도의 안보환경을 고려하여 신중히 추진하기로 합의했습니다.

존경하는 국민여러분,

저는 중국, 일본, 러시아 3개국 정상과의 회담에서도 북핵 문제의 평화적 해결 원칙을 거듭 확인했습니다. 2차 6자회담이 조기에 개최될 수 있도록 함께 노력하기로 했습니다. 저는 방콕에 도착한 직후 후진타오 중국 주석과 정상회담을 가졌습니다. 이 자리에서 지난 7월에 합의한 양국의 '10대 협력과제'를 적극 이행하고, 앞으로 5년 안에 교역규모 1천억 달러를 달성하기 위해 계속 노력해 나가기로 합의했습니다.

고이즈미 일본 총리와의 정상회담에서는 올해 안에 양국간 FTA 체결을 위한 교섭을 시작하고, 2005년까지 실질적인 교섭을 마치기로 합의했습니다. 또 양국이 실질적인 문안에 합의한 '한·일 사회보장조약'을 조기에 발효시키기 위해 노력하기로 했습니다. 이 협정이 발효되면 사회보장세의 이중납부가 방지되어 두 나라간의 경제활동이 더욱 촉진될 것으로 기대됩니다. 이 밖에도 '한·일 세관상호지원협정'의 체결, 우리 국민에 대한 일본의 비자 면제, 김포~하네다간 항공운항 등을 조기에 추진하여 두 나라가 한층 더 가까운 이웃이 되도록 노력하기로 했습니다.

21일에는 푸틴 러시아 대통령과 첫 정상회담을 가졌습니다. 양국간 실질 협력사업을 성공적으로 추진하여 두 나라 관계를 미래지향적으로 발전시켜 나가기로 약속했습니다. 특히 시베리아 횡단철도와 우리 철도를 연결하기 위해 남북한과 러시아 전문가들이 협의해 나가기로 했습니다. 이 밖에 첨단 과학기술 분야에서의 협력도 더욱 증진시켜 나가기로 하였습니다.

저는 이 밖에도 APEC 정상회의에 참석한 각국 정상들과 많은 대화를 나누었습니다. 또 APEC 자문위원들과 미국 기업인들을 비롯한 많은 경제인들도 만났습니다. 저는 이들에게 경제회복을 위한 우리의 노력을 설명하고 적극적인 협력과 투자를 요청했습니다.

존경하는 국민여러분,

저는 APEC 정상회의를 마치고 싱가포르를 국빈 방문했습니다. 저는 고촉통 총리와의 정상회담에서 두 나라간 FTA 추진을 위한 공식협상을 내년 초에 시작하기로 합의했습니다. 그리고 1년 안에 협상이 타결될 수 있도록 노력하기로 했습니다. 우리는 또 21세기 지식기반 경제를 이끌어 나갈 차세대 IT, 생명공학 등 첨단 과학기술 분야의 협력을 한층 더 강화하기로 했습니다. 싱가포르는 이미 세계적인 수준의 물류, 교통, 금융, 관광의 허브입니다. 동남아 경제중심인 싱가포르와의 경제협력 확대는 우리 경제에 큰 도움이 될 것으로 기대합니다.

존경하는 국민여러분,

저는 이번 순방의 외교적 성과를 흡족하게 생각합니다. 우리의 평화와 번영을 앞당길 수 있는 또 하나의 디딤돌을 놓았다고 생각합니다.

이제 2년 뒤에는 우리나라에서 APEC 정상회의가 열립니다. 그때 우리는 더욱 자랑스러운 대한민국을 보여 주어야겠습니다. 이를 위해 우리 모두의 힘과 지혜를 모아 나갑시다.

국민여러분, 대단히 감사합니다.

# 오송생명과학단지 기공식 연설

2003년 10월 27일

존경하는 충북도민 여러분, 이 자리에 함께 하신 내외 귀빈 여러분,

오늘 우리는 동북아 경제중심을 열어 가는 희망찬 역사의 현장에 서 있습니다. 바이오 산업의 새로운 메카로 자리잡을 오송생명과학단지의 기공을 진심으로 축하드립니다. 140만평이 넘는 이 넓은 대지 위에 첨단 바이오테크의 세계가 펼쳐지는 모습을 상상하니 벌써부터 가슴이 벅차 오릅니다. 기공식이 있기까지 애써 주신 이원종 지사를 비롯한 도민 여러분과 관계자 여러분께 감사와 박수를 보냅니다.

존경하는 충북도민 여러분,

지금 세계는 무한경쟁 시대를 맞고 있습니다. 이제껏 우리 경제를 떠받쳐 준 주력 산업이 내일의 생존까지 보장하지는 않습니다. 우리 경제에 활력을 불어 넣어줄 새로운 성장동력이 필요합니다. 바이오산업이

그 해답 중의 하나입니다. 정보화 혁명에 이어 '제4의 물결'이라 불리는 바이오 산업은 생명과 건강은 물론 식량, 환경, 전자 등 여타 산업에 폭넓게 응용되면서 21세기를 주도할 핵심산업으로 주목받고 있습니다. 이제 바이오 산업을 빼놓고는 국가경쟁력을 얘기할 수 없는 시대가 되었습니다. 550억 달러에 이르는 세계 바이오 시장은 향후 10년 내에 두 배 이상 성장할 것으로 전망되고 있습니다.

선진국들은 이미 바이오산업에 엄청난 연구개발 투자를 해 왔고, 신약과 바이오칩 개발 등에서 괄목할 만한 성과를 거두고 있습니다. 우리도 더 이상 미룰 수 없습니다. 1년이 뒤처지면 5년, 10년의 격차가 벌어집니다. 아직도 우리나라 바이오 산업은 기술수준이나 시장규모에 있어 선진국에 크게 미치지 못한 실정입니다. 하지만 우리의 미래는 밝을 것입니다. 바이오 산업 발전에 필수적인 IT 인프라가 세계적 수준입니다. 무엇보다 우리는 창의적이고 우수한 연구인력을 가지고 있습니다.

정부는 바이오산업을 차세대 10대 성장동력산업의 하나로 집중 육성할 것입니다. 산·학·연이 연계하여 비교우위 분야를 중심으로 새로운 원천기술을 개발해 나갈 것입니다. 2012년까지 세계 7위권의 경쟁력을 확보하고, 세계 시장 점유율을 현재 1.3%에서 12%까지 끌어올리겠습니다. 이를 통해 9만개의 새로운 일자리를 창출하겠습니다.

존경하는 충북도민 여러분, 내외귀빈 여러분,

오늘 기공하는 오송생명과학단지는 참여정부가 역점을 두고 추진하고 있는 동북아 R&D 허브 건설에 핵심적인 역할을 담당하게 될 것입니다. 정부는 오송단지가 세계 유수의 바이오단지와 어깨를 나란히 할 수 있도록 최대한 지원을 아끼지 않을 것입니다. 국립보건원을 비롯한 4개 국가기관의 조기 이전과 보건과학기술원 등 각종 지원기관의 설치를 차질없이 추진하겠습니다. 국내외 바이오 연구소와 산업체들이 이곳으로 몰려들 수 있도록 조세를 비롯한 다양한 인센티브를 제공하겠습니다. 또한 지방대학을 적극 육성하여 산·학·연간의 연계가 원활히 이뤄질 수 있도록 할 것입니다.

오송생명과학단지는 국토의 균형발전에도 크게 기여할 것입니다. 저는 지방이 독자적인 산업경쟁력을 갖추고 국가발전의 역동적인 주체가 되어야 함을 누차 강조해 왔습니다. 정부가 기회를 제공할 수는 있지만 이를 도약의 발판으로 삼아 나가는 것은 바로 지방에 계신 여러분입니다. 지방 스스로 비전과 전략을 세우고 적극적으로 나설 때 지방화는 구호가 아닌 현실이 될 것입니다.

충북은 국토의 중심에 위치해 있으면서도 지난 산업화 과정에서 두각을 나타내지 못했습니다. 그러나 이제는 다릅니다. 도로·공항과 같은 인프라가 잘 갖추어져 있습니다. 오창에 IT산업단지를, 이곳 오송에 생명과학단지를 조성하며 어느 지자체보다 도전적이고 창조적으로 미래를 열어가고 있습니다. 여기에 지난해 바이오 엑스포를 성공적으로 개최하며 보여 주신 충북도민 여러분의 뛰어난 단결력과 추진력도 있습니다. 지방화의 선두주자다운 면모가 아닐 수 없습니다.

이러한 충북의 역량과 지혜가 정부의 적극적인 지원과 한데 어우러질 때 오송생명과학단지는 분명히 성공적인 개발모델이 되리라 확신합니다. 오송단지의 성공은 충북의 비전인 '바이오토피아'는 물론 나아가

'바이오 코리아'를 실현하는 초석이 될 것입니다. 이 희망찬 사업에 다 함께 기쁜 마음으로 동참합시다. 그래서 충북과 대한민국의 밝은 미래를 만들어 갑시다. 오송생명과학단지의 기공을 다시 한번 축하드리며 충북 도민 모두의 건승과 행복을 기원합니다.

감사합니다.

# 제2회 오송국제바이오심포지엄 특별연설

2003년 10월 27일

생명과학 분야에 종사하는 학자, 연구원, 그리고 젊은 학도 여러분,

이렇게 만나 뵙게 되어서 대단히 반갑습니다. 그리고 심포지움을 위해 해외에서 오신 하트웰 박사님을 비롯한 저명하신 박사님 여러분들께도 환영과 감사의 인사를 드립니다. 오송생명과학단지 기공식에 참석하기 위해서 시간을 보내느라 하트웰 박사님의 강연을 듣지 못한 것이 참 아쉽습니다. 저는 하트웰 박사님을 만나면 그렇게 깊이 있게 연구하시면 하느님의 비밀스런 영역이 얼마나 남겠느냐고 여쭈어 보고 싶었습니다. 그런데 막상 만나 뵙고 나서는 한국의 연구인력 수준과 연구소 환경과 같은 현실적인 문제에 치중해서 얘기를 나누고 말았습니다.

오늘 청주에서는 그야말로 바이오 열풍이 불고 있습니다. 저는 이 열풍 속에서 미래의 희망을 봅니다. 바이오테크는 정부가 10대 차세대

성장동력산업의 하나로 선정할 만큼 각별한 관심을 가지고 있는 분야입니다. 바이오테크는 인류에게 고통을 주는 각종 질병을 퇴치하고 식량과 환경 등 인류가 당면한 문제들을 해결해 줄 것입니다. 건강하고 오래 살기를 바라는 우리 모두의 꿈을 실현시켜 줄 것입니다.

바이오테크는 한편으로 미래 우리 경제의 활로입니다. 우리나라는 자연자원이 빈약한 대신에 우수한 인적자원을 가지고 있습니다. 첨단 신기술을 발전시킬 수 있는 역량은 바로 이 인적자원에서 비롯되는 것입니다. 인적자원이 국가경쟁력의 핵심입니다. 저는 과학기술인 여러분들의 어깨 위에 한국의 운명이 걸려 있다고 생각합니다. 여러분은 인류에게 봉사한다는 자부심과 우리 국가의 미래를 짊어지고 나간다는 자부심을 함께 가지시고 열심히 노력해 주시기 바랍니다. 우리 모두의 꿈과 한국의 미래를 함께 이끌고 나가 주시기 바랍니다.

정부도 2012년까지 우리나라가 세계 7위권의 바이오강국이 될 수 있도록 육성·지원해 나갈 계획입니다. 이 계획이 차질없이 추진된다면 바이오 산업은 부가가치 생산액과 고용창출에 있어서 현재보다 10배 정도 성장하게 될 것입니다. 고용규모는 8천명에서 9만7천명으로, 부가가치 생산액은 1조4천억원에서 16조원으로 증가하게 될 것입니다. 이러한 비전이 오송생명과학단지를 중심으로 이루어질 것입니다. 정부는 오송단지가 세계적인 바이오단지로 성장할 수 있도록 최대한 지원을 아끼지 않겠습니다. 특히 오송단지를 중심으로 글로벌 협력체제를 구축하고, 세계 유수의 연구소와 바이오업체를 적극적으로 유치하기 위해 노력할 것입니다. 오늘 이 자리에 함께 하신 해외 전문가 여러분께도 부탁드립니다. 여러분이 만족할 수 있는 연구환경과 분위기를 조성하도록 지원하겠습니다. 많은 관심과 투자를 부탁드립니다. 여러분의 투자결정이 옳았다는 것을 확실히 증명할 수 있도록 하겠습니다.

존경하는 과학자 여러분,

누가 권력을 가지고 있는가? 흔히 정보를 가진 사람이 권력을 가지게 된다고 말합니다. 저는 좀더 근본적으로 시장을 지배하는 사람이 권력을 가지게 된다고 믿고 있습니다. 저는 정치권력자입니다. 그러나 시장의 권력에 저항할 수가 없습니다. 시장이 가자고 하는 방향을 거역할 수가 없습니다. 권력은 시장에 있습니다. 시장은 누가 지배하는가? 정보를 가진 사람이 지배합니다. 정보를 가진다는 것은 단순히 알고 있다는 차원을 넘어 스스로 정보를 생산함을 의미합니다. 과학기술력이 중요한 이유가 바로 여기에 있습니다. 승부를 결정짓는 결정적 요인입니다. 과학기술력을 가진 사람이 경쟁에서 승리하고 권력자가 될 것입니다.

우리나라가 세계 시장에서 얼마만큼 성공할 수 있느냐는 과학기술 수준에 달려 있습니다. 이 자리에 계신 과학자 여러분이 국가의 경쟁력을 좌우할 위치에 계신 것입니다. 그래서 정부도 금년을 제2과학기술입국의 원년으로 선포하고, 과학기술 중심사회를 만들기 위해서 다각적인 지원방안을 시행하고 있습니다. 연구개발에 대한 투자 확대와 더불어 과학기술인들의 사회적인 지위를 향상시키기 위해 우선 정부가 할 수 있는 대로 공공부문에서 2008년까지 기술직 공무원 비율을 획기적으로 늘려 나가겠습니다. 4급 이상 공무원에 관해서만 말씀드리면 기술직 비율을 현재 23%에서 30%까지 늘리겠습니다.

시장지배력이 과학기술에 좌우되는 만큼 기술혁신을 위해서도 최선을 다할 것입니다. 바이오 산업 등 10대 성장동력을 중심으로 신기술을 개발하고, 이를 위한 핵심 연구인력 1만명을 체계적으로 양성하겠습니다. 같은 투자를 가지고도 2배의 효율을 올려 나가겠습니다. 투자의 효율성을 올리기 위한 연구도 현재 진행중입니다. 과학기술입국으로 나아가기 위해서는 시장이 뒷받침되어야 합니다. 반칙과 편법이 아니라 실력 있는 사람이 승리할 수 있는 시장환경을 만들어 줄 때라야 과학기술도 빛을 보게 될 것입니다. 이를 위해 공정한 시장, 투명한 시장, 그리고 한국에서 바로 세계와 경쟁할 수 있도록 세계를 향해 열린 시장, 이러한 시장 시스템을 만들어 나가겠습니다. 지금도 상당히 빠르게 변화해 가고 있습니다. 확실하게 뒷받침하겠습니다.

반칙이나 특혜가 통하는 시장에서는 진정한 실력자가 1등을 할 수가 없습니다. 그러면 세계와의 경쟁에서도 이길 수 없습니다. 실력으로 성공할 수 있는 시대를 반드시 만들어 나가겠습니다. 저와 정부는 이렇게 여러분이 연구에만 전념할 수 있는 환경을 만들겠습니다. 여러분은 열심히 연구해서 세계를 놀라게 하는 핵심기술들을 많이 만들어 주십시오.

저는 여러분이 과학기술을 가지고 기술영업을 할 수 있는 역량까지 함께 길러주시기를 기대합니다. 여러분들이 경영능력을 기르면 그야말로 과학기술을 가진 사람이 시장을 지배하는 시대를 만들어 나갈 수 있습니다.

경영을 하던 사람이 과학기술력을 갖추기는 어렵지만 과학기술인이 경영을 배워 성공하는 경우는 많이 있는 것 같습니다. 한국에서 가장 성공하고 있는 기업인 삼성의 예를 보더라도 CEO 대부분이 이공계 출신들입니다. 이렇듯 저는 여러분들이 기술 연구와 더불어 경영까지 익힌다면 조직과 시장을 지배할 수 있게 될 것으로 생각합니다. 저는 여러분을 만나는 자리에서 두 가지 약속을 한 바 있습니다. 하나는 과학기술자를 자주 만나서 말씀을 듣고 정책에 반영하겠다는 것이었고, 또 하나는 우리 과학기술자들이 '일등 신랑감'이 되는 사회를 만들겠다는 것이었습니다. 이 약속을 반드시 지키도록 노력하겠습니다.

요즘 이공계 푸대접 문제로 걱정들이 많습니다. 저도 걱정하고 있습니다. 그러나 오래 가지 않을 것입니다. 저도 제 아들에게 기술영역으로 진출해라, 기술을 토대로 해서 더 큰 시장에서 경쟁하라고 권고했습니다. 기득권 하나를 가지고 평생 동안 우려먹겠다는 것은 도전적인 사람이 가질 정신자세가 아닙니다. 야망을 가진 사람이 선택할 길이 아닙니다. 여러분이 가고 있는 길이 바로 꿈과 야망을 가진 사람이 가는 길입니다. 세계를 향해 승부하고 세계 시장에 도전하는 야심찬 사람이 되어주십시오. 여러분이 이러한 모습을 보여 줄 때 우리나라의 미래가 있습니다. 저는 여러분을 믿고 눈 딱 감고 과학기술 지원에 힘을 기울이겠습니다.

감사합니다.

# 서프라이즈 창간 1주년 축하기고

## -참여 민주주의의 광장, 인터넷 언론-

2003년 10월 28일

서프라이즈 창간 첫 돌을 진심으로 축하합니다. 서프라이즈 필진들의 열정과 노고에 경의를 표하고, 네티즌 여러분께도 반가운 인사를 전합니다. 1980년대 초반 앨빈 토플러의 「제3의 물결」이란 책을 읽고 지식정보화의 미래에 대해 처음 접했습니다. 당시만 해도 그것이 저와 어떤 연관을 가질지 상상조차 하기 어려웠습니다. 인터넷의 확산은 우리 모두에게 말할 수 없이 큰 영향을 미쳤지만, 특히 저와의 인연은 각별한 것이었습니다. 2000년 4월 총선에서 낙선하고 '노사모'가 만들어진 것도 인터넷을 통해서였고, 네티즌들의 성원과 도움 없이 과연 대통령 후보가 되었을 지도 의문입니다. 대통령 선거 하루 전날 단일화 합의가 파기됐을 때 수많은 네티즌들이 밤을 지새며 보내주신 성원과 격려는 평생 잊지 못할 기억으로 남아 있습니다. 네티즌 여러분은 제가 정치인으로서 고비를 맞을 때마다 힘과 용기를 주는 든든한 후원자요 버팀목이 되어 주었습니다.

지금 우리는 지식정보화 시대의 한복판에 살고 있습니다. 직장인과 주부, 학생들의 하루가 인터넷을 클릭하는 것으로부터 시작되고 있습니다. 인터넷이 신문·방송과 함께 우리 사회의 여론을 형성하고 국민의 알 권리를 충족시키는 핵심 언론으로 자리잡았습니다. 무엇보다 인터넷은 정보를 일방적으로 받는 입장에서 벗어나 수용자의 의견과 주장을 적극적으로 펼칠 수 있는 언론 공간입니다. 정보 흐름을 공급자 중심에서 소비자 위주의 시장으로 바꾸어 놓았습니다.

서프라이즈만 하더라도 필진들의 번득이는 통찰력과 혜안이 매일 매일 지면을 장식하고 있습니다. 여기에 많은 네티즌들이 댓글을 붙여 가며 열띤 토론을 벌입니다. 어디에서 그런 창의적인 생각과 자발적인 의욕이 샘솟는지 놀라울 뿐입니다. 참여 민주주의 시대를 정말 실감하게 됩니다. 저도 비서실을 통해 좋은 제안들을 보고 받기도 하고, 직접 인터넷에 들어가 여러분의 충고에 귀를 기울입니다.

또 인터넷 언론의 특징은 다른 매체에 비해 물리적인 제약이 덜 하다는 점입니다. 시간과 공간의 제약은 물론 편집권에 있어서도 부당한 간섭을 받지 않습니다. 모든 사실이 시시각각 있는 그대로 전파되고, 오직 독자들의 평가에 의해서만 견제를 받습니다. 현안에 대한 신속하고 다양한 여론을 한꺼번에 읽을 수 있는 곳도 인터넷 언론 공간입니다. 서프라이즈가 창간 1년만에 하루 수만명이 드나드는 영향력 있는 매체로 성장할 수 있었던 것도 빠르고 깊이 있는 분석으로 독자들의 높은 신뢰를 얻었기 때문일 것입니다.

인터넷 언론이 가진 또 하나의 강점은 투명성에 있습니다. 정보 독점과 그로 인한 특권, 밀실 야합과 같은 구시대적 양태는 인터넷 공간에서 용인되지 않습니다. 모든 정보가 숨김없이 공개되고 공유되며, 네티즌 한 사람 한 사람이 감시자와 비판자 역할을 하고 있습니다. 지금은 정부의 일방적인 결정이나 몇몇 언론의 주도에 의해서 현안에 대한 해법을 얻거나 국가 진로가 정해지는 시대가 아닙니다. 사회적 공론을 모으는 투명한 과정이 필요합니다. 많은 사람들이 참여하는 가운데 토론을 벌이고 중지를 모으는 데 있어 인터넷만큼 효율적인 공간은 없습니다. 쟁점현안에 대한 다양한 정보와 의견도 검색을 통해 손쉽게 구할 수 있습니다. 의사결정 과정에서 상대적으로 소외되었던 사회적 약자들에게도 참여의 문이 활짝 열려 있습니다. 사회적 의제 설정 기능에서 인터넷 언론이 갈수록 힘을 얻어 가고 있는 것도 이런 까닭에서일 것입니다. 서프라이즈와 같은 인터넷 언론이, 토론 속에서 합리적인 대안을 찾고 국민적 합의를 모아 나가는 넓은 마당으로 더욱 성장해 가기를 기대합니다.

저는 지난 대통령 선거 과정에서 보여 준 네티즌 여러분의 성원과 열망을 한시도 잊은 적이 없습니다. 저는 뜨거운 눈물과 감동, 감사하는 마음으로 선거를 치르면서 다짐하고 또 다짐했습니다. 역사에 남는 성공한 대통령은 되지 못하더라도 부끄러운 대통령은 되지 않겠다고 굳게 다짐했습니다. 그리고 8개월이 지났습니다. 최선을 다했지만 솔직히 역부족인 일이 적지 않았고, 네티즌 여러분의 기대에 충분히 부응하지 못했습니다. 앞으로도 많은 어려움이 있을 것입니다. 그러나 처음 가졌던 다짐 그대로 열심히 하겠습니다. 다시 한번 서프라이즈 창간 1주년을 축하드립니다.

# 서울YMCA 창립 100주년 기념식 축사

2003년 10월 29일

여러분 대단히 반갑습니다. 따뜻한 박수로 환영해 주셔서 감사합니다.

서울YMCA 창립 100주년을 진심으로 축하드립니다. YMCA를 이끌어 오신 분들께 인사드리려다 보니 아는 분이 너무 많아서 일일이 거명하지 못하는 점 양해해 주시기 바랍니다. 멀리 해외에서 축하하기 위해 오신 손님 여러분께도 환영의 인사를 드립니다.

저는 기독교인은 아니지만 YMCA회원입니다. 그리고 목사님, 기독교인과 함께 기도할 때에는 항상 진심으로 기도합니다. 진정으로 감사와 축복을 느낍니다. 저와 YMCA의 인연은 제가 부산에서 변호사 생활을 하고 있던 1979년으로 거슬러 올라갑니다. 부산YMCA에서 '노동자교실'의 교장을 맡으면서부터입니다. 그때 노동자들과 함께 거창으로 가서 노동자 프로그램에 참여했었습니다. 그 뒤에 YMCA 시민중계실 상담변호사로 활동하다가 가입 권유를 하셔서 회원이 되었습니다. 그 다음해에는 이사직까지 시켜 주셨습니다. 고마운 일입니다. 지금도 저는 YMCA의 열린 사업방식에 대해 매우 푸근하고 좋은 느낌을 가지고 있습니다. 저는 항상 회원이라는 생각으로 YMCA를 대하고 있습니다. 제가 사회활동에 눈뜨게 된 것도 그때 시민중계실 활동을 통해서입니다. 그 뒤 여러 가지 사회문제에 하나 둘 참여하면서 공해문제, 인권문제에 눈뜨게 됐습니다. 목사님들만 참석하는 인권위원회에도 저를 전문위원이란 자격으로 참석시켜 주셨습니다. 그래서 저도 조심스럽지만 인권위원 출신이라고 말합니다. 이 또한 감사합니다.

YMCA는 제게 인권에 관해, 사회의 공의가 무엇인지에 대해서 눈뜨게 해주었습니다. 그리고 실천할 용기를 주었습니다. 하고 싶어도 길잡이가 없으면 할 수 없습니다. YMCA는 저의 길잡이가 되어 주셔서 제 인생을 바꾸어 주셨습니다. 아직 좀 더 살아 봐야 제 인생이 성공인지 아닌지 평가할 수 있겠지만, 지금 어떻든 대통령이 됐으니 잘된 것이라고 생각합니다. 거듭 감사하게 생각합니다. 앞으로도 YMCA 여러분이 저를 형제처럼, 또 친구처럼 가까이 여기고 사랑해 주시기를 부탁드립니다.

저는 앞으로 우리 사회가 시민사회가 되어야 한다고 생각합니다. 그 시민사회에서 가장 모범적인 모델이 어떤 것이냐고 물으면 YMCA처럼 하는 것이다. 그렇게 생각합니다. 하느님의 공의에 바탕하고 있으면서도 항상 그 시대에 알맞은 사상과 행동방침을 가지고 운동해 나가는 모임이 YMCA인 것 같습니다. 민족이 억압받고 있을 때 민족정신을 일깨운 운동으로 그렇게 시작한 것으로 알고 있다. 독재 권력의 불의가 사람의 자유와 정의, 인권을 억압하고 있을 때에는 민주주의 운동으로 맞서 싸웠습니다. 항상 그 판단은 그 시대보다 한발 앞서 있었던 것 같습니다. 그 때 부닥친 문제, 현실의 문제를 해결하기 위해 급급한 것이 아니라 항상 시대의 흐름을 조금 앞서 내다보고 새로운 시대에 알맞은 생각과 행동이 무엇인지를 앞서서 제시해 주셨던 것 같습니다.

그런 점에서 저는 YMCA운동이 가장 합리적인 운동의 모범이 아닌가 항상 생각합니다. 앞으로도 우리가 나가야 할 길이 어딘가에 대해서 YMCA가 잘 찾아낼 것이라고 생각합니다. 대개 그렇게 비슷하게 따라가면 맞을 것 아닌가 그렇게 생각합니다. 그것이 그 시대 지성을 상징하는 것이라고 생각합니다. 지성과 양심을 항상 상징하고 있는 조직과 행동의 모범을 YMCA에서 찾으면 참 맞겠다, 그렇게 생각합니다.

외람되이 제가 한 말씀드린다면 시민사회는 두 가지 의미를 가지고 있다고 생각됩니다. 하나는 인간의 권리를 위해서 부당한 권력과 맞서 싸워 온 저항의 역사였습니다. 저항의 역사에 기초한 시민사회의 개념이 있다고 생각합니다. 그러나 보다 더 자유화되고 민주화된 사회에서는 단지 저항과 투쟁만으로 되지 않는다고 생각합니다. 여기에는 자유로운 비판과 토론으로 얻어지는 합의와 타협, 즉 공존의 지혜, 사회를 통합해 나가는 또 다른 지혜가 필요하다고 생각합니다. 그래서 민주화된 사회에서는 보다 더 높은 사회적 통합을 이루어 나가고 그 속에서 인간의 자유와 평등과 정의가 함께 누려질 수 있도록 대화와 타협을 통해 사회를 통합시켜 나가는 조정의 운동, 이것이 시민사회에서 매우 중요하다고 생각됩니다.

1990년대 초반부터 참여가 중요한 화두로 대두했습니다. 저항운동의 참여도 중요한 참여이겠지만, 1990년대 초반에 나왔던 그 참여의 의미는 1970~80년대 우리가 싸워 왔던 참여와는 또 다른 의미에서의 참여, 참여 시민이 책임지는 참여의 의미가 아닌가, YMCA운동이 이 방향으로 이미 전환해 가고 있다고 생각합니다. 최근에는 분권을 향한 개혁운동으로도 내부적 혁신이 논의되고 있는 것으로 알고 있습니다. 올바른 방향이라고 생각하고 이 방향으로 함께 가야 한다고 생각합니다.

우리가 지금 가장 크게 느끼고 있는 고통은 분열과 대립, 불신과 증오로 인한 사회의 분열과 그것을 앞장서서 조장하고 있는 정치권의 분열과 대립이라고 생각합니다. 어떻든 극복해 보려고 최선을 다하고 있습니다만 정치권이, 정치 지도자들이 제대로 신뢰받지 못하고 있기 때문에 이 일을 제대로 못해내고 있습니다. 국민 여러분께 참 미안합니다. 어떻게든 최선을 다해 보려고 노력하고 있습니다.

그래서 제가 YMCA회원이라고 얘기를 할까 말까 한참 망설였습니다. 제가 언제 어디 내놓아도 한 점 티 없는 떳떳한 사람이라면, 여러분이 진심으로 구김없이 존경할 수 있는 정치 지도자로서 모자람이 없다면, 제가 정말 당당하게 망설임 없이 지금도 나는 YMCA회원이라고 말했을 텐데, 우물쭈물 회원이라고 말씀드렸습니다. 앞으로 회원자격으로 인정해 주시면 고맙겠습니다. 여러분이 제시하는 미래가 한국사회의 미래입니다. 정치하는 사람들도 여러분이 가고 있는 방향으로 함께 가도록 그렇게 열심히 노력하겠습니다. 여러분의 노력과 하나님의 가호로 우리 모두가 하나님의 공의와 함께 나란히 가고, 그래서 우리 모두가 인간으로서의 존엄과 가치를 함께 누릴 수 있는 사회를 만들어 가기를 바랍니다.

감사합니다.

# 제2회 제주평화포럼 기조연설

2003년 10월 31일

존경하는 프리마코프 전 러시아 총리, 페리 전 미국 국방장관, 그레그 전 주한미국 대사와 내외 귀빈 여러분, 그리고 우근민 지사를 비롯한 제주도민 여러분,

안녕하십니까? 제2회 제주평화포럼의 개최를 진심으로 축하합니다. 이번 포럼을 준비해 온 관계자와 제주도민 여러분의 노고를 치하합니다. 자리를 함께 하신 지도자 여러분, 반갑습니다. 해외에서 오신 여러분을 환영합니다.

제주도는 여러번 와도 지겹지 않고 오면 올수록 포근한 도시이다. 맘껏 즐기다 가시기 바랍니다. 아름다운 자연과 다양한 문화를 가진 제주는 이제 국제적인 관광명소가 되었습니다. 대규모 국제회의와 문화축제를 통해 매력적인 '국제자유도시'로 발전하고 있습니다. 특히 제주가

'평화의 섬'으로 거듭나게 된 것은 참으로 뜻깊은 일입니다.

며칠 전에는 남북 분단 이후 처음으로 민간차원에서 주최한 '민족평화축전'이 열렸습니다. 남북한국방장관회담과 제3차 남북한장관급회담이 이곳에서 개최되기도 했습니다. 무엇보다 평화에 대한 제주도민의 소망은 매우 간절합니다. 그것은 아직도 아물지 않은 냉전시대의 깊은 상처가 있기 때문일 것입니다. 55년 전 이 곳 제주에서는 격렬한 좌우 대립이 발생하여 수많은 주민들이 무고하게 희생되었습니다. 이 비극적인 '4·3사건'은 우리에게 인권과 평화의 소중함을 일깨워 주었습니다. 정부는 이 사건의 진상규명과 피해자들의 명예회복을 위해 노력해 왔습니다. 대립과 갈등의 잔재를 해소하고 평화와 화해의 시대를 열어가는 것은 우리 모두에게 주어진 역사적 책무입니다. 저는 이러한 염원이 제주 평화포럼의 시발점이 되었다고 생각합니다. 이 포럼이 한반도뿐만 아니라 동북아에 평화공동체를 건설해 가는 활발한 논의의 장이 되기를 기대합니다.

내외 귀빈 여러분,

지금 여러분의 가장 큰 관심사는 북핵 문제일 것입니다. 여러분은 오늘과 내일 이 문제를 집중적으로 논의하는 것으로 알고 있습니다. 과연 북핵은 평화적으로 해결될 것인가, 6자회담은 과연 성공할 것인가. 남북한 관계는 개선될 것인가에 대해 세계가 주목하고 있습니다.

먼저, 북핵 문제는 반드시 대화를 통해 평화적으로 해결될 것이라는 말씀을 드립니다. 지난주 태국 방콕에서 열린 APEC 정상회의에서 각국지도자들은 북핵문제의 평화적 해결과 한반도 비핵화를 지지했습니다. 북한에 의해 제기된 안보우려를 포함한 관련국들의 모든 관심사항이 대화를 통해 평화적으로 해결되기를 희망했습니다. 또한 완전하며 항구적인 한반도 비핵화를 향한 구체적이고 검증 가능한 진전을 기대한다고 밝혔습니다.

저는 6자 회담의 당사자인 미국·일본·중국·러시아 정상들과 만나 북핵의 평화적 해결과 6자 회담의 조기 개최를 위해 노력하기로 약속했습니다. 특히 부시 미국 대통령은 미국이 북한을 침략할 의도가 없으며, 북한이 핵무기 개발을 포기하게 되기를 기대한다는 입장을 다시 한번 확인했습니다. 부시 대통령은 북한이 핵 폐기에 진전을 보인다면, 다자틀 내에서 안전보장을 제공할 용의가 있음을 밝혔습니다. 미국의 제의에 대해 북한도 지난 25일 이를 고려할 용의가 있다고 했습니다.

6자 회담이 곧 열릴 것이라 봅니다. 이것은 매우 긍정적인 진전이라고 생각하며, 북핵 문제가 결국 다자간 대화를 통해 포괄적으로 해결될 것이라는 확신을 갖게 되었습니다. 우리는 북한이 핵을 포기하면 국제사회와 협력해서 북한의 안전보장과 경제재건을 위한 지원방안을 적극 강구해 나갈 것입니다.

존경하는 내외귀빈 여러분,

저는 남북한의 지속적이고 안정적인 관계 개선이 매우 중요하다고 생각합니다. 그래서 우리는 햇볕정책을 계승한 평화번영정책을 추진하고 있습니다. 남북한간 화해협력과 공동번영, 그리고 항구적 평화정착을 추구하고 있습니다. 참여정부 출범 이후 여러 분야에서 모두 열여덟 차례의 남북회담이 지속적으로 열렸으며, 이제는 주요 회담이 정례화 되기에 이르렀습니다. 남북간 철도·도로 연결, 개성공단 건설, 금강산 육로 관광을 비롯한 경제협력사업도 일정대로 착실히 추진되고 있습니다. 북한에 대한 인도적 지원과 함께 이산가족 상봉도 명절 때마다 이루어지고 있습니다. 특히 남북 경협사업을 추진하는 과정에서 비무장지대 일부가 개방되고, 남북한 군사당국자간에 긴밀한 협조가 이루어진 것은 매우 큰 변화라고 생각합니다. 북핵 문제 해결 전망과 남북한 관계 개선은 동북아 협력의 새로운 지평을 여는 전기가 될 것으로 기대합니다.

존경하는 내외 귀빈 여러분,

우리는 이제 동북아 공동체 실현을 목표로 함께 나아가야 합니다. 우선 공동의 이익과 신뢰를 높일 수 있는 분야부터 구체적으로 협력을 가시화 할 필요가 있습니다.

첫째, 물류·에너지·IT 등 경제안보와 관련이 큰 분야의 사회간접자본 네트워크 건설을 추진하여 공동번영의 토대를 마련해가야 합니다.

둘째, 역내 교역자유화를 통해 궁극적인 경제통합을 지향해 나가야 합니다. 역내 국가간 자유무역협정을 보다 적극적으로 추진하는 것이 필요합니다.

셋째, 북한을 포함한 역내 낙후지역 개발을 지원하여 모든 국가들이 경제통합의 이익을 공유할 수 있도록 해야 할 것입니다. 역내외 국가들이 협력해서 항만·철도·도로·발전소 등의 건설을 지원할 수 있을 것입니다.

넷째, 동북아 협력의 추진에 정부뿐만 아니라 민간차원의 문화와 인적교류를 확대해 나가는 노력을 병행해야 합니다.

당장은 개별 국가간 협력을 더욱 촉진하고, 이를 점차 역내 모든 국가로 확대해 나가는 것이 중요하다고 생각합니다. 저는 이달 초 인도네시아 발리에서 한·중·일 정상회담을 갖고, 3국간 협력증진에 관한 공동선언을 채택했습니다. 이 선언에서 한·중·일 3국은 전면적이고 미래지향적인 협력을 강화하기 위해 무역과 투자, 에너지, IT, 안보, 초국가 문제 등 모두 14개 분야에 대한 협력을 강화하기로 했습니다. 또 이러한 과제들을 효율적으로 이행하고 점검하기 위해 '3자 위원회'를 설립하고, 매년 개최될 정상회담에 연례보고서를 제출토록 했습니다.

지난주 방콕에서 가진 한·일 정상회담에서는 양국간 FTA 체결을 위한 교섭을 올해 안에 시작하고 2005년까지 실질적인 교섭을 마치기로 합의했습니다. 우리는 한·중·일 3국간 FTA 체결 방안을 장기적인 과제로 연구하고 있습니다. 또 싱가포르와의 FTA 추진을 계기로 한·ASEAN간 FTA 체결도 모색하고 있습니다. 우리는 적극적인 개방을 통해 세계를 향해 열린 경제를 실현해 나갈 것입니다. 우리는 21세기 지식기반 경제를 이끌어 나갈 우수한 인적자원을 갖고 있습니다. 세계 수준의 IT산업 기반과 물류 인프라도 구축하고 있습니다. 인천·부산·광양을 경제자유구역으로 지정하여 외국인들이 기업하기 좋은 환경을 만들어 나가고 있습니다. 투명하고 공정한 경제 시스템을 구축하기 위한 노력도 계속하고 있습니다. 저는 우리나라를 태평양과 유라시아 대륙을 잇는 물류와 금융, 비즈니스와 R&D 허브로 발전시켜 나가고자 합니다.

존경하는 내외 귀빈 여러분,

그리고 제주도민 여러분,

21세기는 꿈을 가진 사람, 비전을 가진 국가가 성공하는 시대가 될 것입니다. 저는 동서냉전의 마지막 섬으로 남아 있는 한반도가 세계의 화해와 협력을 이끄는 진원지가 되기를 바라고 있습니다. 평화와 번영의 동북아 시대를 앞장서서 열어가는 대한민국을 만들어 나가고자 합니다. 이 꿈과 비전을 여러분과 함께 이루기를 기대합니다. 여러분의 지혜와 경륜을 담은 좋은 방안을 제안해 주실 것을 부탁드립니다. 이번 포럼은 준비한 제주도와 제주발전연구원, 연세대학교 관계자 여러분의 노고에 다시 한번 감사의 말씀을 드립니다.

대단히 감사합니다.

# 제주4·3사건 관련말씀

2003년 10월 31일

존경하는 제주도민과 제주4·3사건 유족 여러분, 그리고 국민여러분,

55년 전 평화로운 섬 이곳 제주도에서 한국현대사의 커다란 비극 중의 하나인 4·3사건이 발생했습니다. 제주도민들은 국제적인 냉전과 민족 분단이 몰고 온 역사의 수레바퀴 밑에서 엄청난 인명 피해와 재산 손실을 입었습니다. 저는 이번에 제주를 방문하기 전 '4·3사건 진상규명 및 희생자의 명예회복에 관한 특별법'에 의거하여 각계 인사로 구성된 위원회가 2년여의 조사를 통해 의결한 진상조사 결과를 보고 받았습니다. 위원회는 이 사건으로 무고한 희생이 발생된 데 대한 정부의 사과와 희생자 명예회복, 그리고 추모사업의 적극적인 추진을 건의해 왔습니다.

저는 이제야말로 해방 직후 정부수립 과정에서 발생했던 이 불행한

사건의 역사적 매듭을 짓고 가야 한다고 생각합니다. 제주도에서 1947년 3월 1일을 기점으로 하여 1948년 4월 3일 발생한 남로당 제주도당의 무장봉기, 그리고 1954년 9월 21일까지 있었던 무력충돌과 진압과정에서 많은 사람들이 무고하게 희생되었습니다. 저는 위원회의 건의를 받아들여 국정을 책임지고 있는 대통령으로서 과거 국가권력의 잘못에 대해 유족과 제주도민 여러분에게 진심으로 사과와 위로의 말씀을 드립니다. 무고하게 희생된 영령들을 추모하며 삼가 명복을 빕니다. 정부는 4·3평화공원 조성, 신속한 명예회복 등 위원회의 건의사항이 조속히 이루어질 수 있도록 적극 지원하겠습니다.

존경하는 국민여러분,

과거 사건의 진상을 밝히고 억울한 희생자의 명예를 회복시키는 일은 비단 그 희생자와 유족만을 위한 것이 아닙니다. 대한민국 건국에 기여한 분들의 충정을 소중히 여기는 동시에 역사의 진실을 밝혀 지난날의 과오를 반성하고 진정한 화해를 이룩하여 보다 밝은 미래를 기약하자는 데 그 뜻이 있습니다. 이제 우리는 4·3사건의 소중한 교훈을 더욱 승화시킴으로써 평화와 인권이라는 인류 보편의 가치를 확산시켜야 하겠습니다. 화해와 협력으로 이 땅에서 모든 대립과 분열을 종식시키고 한반도의 평화, 나아가 동북아와 세계 평화의 길을 열어나가야 하겠습니다.

존경하는 제주도민 여러분,

여러분께서는 폐허를 딛고 맨손으로 이처럼 아름다운 평화의 섬 제주를 재건해 냈습니다. 제주도민들께 진심으로 경의를 표합니다. 이제 제주도는 인권의 상징이자 평화의 섬으로 우뚝 설 것입니다. 감사합니다.

# 한국증권업협회 창립 50주년 축하 메시지

2003년 10월 31일

한국증권업협회의 창립 50주년을 진심으로 축하합니다. 지난 반세기 동안 우리 증권시장의 성장과 발전에 공헌해 온 증권업협회의 노고에 깊이 감사드립니다.

1956년 불과 12개 상장기업으로 출발한 우리 증권시장은 거래규모와 시가총액에 있어 세계 10위권의 시장으로 성장했습니다. 주가지수 옵션과 같은 금융파생상품은 세계 1위의 거래량을 기록하고 있습니다. 이제 우리 증권시장은 양적인 성장을 넘어 질적인 도약을 이루어 나가야 하겠습니다. 관건은 기업경영의 투명성과 시장의 공정성입니다. 분식회계나 주가조작, 허위공시와 같은 불법행위로 인해 선량한 투자자들이 피해를 보고, 우리 기업과 증권시장에 대한 신뢰를 떨어뜨리는 일이 되풀이되어서는 안 됩니다.

회계제도를 개혁하고 증권 관련 집단소송제를 조속히 도입해야 합니다. 불필요한 규제는 과감히 철폐하고 불공정한 거래에 대해서는 철저히 법과 원칙을 적용해 나갈 것입니다. 이러한 일들은 증권업계와 자본시장의 건전한 발전을 위해서 반드시 필요한 일입니다. 참여정부는 동북아 경제중심으로 도약하는 것을 주요 국정과제로 삼고 있습니다. 이를 위한 핵심전략으로 동북아 금융 허브 건설을 추진하고 있습니다. 세계 유수의 다국적 기업과 금융기관들이 모여들고 자유롭고 편리하게 금융활동을 할 수 있는 나라를 만드는 것입니다. 건전하고 효율적인 증권시장은 동북아 금융 허브로 가는 필수조건입니다. 우리 증권시장이 국제경쟁력을 갖춘 세계적인 선진시장으로 발전해 나가는 데 증권업협회가 더욱 힘써 주실 것을 당부드립니다.

다시 한번 창립 50주년을 축하드리며 증권업협회의 무궁한 발전과 증권인 여러분의 건승을 기원합니다.

# 11월

# 코리아타임스 창간 53주년 축하 메시지

2003년 11월 1일

코리아타임스 창간 53주년을 진심으로 축하합니다. 임직원과 독자 여러분께도 축하의 인사를 드립니다. 6·25전쟁이 발발하고 4개월 뒤에 창간한 코리아타임스는 전쟁의 참상을 국제사회에 알리는 일로부터 출발했습니다. 그로부터 지난 53년간 우리 경제의 발전상과 민주화 과정을 외국인들에게 생생하게 전달하는 역할을 해 왔습니다. 엄혹했던 군사독재 시절에도 필봉을 굽히지 않고 한국민의 민주화 열망을 세계에 알린 것은 우리 모두 잘 아는 사실입니다.

이제는 인터넷을 통해 전 세계를 상대로 시시각각 새로운 소식을 전하며 우리나라에 대한 이해를 높이는 데 크게 이바지하고 있습니다. 뿐만 아니라 영어 학습에 관심이 많은 국내 독자들로부터도 폭넓은 사랑을 받고 있습니다. 한국을 알리는 창(窓)으로서, 가장 연륜이 깊은 영자지로서 코리아타임스가 이룩해 온 공로는 높은 평가를 받기에 충분한 것입니다.

지금은 세계와 함께 호흡하는 시대입니다. 개방과 협력은 피할 수 없는 시대적 흐름이 되었습니다. 세계는 우리 안에 들어오고 우리는 세계를 향해 나아가야 합니다. 우리는 역내 국가와의 지역협력을 더욱 강화하고 자유무역협정(FTA) 흐름에도 적극 동참해야 합니다. 동시에 세계에 손색이 없는 기업하기 좋은 나라, 외국인들이 생활하기 편한 나라를 만들어 가야 합니다. 이러한 때에 코리아타임스에 거는 기대는 더욱 클 수밖에 없습니다. 정확한 보도와 깊이 있는 논평으로, 세계 속에 대한민국의 위상을 높이고 우리의 밝은 앞날을 열어 가는 데 더욱 앞장서 주기를 바랍니다. 창간 53주년을 거듭 축하하며 코리아타임스의 무궁한 발전과 독자 여러분의 행복을 기원합니다.

# 김대중도서관 개관식 축사

2003년 11월 3일

존경하는 김대중 전 대통령님 내외분, 김우식 연세대 총장님, 그리고 이 자리에 함께 하신 내외귀빈 여러분, 안녕하십니까? 참으로 기쁘고 뜻깊은 자리입니다. 무엇보다 김대중 전 대통령님 내외분의 건강하신 모습을 뵈니 기쁘기 그지없습니다. 오늘 개관하는 이 도서관에서 왕성한 활동을 하실 것을 생각하니 더욱 그렇습니다. 도서관의 개관을 충심으로 축하드립니다. 우리 역사상 처음으로 전직 대통령 관련 전문 학술기관을 개설하게 된 연세대학교에도 감사와 축하의 인사를 드립니다.

우리 국민들은 퇴임한 이후에도 국민의 존경과 사랑을 받으며 봉사하는 전직 대통령의 모습을 고대해 왔습니다. 역사 속에서 자랑과 긍지로 만날 수 있는 대통령을 가진 국민은 행복합니다. 그런 점에서 오늘 이 자리는 국민 여러분께 기쁨과 희망을 드리는 자리입니다. 각 정당의 대표와 각계 지도자 분들이 모두 함께 한마음으로 축복해 주고 있습니다. 우리 국민의 오랜 바람이 현실로 이루어지는 역사적인 출발점이 될 것이라고 확신합니다. 아울러 전직 대통령에 대한 객관적이고 종합적인 평가가 이루어지고, 이를 역사의 교훈으로 축적해 가는 전통을 확립하는 소중한 계기가 되기를 기대합니다.

우리 모두가 잘 아는 대로 김대중 전 대통령님은 평생을 민주주의와 인권, 한반도 평화와 민족통일을 위해서 헌신해 오셨습니다. 대통령 재임 중에는 IMF 외환위기를 극복하고 지식정보화 기반을 닦아 놓으셨습니다. 특히 남북정상회담을 성공적으로 개최하고 햇볕정책을 추진해서 남북간 화해 협력에 큰 발자취를 남기셨습니다.

앞서 소개된 해외인사들의 축하 메시지에도 잘 나타나 있듯이, 제가 몇 차례의 해외 순방에서 접한 김대중 전 대통령님에 대한 세계 각국의 평가는 우리의 일반 예상을 훨씬 뛰어넘는 것이었습니다. 세계적인 지도자로서의 명망과 위상을 거듭 확인했습니다. 역사는 김 전 대통령님의 민주주의와 평화, 통일에 대한 열정과 헌신을 영원히 기억할 것입니다.

존경하는 김대중 전 대통령님, 그리고 이희호 여사님,

아무쪼록 건강하시고 앞으로도 나라와 국민을 위하는 일에 그동안 쌓아 오신 경륜과 지혜를 발휘해 주시기 바랍니다. 다시 한번 도서관 개관을 축하드리며, 이 도서관이 평화와 통일 연구의 권위 있는 명소로서, 그리고 새로운 전직 대통령 문화를 꽃피우는 터전으로 크게 발전해 가기를 기원합니다.

감사합니다.

# 사천왕사 왔소 2003 축하 메시지

2003년 11월 3일

사천왕사 왔소 행사가 3년만에 다시 열리게 된 것을 진심으로 축하합니다. 어려운 여건 속에서도 행사 재개를 위해서 애써주신 관계자들과 동포 여러분, 그리고 오사카 시민 여러분에게 깊은 감사의 말씀을 드립니다. 지금 한·일 양국은 세계의 모범이 되는 명실상부한 '동반자시대'를 열어가고 있습니다. 지난해에는 힘을 합쳐 아시아에서 최초로 열린 월드컵을 성공적으로 치러냈습니다. 이를 통해 양국 국민들 간의 신뢰와 우의가 높아졌을 뿐 아니라, 세계인들의 아낌없는 찬사도 받았습니다.

올해 참여정부가 출범한 이후 활발한 정상외교를 통해 양국간의 우호와 협력은 더욱 굳건해졌습니다. 얼마 전 저는 방콕에서 고이즈미 총리와 정상회담을 갖고 양국간 FTA교섭을 올해 안에 시작하고, 사회보장조약도 조기에 발효시키기로 했습니다. 이제 한·일 양국은 미래의 번영을 위한 힘찬 발걸음을 함께 내딛고 있습니다. 이러한 한·일관계의 발전이 하루아침에 이뤄진 것은 아닙니다. 미래는 오랜 역사의 토대 위에서 만들어집니다. 한국과 일본은 지리적인 거리는 물론 문화와 정서적인 면에서도 가까운 이웃입니다. 1,500년에 이르는 조상들의 교류와 친선의 역사는 이를 잘 뒷받침해주고 있습니다.

'사천왕사 왔소'는 역사 속에 숨쉬고 있는 한·일간 친선과 우호의 모습을 재현하고 그 의미를 되새긴다는 점에서 매우 뜻깊습니다. 이번 행사를 통해서 우리 동포들은 조상의 얼과 전통의 향기를 느낄 수 있고, 일본 국민은 한국에 대한 이해와 친근감을 높이는 계기가 되기를 기대합니다. 앞으로도 이 행사가 한·일간 우호와 협력의 가교가 되고, 나아가 동아시아의 문화교류를 선도할 수 있도록 동포 여러분의 더 많은 참여와 성원을 부탁드립니다. 다시 한번 '사천왕사 왔소'의 개최를 축하드리며 여러분 모두의 건승을 기원합니다.

# 무샤라프 파키스탄 대통령을 위한 만찬사

2003년 11월 6일

존경하는 페르베스 무샤라프 대통령 각하 내외분, 그리고 내외귀빈 여러분, 대통령 각하와 일행 여러분을 진심으로 환영합니다.

한국은 지금이 가장 아름다운 계절입니다. 이럴 때에 멀리서 반가운 손님이 오셔서 더욱 기쁩니다. 특히 내일은 우리 두 나라가 수교한지 꼭 20년이 되는 뜻 깊은 날입니다. 각하의 이번 방한이 양국의 우호협력관계를 더욱 발전시키는 전기가 될 것으로 확신합니다. 각하께서는 지난 1987년 국방대학원 교수로서 우리나라를 방문하셨고, 지난해 일본을 방문하는 길에 서울공항에 잠시 머무셨을 때에도 우리 국민에게 우정의 메시지를 보내 주셨습니다. 나는 오늘 정상회담에서도 한국에 대한 각하의 각별한 관심을 확인할 수 있었습니다. 깊은 감사의 말씀을 드립니다.

대통령 각하,

파키스탄은 각하께서 취임하신 이후 지난 4년간 지속적인 경제성장을 이룩했습니다. 지난해에는 경제성장률이 5.1%에 이르렀고, 외환보유액도 100억 달러 이상으로 늘어났습니다. 9·11테러이후 각하께서는 용단을 내려 국제사회의 반테러 협력을 앞장서서 이끄시고, 서남아시아 지역정세를 안정시키는 데 기여하셨습니다. 지난 9월에는 유엔총회에서 서방세계와 이슬람세계간의 조화로운 발전을 위해 '개명적 온건주의'를 제시하여 많은 공감을 얻으셨습니다. 우리는 파키스탄이 개명적 온건주의를 실현해 나감으로써 서남아 지역의 평화와 안정에 기여하고, 세계 문명간의 대화를 이끄는 나라가 되기를 기대합니다.

대통령 각하,

한국과 파키스탄은 지리적으로는 멀리 떨어져 있지만, 고대부터 서로 교류하며 깊은 인연을 맺어 왔습니다. 오래전인 4세기경 간다라 지방의 고승 마라난타가 우리나라 백제에 불교를 전파하였으며, 8세기 무렵에는 신라의 고승 혜초가 파키스탄 등지를 순례하고 여행기를 남겼습니다. 파키스탄은 1950년 한국전쟁 당시에는 유엔의 한국통일부흥위원단(UNCURK)의 일원으로 의약품과 식량을 원조해 주었습니다. 1960년대에는 우리가 파키스탄의 농업분야 개발경험을 배우기 위해 사절단을 파견하기도 했습니다. 1983년 국교수립 이후 두 나라의 경제협력은 꾸준히 확대되고, 최근에는 인적교류도 늘어나고 있습니다. 특히 많은 파키스탄 근로자들이 우리의 산업 활동에 기여하고 있습니다.

양국간 협력의 잠재력은 매우 큽니다. 오늘 체결한 '정보통신 협력약정'과 '에너지 및 광물자원 협력약정'은 양국의 호혜적 협력을 강화하는 도약대가 될 것으로 생각합니다. 우리는 또한 파키스탄과의 긴밀한 협력이 한반도의 평화와 안정에 큰 힘이 된다고 생각합니다. 그동안 우리는 북핵 문제를 평화적으로 해결하기 위해 다각적인 노력을 기울여 왔으며, 파키스탄을 비롯한 세계 각국이 적극적으로 지지해 주었습니다. 그 결과 북핵 문제는 해결의 실마리가 풀려가고 있습니다. 2차 6자회담도 열리게 될 것으로 기대합니다. 이번 회담이 개최되면 한층 진전된 방안들이 논의될 것입니다. 우리의 평화번영정책에 대한 각하의 성원에 감사드리며 앞으로도 변함없이 지지해 주실 것을 부탁드립니다.

내외귀빈 여러분,

무샤라프 대통령 각하 내외분의 건강과 파키스탄의 번영, 그리고 우리 두 나라 국민의 영원한 우의를 위해서 축배를 들어주시기 바랍니다.

감사합니다.

# 국방일보 '추억의 내무반' 100회 기념 특별기고

2003년 11월 6일

국방일보 '추억의 내무반'이 100회를 맞게 된 것을 진심으로 축하합니다. 100번째 필자로 기고하게 되어 매우 기쁩니다. 아울러 지금도 국토방위에 여념이 없는 국군 장병 여러분의 노고에 치하와 격려를 보냅니다. 이제 완연한 가을입니다. 청와대 주변에도 낙엽이 수북이 쌓였습니다. 가을 낙엽은 보기에는 멋지지만, 장병들에게는 떨어지는 즉시 치워야 할 '애물단지'입니다. 낙엽과 한바탕 씨름을 하고 나면 곧 눈과의 전쟁이 시작됩니다.

제가 근무하던 부대도 눈이 참 많이 내리는 곳이었습니다. 눈을 보기 힘들었던 김해와 부산에서만 살다가 입대한 저는 하얗고 소담스럽게 내리는 눈이 마냥 신기하고 좋아 보였습니다. 부대에 첫눈이 내렸을 때 무심코 '와, 눈 한번 멋지게 내린다'고 말했다가 선임병에게 눈물이 찔끔

나도록 혼쭐났습니다. 눈을 치우는 일이 그렇게 고달픈 일인 줄 눈이 온 다음에야 알게 되었습니다. 지금도 그때 눈 치우던 생각을 하면 정신이 다 아찔해집니다.

저는 사병 출신입니다. 일반 사병 출신이 대통령이 된 것은 제가 처음입니다. 1968년 3월에 군번 '51053545'를 받고 입대하여 1971년에 상병으로 만기 제대했습니다. 지금도 병장을 달지 못한 것은 못내 아쉽습니다. 당시에 월남 참전 장병들이 많아서 병장 정원이 크게 줄었기 때문입니다. 처음 원주 1군사령부 부관부에서 군 생활을 시작했는데, 신병 시절을 힘겹게 했던 것은 시도 때도 없는 '사역집합'이었습니다. 사역이란 것이 일과가 없는 시간에 집중되다 보니, 토요일 오후와 일요일의 휴식을 고스란히 빼앗기는 경우가 허다했습니다. 그래도 군기가 바짝 든 신병이었기에 '사역병 집합' 구호가 떨어지기가 무섭게 제일 먼저 뛰어나갔습니다. 당시 제일 편한 사역은 연병장에서 클로버 풀을 뽑는 것이었습니다. 잔디밭에 앉아 클로버를 뽑는 일은 단순하고 쉽기도 했지만, 슬금슬금 요령을 피울 수도 있는 꽤 괜찮은 사역이었습니다.

군 생활을 더욱 힘들게 했던 것은 유난히 센 군기와 잦은 기합이었습니다. 제가 근무하던 부관부가 당시에는 담뱃값 정도 챙길 수 있는 자리라 그랬던 것 같습니다. 1년을 그렇게 지내다가 전방 차출이 있다는 소식에 즉시 지원했고, 곧 12사단으로 옮겨갔습니다. 지원할 때에는 호기롭게 했습니다만, 막상 버스를 타고 가는 길은 꼭 그렇지만은 않았습니다. 사방이 가파른 산으로 둘러싸여 하늘이 손바닥만하게 보이는 그야말로 첩첩산중으로 들어가고 있었습니다. 그곳이 바로 '인제 가면 언제

오나, 원통해서 못살겠네'하던 그 원통이었습니다.

군사령부 부관부에서 고생한 탓에 이번에는 일반 보병중대로 배속되기를 바라며 기다렸습니다. 그런데 대대 CP에서 대기하고 있을 때, 휴가 가는 선배들이 '중대에서는 근무 중에 졸면 목을 베어간다'고 어찌나 겁을 주던지 결국 저는 대대장 당번병으로 주저앉게 되었습니다. 그리고 건봉산 대대 상황실에서 몇 달 동안 생활을 했습니다.

비록 철책 근무를 서는 보직은 아니었지만, 휴일도 없이 밤을 꼬박 새우고 낮에는 새우잠을 자야하는 생활이 이어졌습니다. 더 힘들었던 것은 매일 물을 길어 올리는 일이었습니다. 나중에 전방 철책 중대로 가서 중대 본부에서 근무하다가 소대에까지 내려가 철책근무도 하고 GP 근무도 하다가 제대했습니다. 지금 생각해보면 전방이든 후방이든 쉬운 곳은 없었던 것 같습니다. 나름대로의 어려움이 있었습니다. 그렇다고 이겨내지 못할 만큼의 환경은 아니었습니다. 피할 수 없으면 즐겨야 합니다. 주어진 환경에서 최선을 다할 때 보람도 얻고 군 생활에 재미도 느끼게 됩니다. 이것이 이른바 적극적 사고라는 것입니다. 어려운 일을 자원하는 사람이야말로 군대생활을 가장 잘하는 사람입니다.

군대 동기 중에 엄창호라는 친구가 있었습니다. 항상 어려운 일, 궂은 일을 도맡아 앞장섰던 친구였습니다. 예나 지금이나 '국군의 날' 행사에 차출되면 몇 개월 동안 여름 땡볕에 고생하게 마련입니다. 그런데도 그 친구는 누구나 꺼릴만한 제병지휘본부 차출을 자원했습니다. 국군의 날 행사에 참석하여 사열하면서 문득 그 친구 생각이 났습니다. 지금은 어디서 무얼 하는지 모르지만, 언제나 남을 편안하게 해주는 좋은 이웃으로 살아가고 있을 것입니다.

남자들은 셋만 모여도 밤을 새워 군 생활의 무용담을 이야기하곤 합니다. 힘들었지만 자랑스러운 경험이라고 여기기 때문일 것입니다. 저도 예외는 아닙니다. 군에서 어려움을 견디며 환경을 극복하는 방법을 배웠습니다. 야전삽 하나와 곡괭이 하나를 주고 벙커를 지어내라고 하면, 전쟁 때 쳐놓았던 유자망을 철사 삼아 통나무를 엮어서 귀틀집 같은 벙커를 지어냈습니다.

제대 후 제가 사법시험에 도전하고 또 어려움 속에서도 합격할 수 있었던 것은 군에서 단련된 '하면 된다'는 강한 정신력이 있었기에 가능했다고 생각합니다. 자기와 세상을 바라보는 관점도 달라집니다. 리더십을 키우고 협력하는 법을 배우게 됩니다. 대통령이 된 지금도 군에서 터득한 이러한 교훈은 많은 도움이 되고 있습니다.

국군은 나라를 지탱해주는 기둥이자, 대들보와 같은 존재입니다. 지난 국군의 날 행사에서 일사불란하게 움직이는 우리 군의 위용을 보면서 말할 수 없이 뿌듯한 자부심을 느꼈습니다. 국가안보뿐 아니라 국민이 어려움에 처할 때마다 그 존재감은 더욱 커져 보입니다. 지난 태풍 피해 복구에도 우리 장병들의 활약은 정말 대단했습니다. 힘들지만 조국을 위한 여러분의 헌신은 무엇보다 값지고 영광된 일입니다. 우리 국민은 한없는 믿음과 애정을 갖고 우리 군을 지켜보고 있다는 것을 항상 기억해 주시기 바랍니다. 여러분의 군 생활에 무운을 기원합니다.

# 한·미연합군사령부 창설 25주년 축하 메시지

2003년 11월 6일

한·미연합군사령부의 창설 25주년을 진심으로 축하합니다. 리온 라포트 사령관과 신일순 부사령관을 비롯한 연합사 장병 여러분의 노고를 치하하며, 깊은 감사의 말씀을 드립니다.

한·미연합군사령부는 1978년 창설된 이래 한·미 안보동맹의 핵심으로서 한반도의 평화를 지키고 동북아시아의 안정을 유지하는 버팀목이 되어 왔습니다. 특히 라포트 사령관 취임 이후 양국군 사이의 벽을 허무는 과감한 개혁을 통해 장병들의 사기를 높이고, 두 나라의 우호협력 증진에 기여해 온 점을 높이 평가합니다.

올해는 한·미동맹 50주년이 되는 뜻깊은 해입니다. 지난 반세기 동안 한·미 양국군은 한결같이 긴밀한 동맹관계를 유지해 왔습니다. 한·미연합사 장병 여러분이 그 중추적인 역할을 훌륭히 수행하고 있다고 생각합니다. 나는 취임 이후 조지 부시 미국 대통령과 가진 두 차례의 정상회담에서 양국의 확고한 동맹관계를 거듭 확인했습니다. 한·미연합군이 세계 최고 수준의 연합방위태세를 갖추고 있는 데 대해 우리 국민과 함께 매우 마음 든든하게 생각합니다. 앞으로도 여러분이 굳건한 한·미동맹의 주역이 되어 주시기 바랍니다. 주한미군 장병과 가족 여러분에게 우리 국민의 따뜻한 우정의 인사를 전하며, 한·미연합군사령부의 무궁한 발전을 기원합니다. 여러분 모두 건강하십시오.

감사합니다.

# 제8회 농업인의 날 연설

2003년 11월 11일

존경하는 전국의 농업인 여러분, 그리고 농업 지도자 여러분,

여덟번째 '농업인의 날'을 축하드립니다. 수상자 여러분께도 축하의 박수를 보냅니다.

올해는 정말 힘든 한 해였습니다. 잦은 비로 곡식은 물론 과수와 채소마저 작황이 극도로 부진했습니다. 여기에다 태풍 '매미'까지 불어닥쳐 주택과 농경지를 휩쓸고 지나갔습니다. 온갖 악조건 속에서도 쌀 한 톨, 과실 하나라도 더 거두기 위해 밤낮 없이 수고하신 농업인 여러분께 깊은 위로의 말씀을 드립니다.

그러나 농업인 여러분,

힘을 냅시다. 희망을 가집시다. 조금 전 발표한 성공사례처럼 길은 찾으면 반드시 열리게 되어 있습니다. 정부도 최선을 다해서 돕겠습니

다. 여러분의 시름과 노고를 한시도 잊지 않고 여러분의 소리에 귀 기울이고 있습니다. 여러분과 함께 손잡고 우리 농촌의 새로운 활로를 찾아가겠습니다. 이미 종합적인 대책 마련에 착수했습니다. 올해 말까지 농업 발전과 농민의 복지 증진을 위한 향후 10년간의 청사진을 제시할 것입니다. 여러분 의견도 수렴해서 피부에 와 닿는 실질적인 대책이 되도록 하겠습니다.

정부 내 모든 관련 부처가 협력해서 농업·농촌 투·융자 계획도 준비했습니다. 앞으로 10년간 119조원 규모입니다. 우선 51조원을 내년부터 2008년까지 5년간의 정부 중기 재정계획에 반영할 것입니다. 농특세 연장이나 정책자금 금리 인하 등에 대해서도 많은 고심을 하고 있습니다. 좋은 결과가 있을 것입니다.

농업인 여러분,

우리가 가야 할 길은 분명합니다. 선진국과 경쟁해서 이기는 농업, 1인당 소득이 도시근로자에 버금가는 농업인, 가서 살고 싶은 농촌을 만드는 것입니다. 관건은 경쟁력입니다. 우리 농업을 지속가능한 첨단의 친환경 생명산업으로 육성해가야 하겠습니다. 규모가 있는 전업농과 친환경·고품질 농업을 키워 나가겠습니다. 단순한 가격 경쟁력이 아니라 품질과 서비스로 우리의 시장을 지키고 수출을 늘려가도록 하겠습니다. 영세·고령 농가에 대해서는 사회복지 차원에서 지원을 확대해나갈 것입니다.

가공산업과 서비스, 유통 등 관련 산업을 육성해서 농업의 부가가치와 농가소득을 높여나가도록 하겠습니다. 농촌관광을 활성화하고 지역산업을 키워서 농외소득 비중도 높여 가겠습니다. 앞으로 10년 내에 농가소득의 3분의 2 수준으로 높여 놓겠습니다. 농업소득 보전을 위해 직불제 예산을 단계적으로 확대해서 2007년까지 농업예산의 20% 수준으로 끌어올리겠습니다. '농작물 재해보험' 같은 경영 안정장치를 강화하는 노력도 지속할 것입니다. 이를 위해 '재보험제도'를 도입하도록 하겠습니다. 농가의 빚 문제, 교육과 의료 여건 개선도 지금 국회에 상정돼 있는 '부채경감 특별법'과 '농어업인 삶의 질 향상 및 농어촌 지역개발 특별법'이 통과되는 대로 제가 직접 챙겨 나가겠습니다.

전국의 농업인 여러분,

밀려오는 농산물 개방의 파고 앞에서 걱정이 매우 크실 것입니다. 정부도 비상한 각오로 대처하고 있습니다. 현재 진행 중인 도하개발아젠다 농업협상과 내년에 있을 쌀 시장 개방 재협상에서 우리 농민들의 이익이 최대한 지켜질 수 있도록 모든 노력을 다해나갈 것입니다. 그러나 이제 개방은 피할 수 없는 시대적 흐름입니다. 힘들지만 이겨내야 합니다. 한·칠레 자유무역협정도 더 이상 미루어 둘 수 없습니다. 세계적인 추세에 낙오되지 않으면서 농촌도 살릴 수 있는 길을 찾아나가야 합니다. 개방으로 인한 충격을 체질강화와 구조조정으로 극복하고, 오히려 농업 선진화를 이루는 전화위복의 계기로 삼아야 하겠습니다. 농산물 시장 개방으로 인한 농업부문의 피해에 대해서는 보완대책을 마련해두었습니다. 'FTA 이행지원 특별법'을 비롯한 4대 지원 특별법이 국회 통과를 기다리고 있습니다. 한·칠레 자유무역협정이 비준되면 이러한 보완대책이 차질 없이 추진되도록 하겠습니다.

존경하는 농업인 여러분,

지금 우리에게 필요한 것은 긍정적이고 적극적인 자세입니다. 굳건한 신뢰입니다. 하나하나 문제를 풀어 가는 노력입니다. 불신과 대립은 문제를 더 어렵게 할 뿐입니다. 우리 서로 믿고 열심히 해보십시다. 농촌 문제를 하루아침에 다 해결하지는 못하겠지만 지혜와 힘을 모으면 틀림없이 오늘보다 더 나은 내일을 열어갈 수 있습니다. 현재 추진중인 지방분권과 국가균형발전 정책, 그리고 신행정수도 건설도 우리 농촌의 모습을 크게 변화시킬 것입니다.

제가 앞장서겠습니다. 여러분의 창의적이고 자조적인 노력을 최대한 뒷받침하겠습니다. 결코 농민의 희생만을 요구하진 않겠습니다. 농촌 대책 없이 개방 없다는 것이 저의 확고한 소신입니다. 국민 여러분께서도 우리 농업과 농촌에 더 많은 관심과 애정을 가져 주실 것이라고 믿습니다. 우리 국민 중에 어느 누가 농업의 혜택을 입지 않았으며, 농촌에 뿌리 두고 있지 않은 사람이 어디 있겠습니까? 농업인과 정부, 국민 모두가 합심해서 경쟁력 있는 농업, 살기 좋은 농촌을 이룩해 냅시다. 참여정부 들어 처음 맞는 오늘 '농업인의 날'을 그 출발점으로 삼읍시다. 다시 한번 '농업인의 날'을 축하드리며 농업인 여러분의 건강과 행복을 기원합니다.

감사합니다.

# 열린우리당 중앙당 창당대회 축하 메시지

2003년 11월 11일

'열린우리당'의 출범을 진심으로 축하합니다. 국민의 큰 신뢰와 지지를 받는 정당으로 발전해가기를 기원합니다. 정치에 대한 국민의 원성과 질책이 엄중합니다. 변화에 대한 기대가 그 어느 때보다 큽니다. 이대로는 어느 정당, 어느 정치인도 국민 앞에 떳떳이 설 수 없습니다. 정치권의 자성과 결단이 필요한 시점입니다. 국민은 투명한 정치, 깨끗한 정치를 요구하고 있습니다. 그리고 이러한 국민의 요구는 이제 어느 누구도 거역할 수 없는 시대적 흐름이 되고 있습니다.

지난 수십년간 우리 정치는 단 한 해도 정치자금 문제로 소란스럽지 않았던 때가 없었습니다. 문제가 불거질 때마다 소모적인 정쟁으로 흐르고 또다시 문제가 발생하는 악순환이 되풀이됐습니다. 이제 이 굴레를 벗어나야 합니다. 남의 흉은 키우고 자기의 허물은 덮고자 해서는 해결되지 않습니다. 정치자금 문제가 국민적 관심으로 떠오른 이상 모든 것을 낱낱이 밝히고 근원적인 해결책을 찾아야 합니다. 정치개혁의 역사적인 전기로 삼아야 합니다.

지역주의 문제도 반드시 극복해야 할 과제입니다. 지역간 불신과 반목은 지역구도 정치에서 비롯됐습니다. 특히 선거에서 지역감정을 악용하거나 이에 동조하는 일이 없어야 합니다. 정치권은 물론 학계와 시민단체, 국민 모두가 중지를 모아 하루속히 선거제도의 개선에 착수해야 합니다. 그래서 특정 정당이 특정 지역을 독식하는 잘못된 정치구도에 종지부를 찍고, 국민통합의 정치시대를 열어가야겠습니다.

이러한 때에 정치개혁과 국민통합의 기치를 내걸고 열린우리당이 출범합니다. 새로운 정치에 대한 국민의 기대가 큰 만큼 짊어진 짐이 무겁습니다. 무엇보다 국민통합과 깨끗한 정치를 이끄는 견인차가 되어줄 것으로 믿습니다. 진정한 민주정당, 모범적인 정책정당의 모습도 기대합니다. 국민에게 희망과 믿음을 주고 시대적 소명에 충실한 정당으로 국민과 역사 속에 뿌리내리기를 바라 마지 않습니다. 다시 한번 열린우리당의 창당을 축하드립니다.

감사합니다.

# 나자르바예프 카자흐스탄 대통령을 위한 만찬사

2003년 11월 13일

존경하는 누르술탄 나자르바예프 대통령 각하, 그리고 내외귀빈 여러분,

대통령 각하와 일행 여러분을 진심으로 환영합니다. 세번째 우리나라를 찾아주신 각하께 감사의 말씀을 드립니다. 각하께서는 1990년대 초 소련이 해체되는 혼돈과 격변의 와중에서 '독립국가연합'을 출범시키는 데 중심적 역할을 하셨습니다. '아시아교류출범구축회의' 의 출범을 주도하여 역내 국가간의 신뢰구축과 안보협력에 크게 기여하고 계십니다. 국내적으로도 적극적인 개혁을 통해 지난 3년 동안 10%에 이르는 급속한 경제성장을 이룩하셨습니다. 이처럼 중앙아시아의 평화와 카자흐스탄의 발전을 위한 각하의 탁월한 지도력에 경의를 표합니다.

대통령 각하,

나는 오늘 각하와의 정상회담 결과에 매우 만족합니다. 북핵문제 해결과 유엔을 비롯한 국제무대에서 더욱 긴밀히 협조하기로 했습니다. 양국간의 교역확대와 자원협력을 비롯한 상호 관심사에 관해 진지한 대화를 나누었습니다. '형사사법 공조 조약'과 '범죄인 인도 조약'도 체결하여 양국관계 증진을 위한 법적 토대를 한층 강화하게 되었습니다. 오늘 발표한 공동성명은 양국의 미래를 열어가는 중요한 이정표가 될 것입니다. 이제는 구체적인 사업들을 하나하나 실천하는 일만 남았다고 생각합니다.

카자흐스탄은 광대한 국토를 가진 나라입니다. 자원도 풍부합니다. 최근에는 원유생산량이 매년 15% 이상 늘어나고 있습니다. 또 지하수와 오아시스 개발로 사막을 곡창지대로 바꾸어 놓고 있습니다. 이와 같은 카자흐스탄의 무한한 잠재력을 키우는 데 우리의 자본과 기술, 개발경험이 도움이 될 수 있기를 바랍니다. 특히 카스피해 유전개발사업이 양국의 공동번영에 기여하는 방향으로 추진되기를 기대합니다. 우리나라 기업은 이미 카자흐스탄에서 여러 가지 사업을 하고 있습니다. 우리나라 기업이 투자한 제스카스칸 구리광산은 모두 6만명을 고용하는 대규모 사업체로 성장했습니다. 연간 40만톤의 구리제품을 생산하여 8억 달러의 매출을 올리고 있습니다. 앞으로 더 많은 성공사례가 나오게 되기를 희망합니다.

대통령 각하,

카자흐스탄에는 10만여명의 우리 동포들이 살고 있습니다. 이들은 숱한 역경을 이겨내고 지금의 삶의 터전을 일구었습니다. '네가 태어난

곳에서 네 깃발을 올려라'는 카자흐스탄의 격언을 믿으며 살아온 분들입니다. 이제는 우리 두 나라의 문화적 유대와 친밀감을 더해 주는 가교가 되었습니다. 우리 동포들의 친구가 되고 이웃이 되어 주신 카자흐스탄 국민 여러분에게 감사의 말씀을 드립니다. 앞으로도 각하께서 각별한 관심을 가지시고 배려해 주실 것을 부탁드립니다.

내외귀빈 여러분,

나자르바예프 대통령의 건강과, 카자흐스탄의 무궁한 번영, 그리고 우리 두 나라간의 협력을 위하여 건배를 제의합니다.

감사합니다.

# 제1회 자율관리어업 전국대회 축하 메시지

2003년 11월 14일

여러분, 안녕하십니까?

제1회 자율관리어업 전국대회를 진심으로 축하드립니다. 참으로 반가운 일입니다. 개인적으로도 감회가 새롭습니다. 3년 전 해양수산부 장관 시절에 저는 '자율관리어업'을 내걸고 전국을 누비며 어업인 여러분을 만났습니다. 삶의 터전인 바다를 되살리는 길은 어업인 스스로 주인의식을 가지고 바다를 관리하는 방법밖에 없다고 생각했습니다. 많은 어업인들이 호응해 주셨습니다. 제대로 한번 해보자고 다짐해 주셨습니다. 그리고 마침내 오늘 전국 대회를 열게 되었습니다.

자율관리어업인 여러분은 수산의 미래를 열어 가는 선구자입니다. 여러분이 있기에 희망을 얘기할 수 있습니다. 길은 없다고 낙담하는 분들도 계십니다. 하지만 찾는 자에게 길은 열리게 되어 있습니다. 우리 수

산업도 얼마든지 승산이 있습니다. 뛰어난 품질과 한발 앞선 서비스로 당당하게 세계와 경쟁합시다.

어업·어촌문제는 제가 직접 챙기고 있습니다. 경쟁력 있는 수산업, 살맛나는 어촌을 만들어 가겠습니다. 특히 자율관리어업에 대해 각별한 관심을 갖고 우수공동체를 지원해 나갈 것입니다. 여러분도 적극적으로 동참해 주실 것으로 믿습니다. 다시 한번 오늘 행사가 있기까지 애써주신 관계자, 어업인 여러분께 깊은 감사를 드립니다. 여러분 모두 건강하고 행복하십시오.

감사합니다.

# 바르게 살기 운동중앙협의회 제5차 국민통합실현대회 축하 메시지

2003년 11월 14일

바르게살기운동중앙협의회가 개최하는 제5차 국민통합실현대회를 축하합니다. 전북과 경북의 지도자 여러분이 한 자리에 모인다니 기쁘고 반가운 일이 아닐 수 없습니다. 바르게살기운동협의회는 항상 우리 사회가 해야 할 일을 앞장서서 실천해 오고 있습니다. 건전한 시민의식 고취에서부터 올바른 가족문화 형성에 이르기까지 여러분의 사업 하나하나가 보다 나은 미래를 열어 가는 소중하고 가치 있는 일들입니다. 특히 지역·계층간 갈등을 극복하기 위한 여러분의 활동은 시대적 사명에 부응하는 일로서 그 의미가 매우 큽니다.

지금은 세계와 경쟁하는 시대입니다. 국민의 힘과 지혜를 한데 모아야 합니다. 분열과 대립, 불신과 미움을 이대로 두고 우리는 희망을 얘기할 수 없습니다. 민간의 역할이 중요합니다. 여러분과 같이 덕망 있고 경륜을 갖추신 분들이 화합의 길을 열어 주셔야 합니다.

그런 의미에서 1999년부터 지속적으로 국민통합실현대회를 개최하고 계신 여러분은 희망의 싹을 틔우는 분들입니다. 여러분께 감사와 경의를 표합니다. 여러분의 노력이 머지않아 아름다운 결실로 이어지리라 확신합니다. 영·호남은 서로 통하는 것이 많습니다. 민주주의를 사랑하는 열정도, 따뜻한 인심도 똑같습니다. 지방화 시대에 협력할 일도 점점 많아질 것입니다. 자주 만날수록 더없이 친한 친구가 될 것입니다. 오늘 이 행사가 또 하나의 중요한 계기가 될 것입니다. 뜻깊은 행사를 준비하느라 애써 주신 김성주 중앙회장과 관계자 여러분께도 감사의 마음을 전합니다. 여러분 모두 건강하시고 행복하십시오.

감사합니다.

# 팔만대장경 동판 복원 고불식 축하 메시지

2003년 11월 17일

안녕하십니까?

오늘 고려 팔만대장경을 동판으로 영구히 보존하기 위한 대불사가 시작됩니다. 고불식이 열리게 된 것을 진심으로 축하드립니다. 해인사 주지 스님과 불교계 관계자 여러분, 정말 수고 많으셨습니다. 팔만대장경은 우리나라만의 보물이 아닙니다. 세계가 함께 지켜나가야 할 소중한 문화유산입니다.

그 방대함과 정교함 속에 시대를 앞섰던 기술과 장인 정신이 살아 있습니다. 750여년을 이어온 우리 조상의 얼과 숨결을 느낄 수 있습니다. 나라를 위기에서 구해내고자 했던 호국의 의지도 빛납니다. 이 자랑스런 유산을 보존하고 후세에게 물려주는 것은 우리 모두의 책무입니다. 불교계는 물론 정부와 국민 모두 함께 힘을 모아야합니다. 천년 수명의 목판에서 만년을 이어갈 동판으로 '21세기 신대장경'을 만들어야겠습니다. 이를 통해 문화강국, 대한민국의 위상을 한층 더 높여나가야 하겠습니다. 다시 한번 팔만대장경 동판 복원 고불식을 축하드리며, 이번 불사가 성공적으로 이뤄져서 국민이 화합하고 나라가 더욱 번창하는 계기가 되기를 바랍니다. 부처님의 자비가 여러분 모두에게 함께 하기를 기원합니다.

감사합니다.

# 한국과학기술한림원 회관 준공 축하 메시지

2003년 11월 20일

존경하는 과학기술인 여러분,

안녕하십니까? 여러분의 오랜 숙원이 이루어졌습니다. 한림원 회관 준공을 진심으로 축하드립니다. 우리나라 과학기술 부문의 최고 아카데미, 한림원의 위상과 역할에 비춰볼 때 다소 늦은 감도 있습니다. 새 집 마련을 계기로 '세계 10대 아카데미' 도약의 비전을 성취해 가기를 바랍니다. 아울러 원로·석학 과학기술인 여러분께 깊은 경의와 감사의 인사를 드립니다. 특히 해외에서 오신 저명한 학자와 노벨상 수상자 여러분, 환영합니다.

21세기는 과학기술인이 주인공인 시대입니다. 국가의 운명과 인류의 미래가 과학기술에 달려 있습니다. 우리 경제도 과학기술력이 좌우하는 혁신주도형 경제로 이미 들어섰습니다. 대한민국 발전전략 1순위는 과학기술 혁신입니다. 2만 달러 시대를 여는 힘의 원천도 과학기술력입니다. 그런 점에서 과학기술인 여러분은 국운 개척의 선봉장들입니다. 여러분이 성공해야 대한민국이 성공합니다.

열심히 뒷받침하고 잘 모시겠습니다. 과학기술 투자와 인재 양성, 산·학·연의 협력 강화, 이공계의 공직 진출 확대, 이 모든 면에서 저의 최선을 다할 것을 약속드립니다. '과학기술 중심사회'의 튼튼한 토대를 구축해놓겠습니다. 함께 힘을 모아 과학기술 선진국, 노벨 과학상 수상의 꿈을 이룹시다. 오늘 준공하는 한림원 회관이 이러한 꿈을 이루는 과학기술의 요람, 과학기술인의 소중한 보금자리가 될 것으로 확신합니다. 다시 한번 회관 준공을 축하드리며 과학기술인 여러분의 건승과 행복을 기원합니다.

감사합니다.

# 주요 법안처리의 협조를 당부하는 대국회 서신

2003년 11월 21일

존경하는 박관용 국회의장, 그리고 국회의원 여러분,

의정 활동의 노고에 경의를 표합니다. 우리는 지금 당면한 경기침체를 극복하면서 미래 경쟁력을 확보해야 하는 이중의 과제를 안고 있습니다. 경기침체는 민간과 정부가 합심해서 최선을 다하면 극복할 수 있습니다. 그러나 경제·사회 전반을 선진화하고 경쟁력을 확보하기 위한 구조개혁은 대부분 입법이 수반되는 일입니다. 국정을 함께 책임지고 있는 국회의 적극적인 협조가 필수적입니다. 그런 의미에서 저는 오늘 이번 정기국회에서 논의중인 주요 법안에 대해 설명 드리고 의원 여러분의 이해와 협력을 구하고자 합니다.

지난 40년간 수도권은 집중되고 지방은 계속 내리막길을 걸어왔습니다. 언제까지 수도권 과밀과 지방의 낙후된 현실을 걱정만 하고 있을 수는 없습니다. 결단을 내리고 실행에 옮길 때입니다. 정부는 이런 절박한 심정으로 국가균형발전특별법, 지방분권특별법, 신행정수도 건설을 위한 특별조치법등 '3대 특별법'을 국회에 제출하였습니다. 특히 신행정수도 건설을 위한 특별조치법은 국가균형발전의 실질적인 견인차 역할을 담당하게 될 매우 중요한 입법 사안입니다.

존경하는 의원 여러분,

국가균형발전은 정부만의 정책도 아니며 정부의 노력만으로는 성공하기도 어렵습니다. 의원 여러분의 선도적인 역할 속에 법적·제도적 기반을 마련하고 과감한 지방분권과 재원이양이 이루어져야 합니다. 지역산업 육성과 지방대학에 대한 투자, 지방의 생활여건 개선, 그리고 행정수도 이전을 강력하게 추진해나가야 합니다. '3대 특별법'의 입법은 지방의 자치역량을 키워 나가면서 수도권에 대해서는 불합리한 규제를 완화해 나가는 획기적인 계기가 될 것입니다. 수도권과 지방이 상생 발전하는 확고한 토대가 구축되는 것입니다. 이번 정기국회에서 꼭 통과시켜 주시기를 부탁 드립니다.

이제 개방과 경쟁은 피할 수 없는 시대흐름입니다. 이미 세계적으로 255개의 FTA가 체결되었고, FTA 체결 국가간의 무역비중이 전 세계 무역의 50%에 이르고 있습니다. 무역에 대한 의존도가 절대적으로 높은 우리에게 이러한 세계경제 흐름은 도전이자 기회입니다. 적극적으로 동참해서 도전을 기회로 만들어야 합니다. 앞으로 일본·싱가포르·ASEAN 등 교역 면에서 실리가 있는 나라들과 FTA를 적극 추진해 나가야 합니다.

이러한 상황에서 1년 전에 체결한 한·칠레 FTA마저 비준이 늦어진다면 우리의 대외개방과 FTA의 추진의지에 대해 국제적 신뢰를 얻기가 어렵습니다. 더 이상 늦출 수 없는 농업부문의 개혁을 위해서도 빠른 시일 내에 한·칠레 FTA를 비준하고 '4대 지원특별법'을 입법화해야 합니다. 그리하여 세계 흐름에 뒤처지지 않으면서, 농업구조조정과 농촌종합지원대책을 추진해 나가는 계기로 활용해야 하겠습니다. 다가올 고령사회에 대비해서 국민연금 체제를 '적정부담-적정급여'로 전환하는 일도 시급합니다. 현재의 '저부담-고급여' 체제는 기금의 소진으로 인해 중장기적으로 지탱이 어려운 실정입니다. 현 체제가 지속되면 같은 금액의 연금을 받기 위해 지금 세대는 소득의 9%만 보험료로 내면 되지만, 2050년 우리의 자녀세대는 30%를 보험료로 부담해야 합니다. 마침 올해는 5년마다 실시되는 재정추계가 있는 해입니다. 각계 의견을 수렴해 '연금재정 안정방안'이 마련된 만큼 차제에 손질할 필요가 있습니다. 이번 기회를 놓칠 경우 다음 추계가 이루어지는 2008년까지 기다릴 수밖에 없고, 이 경우 연금수급자가 지금보다 3배나 많아지게 됩니다. 그렇게 되면 제도 변경에 따른 반발과 자녀세대의 보험료 부담도 그만큼 커질 수밖에 없습니다. 재정위기에 봉착하고서야 개혁을 시작해 큰 어려움을 겪고 있는 선진국들의 전철을 밟지 않으려면 대규모 연금 수급자가 발생하기 전인 지금 고쳐야 합니다.

부동산시장 안정은 기업의 경쟁력 측면 뿐만 아니라 서민생활의 안정을 위해서 기필코 이룩해야 할 당면과제입니다. 정부는 이미 밝힌 대로 단호한 의지를 가지고 부동산 투기에 대처해 나갈 것입니다. 최근의 안정추세가 흔들림 없이 유지될 수 있도록 주택법, 소득세법 등 관련 법안의 조속한 통과에 협조해 주시길 거듭 당부 드립니다.

특히 주택법은 주택가격 급등 지역에 대해 '주택거래신고제'를 도입하여 실거래가격에 의한 과세기반을 구축함으로써 투기가 발붙이지 못하도록 하는 긴급한 입법입니다. 아울러 임대주택 건설을 용이하게 하고 중산·서민층의 내집 마련에 도움을 주는 '국민임대주택건설특별법'과 '한국주택금융공사법' 입법도 더 이상 늦춰서는 안 됩니다.

증권분야 집단소송법과 공정거래법은 기업과 시장전반의 투명성을 높이기 위한 대표적인 개혁입법입니다. 특히 증권분야 집단소송제는 외국투자가들이 우리 정부의 경제 시스템 개혁의지를 평가하는 시금석으로 주목하고 있는 제도입니다. 이 제도의 도입으로 우리 경제에 대한 국제신인도가 높아지면 저평가되어 있는 기업 가치를 올리는 효과도 있습니다. 투명한 경영이 노동자의 신뢰를 얻는데 매우 중요하다는 점에서 신뢰와 협력의 새로운 노사관계를 구축하는 데에도 도움이 됩니다. 의원 여러분의 깊은 이해와 협조가 있으시길 간곡히 당부드립니다. 아울러 내년에는 새로운 정부조직에 의해 새로운 각오로 업무를 시행할 수 있도록 재난전담조직 설치와 보육업무의 여성부 이관 등 '정부조직법'을 이번 정기국회에서 처리해 주시기를 희망합니다. 그 밖에 경제·민생 안정과 사회 개혁을 위해 국회에 계류중인 법안에 대해서도 조속히 처리하여 주시기 바랍니다.

존경하는 의원 여러분,

저는 그동안 각 당 대표는 물론 원내총무와 정책위 의장 등 국회 지도자들을 만나 입법 추진 배경을 설명하고 적극적인 협조를 당부드렸습니다. 그리고 이제 다시 충심으로 호소합니다. 시급한 입법과제에 대해서 각별한 관심과 협조를 부탁드립니다.

의원 여러분 모두의 건강과 행복을 기원합니다.

# 제40회 경우의 날 축하 메시지

2003년 11월 21일

제40주년 경우의 날을 진심으로 축하합니다.

우리 경찰은 광복 이후 오늘에 이르기까지 국가의 법질서를 수호하고 국민의 생명과 재산을 지키는 데 헌신해 왔으며, 경찰의 노력과 기여가 오늘의 대한민국을 만든 밑거름이 되었습니다. 박봉과 격무를 이겨내며 청춘을 바쳐 일하고, 퇴임한 후에도 변함없이 사회를 위해 봉사하고 계신 경우회원 여러분 한분 한분이 바로 그 주인공입니다. 충심으로 감사와 경의를 표합니다. 여러분의 헌신과 봉사 덕분에 우리나라는 세계에서 손꼽히는 안전한 나라가 되었고, 경찰에 대한 우리 국민의 신뢰 또한 굳건해졌습니다.

저는 대통령에 취임하고 나서 우리 경찰의 역량이 다른 어느 나라보다 우수하고, 15만 경찰 모두가 참으로 힘든 여건에서 사명감 하나로 열심히 일하고 있다는 사실을 거듭 확인하고 있습니다. 우리 경찰이 국민의 안전과 인권을 지키는 수호자로서, 공정하고 친절한 봉사자로서 앞으로 더욱 발전해 나갈 것이라고 확신합니다. 저와 참여정부는 여러분의 후배 경찰관들이 보람과 긍지를 가지고 일할 수 있도록 최선을 다해 지원할 것입니다. 아울러 정당한 공권력에 도전하는 불법·폭력 행위는 법과 원칙에 따라 엄정하게 대처해 나갈 것입니다. 비록 현직을 떠나 계시지만 아낌없는 조언으로 성원해 주시고, 우리 사회의 발전을 위해 더 많은 기여를 해주시기 바랍니다. 다시 한번 '경우의 날'을 축하드리며 여러분의 건강과 행운을 기원합니다.

감사합니다.

# 전북도민일보 창간 15주년 축하 메시지

2003년 11월 22일

전북도민일보의 창간 15주년을 진심으로 축하합니다.

1988년 민주화와 지방화의 염원 속에 출범한 전북도민일보는 도민의 여론을 담아내는 지역사회의 공기(公器)로서 큰 역할을 해 왔습니다. 깊은 감사와 격려의 말씀을 드립니다. 저는 지방을 살리는 길이 나라를 살리는 길임을 누차 강조해 왔습니다. 참여정부는 지방분권과 균형발전에 온 힘을 다하고 있습니다. 지방분권특별법을 비롯한 3대 특별법을 국회에 제출해 놓고 있습니다. 이를 기반으로 행정수도 이전을 비롯한 국가균형발전사업을 하나하나 착실히 추진해 나갈 것입니다. 중앙정부의 기능과 재원을 획기적으로 지방에 이전하고자 합니다. 중앙과 지방이 수평적인 협력관계로 바뀌게 됩니다.

지방 스스로의 전략과 열정도 매우 중요합니다. 지방화를 지방 스스로 주도해야 한다고 생각합니다. 자치단체, 대학, 언론을 비롯한 모든 주체들이 함께 비전을 만들고 추진해가는 노력이 필요합니다. 전북은 환황해권 시대의 중심지로 성장할 무한한 가능성을 갖고 있습니다. 낙후된 전북을 성장시키는 것은 국가의 균형발전 차원에서 매우 필요한 일입니다. 정부는 전북의 발전을 위해 최대한의 지원을 다할 것입니다. 전북도민의 목소리를 대변해온 전북도민일보가 지역발전의 징검다리 역할을 해주시기 바랍니다. 전북의 장래를 위해 꼭 필요한 의제를 설정하고 앞장서 이끌어 나가는 창의적인 노력을 기대합니다. 지금까지 정론직필의 사명을 다해 온 것처럼 앞으로도 정의와 도민복리를 위해 더욱 힘써 주실 것을 당부드립니다. 다시 한번 창간 15주년을 축하하며 임직원과 애독자 여러분의 행복을 기원합니다.

감사합니다.

# 전국 문화원장 연찬회 축하 메시지

2003년 11월 24일

전국의 문화원장 여러분, 안녕하십니까?

모처럼 한자리에 모여 귀한 시간을 가지게 된 것을 뜻깊게 생각합니다. 그동안 어려운 여건 속에서도 지역문화 발전을 위해 헌신해 오신 여러분에게 감사와 격려의 마음을 전합니다. 21세기는 문화의 세기입니다. 문화 수준이 국가경쟁력을 좌우하는 시대입니다. 그 뿌리가 깊을수록 풍성하고 창조적인 문화를 꽃피울 수 있습니다. 반만년을 이어온 전통문화 유산을 가꾸고 보존하는 일은 우리에게 주어진 귀한 사명이라 할 것입니다.

특히 우리는 지역마다 고유한 문화와 전통이 살아 숨쉬고 있습니다. 지역의 문화적 자산을 발굴하고 육성해 나갈 때 주민의 삶의 질은 물론 지방의 역량 또한 한층 더 높아질 것입니다. 나아가 지역문화는 지방화 시대의 핵심적인 발전 동력이 되어 줄 것입니다. 참여정부는 '지방화와 국가균형발전'을 국정과제로 삼고, 행정과 재정개혁에 힘쓰고 있습니다. 이를 위해 지방분권특별법, 국가균형발전특별법, 그리고 신행정수도 건설을 위한 특별조치법을 마련하여 국회에 제출해 놓고 있습니다. 중앙집권과 수도권 중심의 개발은 지금껏 국가균형발전의 걸림돌이 되어 왔습니다. 이제 지방이 스스로의 성장잠재력을 발견하고 발전을 추진해 나가야 하겠습니다. 지역의 모든 주체들이 힘을 모아 지방화 시대를 앞당겨야 합니다.

저는 지방문화원장 여러분에게 거는 기대가 큽니다. 지역 문화의 저변 확대와 균형 잡힌 국가발전을 위해서 더욱 앞장서 주시기 바랍니다. 이번 연찬회가 우리 지역문화의 현주소를 되돌아보고 발전을 모색하는 뜻깊은 자리가 되기를 기대합니다. 여러분 모두의 건승을 기원합니다.

# 부산~거제간 연결도로 건설공사 기공식 연설

2003년 11월 27일

존경하는 김혁규 지사를 비롯한 경남도민과 부산시민 여러분, 그리고 이 자리에 참석하신 내외 귀빈 여러분, 반갑습니다. 이렇게 따뜻하게 맞아 주셔서 감사합니다.

조금 전 영상으로 보았듯이 바다 위에 다리를 놓고 바다 밑으로 길을 내는 정말 엄청난 사업입니다. 여러분의 오랜 숙원인 부산~거제간 연결도로의 기공을 진심으로 축하드립니다. 부산·경남 지역의 발전은 물론 우리 경제와 국민생활이 향상되는 큰 계기가 될 것이라고 확신합니다.

무엇보다 거제도에서 이곳까지 2시간 넘게 걸리던 길이 단 50분으로 단축됩니다. 연간 물류비용 절감만도 4천억원이 넘습니다. 뿐만 아니라 현재 건설중인 대전~통영간 고속도로와 대구~김해간 고속도로를 연결하면서 동남권 산업벨트의 대동맥 역할을 하게 됩니다. 관광산업 발전에도 획기적인 기여를 합니다. 국내 최초의 해저 터널과 아름다운 사장교가 어우러진 장장 8.2km의 해양교량은 그 자체로서 세계적인 관광명소가 될 것입니다. 나아가 부산~거제~여수~목포를 잇는 남해안 관광벨트를 형성하면서 국내외 수많은 관광객들을 불러들일 것입니다.

지역경제 활성화에도 큰 도움이 됩니다. 2010년까지 약 4조원의 생산유발과 200만명의 고용창출 효과가 기대됩니다. 아울러 이 지역의 항만과 녹산·신호공단, 그리고 거제 조선단지가 연계되어 국가발전의 핵심 클러스터를 구축하게 될 것입니다. 이 뿐만이 아닙니다. 지리적으로 인접한 부산과 거제, 더 나아가 부산과 경남이 더욱 긴밀히 협력하면서 상호 유기적인 공동체로 발전할 수 있는 '화합과 번영의 가교'가 놓여지는 것입니다. 경남과 부산시민 여러분이 한마음으로 함께 하고 있는 오늘 이 자리가 그것을 상징적으로 보여주고 있습니다.

이 얼마나 고맙고 뜻깊은 일입니까? 이 거대한 사업을 성사시킨 경상남도와 부산시, 그리고 민간 참여기업과 관계자 여러분께 깊은 감사와 격려의 말씀을 드립니다. 지역주민과 공사 관계자 여러분이 서로 협력해서 후세에 길이 남을 훌륭하고 튼튼한 길을 만들어 주실 것으로 믿습니다. 저와 정부도 최선을 다해 돕겠습니다.

존경하는 부산시민과 경남도민 여러분,

지난 1970년대부터 '서울은 만원'이라고 했습니다. 서울과 수도권은 이미 포화상태입니다. 이제 지방으로부터 새로운 성장동력을 찾아야 합니다. 지난 40년 가까이 지속된 '중앙집권 - 집중전략'을 '지방분권 -

분산전략'으로 전환할 때가 됐습니다. 잘 아시는 대로 참여정부는 국가균형발전을 핵심 정책과제로 삼고 있습니다. 과감한 지방분권과 재원이양으로 지방의 자치역량을 강화해 나가고자 합니다. 부산·경남 지역을 비롯한 전국의 16개 시·도가 독자적인 산업경쟁력을 갖춘 역동적인 발전의 주체가 되도록 할 것입니다. 현재 국회에 제출되어 있는 '국가균형발전 3대 특별법'이 조속히 통과되어서 국토균형발전과 지방화가 힘차게 추진될 수 있기를 기대합니다.

존경하는 내외 귀빈 여러분,

저는 2000년 12월, 바로 이 자리에서 여러분과 함께 신항만 민자사업 기공식을 가진 바 있습니다. 그리고 현재 30개 선석을 추가 조성하는 공사가 착착 진행되고 있습니다. 앞으로 이 사업이 차질 없이 추진되도록 모든 지원과 노력을 아끼지 않겠습니다. 2006년 초에 3개 선석을 앞당겨 개장해서 동북아 지역의 물동량 증가에 적극 대처하고, 동북아 중심항만으로서의 지위를 굳혀 나갈 것입니다. 또한 부산·진해지역의 경제자유구역 지정을 계기로 세계 유수 기업의 투자를 유치해서 명실상부한 동북아의 물류와 생산거점으로 육성해 가겠습니다. 부산·경남지역이 국민소득 2만 달러 시대를 이끄는 우리 경제의 견인차가 되도록 하겠습니다.

존경하는 경남도민과 부산시민 여러분,

이 지역의 미래는 창창합니다. 동북아 지역이 세계경제의 중심 축으로 부상하고 있습니다. 그 중에서도 우리 대한민국은 동북아의 관문에 위치해 있습니다. 그리고 그 핵심에 부산·경남 지역이 있습니다. 부산·

경남은 대한민국의 동북아 경제중심 계획을 선도해갈 번영의 중심무대입니다. 거가대교 건설은 이 지역의 무한한 잠재력을 활짝 꽃피우는 계기가 될 것입니다. 이 사업을 통해 부산·경남은 태평양과 유라시아 대륙을 잇는 동북아의 중심거점으로 더 큰 도약을 이루게 될 것입니다. 이 희망찬 사업에 다함께 동참합시다. 그리하여 부산과 경남, 그리고 대한민국의 밝은 미래를 열어 갑시다. 다시 한번 오늘의 기공을 축하드리며 경남도민과 부산시민 여러분의 가정에 행복이 가득하기를 기원합니다.

감사합니다.

# 제40회 무역의 날 연설

2003년 11월 28일

존경하는 기업인과 무역관계자 여러분, 그리고 이 자리에 함께 하신 내외 귀빈 여러분,

제40회 무역의 날을 진심으로 축하합니다. 탁월한 업적으로 오늘 수상의 영예를 안은 분들께도 거듭 축하의 인사를 드립니다. 저는 오늘 우리 국민을 대신해서 기쁘고 감사한 마음을 전하기 위해 이 자리에 왔습니다. 안팎으로 매우 어려운 여건에서도 수출이 20% 가까이 증가하며 올 한해 우리 경제의 버팀목 역할을 해주었습니다. 연말까지 1,900억 달러를 상회할 것으로 예상됩니다. 덕분에 무역수지 흑자도 이미 100억 달러를 넘어섰습니다. 이라크 전쟁과 사스 공포, 원화 강세 등 어려움이 컸던 올해였기에 더욱 값지고 자랑스럽습니다. 이 모두가 국내외 수출현장에서 밤낮없이 애써주신 기업인과 근로자 여러분 덕택입니다. 정말 수

고하셨습니다. 충심으로 감사와 찬사를 드립니다. 수출에서 거둔 여러분의 성공을 우리 경제 전체, 나아가 대한민국의 성공으로 확산시켜 가겠습니다. 정치와 행정이 여러분의 발목을 잡지 않도록 최선을 다해 나가겠습니다.

전국의 근로자와 무역 관계자 여러분,

1964년 무역의 날이 처음 제정되었을 당시만 해도 우리 수출은 1억 달러에 불과했습니다. 그로부터 지난 40년 동안 근로자와 기업인, 그리고 국민 모두가 허리띠를 졸라매고 수출에 매진했습니다. 세계 최단기간에 100억 달러, 1,000억 달러 수출을 차례로 달성하고 이제 세계 12위의 수출대국이 됐습니다. 수출의 증가와 함께 국민소득도 100배 이상 늘어났고, 세계가 놀라는 '한강의 기적'도 이뤄냈습니다. 또한 IMF 외환위기를 극복하는 데도 수출이 결정적인 역할을 했습니다. 수출에 기여하고 있는 여러분이야말로 생산과 투자, 일자리와 외환보유액을 늘리고 우리 경제를 성장시키는 일등공신입니다. 진정한 애국자들입니다. 거듭 감사와 격려의 말씀을 드립니다.

기업인과 근로자 여러분,

내년에는 대망의 수출 2천억 달러 시대가 열립니다. 나아가 우리는 2010년 국민소득 2만 달러 시대를 향해 뛰고 있습니다. 국민소득 2만 달러 실현에도 무역의 주도적인 역할이 필요합니다. 수출이 지금보다 두 배로 늘어나 4천억 달러가 되어야겠습니다. 그러나 우리가 처한 환경은 만만치 않습니다. 기술력이 뛰어난 선진국은 저만치 앞서 나가고, 중국을 비롯한 개도국은 우리를 바짝 쫓아오고 있습니다. 앞으로 수년간이 우리 수출과 경제의 앞날을 결정짓는 분수령이 될 것입니다. 수출 증대를 위해서는 무엇보다 경쟁력 있는 상품, 세계 일등 제품을 만들어야 합니다. 정부는 기술 파급효과가 크고 지식정보화 시대를 선도해 나갈 차세대 성장동력 산업을 적극 발전시켜 나갈 것입니다. 이미 선정된 10대 성장산업의 세부 추진과제를 마련해서 다각적인 지원대책을 추진하겠습니다.

이와 함께 우리 산업의 근간인 자동차·조선·전자·섬유 등 주력기간산업을 IT·BT·NT 등 신기술과 접목시켜 고도화해 나갈 것입니다. 2010년까지 1,000개의 세계 일류상품을 발굴해서 미래의 수출효자상품으로 키우겠습니다. 건전한 노사문화를 정착시키고 과감한 규제완화를 통해 기업하기 좋은 환경을 만드는 데에도 최선을 다하겠습니다. 우리 기업들이 해외로 공장을 이전하는 대신 국내에서 투자를 늘리고, 외국인투자를 더 많이 유치할 수 있도록 정책적 노력을 강화해 나갈 것입니다. 기술혁신과 인재양성도 착실히 추진하겠습니다. 특히 지방기업과 중소기업의 경쟁력 강화에 각별한 관심을 기울이겠습니다.

경쟁력을 높여 가는 것 못지 않게 적극적인 해외시장 개척으로 수출저변을 넓혀 나가는 노력도 중요합니다. 중국과 같은 유망 수출시장에 대한 진출 노력에 더욱 힘써야겠습니다. 중국은 세계시장에서 우리와 치열하게 경쟁하고 있지만 올해 제1위의 수출상대국으로 부상할 정도로 커다란 기회도 되고 있습니다. 또 세계경기 회복과 이라크 전후복구 등을 우리 기업이 효과적으로 활용할 수 있도록 해야겠습니다. 지식과 서비스 수출에도 많은 관심을 기울여야겠습니다. 문화 컨텐츠와 소프트웨어, 물류서비스 수출이 늘어날 수 있도록 관련 제도를 정비하고, 우리의 지정학적 장점을 살려 동북아 무역중심국가로 발전해 나가야 하겠습니다. 급변하고 있는 국제 통상환경과 무역흐름에도 능동적으로 대처해 나가야 합니다. 지금 세계 각국은 경제적 실익에 따라 뭉치기도 하고 흩어지기도 하는 냉엄한 현실 속에서 움직이고 있습니다. 올해 참석한 ASEAN+한·중·일 정상회의와 APEC 정상회의에서 이러한 현실을 다시 한번 실감할 수 있었습니다. 우리만이 외톨이가 되어서는 안 됩니다. 한·칠레 FTA에 대한 국회 비준이 조속히 이루어져야 합니다. 이를 계기로 일본, 싱가포르 등 주변국과의 FTA도 적극 추진해 나가야 하겠습니다.

존경하는 내외 귀빈 여러분,

경제가 어렵지 않은 때가 없었습니다. 그러나 우리 국민은 그때마다 잘 극복해 왔습니다. 어렵다 어렵다 했지만 늘 당당하게 일어섰습니다. 1970~1980년대 오일쇼크 때도 그랬고, 5년 전 외환위기 때도 그랬습니다. 2차 대전 이후 수많은 나라가 독립했지만 우리만큼 경제발전을 이룬 나라가 어디 있습니까? 그것도 전쟁의 폐허 위에서 분단의 멍에까지 지고서 말입니다. 정말 저력이 있는 위대한 우리 국민입니다. 2010년 국민소득 2만 달러, 수출 4천억 달러 시대는 결코 이루지 못할 꿈이 아닙니다. 우리 모두가 힘을 합쳐 노력하면 반드시 이룰 수 있습니다. 희망과 자신감을 가지고 나아갑시다. 오늘 맞이한 제40회 무역의 날이 새로운 결의와 다짐의 자리가 되도록 합시다. 다시 한번 무역의 날을 축하드리며 여러분 모두에게 건강과 행운이 함께 하기를 기원합니다.

감사합니다.

# 희망 2004 이웃돕기 캠페인 메시지

2003년 11월 29일

존경하는 국민 여러분, 안녕하십니까?

올해는 냉해와 태풍 피해가 아주 컸습니다. 경제가 아직도 풀리지 않고 있습니다. 도움의 손길을 기다리는 분들이 참 많습니다. 우리 국민들은 이웃의 어려움을 그냥 넘어가는 법이 없었습니다. 언제 어디든지 달려가서 제 일처럼 도왔습니다. 이번 '희망 2004 이웃돕기 캠페인'에도 많은 분들이 동참해 주실 것으로 믿습니다. 여러분이 전해주시는 따뜻한 사랑은 많은 분들에게 희망과 용기가 될 것입니다. 다시 한번 이웃돕기 캠페인에 많은 관심과 성원을 부탁드립니다. 연말연시에 국민 여러분 모두 건강하시고 행복하십시오.

감사합니다.

# 12월

# 디자인코리아 2003 국제회의 축하 메시지

2003년 12월 4일

'디자인코리아 2003 국제회의'의 개최를 축하드립니다.

창조적인 아이디어와 식지 않는 열정으로 디자인 발전에 공헌하고 계시는 여러분께 깊은 경의를 표합니다. 아울러 한국을 방문하신 각국의 디자인 전문가 여러분을 진심으로 환영합니다. 21세기는 문화의 세기, 지식기반경제 시대입니다. 바로 디자인이 경쟁력이고, 디자이너가 주역인 시대입니다. 디자인이야말로 산업과 문화를 접목시킨 대표적인 지식산업이고, 그 주인공은 디자이너 여러분이기 때문입니다.

우리가 목표하고 있는 2만 달러 시대의 핵심동력도 디자인입니다. 제품 판매는 물론 관광과 수출, 개인의 의식주에 이르기까지 디자인이 영향을 미치지 않는 곳은 없습니다. 보다 수준 높은 디자인으로 상품 경쟁력과 국가 이미지를 높이고 국민의 삶의 질을 향상시켜 나가야 하겠습니다. 세계 일류의 디자인 강국이 될 때 비로소 2만 달러 시대의 선진국 진입도 가능하다고 믿습니다.

참여정부는 디자인 산업이 우리 경제를 이끌어 가는 핵심동력이 될 수 있도록 각별한 관심과 지원을 아끼지 않을 것입니다. 전문인력 양성, 인프라 구축, 디자인 문화 확산 등에 최선의 노력을 다할 것을 약속드립니다. 그리하여 2008년 세계 7위권의 디자인 선진국으로 도약해 나가겠습니다. 이번 회의가 개최되는 12월 첫째 주를 '디자인주간'으로 선포하고 다채로운 행사를 개최하고 있는 것도 바로 그러한 정부의 의지가 담겨 있습니다. 아무쪼록 이번 국제회의와 '디자인주간' 행사가 디자인의 중요성을 다시 한번 일깨우고, 우리 디자인 산업의 미래와 혁신 방향을 제시하는 소중한 기회가 되기를 기대합니다.

감사합니다.

# 故 김만수씨 딸 영진양에게 보내는 서신

2003년 12월 4일

김영진 양에게

어떻게 위로의 말을 해야 할지 모르겠습니다.

영진 양의 글을 보고 너무나 안타까웠습니다. 오죽하면 이렇게 애끓는 하소연을 내게 했을까 싶었습니다. 허망하고 분하고 억울하다는 심정, 이해하고도 남습니다. 단란했던 가족이 겪고 있을 고통을 생각하면 가슴이 미어집니다. 마음 같아서는 지금이라도 당장 달려가고 싶습니다. 대통령이기 전에 한 가정의 가장으로서 자식을 키우는 아버지로서 영진 양 가족의 슬픔을 가슴깊이 느낍니다. 또 국민의 안전을 지켜야 할 대통령으로서 무거운 책임감을 느낍니다.

두 분 고인의 비보를 보고받고 우선 참담한 심정을 금할 수 없었습니다. 영진 양 가족만의 불행이 아니라 우리 국민 모두의 아픔이라고 생각했습니다. 그래서 사후수습에 정부가 적극 나설 것을 지시했습니다. 우선 이라크 현지에서 신속한 조치를 취하고 유가족에 대한 대책까지 최선을 다하도록 거듭 당부했습니다. 그러나 영진 양이 보기에는 너무나 부족해 보였을지 모릅니다. 유가족에 대한 정부의 조치가 신속하지 못했을 수도 있습니다. 나는 다시 한번 영진 양이 말한 내용에 대해서는 가능한 모든 노력을 다하도록 했습니다. 앞으로도 계속해서 챙기도록 하겠습니다.

아무리 나의 심정이 안타깝고 간절하다 해도 가족들의 참담함에 비하면 그 만분의 일이나 되겠습니까? 하지만 영진 양, 용기를 내야만 합니다. 많은 국민들이 함께 아파하며 고인을 애도하고 있습니다. 영진 양이 힘을 내야만 어머니도 동생도 다시 기운을 차릴 것입니다. 힘들겠지만 가족을 위해 모든 것을 바치신 아버지의 뜻을 받들어 영진 양도 동생도 훌륭한 따님이 되어 주길 바랍니다.

거듭 위로드리며 고인의 명복을 빕니다.

# 2003 전국새마을지도자대회 연설

2003년 12월 5일

존경하는 이수성 회장님과 새마을 지도자 여러분, 이 자리에 함께 하신 내외 귀빈 여러분,

'2003전국 새마을지도자대회'를 진심으로 축하드립니다. 지역사회와 국가 발전을 위해 애써 오신 여러분께 감사와 경의를 표합니다. 오늘 영예로운 상을 받으신 수상자 여러분께도 거듭 축하의 박수를 보냅니다. 오늘 이 자리엔 전국의 시·도지사와 기초자치단체장 여러분도 함께 하고 있습니다. 새마을운동이 명실상부한 국가적 운동임을 실감하게 됩니다. 특히 젊은 새마을지도자 여러분이 많은 것을 보고 놀랐습니다. 새마을운동이 새로운 시대로 이어지는 역사적 운동임을 보여주는 증거입니다. 대단히 기쁜 일입니다.

새마을운동이 처음 시작됐을 때 저는 시골에서 살았습니다. '잘 살

아보자'는 희망으로, 근면·자주·협동의 정신으로 가슴 벅차 하며 삽과 괭이를 들고 길 넓히고 부뚜막 개량하는 일에 함께 다녔습니다. 그러나 민주주의를 갈구하면서 정부가 추진하던 새마을운동이 곱지 않아 보이던 시대가 있었습니다. 저 역시 민주화운동에 참여하면서부터 새마을운동을 어떻게 평가할까 혼란스러웠습니다. 이러한 아픈 역사에도 불구하고 앞으로 새마을운동은 훌륭하게 계속돼 나갈 것으로 확신합니다.

지난 40년 동안 우리 국민은 국민소득을 100배나 증가시키는 쾌거를 이루었습니다. 오늘 우리 정치가 혼란스럽긴 하지만 1945년을 전후하여 독립한 나라들 중에서 가장 앞선 민주주의를 하고 있습니다. 정치 발전의 바탕에 경제적 성공이 있고, 경제적 성공의 바탕에 새마을운동이 있음을 자랑스럽게 생각합니다. 새마을운동은 성공의 역사입니다. 정상회의를 하러 해외에 가면 정말 많은 나라 지도자들이 우리 새마을운동을 부러워하고 칭찬합니다. 이것이 첫번째 성공을 말하고 있습니다.

여기 계신 이수성 회장님은 이 나라의 민주주의를 위해 스스로 고난을 겪었던 분입니다. 그분이 새마을운동을 앞장서 이끌고 있습니다. 시·도 지사, 시장 여러분 중에도 민주주의를 위해 독재에 맞서 투쟁한 분들이 있습니다. 그분들이 지금 이 자리에 함께 하고 있습니다. 이것이 새마을운동의 두번째 성공을 말하고 있습니다. 이제 새마을운동은 시대를 넘어 전 국민의 운동으로 자리잡아 가고 있습니다.

이러한 성공은 새마을 지도자들이 국민 속에 뿌리내리고 시대 변화에 발맞추어 운동을 변화시켜 왔기 때문입니다. 새로운 시대의 목표와 전략으로 지금도 국민과 함께 하고 있고 우리 민족의 바른 미래를 향하고 있기 때문입니다. 새마을 운동은 앞으로도 지속적으로 발전하여 대한민국 역사에 영원히 기록될 것입니다. 또한 우리 국민의 가슴에 영원히 살아있을 것입니다.

새마을지도자 여러분,

지금은 세계와 경쟁하는 시대입니다. 선진국들은 새로운 분야를 개척하며 성큼성큼 달아나고 있고, 후발국들은 무섭게 추격해 오고 있습니다. 머뭇거리고 있다가는 또다시 변방의 역사를 살아야 합니다. '하면 된다'는 자신감을 갖고 세계와 미래를 향해 힘차게 도전할 때입니다. 안으로 내실을 다지면서 새로운 발전의 동력을 만들어 가야 합니다. 세계와 당당하게 경쟁하기 위해 우리의 지혜와 역량을 한데 모아야 합니다. 30여년을 이어온 새마을운동이 한차원 높은 국민운동으로 승화되어야 하는 이유가 바로 여기에 있습니다.

지금 우리 앞에는 해결해야 할 과제들이 적지 않습니다. 무엇보다 국민화합이 절실합니다. 분열과 대립, 불신과 미움을 이대로 두고는 경쟁에서 승리할 수 없습니다. 역량 한번 제대로 펼쳐보지 못하고 주저앉게 되는 아쉬운 일이 있어서는 안 됩니다. 해법을 찾고 실천하는 모습을 보여주어야 합니다. 정부도 최선을 다하고 있습니다. 원칙을 바로 세우고, 합법적이고 정당한 절차에 따라 문제를 해결하는 시스템 행정을 펼쳐가겠습니다. 신뢰와 공정으로 갈등의 소지를 미연에 방지하고 결과에 승복할 줄 아는 문화를 만들어 가겠습니다. 대화의 창구도 항상 열어 놓겠습니다. 지금의 여러 사회갈등 현안들도 대화하고 설득하면 얼마든지 합리적인 결론에 이를 수 있습니다. 상대방의 이야기에 귀를 막고 자기

주장만을 해서는 모두 패배자가 될 뿐입니다.

서로의 발목을 잡는 공멸의 길이 아니라 서로에게 힘이 되는 상생의 길을 가야 합니다. 나라 위한 일이라면 늘 한마음으로 뭉쳤던 우리들입니다. 그 전통을 이어가야 합니다. 전국 각지에서 오신 새마을 지도자 여러분이 새로운 협력의 문화와 화합의 분위기를 조성하는데 앞장 서 주시기 바랍니다. 지방화도 미룰 수 없는 과제입니다. 수도권은 너무 과밀하고 집중돼서 고통을 받고 있고, 지방은 소외돼서 고통을 받고 있습니다. 이 문제는 반드시 해결해야 합니다. 집중으로 인한 비효율을 이대로 두고는 국민소득 2만 달러 시대로 나아갈 수 없습니다. 이제 지방으로부터 새로운 성장동력을 찾아야 합니다. 지방이 독자적인 산업경쟁력을 갖추고 국가 발전의 역동적인 주체가 되어야 합니다. 국토의 균형발전과 지방분권 전략만이 수도권과 지방을 다 함께 살리는 길입니다.

참여정부는 지방을 발전시켜서 전국이 골고루 잘사는 시대를 열어가고자 합니다. 이를 위해 '균형발전 3대 특별법'을 비롯한 제도적 기반을 마련하고, 지역산업과 지방대학 육성, 지방의 생활여건 개선, 행정수도 이전 등을 차질없이 추진해 나갈 것입니다. 이 또한 여러분이 도와주셔야 합니다. 여러분의 마을과 직장이 더불어 잘 사는 새로운 대한민국의 출발점이 되어 주시기를 부탁드립니다.

새마을지도자 여러분,

여러분은 항상 시대가 요구하는 일을 앞장서서 실천해 오셨습니다. 여러분에 대한 국민의 애정과 신뢰 또한 큽니다. 화합과 개혁의 구심점으로서 조국의 희망찬 미래를 앞당기는 데 큰 역할을 해 주십시오. 저도 열심히 성원하겠습니다. 조금 전 영상과 대회사를 통해 여러분이 내건 "새마을, 새정신, 새나라"라는 새 목표가 그야말로 분권과 자율, 그리고 참여민주주의 시대를 여는 견인차가 되고, 또 큰 성공을 거두기를 간절히 기원합니다. 다시 한번 전국새마을지도자대회를 축하드리며 여러분 모두 건강하고 행복하길 기원합니다.

감사합니다.

# 대덕연구단지 30주년 기념식 연설

2003년 12월 5일

존경하는 과학기술인과 벤처기업인 여러분, 그리고 이 자리에 함께 하신 대전시민 여러분,

우리나라 과학기술의 자랑, 대덕연구단지가 30세 장년을 맞이한 것을 진심으로 축하드립니다. 수상의 영예를 안은 분들께도 축하의 인사를 드립니다. 대덕연구단지의 발자취는 대한민국 과학기술의 역사입니다. 빈약한 자원에 가진 것은 사람밖에 없는 이 땅에서, 우리의 주력산업을 키우고 국가경쟁력을 높이는 데 선도적인 사명을 다해 왔습니다. DRAM 개발, 한국표준형 원전 설계, 우주항공과 생명공학, 나노기술 분야에서의 놀라운 연구개발 성과 등 일일이 언급하기 어려울 정도의 업적을 쌓아왔습니다. 뿐만 아니라 우수한 과학기술 두뇌를 양성하는 산실로서, 또 전국의 연구개발 인재를 흡수하는 대한민국 최고의 지식집적지

로서 그 역할을 훌륭히 수행해 왔습니다.

이제 대덕연구단지는 많은 국가들의 벤치마킹 대상이 되었으며, 대전광역시는 한국을 대표하는 과학기술도시로서 명성과 위상을 확고히 하고 있습니다. 이 모든 성과는 연구개발에 전념해 온 과학기술인과 벤처기업인, 그리고 이를 지원해 온 대전시와 국민 여러분 덕분이라고 생각하며, 깊은 존경과 감사의 말씀을 드립니다.

존경하는 참석자 여러분,

30여년전 우리는 과학기술입국의 기치를 내걸고 연구개발 투자와 과학기술인 우대 정책의 씨앗을 뿌렸습니다. 그 결과 단기간에 국민소득 1만 달러 달성이라는 결실을 거둘 수 있었습니다. 우리가 목표하는 국민소득 2만 달러 시대도 과학기술의 혁신을 통해서 성취할 수 있습니다. 과학기술의 힘없이 2만 달러 시대는 불가능합니다. '제2의 과학기술입국'을 이룩해야 합니다. 지난 30년간 과학기술의 황무지를 옥토로 일구어 온 대덕단지가 이제는 2만 달러 시대를 여는 선도자가 되어 주어야겠습니다. '국내 최고'가 아니라 '세계 최고'를 향해 힘차게 달려가야 하겠습니다.

과학기술의 혁신과 함께 2만 달러 시대를 여는 또 하나의 핵심 동력은 '지방화'입니다. 중앙집권과 수도권 중심의 개발은 이제 한계에 다다랐습니다. 지방에서 새로운 성장동력을 찾아야 합니다. 참여정부가 신행정수도 건설과 지방분권, 그리고 국가균형발전에 진력하고 있는 것도 바로 이 때문입니다. '균형발전 3대 특별법'이 국회를 통과하면 이를 기반으로 중앙정부의 기능과 재원을 지방에 대폭 이전하고, 지역특화발전특구법을 제정해서 모든 지역이 각자의 특성에 맞게 고루 발전하도록 할 것입니다. 그랬을 때 이 곳 대전도 탄탄한 연구개발 자원을 바탕으로 더 큰 도약을 이루어 내고, 대덕단지 또한 세계적인 R&D형 혁신클러스터로 발전해 나갈 것입니다. 정부는 이 지역의 연구소와 대학, 기업간 교류·협력을 더욱 촉진해서 연구개발 성과가 실용화로 이어지고 지역경제가 활성화되도록 적극 지원하겠습니다.

외국의 우수 연구소와 첨단기업이 입주할 수 있는 여건을 조성하고, 국제공동연구개발 프로젝트를 추진하여 세계적인 연구개발 거점으로 육성하겠습니다. 필요하다면 대덕연구단지와 인근지역을 R&D 특구로 지정하고, 특구 육성에 필요한 법률과 추진체제를 정비해 가겠습니다. 기술력을 가진 벤처기업의 육성과 지원에도 각별한 관심을 기울이겠습니다. 이 같은 정부의 의지가 힘을 얻을 수 있도록 지역의 자발적인 참여와 노력을 당부드립니다.

대전시민과 과학기술계 인사 여러분,

역사는 미래를 준비하는 민족에게 기회를 줍니다. 참여정부에 주어진 과제가 많지만 그 중에서도 '과학기술중심사회 실현'과 '국가균형발전'은 반드시 가야 할 길이고, 역사의 소명에 충실한 길이라고 생각합니다. 바로 그 길에서 가장 큰 역할을 하고 혜택도 가장 크게 받을 곳이 대전·충청지역입니다. 그리고 그 중심에 대덕연구단지가 있습니다. 대덕의 불빛이 밤을 밝힐 때 대전·충청의 앞날은 더욱 밝을 것이며, 우리의 2만 달러 시대도 환하게 밝아 올 것입니다. 우리 모두 힘을 모아 과학기술 중심사회, 전국이 고루 잘사는 나라를 만듭시다. 국민소득 2만 달러 시대로 나아갑시다. 다시 한번 대덕연구단지 30주년을 축하하며 여러분의 건강과 행복을 기원합니다.

감사합니다.

# 부테플리카 알제리 대통령을 위한 만찬사

2003년 12월 9일

존경하는 압델아지즈 부테플리카 대통령 각하, 그리고 내외 귀빈 여러분,

우리나라를 처음 방문하신 대통령 각하와 일행 여러분을 진심으로 환영합니다. 정말 먼 길을 오셨습니다. 모든 국민을 대신해서 깊은 감사의 말씀을 드립니다. 다양한 문화와 아름다운 자연이 어우러진 알제리는 무한한 잠재력을 가진 나라입니다. 아프리카와 유럽, 중동을 잇는 전략적 요충지인 마그레브의 중심국가로 성장했습니다. 특히 각하의 탁월한 지도력으로 지난 5년 동안 힘찬 도약의 발판을 마련했습니다. 세계 경제의 침체 속에서도 지속적인 경제성장을 이룩하고 국제사회에서의 위상도 크게 높아졌습니다. 오늘 각하와의 정상회담에서 나는 알제리의 미래가 매우 밝다는 것을 거듭 확인할 수 있었습니다. 우리 두 나라가 마그레

브와 동북아를 잇는 협력의 파트너가 될 것임을 확신하게 되었습니다.

대통령 각하,

우리 두 나라는 수교한 지 10여년에 불과한 새로운 친구입니다. 그러나 양국 관계는 급속히 발전하고 있습니다. 그것은 우리가 여러 가지 유사한 경험을 공유하고 있기 때문일 것입니다. 우리 두 나라는 오랜 기간 외세의 침략을 받으며 많은 고초를 겪었습니다. 온 국민의 힘으로 식민지배의 족쇄를 벗어던지고 독립을 이룩했습니다. 민주주의와 경제발전을 이루기 위해 열심히 달려왔습니다. 특히 각하께서 역점을 두고 있는 국민화합, 경제자유화, 정치개혁, 국가조직 개혁 등은 내가 중점을 두고 추진하고 있는 국정과제와 매우 유사합니다.

이를 기반으로 우리 두 나라가 앞으로 협력해 나갈 분야는 매우 많습니다. 이미 알제리는 아프리카 국가 중에서 우리나라의 네번째 교역국이 되었습니다. 최근에는 민간차원의 인적교류도 지속적으로 늘어나고 있습니다. 특히 우리 기업들의 알제리에 대한 관심은 매우 큽니다. 알제리의 석유탐사와 신도시 개발에도 적극 참여하고 있습니다. 각하의 이번 방문이 양국간 교류·협력을 더욱 확대하는 계기가 될 것으로 확신합니다.

대통령 각하,

2003년 한 해가 저물고 있습니다. 올해에도 지구촌 곳곳에서는 대립과 갈등, 폭력과 테러가 그치지 않았습니다. 평화와 화해를 위한 더 많은 노력이 필요하다는 것을 절감합니다. 특히 테러에 대해서는 단호히 대처해야 합니다. 더더욱 민간인에 대한 테러는 어떠한 명분으로도 용납될 수 없는 비인도적인 행위입니다. 나는 각하와 함께 테러 없는 평화로운 지구촌을 건설하기 위해 노력할 것입니다. 새해에는 마그레브, 한반도, 중동지역에도 진정한 평화가 이루어지기를 바랍니다.

대통령 각하, 그리고 내외귀빈 여러분,

'끝이 좋으면 다 좋다'는 말이 있습니다. 나는 그동안 모두 스물두 차례의 정상회담을 가졌습니다. 그리고 오늘 올해의 마지막 정상회담을 성공적으로 마쳤습니다. 그래서 더욱 기쁩니다. 부테플리카 대통령의 건강과 알제리의 번영, 그리고 우리 두 나라의 우호협력을 위해 축배를 들어 주시기 바랍니다.

감사합니다.

# 세계인권선언 제55주년 기념식 연설

2003년 12월 10일

존경하는 국민 여러분, 그리고 이 자리에 함께 하신 내외 귀빈 여러분,

오늘은 UN이 세계인권선언을 한 지 꼭 55주년이 되는 아주 뜻깊은 날입니다. 국내적으로는 그동안 법무부가 주관해 오던 행사를 올해부터 국가인권위원회가 주관하게 되었습니다. 이전의 행사와 비교해 볼 때 좀 더 조금 자유롭고 개방적인 느낌을 받습니다만, 그 뜻은 훨씬 더 깊은 것 같습니다.

조금 전에 나와서 세계인권선언을 낭독해 주신 분 중에는 인권을 침해하는 국가적 폭력에 의해서 스스로 고통받거나 가족을 잃은 분들도 계시고, 지금도 이런저런 사유로 인권을 충분히 누리지 못하고 고통받고 있는 분들도 계십니다. 또 인권을 침해당하고 고통받는 이웃을 위해서

수십 년 동안 헌신해 오신 분들도 계십니다. 사회적 지위 고하에 관계없이 모두가 한마음으로 인권선언을 낭독하셨습니다. 매우 감동적이었습니다. 이런 모습 자체가 인권의 본질을 정확하게 표현해 주는 것이라고 생각합니다.

"왜 반독재 투쟁을 했느냐"는 질문에 많은 분들은 민주주의가 고귀하기 때문이라고 대답합니다. 민주주의 하에서만 인권의 존엄과 가치가 제대로 보호받을 수 있기 때문이라고 말합니다. 그래서 많은 사람들이 민주주의를 위해 투쟁하고 때로는 목숨을 걸기도 했던 것입니다. 그렇게 해서 이제 우리는 일단 민주주의 한다고 말할 수 있는 나라가 됐습니다. 국가권력이 길거리에서 공공연히 사람들을 체포하고 고문하는 일은 없는 것 같습니다.

그런데 많은 사람들이 우리나라도 이제 민주주의와 자유와 인권이 상당히 보장되고 있다고 생각하는 시점에 김대중 전 대통령은 국가인권위원회을 설립했습니다. "인권이 보장되는 사회에서 새삼스럽게 웬 인권위원회냐"는 사람들이 많이 있었을 것입니다. 아마도 김 전 대통령은 그때 비로소 인권이 첫 발을 내디뎠을 뿐이고, 그 때부터 본격적으로 우리의 인권을 생각하고 키워나가야 한다고 생각하셨던 것 같습니다. 그래서 위원회를 설립했고, 오늘 이 같은 자리를 만들게 된 것이라고 생각합니다.

가장 기본적인 인권은 생존을 위협받지 않을 권리일 것입니다. 우리 사회에는 아직도 많은 이유로 생존과 생활을 위협받고 있는 사람들이 있습니다. 그 다음으로 기본적인 인권은 강요받지 않을 권리가 아닌가 생각합니다. 육체적으로 정신적으로 강요받지 않을 권리, 구속받지 않고 마음대로 말할 수 있는 권리에서 양심적으로 부끄럽지 않을 권리까지 우리에게 보장되는 것이 문제일 것입니다. 그동안 많은 사람들이 직접 박해를 받지 않더라도, 불의한 사회에서 힘 약한 사람들이 억압받는 모습을 보면서 그것이 옳지 않다고 말할 수 있는 자유가 없었던 시대, 용기 있게 그 잘못을 말하지 못한 자신을 부끄러워할 수밖에 없는 시대에서 그것을 극복하기 위해서 싸워 왔고, 오늘 이 자리에 계신 여러분 중에는 지금도 노력하는 분들이 계시다고 생각합니다.

부끄럽지 않을 자유, 그것이 아직도 문제가 되고 있나 봅니다. 조금 전에 박시환 변호사가 이 자리에서 소개됐습니다만, 아마 그분은 자유를 침해당해서가 아니라 부끄럽지 않게, 양심에 따라서 자기의 직업을 수행하면서 인생을 살 수 있는 권리가 무엇이며 또 얼마나 소중한 것인지를 말하기 위해서 스스로 어려운 길을 선택하신 것으로 생각합니다. 이와 같은 사례가 오늘에도 있다는 것은 지금도 우리의 인권 문제가 계속되고 있다는 것을 의미합니다.

몇 분들이 제게 어떤 호소 또는 불만을 표현하고 계십니다. 무슨 뜻인지 잘 알겠습니다. 비록 국가기관에 의해서 직접 자유를 침해받지 않더라도 경쟁사회에서 경쟁을 방치함으로써 강한 사람이 약한 사람의 권리 위에 군림하게 되는 문제, 경쟁에서 불리한 여건에 섰거나 또는 부분적으로 낙오해서 결과적으로 인격을 존경받으면서 품위 있게 살기가 어려운 사람들의 문제, 이러한 문제를 국가가 돕고 해결해 주어야 진정한 의미에서 인권국가이지, 이와 같은 인권의 사각지대를 구경만 하는 국가를 어떻게 인권국가라고 할 수 있느냐는 질문을 지금 제게 던지고 계십니다. 깊이 새기겠습니다.

여러분께 미안한 마음 그지없습니다. 그러나 정부가 시장과 싸워서 항상 이길 수 있는 것은 아닙니다. 정부도 권력을 가지고 있지만 시장은 정부보다 더 큰 권력을 가지고 있습니다. 시장 경쟁에서 불리한 여건에 있거나 낙오한 사람들이 시장 바깥으로 팽개쳐지지 않도록, 인간적 수준 그 이하로 밀리지 않도록 잘 관리해 갈 책임이 국가에 있지만, 시장이 그렇게 쉽지만은 않습니다. 저와 우리 정부를 이끌어 가고 있는 많은 사람들이 소홀한 점도 없지 않을 것입니다. 그러나 저도 여러분들과 함께 했던 시절이 있습니다. 제 스스로 부끄럽지 않은 권리를 정말 누리고 싶은 사람입니다. 국민들에게 부끄럽지 않은, 인권문제를 이야기할 때도 부끄럽지 않은 대통령이 되고 싶은 마음이 간절합니다. 최선을 다하겠습니다.

오늘 이 자리에는 우리와 피부색이 다른 분들도 와 계십니다. 또 핏줄을 함께 하는 사람들이 지금도 불법체류자가 되어 불안에 떨고 실제로 체포되기도 합니다. 국가는 외부의 침입으로부터 국민을 보호하고, 내부의 질서를 유지하고 살림을 꾸려가면서 국민들의 기본적인 삶을 확보하며, 그 위에서 인권을 누릴 수 있도록 할 의무를 지니고 있습니다. 아직도 국가는 막중한 가치와 정당성을 가진 것으로 여겨지고 있고, 실제 오늘날 국제질서가 국가 단위로 운용되고 있습니다. 때문에 어느 국가에서도 모든 나라 국민들을 동등하게 대우하지 않고 있고, 그러한 질서 위에서 모순과 갈등이 생기고 있습니다.

이 문제는 고용이나 민족적 정체성에 관한 문제로 부닥쳐 오기도 합니다. 이질적인 문화가 서로 충돌했을 때 사회 안정에 관한 문제로 부닥쳐 오기도 합니다. 안타깝게 생각하는 것은 아직 이 문제에 관해서 인권 중심의 국가적 합의를 이루어내지 못하고 있는 것이 우리의 현실이라는 것입니다. 이미 인권을 생각하는 많은 분들이 이 문제를 제기하고 있고, 그것이 국민적 합의를 넓혀서 사회적 공론으로 형성되면 정부도 그것을 되도록 폭넓게 수용하게 될 것이라고 생각합니다. 제가 앞서서 외치고 싶은 심정을 느낄 때가 많지만, 다함께 갈 수 있는 여건이 무르익기 전에 지도자란 사람이 먼저 나서는 것이 그렇게 효과적이지 않다는 생각에 우리 사회 여건을 함께 만들어 가기 위해서 노력하고 있습니다.

여러분 중에는 인권위원회가 하자는 대로 정부가 실질적인 문제를 해결해 주면 좋지 않느냐고 말씀하는 분들도 계실 것입니다. 그러나 세상에는 여러 가지 충돌하는 가치가 있습니다. 정부는 정부대로 해야 할 일이 있고, 정부 안에서도 서로 충돌되는 여러 가지 가치를 가지고 있습니다. 이 모순들을 되도록이면 모순 없이 조화롭게 가져가는 것이 성숙한 사회입니다.

얼마 전에 인권위원회가 정부와 대통령을 정면으로 비판했습니다. 이것은 바람직한 현상입니다. 세상에는 단 하나의 절대적인 전략이 있는 것이 아닙니다. 가치판단에 있어 서로 부닥칠 수도 있습니다. 중요한 것은 서로 존중하는 것입니다. 최대한 생각과 이해관계가 다른 사람을 존중하면서 서로를 이해하기 위해 노력하고, 그래도 끝내 조정이 되지 않을 때에는 투표나 표결과 같은 방식으로 문제를 풀어가면서 시간을 두고 점차 조화를 만들어 가는 것이 민주주의입니다. 인권위원회의 주장과

정부의 주장이 부닥치는 것은 그야말로 민주주의의 당연한 현상이고, 그것이 서로 존중되고 수용되는 것이 의미있는 일이라고 생각합니다.

인권위원회도 대통령을 존중하면서 때로는 비판하지만 때로는 많은 정책적 대안도 건의하고 있습니다. 저도 인권위원회가 하는 일을 이해하고 돕기 위해서 노력하고 있습니다. 인권위원회뿐만 아니라 인권위원회가 대변하고자 하는 많은 분들의 처지와 생각과 이해관계를 최대한 존중하도록 하겠습니다. 아무래도 말보다 실천이 모자라는 일이 많을 것입니다. 저의 생각이나 실천보다 우리 정부는 훨씬 더 모자람이 많을지도 모르겠습니다. 그러나 여러분, 항상 비판하면서도 믿음을 버리지 말고 함께 가십시다. 열심히 하겠습니다. 국가인권위원회도 인권을 침해받는 많은 사람들이 의지할 수 있고, 그들에게 믿음과 기대를 심어 주는 기관이 되기를 바랍니다.

인권위원회가 만들어지고 활동하도록 부단히 투쟁하고 노력해 오신 많은 분들의 노고에 거듭 치하의 말씀을 드리면서 끝으로 제가 빠뜨리고 싶지 않은 한 분을 다시 말씀드리고자 합니다. 김대중 전 대통령입니다. 김대중 전 대통령께서 인권위원회를 만드실 때, 저도 "어지간히 됐는데 인권위원회 만들어서 뭘 할 것인가"라고 생각했습니다만 지금에야 그 깊은 뜻을 이해할 수 있게 됐습니다. 정치인이 아닌, 철학을 가진 지도자가 우리에겐 꼭 필요하고, 그런 지도자를 가졌던 것이 참으로 기쁘고 자랑스럽습니다. 여러분, 잊지 마십시오.

감사합니다.

# 국제보건의료발전재단 창립대회 축하 메시지

2003년 12월 10일

여러분, 안녕하십니까?

국민 건강을 위해 애쓰고 계신 여러분께 감사와 존경의 말씀을 드립니다. 올해는 보건의료계에 기쁘고 뜻깊은 일이 많았습니다. 연초에는 이종욱 박사님이 WHO 사무총장에 선출됐고, 이번에는 국제보건의료발전재단이 창립하게 됐습니다. 진심으로 축하드립니다. 국제사회에서 높아진 우리의 위상과 성숙한 봉사문화를 보여주는 자랑스런 일입니다. 보건의료계를 비롯한 각계의 명망 있는 분들이 한마음으로 동참하신다니 더욱 반갑고 든든합니다.

몇십년 전만 해도 다른 나라의 원조를 받던 우리가 이제 그 빚을 갚게 됐습니다. 같은 어려움을 겪은 우리입니다. 누구보다 세심하게 필요한 곳에 적절한 도움을 줄 수 있다고 생각합니다.

참으로 할 일이 많을 것입니다. 북한과 많은 개도국들이 도움의 손길을 간절히 기다리고 있습니다. 여러분이 펼치는 인술, 여러분이 건네는 의약품이 닫힌 마음을 열고 막힌 장벽을 뚫을 것입니다. 많은 지구촌 사람들이 우리나라를 진정한 친구의 나라로 기억하게 될 것입니다. 여러분의 헌신과 봉사가 값진 열매를 맺을 수 있도록 정부도 지원을 아끼지 않겠습니다. 다시 한번 창립대회를 축하드리며 재단의 무궁한 발전과 여러분 모두의 행복을 기원합니다.

감사합니다.

# 한국TV카메라기자협회 창립 16주년 축하 메시지

2003년 12월 10일

TV카메라기자협회 창립 16주년을 진심으로 축하드립니다. 방송 발전에 기여해 오신 여러분의 노고에 감사와 격려의 말씀을 드립니다. 저는 TV뉴스를 볼 때마다 여러분을 생각합니다. 그림이 없는 뉴스, 정말 상상하기 어렵습니다. 그림에 따라서 뉴스의 가치가 확 달라지는 느낌을 받습니다. 그만큼 영상의 비중이 커지고 여러분의 역할이 막중해진 것입니다.

우리는 지금도 낡은 필름을 통해 오래 전의 상황을 이해합니다. 이처럼 영상은 거짓이 없는 생생한 역사의 기록입니다. 때로는 백 마디의 말보다 한순간의 영상이 진실을 보여줍니다. 그것이 바로 '눈으로 보는 뉴스'의 힘이라고 생각합니다. 우리 국민은 여러분의 눈으로 세상을 봅니다. 여러분은 사실을 있는 그대로 보여주셔야 합니다. 역사의 현장을 통찰하는 안목도 필요할 것입니다. 참으로 값지고 중요한 일을 한다는 긍지를 가지고 일해 주시기 바랍니다. 영상문화의 발전에도 크게 기여해 주실 것을 부탁드립니다. TV카메라기자협회의 큰 발전과 여러분의 건승을 기원합니다.

감사합니다.

# 헤럴드미디어 창립 50주년 축하 메시지

2003년 12월 11일

안녕하십니까?

헤럴드미디어 창립 50주년을 진심으로 축하합니다. 창간 반세기를 맞이한 코리아헤럴드는 한국의 대표적인 영어신문입니다. '세계로 열린 한국의 창'으로 우리나라를 세계에 알리는 데 크게 기여해 왔습니다. 여러분의 노고에 감사와 격려의 말씀을 드립니다. 지금은 세계와 함께 호흡하는 시대입니다. 개방과 협력은 피할 수 없는 시대적 흐름입니다. 우리도 지역간의 협력과 자유무역협정의 대세에 적극 동참해야 합니다. 세계 어느 나라보다 '기업하기 좋은 나라'를 만들어야 합니다.

참여정부는 이를 위해 공정하고 투명한 시장질서 확립, 경제자유구역 지정 등을 추진하고 있습니다. 외국인들의 참여와 이해가 무엇보다 중요합니다. 그런 점에서 코리아헤럴드에 대한 기대가 매우 큽니다. 정확한 보도와 논평으로 우리나라의 위상을 더욱 높여 주시기 바랍니다. 새로운 경제문화지로 재창간한 헤럴드경제 또한 독자들의 많은 사랑을 받고 있습니다. 경제·문화·오락을 결합하여 유익하고 재미있는 신문으로 거듭나고 있습니다. '퓨전신문'이라는 새로운 영역을 열어 가는 여러분의 노력이 성공하기를 바랍니다. 특히 젊은 독자들이 우리의 경제 살리기에 큰 관심을 가질 수 있도록 이끌어 주실 것을 당부 드립니다. 헤럴드미디어의 창립 50주년을 다시 한번 축하하며 더 큰 발전을 기원합니다.

감사합니다.

# 한국교회지도자의 밤 축하 메시지

2003년 12월 11일

'한국교회지도자의 밤' 행사를 진심으로 축하드립니다. 국가와 민족을 위해 기도하고 헌신해 오신 여러분께 감사와 경의를 표합니다.

119년 전 처음 이 땅에 들어온 한국 교회는 깨어 있는 정신으로 시대적 사명을 잘 감당해 왔습니다. 독립운동과 계몽교육으로 조국의 광복을 이끌었습니다. 전쟁의 폐허 속에서 경제성장을 이룩하고 민주주의를 뿌리내리는 데 크게 기여했습니다. 그리스도의 사랑을 실천하며 어려운 이웃들의 진정한 친구가 되어 주었습니다. 제 개인적으로는 여러 목사님들과 시민운동을 함께 하면서 사회문제에 눈뜨게 되었습니다. 하나님의 공의에 대해서 깊이 생각하고, 이를 실천하는 용기도 가질 수 있었습니다. 여러분의 기도는 제게 큰 힘이 됩니다. 함께 기도하는 가운데 감사와 축복을 느낍니다.

한국교회 지도자 여러분은 우리 사회를 이끌어 가는 주역입니다. 많은 국민들이 여러분을 통해 위로와 용기를 얻습니다. 여러분에게 거는 기대가 큽니다. 앞장서 주셔야 할 일이 참 많습니다.무엇보다 국민화합을 위해 노력해 주시기 바랍니다. 분열과 불신의 골이 좀처럼 메워지지 않고 있습니다. 서로를 용납하면서 어떤 경우라도 대화로써 문제를 풀어 나가려는 분위기를 조성해 가야겠습니다.

건강한 정신문화를 만들어 가는 일도 중요합니다. 범죄는 더 난폭해지고 윤리의식은 약화되고 있습니다. 삶을 쉽게 포기하는 사람도 늘고 있습니다. 정신적 공허와 빈곤을 극복해야 합니다. 국민들의 마음속에 소망과 기쁨을 심어 가야겠습니다. 교회 지도자 여러분의 헌신과 기도가 필요합니다. 평화롭고 따뜻한 사회를 만들기 위해 빛과 소금의 역할을 다해 주시기 바랍니다. 저도 여러분의 이야기에 더 많이 귀기울이겠습니다. 다시 한번 교회지도자의 밤 행사를 축하드리며 참석하신 모든 분들께 하나님의 가호가 함께 하기를 기원합니다.

감사합니다.

# 2003 대한민국 게임대상 축하 메시지

2003년 12월 12일

'2003 대한민국 게임대상' 시상식을 진심으로 축하드립니다. 그동안 게임산업 발전을 위해서 애써 오신 여러분, 정말 수고 많으셨습니다. 수상자 여러분께도 축하의 말씀을 드립니다.

21세기는 지식과 창의력으로 승부하는 시대입니다. 문화강국이 곧 경제강국이 되는 시대입니다. 특히 게임산업은 엄청난 잠재력을 지닌 고부가가치 문화산업입니다. 2만 달러 시대를 열어 갈 차세대 핵심동력으로 선정되기도 했습니다. 국내 게임산업에 대한 관심과 기대는 해외에서 더욱 높습니다. 중국·일본·대만을 비롯한 많은 해외투자자들이 앞을 다투어 우리 게임업체와 손잡으려 하고 있습니다. 동북아 게임중심국가라는 위상을 정말 실감하게 합니다. 그렇다고 지금까지 발전에 안주할 일은 아닙니다. 우리의 창의적인 아이디어와 기술이 세계에 널리 퍼질 수 있도록 더한층 힘써야겠습니다.

정부는 게임산업 진흥을 위한 중장기 계획을 세워 놓고 있습니다. 법과 제도를 정비하고, 지원을 늘려 더 나은 개발환경을 조성할 것입니다. 고급 전문인력도 키워나가겠습니다. 이를 통해서 제 임기 내에 '세계 3대 게임강국'으로 도약하도록 뒷받침하겠습니다. 여러분의 적극적인 참여를 부탁드립니다. 거듭 여러분들 수상을 축하드리며 발전과 건승을 기원합니다.

감사합니다.

# 동아시아포럼 창립총회 기조연설

2003년 12월 15일

존경하는 내외귀빈 여러분,

'동아시아 포럼'의 창립을 진심으로 축하합니다. 이 포럼에 참석하기 위해 방한하신 각국 지도자 여러분을 환영합니다. 특히 자리를 함께 해주신 김대중 전 대통령, 마하티르 전 말레이시아 총리, 하타 전 일본 총리, 보 반 키엣 전 베트남 총리, 옹 켕 용 ASEAN 사무총장님께 깊은 감사의 말씀을 드립니다. 13개국 정부와 민간 대표들이 함께 참여하여 동아시아의 평화, 번영, 진보를 위한 방안을 강구하는 이 포럼의 의미는 아주 큽니다. 여러분은 동아시아 지역통합과 공동번영 구축, 무역과 투자증진 방안 등을 논의하게 됩니다. 역내 협력의 초석이 될 좋은 방안을 마련해 주실 것으로 기대합니다.

내외귀빈 여러분,

저는 지난 10월 'ASEAN+한·중·일 정상회의'에 참석해서 많은 것을 경험하고 느꼈습니다. 동아시아의 평화와 번영을 위한 각국 지도자들의 비전과 협력의지를 확인할 수 있었습니다. 동아시아가 하나의 공동체로 발전해 나갈 것임을 확신하게 되었습니다. 'ASEAN+한·중·일' 체제가 그 견인차가 되어 왔습니다. 정상회의와 분야별 각료회의를 해마다 개최하여 구체적인 협력의 틀을 만들어 온 것입니다.

동남아와 동북아라는 오랜 지리적 구분을 뛰어넘게 했습니다. 넓은 지역과 서로 다른 문화, 그리고 경제발전 단계의 차이를 다양성의 조화로 바꾸어 가고 있습니다. 한국 정부도 이와 같은 노력에 적극 동참해 왔습니다. 동아시아 비전그룹과 연구그룹의 구성을 제안하고, 동아시아 공동체 발전을 위한 협력조치들을 마련하는 데 기여해 왔습니다. 이번 포럼의 창설도 그러한 노력의 결실이라 생각하며 앞으로도 동아시아 협력의 모멘텀을 강화하는 데 더욱 노력할 것입니다.

내외 귀빈 여러분,

오늘의 세계에는 세계화와 지역협력이 동시에 추진되고 있습니다. 그 흐름 또한 매우 빠르게 진전되고 있습니다. 동아시아에서도 다양한 형태의 경제·사회적 통합노력이 이루어지고 있습니다. ASEAN은 지난 10월 '발리 콘코드 투(Bali Concord Ⅱ)'를 채택했습니다. 한·중·일 3국은 '협력에 관한 공동선언'을 발표한 바 있습니다. 또한 ASEAN과 한·중·일 사이에도 FTA가 논의되고 있습니다. 이제는 동아시아 전체의 개방과 협력의 질서를 더욱 심화시켜 나가야 합니다. 동북아와 동남아를 아우르는 동아시아 공동체 실현을 앞당겨 나가야 합니다.

첫째, 역내 국가간 개발격차를 해소하는 노력이 우선되어야 합니다. 역내 국가들이 협력을 통해 개발의 혜택을 골고루 누리게 되면 지역통합에 보다 우호적인 기반이 조성될 것입니다.

둘째, 협력체제를 한층 제도화해 나가야 합니다. 현재의 느슨한 ASEAN+한·중·일 체제를 동아시아의 단단한 지역협력 체제로 발전시켜 나가야 하겠습니다.

셋째, 역내 안보위협을 해소해 나가야 합니다. 지속적인 번영은 안정과 평화의 토대 위에서만 가능합니다. 북핵 문제와 테러를 비롯한 안보위협에 함께 대처하는 노력이 더욱 강화되어야 하겠습니다.

이를 위해 '동아시아 연구그룹'이 제시한 26개의 협력사항을 하나하나 실천하는 것이 중요하다고 생각합니다.

내외 귀빈 여러분,

여러분이 우려하는 북핵 문제는 대화를 통해 평화적으로 해결될 것입니다. 지금 6자 회담 관련 국가들 사이에 활발한 접촉이 계속되고 있습니다. 다음 회담의 개최와 보다 진전된 해결방안을 모색하고 있습니다. 우리는 북핵 문제의 해결이 당장의 안보위협을 제거하는 것은 물론 항구적인 평화정착의 계기가 될 것으로 생각합니다. 나아가 역내 안보문제를 다자협력을 통해 풀어가는 새로운 모델이 되기를 기대합니다. 우리는 북핵 문제의 해결과 한반도의 평화정착을 통해 동아시아의 안정과 번영에 기여하고자 합니다.

내외 귀빈 여러분,

동아시아 공동체로 가는 길이 결코 쉽지만은 않습니다. 정부 차원의 노력만으로 이루기 어렵습니다. 민간의 적극적인 참여가 필요합니다. 그런 면에서 정부와 민간 대표들이 한자리에 모인 이 포럼에 거는 기대가 매우 큽니다. 정부가 하기 어려운 일, 민간이 하기에는 벅찬 과제들을 함께 풀어주시기 바랍니다. 시작이 반이라 했습니다. 이번 총회가 동아시아 포럼의 성공을 향한 힘찬 출발이 될 것으로 믿습니다. 포럼의 창립을 위해 애써 주신 여러분의 노력에 경의를 표하며 동아시아포럼의 큰 발전을 기원합니다.

감사합니다.

# 정치개혁 입법과 관련한 대국회 서신

2003년 12월 17일

존경하는 박관용 국회의장, 그리고 국회의원 여러분,

의정활동의 노고에 깊은 경의를 표합니다. 지금 우리 정치는 국민의 준엄한 심판대 위에 서 있습니다. 특히 정치자금제도의 개혁에 대한 요구가 엄중합니다. 단순한 요구가 아니라 결단과 실천을 명령하고 있습니다. 더 이상 물러 설 곳도, 피해 갈 방법도 없습니다. 뼈를 깎는 고통을 감내하고서라도 이 기회를 정치자금 투명화와 현실화를 이루는 일대 전기로 삼아야 하겠습니다. 이미 국회에서 저비용 정치, 투명한 정치를 위한 법개정 논의가 이루어지고 있습니다. 국민의 기대를 충족하는 정치자금법 개혁안이 마련될 것으로 믿습니다.

이와 함께 더 큰 관심과 노력이 필요한 것이 있습니다. 바로 지역주의 정치의 극복 문제입니다. 지역주의 극복은 투명한 정치, 국민참여 정치와 더불어 당면한 정치개혁의 3대 과제이며, 그중 가장 핵심과제입니다. 현재 우리 정치가 해결해야 할 최대 숙제입니다. 이 질서를 그대로 두고서는 우리 정치가 개혁되었다고 말할 수 없고 정치에 대한 국민 불신을 돌이킬 수 없습니다. 지역구도로 인해 우리 정치는 건전한 정책대결이 아닌 감정적 대응으로 일관해 왔습니다. 선거유세는 물론 국회 본회의장에서도 상대 당에 대한 감정적 발언들을 쏟아내야 지역에서 지지를 받는 상황입니다. 당연히 대화와 타협의 정치문화가 뿌리내릴 수 없었습니다. 말로는 '초당적 협력', '상생의 정치'를 이야기하면서도 상대방에 대한 발목잡기가 끊임없이 반복되어 왔습니다. 그리고 이것이 사회 전반의 갈등과 대립을 조장해 왔습니다. 모두들 이 굴레에서 벗어나고 싶겠지만 어느 국회의원도 이 유혹을 떨치기 어려운 현실입니다.

만일 내년 17대 총선도 현재와 같은 지역구도로 치러진다면 정치개혁을 바라는 국민 열망은 물거품이 되고 말 것입니다. 국민들은 또다시 4년 동안 대결정치, 소모적 정쟁을 고통스럽게 지켜보아야 합니다. 정치에 대한 신뢰회복도, 국민통합도, 2만 달러 시대로의 도약도 어렵습니다. 저는 내년 총선에서 지역구도가 해소되어 17대 국회가 대화와 타협이 가능한 합리적인 정책토론의 장이 된다면 제게 비판적인 정당이 과반수를 차지해도 상관없습니다. 낡은 지역대결 구도만 해체되면 국회와 대화하고 타협하고 설득하고 양보하면서 얼마든지 생산적인 국정운영을 할 수 있다는 것이 저의 확고한 소신입니다.

존경하는 의원 여러분.

지역구도를 해소하기 위해서는 한 지역구에서 2~5명의 국회의원을 선출하는 중대선거구제를 도입하는 것이 최선의 방안이라고 생각합니다. 지역주의는 길게는 수십년, 가까이는 지난 십수년간 한국 정치에 가장 큰 영향을 미쳐 왔습니다. 이런 상황에서 한 선거구에 한 명의 국회의원을 선출하는 소선거구제를 고수한다면 특정지역, 특히 영·호남에서 하나의 정당이 의석수를 대부분 차지하는 기형적 결과를 막을 도리가 없습니다. 유권자들도 지역주의 정치를 바라지 않습니다. 그러나 지난 십수년간 뿌리내린 지역정서로부터 자유롭지 못한 상황에서 하나의 정당만을 고르라고 하면 선택의 여지가 없다는 현실을 솔직하게 인정해야 합니다.

중대선거구제를 도입하면 소선거구제에 비해 선거비용이 많이 든다는 주장이 있습니다. 그러나 어떤 선거구제가 더 많은 비용이 든다는 실증적 근거는 없습니다. 고비용 문제는 투명한 정치자금제도, 선거공영제도, 엄격한 단속과 처벌에 의해 충분히 해결할 수 있고 그 길이 정도입니다. 지역대표성이 필요한 농촌과 소도시는 소선거구로 하고 인구밀집도가 높아 지역대표성의 의미가 크지 않은 대도시는 중대선거구로 하는 도농복합선거구제도를 검토할 만하다고 생각합니다. 이 안은 농촌과 소도시의 지역대표성도 유지하고 지역구도 해소라는 취지도 살릴 수 있는 합리적 방안이 될 수 있을 것입니다.

만일, 여러 이유로 소선거구제를 고수해야 한다면 최소한 권역별 비례대표제만은 도입해야 합니다. 현행 전국 단위 비례대표제는 지역구도 극복에 전혀 기여하지 못했습니다. 전국 단위 비례대표제 아래에서는 중앙무대, 사실상 서울에서 활동하는 인사들의 독무대가 될 수밖에 없습니다. 권역별로 비례대표를 선출해야 한 지역에서 여러 당 국회의원이 나올 수 있고, 그래야 특정정당이 특정지역을 독차지하는 기형적인 구도를 바로잡을 수 있습니다. 분권과 지방화의 대세에도 맞는 길입니다. 권역별 비례대표제가 지역구도 타파에 기여하기 위해서는 비례대표 의석수를 지역구의 50% 수준으로 대폭 확대해야 합니다. 현재와 같이 비례대표 의석수가 20%도 채 안되는 상황에서는 권역별 비례대표를 도입해봐야 실질적인 지역구도 완화 효과를 기대할 수 없습니다.

또한 권역별 비례대표 의석을 확대하기 위해서는 지역구를 줄이는 것보다 의원 정수를 늘리는 것이 옳은 방법이라고 생각합니다. 현 상황에서 지역구 의석수를 줄이면 많은 농어촌 지역에서 2~4개의 자치행정구역이 하나의 선거구로 통폐합되어 지역대표성이 무너지게 됩니다. 의원 개개인의 이해관계를 떠나 국회의 대표성을 위해서는 바람직하지 않습니다. 갈수록 소외되어 가는 농어촌의 지역대표성이 크게 약화되는 것은 옳은 선택이 아니라고 봅니다.

물론 의원 정수를 늘리는 것에 대해 국민의 비판과 불신이 적지 않습니다. 그러나 현재의 의원 정수는 우리나라 인구수와 비교할 때 많은 수가 아닙니다. 중요한 것은 국회의원 숫자가 아니라 국회의 질입니다. 국회의원 200여명의 소모적 정치공방에 발목 잡힌 국회보다, 국회의원 100여 명이 늘어나더라도 그 국회가 더 생산적일 수 있다면 그 비용은 기꺼이 지불할 가치가 있다고 생각합니다. 국민들에게 호소하고 이해를 구하면 가능한 일일 것입니다.

덧붙여 지구당 문제와 관련해서도 제 견해를 말씀드리고자 합니다.

최근 각 정당간의 협의와 국회 정치개혁특별위원회의 논의 과정에서 지구당 폐지에 대해 공감대가 이루어졌다고 듣고 있습니다. 지구당이 고비용 정치의 주요 원인이라고 판단해서 그런 것으로 알고 있습니다. 그러나 지구당은 국민들이 정당에 참여하는 가장 중요한 통로입니다. 정당정치의 주춧돌입니다. 참여민주주의 확대가 시대의 추세라는 점에서 더욱 그렇습니다. 분권과 자율이라는 시대정신에도 맞습니다.

그런 점에서 지구당을 폐지하기보다는 운영을 혁신하는 것이 올바른 개혁 방향이라고 생각합니다. 지구당 유지비용이 많이 드는 문제는 운영을 개선하고 문화를 바꾸면 얼마든지 해결할 수 있을 것입니다. 가령, 발상을 달리하면 사무실을 두지 않아도 지구당 조직을 운영할 수 있습니다. 당원들이 별도의 장소를 지정해 각자 비용을 분담해 일상 모임을 가질 수도 있고, 정보통신 강국인 우리의 강점을 살려 인터넷 모임을 활성화하는 것도 좋은 방법이 될 수 있습니다. 지구당에서 돈을 들여 당원들 모임과 행사를 주도하는 방식에서 벗어나 당원들이 스스로 비용을 내면서 모임을 운영하는 새로운 차원의 지구당을 만들어 간다면 이야말로 진정한 국민참여형 정치개혁이 될 것입니다.

존경하는 국회의장, 그리고 의원 여러분.

다시 한번 진심을 담아 호소합니다. 제도를 바꾸는 일은 개별 의원들과 정당들의 현실적 이해가 걸려 있어 쉬운 일은 아닙니다. 그러나 지역주의 타파 문제만은 당리당략이나 의원 개인의 이해관계를 털어 버리고 국민과 나라를 위해 심사숙고해서 결단해 주시기를 바랍니다. 모든 국민으로부터 욕먹는 정치, 자식에게까지 부끄러운 정치, 정치인 스스로 떳떳하지 못한 정치에서 이제 함께 해방됩시다. 저는 내년 총선에서 지역주의 정치 질서만 타파될 수 있다면 이미 약속한 책임총리제를 비롯해서 대통령으로서 할 수 있는 모든 노력을 다할 것입니다. 이번 16대 국회가 한국 현대정치사의 숙원인 지역구도 타파의 결정적 전기를 마련한 국회로 역사에 기록될 수 있기를 진심으로 기대합니다.

감사합니다.

# 항만배후단지 투자유치설명회 연설

2003년 12월 17일

여러분, 반갑습니다.

'동북아 물류중심 기지화를 위한 항만배후단지 투자유치설명회'를 갖게 된 것을 대단히 뜻깊게 생각합니다. 참석해 주신 여러분을 환영합니다. 특히 마르코스 고메즈 주한 유럽상의 회장을 비롯한 외국인 여러분들께 감사를 드립니다. 조금 전에 영상물을 통해서 항만배후단지에 대한 다양한 투자정보를 얻으셨을 것으로 생각합니다. 한번 더 여러분께 확신을 드리고 싶습니다.

부산항과 광양항은 지금도 활발하게 움직이고 있지만, 앞으로의 발전가능성이 더 큽니다. 동북아의 부상과 함께 세계의 관문이 될 것입니다. 정부는 부산항·광양항 프로젝트를 국가전략과제로 삼고 최선의 노력을 다하고 있습니다. 인프라 구축은 물론 경제자유구역, 자유무역지역과 같은 제도적 기반을 조성하는 일도 차질 없이 추진하고 있습니다. 여러분이 이곳에 투자한다면 모든 면에서 만족하게 되실 것입니다. 여러분과 대한민국 모두에게 성공과 이익을 가져다 줄 것입니다. 모자라거나 불편한 점이 있다면 말씀해 주십시오. 제가 확실하게 챙겨서 해결해 드리겠습니다.

존경하는 내외 귀빈 여러분,

부산항과 광양항 배후단지의 가치를 인정하면서도 투자를 망설이는 분들이 있는 것으로 알고 있습니다. 무엇보다 노사관계에 대한 염려가 클 것입니다. 그러나 너무 걱정하지 마십시오. 상호 신뢰의 토대 위에서 대화하고 협력하는 노사문화가 이제 뿌리를 내리고 있습니다. 노·사 모두 불법파업이나 시위가 도움이 되지 않는다는 것을 잘 알고 있습니다. 정부도 이에 대한 확고한 의지를 가지고 있습니다. 나아가서는 노동시장의 유연성과 근로자의 권리·의무까지 국제적인 기준에 맞추어 나갈 것입니다.

다행히 올해는 노사분규가 작년보다 많이 줄어든 것으로 통계가 나와 있습니다. 노사관계에 관한 한 지금 아주 안정됐다고 말할 수는 없지만 좋은 방향으로 빠른 속도로 변하고 있다고 말씀드릴 수 있습니다. 복잡한 규제와 차별을 얘기하는 분들도 계십니다. 규제가 여러분의 발목을 잡는 일이 없도록 하겠습니다. 불합리한 규제를 지속적으로 고치는 것은 물론 투자지원센터가 여러분의 기업활동을 적극적으로 도와드릴 것입니다. 투자지원센터는 때때로 제가 직접 점검하겠습니다. 2005년부터는 법인세도 2%포인트 인하할 것입니다. 국내기업과 외국기업을 차별하는 일도 없게 하겠습니다. 편법과 뒷거래 없이 오로지 실력으로 당당하게 경쟁하는 시장, 세계와 함께 호흡하는 투명한 시장이 형성되고 있습니다.

존경하는 내외 귀빈 여러분,

한국 경제의 전망은 매우 밝습니다. 한국은행, IMF 등 국내외 기관들도 내년에 우리 경제가 5% 이상의 성장을 이룰 것으로 전망하고 있습니다. 주식시장에서 외국인 투자비율이 40%를 넘어섰습니다. 우량주의 경우는 50~60%를 넘습니다. 그만큼 우리 경제를 긍정적으로 보고 있습니다. IMF 외환위기 이후 우리 경제가 훨씬 강한 체질과 경쟁력을 갖추게 되었음을 인정하고 있습니다. 우리는 세계 최고 수준의 IT 인프라를 갖추고 있습니다. 지식정보화 시대를 앞서 갈 수 있는 엄청난 자산입니다. 수출과 내수, 제조업과 문화산업에 이르기까지 산업구조와 규모가 조화롭고 균형이 잡혀 있습니다. 시장의 개방과 투명성도 빠르게 진행되고 있습니다. 무엇보다 세계에서 가장 우수한 인적자원을 가지고 있다고 자부합니다. 창의성과 성실성, 위기관리능력을 두루 갖춘 인력들이 여러분의 성공을 뒷받침해 드릴 것입니다. 우리 정부도 적극적으로 나서서 여러분을 지원할 것입니다. 지금부터 투자를 준비해 주십시오. 동북아 경제중심을 만들어 가는 동반자가 되어 주십시오. 여러분의 투자결정이 옳았다는 것을 반드시 증명해 보이겠습니다. 한국에서, 특히 부산항과 광양항에서 기업한다는 사실을 통해 여러분의 기업가치가 올라갈 수 있도록 하겠습니다.

오늘 여러분께 소개한 부산항과 광양항은 지방에 있습니다. 참여정부는 지방을 발전시키기 위한 전략을 집중 추진하고 있습니다. 한 가지

더 고려사항으로 덧붙이면, 제가 해양수산부 장관으로서 물류산업에 대한 지대한 관심을 갖고 일해 본 경험이 있다는 것입니다. 모든 사업에 적극적인 관심을 갖고 있지만, 특히 오늘 설명드린 사업은 반드시 원활하게 추진되도록 하겠습니다. 조금이라도 장애가 발생하면 제가 직접 챙기도록 하겠습니다. 여러분의 뜨거운 관심과 참여를 부탁드립니다. 여러분 모두 건강하고 행복하십시오.

감사합니다.

# CBS 대전방송 개국 5주년 축하 메시지

2003년 12월 18일

CBS 대전방송의 개국 5주년을 진심으로 축하합니다. 그동안 CBS 대전방송을 사랑하고 성원해온 애청자 여러분, 또 좋은 방송을 만들기 위해 애써 온 임직원 여러분의 노고에 감사와 격려의 말씀을 드립니다. 1954년 우리나라 최초의 민간방송으로 탄생한 기독교방송은 이제 반세기의 연륜을 쌓아 왔습니다. 우리의 민주주의가 한치 앞을 가늠할 수 없었던 암울한 시기에도 국민의 참뜻을 전하는 '희망의 소리'였습니다.

CBS대전방송 또한 기독교방송의 훌륭한 역사와 전통 위에서 지역사회의 복음화는 물론 바른 언론으로서 역할을 다해 왔습니다. 공정한 보도와 유익한 정보를 통해 늘 청취자들과 함께 호흡해 왔습니다. 앞으로도 지역사회를 위한 공기(公器)로서의 사명을 다해 주실 것으로 기대합니다. 참여정부는 지방분권과 균형발전을 이루는 데 온 힘을 다해 나가고자 합니다. 행정수도의 충청권 이전을 비롯한 국가균형발전 사업을 하나하나 착실히 추진하고 있습니다. 특히 이런 노력이 성공하기 위해서는 지방의 자치단체, 대학, 언론을 비롯한 모든 주체들이 주도적으로 나서야 합니다. CBS 대전방송과 애청자 여러분의 적극적인 관심과 참여를 당부 드립니다. 다시 한번 개국 5주년을 축하하며 CBS 대전방송의 더 큰 발전을 기원합니다.

감사합니다.

# 해양경찰 창설 50주년 기념식 연설

2003년 12월 23일

친애하는 해양경찰관 여러분, 그리고 이 자리에 함께 하신 내외 귀빈 여러분,

오늘은 우리 해양경찰이 창설 50주년을 맞는 매우 뜻깊은 날입니다. 국민과 더불어 진심으로 축하합니다. 상을 받으신 분들께도 거듭 축하를 드립니다. 제가 들어올 때 우렁찬 박수를 보내주셔서 감사합니다. 매우 친근한 느낌입니다. 사회자도 귀에 익은 목소리여서 반갑습니다. 바로 전, 해양경찰 50년을 소개하는 영상물도 참 좋았습니다. 해양경찰이 어떤 일을 하는 지 잘 이해할 수 있었습니다. 아주 멋있었습니다.

불과 6척의 경비정으로 시작한 해양경찰이었습니다. 그러나 반세기가 지난 지금 249척의 함정과 9천여명의 인력을 갖춘 명실상부한 해양수호기관으로 성장했습니다. 우리 바다의 파수꾼으로서 당당한 위상

을 갖추게 되었습니다. 정말 마음 든든합니다. 3년 전 오늘 내가 해양수산부 장관으로서 왔을 때보다 훨씬 더 믿음직스럽습니다. 여러분의 모습을 보니 참으로 반갑고 감회가 새롭습니다.

해양경찰 50년의 역사는 우리나라 국력신장의 역사입니다. 6·25전쟁이 끝나고 북쪽이 가로막힌 상황에서 바다는 세계를 향해 나아가는 유일한 길이었습니다. 바다로 세계로 뻗어갈 때마다 우리의 국력도 그만큼 커졌습니다. 그 길을 해양경찰 여러분이 안전하게 지켜 주었습니다. 여러분의 헌신과 노고가 있었기에 우리는 세계 10위권의 해양강국으로 도약할 수 있었습니다. 지금 이 시간에도 해양경찰 여러분은 거친 파도와 싸우면서 우리 바다를 평화롭고 안전하게 지키고 있습니다. 여러분의 헌신은 동북아 물류중심을 향한 든든한 기반이 될 것입니다. 동북아의 평화와 번영을 이루는 버팀목이 될 것입니다. 다시 한번 여러분의 노고를 치하합니다.

친애하는 해양경찰관 여러분, 그리고 내외 귀빈 여러분,

21세기는 바다의 세기입니다. 생존과 번영의 열쇠로서 바다의 중요성은 새삼 강조할 필요가 없을 것입니다. 특히 우리 바다는 세계 경제의 중심으로 부상하고 있는 동북아 한가운데에 있습니다. 세계에서 가장 역동적인 바다 중의 하나입니다. 이 바다를 어떻게 지키고 개발하느냐에 우리의 미래가 달려 있습니다. 바다의 중요성이 커갈수록 여러분의 책임과 역할도 더욱 막중해질 것입니다.

해양경찰 여러분은 우리 바다를 지키는 이 영광스러운 과업을 완수하는 데 최선의 노력을 다해야 할 것입니다. 무엇보다 새로운 국제해양

질서에 대응하여 광역경비체제를 탄탄하게 구축해야 합니다. 주변국의 불법적인 영토침범이나 해상범죄를 결코 좌시해서는 안 됩니다. 항공기와 함정을 동원한 입체적인 경비로 우리의 주권을 확고히 지켜 가야 하겠습니다.

우리 해양경찰은 재난구호 활동과 같이 어렵고 힘든 일도 하고 있음을 잘 알고 있습니다. 예방에 만전을 기함은 물론 악천후 속에서도 신속한 구조가 이루어질 수 있도록 전천후 대응능력을 갖추어야 합니다. 국민들이 여러분을 믿고 바다에서 안심하고 생업을 영위할 수 있도록 '바다의 119'로서 역할과 사명을 다해 주기 바랍니다. 이를 위해 정부도 적극적인 지원을 아끼지 않겠습니다. 전문인력 양성 또한 미룰 수 없는 과제입니다. 해양경찰만의 특수한 임무를 체계적으로 교육하고 훈련할 기관이 필요합니다. 여러분의 오랜 숙원인 '해양경찰학교'가 조속한 시일 내에 설립될 수 있도록 하겠습니다.

친애하는 해양경찰관 여러분,

해양경찰은 지금보다 미래에 더 각광받게 될 것입니다. 그러나 미래는 그냥 찾아오지 않습니다. 여러분이 만들어 가야 합니다. 끊임없이 혁신하며 스스로의 역량을 키워 가는 노력이 해양경찰과 우리 바다의 밝은 미래를 열어 줄 것입니다. 항상 애정과 관심을 가지고 여러분을 성원하겠습니다. 긍지와 자부심을 갖고, 해양강국의 위상에 걸맞은 세계 일류 해양경찰로 정진해 가는 여러분의 모습을 기대합니다. 다시 한번 창설 50주년을 축하드리며 해양경찰관 여러분의 건승과 발전을 기원합니다. 감사합니다.

# 크리스마스 과학콘서트 축하 메시지

2003년 12월 26일

청소년 여러분, 그리고 과학기술인 여러분,

안녕하십니까, 정말 즐겁고 뜻깊은 자리입니다. 재미있는 과학강연과 함께 하는 음악콘서트, 발상부터 아주 신선합니다. 여러분 모두 과학과 좀더 친해지는 자리가 되었으면 좋겠습니다. 21세기는 과학기술인이 국가와 사회를 이끌어 가는 시대입니다. 이미 경제계는 물론 우리 사회 각 분야에서 과학기술인의 역할이 날로 커지고 있습니다. 머지않아 노벨 과학상 수상자, 과학기술계 출신 대통령도 나올 것입니다.

참여정부가 추진하고 있는 최우선 국정과제도 '과학기술 중심사회 구축'입니다. 과학기술 혁신으로 전통 주력산업과 미래 성장산업이 함께 발전하는 경제, 과학기술의 합리성과 창의성이 생활 곳곳에 뿌리내리는 사회, 자연과학을 연구하고 엔지니어가 되는 것을 자랑스럽게 여기는 나라를 만들어 가고자 합니다. 청소년 여러분, 우리가 바라는 이런 사회를 실현하기 위해서는 우수한 인재들이 과학기술계로 많이 모여야 합니다. 과학기술로 대한민국의 미래를 바꾸고, 세계를 바꾸어 보겠다는 청소년들이 넘쳐나야 합니다.

미래는 꿈꾸는 사람의 것입니다. 정보통신, 생명공학, 우주항공과 같은 무한한 도전의 영역이 여러분을 기다리고 있습니다. 정부는 과학기술에 대한 투자와 지원을 더욱 강화해 나갈 것입니다. 이공계 출신 인재들에게 공직 진출의 문도 활짝 열어두고 있습니다. 꿈을 가지고 도전합시다. 21세기 과학기술 시대에 당당한 주인공이 됩시다. 여러분 모두 즐겁고 행복한 시간 되시기를 바랍니다.

감사합니다.

# 전국 공무원에게 보내는 서신

2003년 12월 26일

안녕하십니까?

2003년이 저물고 있습니다. 한 해 동안 정말 고생 많았습니다.

참여정부가 출범한 지도 10개월이 지났습니다. 우리나라를 한단계 도약시키기 위한 많은 일들이 진행되고 있습니다. 개개인의 의식에서부터 사회 시스템에 이르기까지 크고 작은 변화들이 일어나고 있습니다. 우리 공직자 모두가 잘 해준 덕분이라고 생각합니다. 다시 한번 감사를 드립니다. 얼마 전 신문에서 싱가포르 공무원들이 가장 우수하다는 기사를 본 적이 있습니다. 그렇지만 저는 우리 공무원들이 더 우수하다고 감히 자부합니다. 훨씬 더 복잡한 대내외 환경 속에서 지난 반세기 동안 민주주의와 경제성장에서 가장 성공한 나라를 만들어낸 일등공신이 바로 여러분입니다. 국회의원과 장관 시절부터 밤을 지새며 맡겨진 과제를 끝내 해내고야 마는 여러분을 보아 왔습니다. 대통령이 되고 나서 믿음과 애정이 더욱 커졌음은 물론입니다. 여러분에게 거는 기대가 큽니다.

이제 희망찬 새해가 밝아오고 있습니다. 올해가 국정운영의 목표와 실천전략을 세우는 한 해였다면, 내년부터는 가시적인 결실을 하나하나 거두어 가야 하겠습니다. 이를 위해서는 '국가혁신'이 필요합니다. 모든 분야에서 발빠르게 변화하면서 대한민국을 한단계 높여 나가야 합니다. 효율적이고 긍정적인 것은 두 배로 늘리고 비효율적이고 부정적인 것은 절반으로 줄여 나가는 것, 그것이 제가 생각하는 국가혁신의 목표입니다.

정부부터 변해야 합니다. 무엇보다 국민의 신뢰가 중요합니다. 국민의 신뢰는 '일 잘하는 정부'에서 시작됩니다. 국민들이 여러분에게 바라는 수준은 대단히 높습니다. 여러분이 생각하는 그 이상일 것입니다. 먼저 변화해서 맡겨진 사명을 가장 효율적으로 완수하는 모습을 보여 주어야 하겠습니다. 정책의 결과만큼이나 과정도 중요하게 생각해야 합니다. '모로 가도 서울만 가면 된다'는 생각을 버려야 합니다. 절차에 따라 효율적이고 민주적으로 문제를 해결하는 '시스템 행정'을 펼쳐 가야 하겠습니다.

다음으로 '대화하는 정부'가 되어야 합니다. 그래야 국민의 신뢰를 얻을 수 있습니다. 여러분은 항상 국민을 향해 눈과 귀를 열어 놓아야 합니다. 국민의 불편과 아픔을 제 일처럼 여기며 어떻게 풀어 갈지 고민하고 연구해야 할 것입니다.

정책을 널리 알리고 설득하는 노력 또한 소홀히 해서는 안 됩니다. 국민의 이해 없이는 어떠한 정책도 성공하기 어렵다는 것을 항상 유념

해야 할 것입니다. 여러분이 결심하면 나라가 바뀝니다. 국민소득 2만 달러, 동부가 경제중심국가, 그 어떤 꿈도 국민과 우리들이 힘을 합치면 현실이 될 것입니다. 자신 있게 나아갑시다. 다가오는 갑신년, 역동적이고 활기찬 나라를 만들어 갑시다. 장단을 조율하며 흥을 돋우는 농악대의 상쇠처럼 새로운 대한민국을 선도하는 여러분의 모습을 기대합니다.

갑신년 새해 복 많이 받으십시오.

# 재외공관 공무원에게 보내는 서신

2003년 12월 26일

안녕하십니까?

올해도 얼마 남지 않았습니다. 한 해를 보내면서 해외에 있는 우리 공직자들의 고생이 참 많다는 생각이 들어 이렇게 메일을 보냅니다. 정말 수고했습니다. 현지에서 함께 생활하는 부인과 자녀들에게도 저의 각별한 안부 말씀을 전해 주시기 바랍니다.

저는 취임 이후 모두 스물여섯 차례의 개별 정상회담과 두 차례의 다자 정상회의를 가졌습니다. 그때마다 우리 외교관들이 얼마나 힘들고, 얼마나 헌신적으로 일하는지를 피부로 느끼곤 했습니다. 수출 2천억 달러 시대를 열고 북핵 문제를 평화적으로 해결할 수 있는 가닥을 잡은 것도 그러한 노력의 덕분이라 생각합니다. 외교관은 바로 대한민국의 얼굴입니다. 한 사람 한 사람이 우리의 국가 이미지와 직결됩니다 또한

129개의 우리재외공관은 무한경쟁의 최일선입니다. 우리나라를 세계 속에 살아 움직이게 하는 동맥과도 같은 역할을 합니다. 그런 만큼 업무는 가중되고 책임은 더욱 커지고 있습니다. 일상적인 외교 활동은 물론이고 통상마찰 해소, 투자유치, 문화교류 확대 등등 힘을 기울여야 할 분야가 한두 가지가 아닙니다. 밤낮없이 뛰어도 시간이 모자랄 것입니다.

어디 그뿐이겠습니까? 우리 동포들은 물론 상사원, 유학생, 여행객에 이르기까지 모두가 도움의 손길을 필요로 하고 있습니다. 더욱이 생활환경까지 열악한 곳이 적지 않습니다. 아이들의 교육도 어렵고 때로는 신변의 위협까지 감수해야 합니다. 부인까지 업무지원에 나서야 하는 실정임을 잘 알고 있습니다. 며칠 전 국내 신문에 우리나라 기업을 유치하기 위한 폴란드 외교관들의 활동이 보도된 적이 있습니다. 저는 우리 외교관들이 결코 그들에 못지 않다고 생각합니다. 현지에서 열심히 일한 사례들은 적극 홍보해서 국민이 더욱 신뢰할 수 있도록 해 주기 바랍니다.

이와 함께 현장에서 느끼는 잘못된 관행이 있다면 적극 바꾸어 나가야 하겠습니다. 문제를 발견하면 이미 반쯤은 해결한 것이나 마찬가지입니다. 활발한 대화와 토론을 통해서 늘 혁신하는 조직이 되어 주기를 당부드립니다. 저도 여러분의 근무여건을 개선하는 데 최대한 노력하겠습니다. 내년에도 부단한 개혁을 통해 '일 잘하는 정부'를 만들어 나가야 합니다. 효율적인 것은 두 배로 늘리고 비효율적인 것은 반으로 줄여 나갑시다. 역동적인 대한민국을 우리 손으로 만들어 갑시다. 저와 우리 공직자들이 앞장서고, 그 보람 또한 함께 나누게 되기를 희망합니다. 새해에는 일이 바쁘더라도 꼭 건강부터 챙기시고 가족들과 함께 행복한 한

해 보내시기 바랍니다.

새해 복 많이 받으십시오.

# 1월

# 2004년 신년사

2004년 1월 1일

존경하는 국민 여러분.

2004년 갑신년 새해가 밝았습니다. 하시는 일마다 뜻대로 이루어지는 축복의 한 해가 되시기를 바랍니다. 특히 지난 한 해 어려움이 컸던 근로자와 농어민, 그리고 영세자영업과 중소기업을 하시는 분들의 가정에 기쁨과 희망이 가득하기를 간절히 바랍니다. 아울러 병상에 계시는 모든 분들이 건강을 되찾는 한 해가 되기를 기원합니다.

국민 여러분.

저는 올해 경제의 활력을 되찾아 민생안정을 이루는 데 모든 정성과 노력을 다할 각오입니다. 지난 한 해 우리는 극심한 내수 침체 속에서도 기록적인 수출 증가를 이루어 냈습니다. 올해는 수출의 활력을 내수 활성화로 이어가는 데 주력하겠습니다. 또한 지난해 수립한 지역균형발전과 동북아 경제중심 전략을 본격적으로 실행하고, 하나하나 가시적인 성과를 거두어 나가겠습니다. 지속적인 기술혁신과 시장개혁으로 경제의 경쟁력을 높이고, 외국인투자와 기업하기 좋은 환경을 만드는 데 정책적 노력을 기울여 나갈 것입니다. 청년 실업, 부동산 가격 안정, 사교육비 문제에 적극 대처해서 이제 서민들도 경기 회복을 피부로 느낄 수 있도록 하겠습니다.

사회갈등 문제도 법과 원칙, 대화와 타협을 통해 해결하는 시스템과 문화를 정착시켜 나가겠습니다. 특히 지난해 마련된 노·사·정 대화의 틀을 바탕으로 새로운 노사문화가 시작되는 한 해가 되도록 하겠습니다. 안보를 튼튼히 하고 남북 화해협력을 지속적으로 추진해 나감으로써 평화체제를 더욱 공고히 하고 남북관계를 착실히 진전시켜 나가겠습니다. 그러한 가운데 북핵 문제를 평화적으로 해결하여 한반도 평화와 번영의 새 틀을 만드는 데 최선을 다할 것입니다.

국민 여러분,

정치에 대한 여러분의 절망감과 호된 질책을 잘 알고 있습니다. 진정한 반성과 성찰의 계기로 삼아야 할 것입니다. 그러나 지금 겪고 있는 이 진통은 새로운 정치를 위한 밑거름이 될 수 있다고 믿습니다. 올해 실시되는 17대 총선은 그 시금석이 될 것입니다. 지역구도 완화와 깨끗한 정치를 실현하는 일대 전기가 될 수 있도록 정치권과 국민 모두가 힘과 지혜를 모아야겠습니다. 그래서 올해를 지역주의정치, 부패정치를 청산하는 정치개혁의 원년으로 만들어야 하겠습니다. 정부는 공정하고 엄격한 선거관리에 최선을 다할 것입니다.

존경하는 국민 여러분,

새해를 맞으면서 올해는 좀 나아질까, 기대와 우려가 교차하실 것입니다. 자신감과 희망을 가집시다. 경제가 어렵고 정치가 혼란스러워 보이지만 지난 50년 동안 우리만큼 잘해온 국민, 우리만큼 성공한 나라도 없습니다. 저는 우리 국민과 함께라면 못해낼 것이 없다고 생각합니다. 심기일전해서 흔들림 없이 정진해 가겠습니다. 경쟁력 있는 정부, 국민 여러분께 칭찬받는 정부가 되겠습니다. 우리 모두 손잡고 함께 갑시다. 경제가 활력을 되찾고 서민의 생활이 나아지는 한 해, 2만 달러 시대의 초석을 다진 한 해가 되도록 합시다.

국민 여러분, 새해 복 많이 받으십시오.

# 선물시장 일원화 축하 메시지

2004년 1월 2일

마침내 선물시장이 일원화 됐습니다. 매우 뜻깊게 생각하며 축하를 드립니다. 아울러 많은 어려움에도 불구하고 '코스피 200 선물' 이관에 협조해 주신 증권거래소 임직원과 관계자 여러분께 충심으로 감사를 드립니다. 통합 이후 우리 선물시장 규모는 선물부문 세계 8위, 옵션부문은 부동의 1위를 기록하게 됩니다. 선물시장 개설 7년만의 일입니다. 이 같은 성장을 이루어낸 관계자 여러분의 노고에 깊은 감사의 말씀을 드립니다. 통합을 계기로 더욱 경쟁력 있는 시장으로 발전해 가기를 기대합니다.

대통령에 취임하기 전부터 선물시장 통합문제에 많은 관심을 가져왔습니다. 부산에서 열린 세미나에 참여하고 사회를 본 적도 있습니다. 부산을 미국 시카고 같은 선물산업 중심도시로 육성하고자 하는 부산시민의 꿈과 희망을 잘 알고 있습니다. 거듭 축하드리며 그 염원이 이뤄질 수 있도록 최선을 다할 것을 약속드립니다.

참여정부는 지방분권과 국가균형발전을 주요 국정과제로 삼고 있습니다. 또한 동북아 금융 허브로의 도약을 추진하고 있습니다. 그런 점에서 이번 선물시장 일원화는 큰 의미를 갖습니다. '코스피 200 선물'의 부산 이관이 지방분권의 모범사례가 되고, 부산이 국제 금융도시로 발전하는 초석이 되기를 바라 마지 않습니다. 다시 한번 선물시장 일원화를 축하드리며 한국선물거래소의 무궁한 발전과 관계자 여러분 모두의 건승을 기원합니다.

여러분, 새해 복 많이 받으십시오.

# 2004년 경제계 신년인사회 연설

2004년 1월 6일

존경하는 박용성 회장을 비롯한 각계 지도자와 기업인 여러분, 그리고 이 자리에 함께 하신 주한외교사절과 내외 귀빈 여러분,

새해 첫출발을 여러분과 이렇게 융숭한 잔치 자리에서 함께 하게 된 것을 매우 기쁘게 생각합니다. 올 한 해 여러분 모두에게 축복과 행운이 함께 하기를 간절히 기원합니다. 아울러 2004년 새해는 우리 경제가 다시 활력을 찾고 여러분과 국민 모두가 환하게 웃을 수 있는 한 해가 되기를 기원합니다.

여러분, 지난 한 해 동안 정말 수고 많이 하셨습니다. 북한 핵 위기, 이라크 전쟁, 사스 공포, 태풍 매미, 그리고 극심한 내수침체와 카드채 문제 등 여러 가지 시련과 도전이 있었습니다. 그러나 우리는 이 모든 어려움을 극복하고 2천억 달러 가까운 수출 실적을 올리고, 150억 달러가

넘는 무역수지 흑자를 실현했습니다. 1,560억불 가까운 외환보유액을 기록하고 있습니다. 불안했던 금융시장, 그리고 부동산시장도 안정을 되찾아가고 있습니다. 그리고 여러 가지 밝은 조짐들이 보이기 시작하고 있습니다.

존경하는 경제계 지도자 여러분,

저는 새해 국정 목표를 경제의 활성화, 그리고 민생안정에 두고 있습니다. 투자 활성화를 통한 일자리 창출에 최우선의 노력을 기울여 나가겠습니다. 일자리 창출이야말로 소비의 위축, 빈부격차 문제를 근본적으로 해결할 수 있는 길이기 때문입니다. 지난해 사상 최대의 수출을 이룩한 그 저력을 바탕으로 올해에는 투자에 힘을 집중해 주시기 바랍니다. 수출에서 거둔 여러분의 성공을 우리 경제 전체로 확산시켜 주실 것을 기대합니다. 저와 정부도 힘껏 돕겠습니다. 토지 관련 규제는 제로베이스에서 전면 재검토하는 것을 비롯해서 투자에 장애가 되는 규제를 과감히 완화해 나가겠습니다. 법인세율도 단계적으로 인하하고 투자에 대한 세제·금융상의 인센티브도 확대해 나가겠습니다. 제가 직접 투자의 애로사항, 기업환경에 대한 장애사유들을 하나하나 챙기면서 해소해 나가고 있습니다.

문화·관광·영상·디자인·소프트웨어 등 지식집약형 산업과 서비스 산업의 육성을 통한 일자리 창출에도 각별한 노력을 기울여 나가겠습니다. 10대 차세대 성장산업을 집중 육성하고 기술혁신과 인재양성 프로그램도 착실히 추진해 가겠습니다. 동북아 경제중심과 국가 균형발전 전략도 일관되게 밀고 나가고 있습니다. 시장개혁 프로그램도 흔들림

없이 추진하겠습니다. 그래서 우리 경제의 경쟁력을 높이고 튼튼한 도약의 발판을 다질 수 있도록 해 나가겠습니다.

사회 갈등문제가 아주 큰 걱정거리입니다. 그 중에서 특히 노사분규가 여러분들이 가장 불안해 하는 요소인 것으로 알고 있습니다. 노사를 막론하고 불법과 폭력에 대해서는 원칙에 따라 단호하게 대처해 나갈 것입니다. 그러나 한편으로는 대화와 타협에 힘을 기울여서 대화와 타협의 노사관계를 만들어 나가도록 아울러 노력하겠습니다. 기업인 여러분께서도 노사간의 신뢰 구축에 발 벗고 나서 주시길 바랍니다. 경영의 투명성을 높이고 근로자들과 마음을 열고 대화하는 데 최선을 다해 주시기 바랍니다. 기업인의 노력만으로 기업인들에 대한 신뢰가 바로 생기는 것은 아닙니다. 우리사회 반기업적 분위기와 문화가 해소되는 것도 매우 필요합니다. 정부도 앞장서서 기업에 대한 신뢰가 높아지도록, 그런 사회적 분위기와 문화가 만들어지도록 각별히 유의하겠습니다. 지난해 노사분규가 아주 많았던 것으로 느끼고 있습니다만 실제로 연말에 와서 따져보니까 작년보다 노사분규로 인한 근로손실일수는 약 20% 가량 줄어들었습니다. 올해에는 한층 더 힘을 쏟아서 지난해의 절반 정도로 줄여나가겠다는 목표를 세우고 노력하겠습니다. 여러분도 함께 노력해주시기 바랍니다.

정부로서는 노사안정이 가장 중요한 문제라고 생각하고 모든 힘을 여기에 기울여 나가겠다는 약속을 여러분께 드리겠습니다. 경쟁과 개방의 확산을 통한 경제시스템의 선진화에도 노력을 기울이겠습니다. 투명하고 공정한 시장의 경쟁을 통해서 실력 있는 기업, 정도를 걷는 기업이 성공하는 시장을 만들겠습니다. 공정하고 효율적인 경제 시스템을 통해서 우리의 경쟁력을 강화하고 우리 경제를 선진화해 나가야 할 것입니다. 대외적으로는 지금 모든 국민들이 관심을 가지고 있는 한·칠레 FTA가 조속히 비준되도록 각별히 노력하겠습니다. 이 자리에 국회의 지도자들이 많이 와 계십니다. 앞으로 우리 한국이 경제정책에 있어서 대외적 신뢰를 얻어가는 데 FTA는 아주 중요한 시금석이 될 수 있기 때문에 여러 가지 어려움이 있으시겠지만 조속히 통과시켜 주시도록 각별히 부탁을 드립니다. FTA 추진대책반을 정부에 따로 만들어서 앞으로 싱가포르·일본 등 여러 나라와 FTA를 지속적으로 추진해 나가도록 하겠습니다.

여러분,

정치·행정이 우리 경제의 발목을 좀 잡지 않았으면 좋겠다, 이런 말을 참 많이 합니다. 그러나 너무 걱정하지 마십시오. 달라질 것입니다. 지난 40년 동안 우리 경제가 그저 성공이 아니라 신화를 이뤄냈다고 한다면 우리 정치도 장족의 발전을 이뤄냈습니다. 해방 이후 50여년 기간에 한국만큼 빠른 속도로 민주주의를 발전시켜 온 나라가 없습니다. 그렇게 생각하면 오늘 정치에 대한 여러분들의 부정적 인식은 우리 국민들이 빠른 변화의 욕구를 가지고 있기 때문이라고 생각합니다. 최선을 다해나가겠습니다.

이 자리에 계신 정치 지도자 여러분들도 아마 단단한 각오를 하고 계시리라고 생각합니다. 대체로 총선이 있는 동안에는 본시 좀 시끄럽게 느껴집니다. 언론도 또 집중적으로 총선 사이의 공방을 조명하게 돼 있습니다. 그러나 총선이 끝나고 새로운 질서가 정착되면 우리 정치가 아마 아주 빠른 속도로 안정되고 4년 동안 대단히 생산적인 그런 정치를 운영해 나갈 것으로 저는 그렇게 기대합니다. 막연한 기대가 아니라 그렇게 꼭 될 것이라는 그런 과학적인 예측을 합니다. 정부도 좀더 잘하겠습니다. 변화를 위해 많은 노력을 해 나가고 있습니다만 지난 한 해 성과는 흡족하지는 않습니다. 그러나 지난 한 해 여러 가지 목표를 설정하고 로드맵을 준비하는 시기였다고 하면 올해는 착실히 변화를 추진해 나가도록 하겠습니다.

이제 우리 정부도 그저 목표만을 설정하는 것이 아니라 기업과 마찬가지로 변화의 새로운 기법을 도입하겠습니다. 그래서 민간기업과 변화에 있어서 경쟁할 수 있는 그런 태세를 올해 갖추어서 착착 실천하고, 내년 이맘때는 정말 자랑스럽게 여러분들에게 보고를 드릴 것입니다. 여러 가지 변화들 중에서도 결국 국민들을 위한 서비스를 향상시키고 효율을 향상시키는 변화에 주력하겠습니다. 특히 경제가 중요하기 때문에 기업인들이 활발히 기업활동을 할 수 있도록 뒷받침하는 변화에 가장 주력하겠습니다.

여러분,

우리 모두 새로운 각오로 다시 한번 뛰십시다. 올 한해를 국민의 살림살이가 안정되고, 2만 달러 시대 도약의 튼튼한 기반을 다진 한 해로 기록하도록 합시다. 여러분의 노고에 거듭 감사드리며 새해에는 더욱 건강하시고 소원 성취하시기 바랍니다.

감사합니다.

# 2004년 과학기술인 신년인사회 연설

2004년 1월 7일

존경하는 과학기술인 여러분, 그리고 내외 귀빈 여러분,

새해를 맞아 여러분과 자리를 함께 하게 된 것을 매우 기쁘게 생각합니다. 여러분 모두에게 축복과 희망의 한 해가 되시기를 바랍니다. 참여정부가 출범한 지난해는 안팎으로 시련과 역경이 많았습니다. 북핵 문제, 이라크 전쟁, 사스 공포, 태풍 매미, SK 글로벌 사건, 카드채 문제 등 말 그대로 다사다난했던 한 해였습니다.

그러나 우리는 이 모든 어려움에도 불구하고 2천억 달러 가까운 수출을 이루었고 155억 달러의 무역흑자를 기록했습니다. 극심한 소비 침체와 투자 부진, 부동산 과열에 시달리면서도 금융시장과 부동산시장이 안정을 되찾았습니다. 정치가 어지러운 가운데서도 국회의 협조 속에 국가균형발전 3대 특별법이 통과되어 지방 발전의 획기적인 전기도 마련

했습니다.

과학기술 분야에서도 세계적인 신약과 캡슐형 내시경 개발에 성공했고 과학기술위성을 발사했습니다. 뿐만 아니라 과학기술 혁신과 인재양성, 그리고 차세대 성장산업 육성을 위한 세부 전략도 수립하였습니다. 이 모두가 과학기술인 여러분이 열심히 노력해 준 덕분이라고 생각합니다. 정말 수고 많으셨습니다. 진심으로 감사의 말씀을 드립니다. 올해에는 지금까지 준비하고 수립해 놓은 정책들을 또박또박 실천해서 우리 경제를 재도약의 길로 이끌고자 합니다. 경제가 활력을 되찾고 2만 달러 시대에 대한 희망과 자신감을 키우는 한 해가 되도록 할 것입니다. 국민 여러분과 함께, 여기 계신 여러분과 함께 힘을 합쳐 반드시 성공시키겠습니다.

존경하는 과학기술인 여러분,

새해에도 강력한 과학기술 진흥정책이 지속적으로 추진될 것입니다.

저는 지난해 연구현장 몇 곳을 둘러보면서 차세대 성장동력 기술개발의 확실한 가능성과 희망을 확인했습니다. 앞으로 차세대 성장동력이 되는 핵심기술을 집중 개발하고, 창의적인 핵심인재가 산·학·연에 널리 활용되도록 적극 지원할 것입니다. 우선, 미취업 석·박사 1,300여명을 연구사업에 참여시켜 연구잠재력을 키우고 일자리와도 연계되도록 하겠습니다.

과학기술부가 과학기술정책과 산업정책, 과학기술 인재 양성을 총체적으로 관리해 나갈 수 있도록 그 책임과 권한을 높여 나가겠습니다. 아울러 국가과학기술위원회의 역할과 위상을 강화해서 기획과 조정능력을 크게 향상시키고, 국가연구개발체계를 성과중심으로 개편해 나갈 것입니다. 우리나라가 동북아 연구개발 기지로서 역할을 다해 나갈 수 있도록 해외의 유수 연구기관을 유치하고, 성숙단계에 들어선 연구단지를 '연구개발특구'로 육성해 나가겠습니다.

이와 함께 지방의 과학기술 혁신역량을 획기적으로 높여나갈 것입니다. 지역별 R&D 특화사업을 확대하고, 지방의 우수한 이공계 대학을 연구중심대학으로 육성해 나가며, R&D형 혁신 클러스터와 지방의 과학기술 인프라를 대폭 확충해 나가겠습니다. 경쟁력의 원천인 기초과학을 꾸준히 진흥시키고, 과학기술자의 사기 진작, 우수 청소년의 이공계 진학, 그리고 이공계 전공자의 공직진출 확대에도 각별한 관심을 기울이겠습니다. 전문 연구요원의 군 복무기간 추가단축을 검토하고 이공계 대학생에 대한 장학금 지원을 확대해 나가겠습니다. 그러나 이 모든 것을 이루기 위해서는 정부의 노력도 중요하지만 과학기술인 여러분의 역할과 노력이 더욱 중요합니다. 올해가 과학기술 선진국을 향해 큰 걸음을 내딛는 한 해가 될 수 있도록 여러분의 아낌없는 성원과 협력을 당부 드립니다.

존경하는 과학기술인 여러분,

우리는 지금 과학기술이 국가경쟁력을 좌우하는 혁신주도형 시대에 살고 있습니다. 그리고 그 주역은 단연 과학기술인 여러분입니다. 여러분에게 우리의 미래가 달려 있습니다. 여러분이 세계와 경쟁해서 이겨야 우리나라가 일류국가가 될 수 있습니다. 여러분 한분 한분이 대한민국을 이끌고 있다는 자부심과 사명감을 갖고 올 한 해도 더욱 정진해 주시기 바랍니다. 그래서 내년 초 이 자리에서 다시 만날 때는 더욱 기쁜 마음으로 올해 거둔 보람을 이야기할 수 있게 되기를 기대합니다. 참여정부 2만 달러 시대에 핵심전략은 과학기술입니다. 모든 역량을 과학기술혁신에 집중할 것입니다. 기대하십시오.

여러분, 새해 복 많이 받으십시오.

# 2004년 신년기자회견 모두연설

## -변화와 안정, 그리고 새로운 희망-

2004년 1월 14일

존경하는 국민 여러분, 안녕하십니까. 그리고 기자 여러분, 반갑습니다.

새해 좋은 계획들 세우셨습니까? 새해에는 소망하시는 일 모두 다 잘 이루시길 바랍니다.

지난해는 국가적으로나 국민 모두에게 매우 어려운 한 해였습니다. 북핵 위기, SK글로벌 사건, 신용불량자 증가, 가계부채 문제, 이라크 전쟁, 사스 공포, 부안사태 등 정말 어려운 일이 많았습니다. 뿐만 아니라 IMF 외환위기 이후 줄어든 일자리와 크게 벌어진 소득격차는 우리 서민들을 더욱 힘들게 했습니다. 여기에 불법 대선자금 문제와 제 주변의 이런저런 허물까지 불거져 국민 여러분을 실망스럽게 했습니다. 다시 한 번 송구스럽다는 말씀을 드립니다.

그러나 이제 길고 어두웠던 터널도 거의 끝나 가는 것 같습니다. 희망의 빛이 보입니다. 아직도 많은 난관이 남아 있기는 하지만 밝은 희망을 향해 한발 한발 나아가고 있습니다. 자신감을 가집시다. 자신 있습니다. 지난해 어려운 가운데서도 우리가 이룬 성과들이 적지 않습니다. 전쟁 위기로 치닫던 북핵 위기를 6자 회담으로 이끌어서 평화적 해결의 큰 가닥을 잡았습니다. 어떤 일이 있어도 한반도에서 전쟁만은 안 된다는 온 국민의 의지와 정부의 성실한 외교가 일구어낸 값진 성과입니다. 전 세계를 불안하게 했던 이라크전쟁과 사스 확산에도 불구하고 우리가 평온을 유지할 수 있었던 것도 국민 여러분과 정부가 합심 협력한 결과입니다. SK글로벌 사건과 카드채 문제 등 불안했던 금융시장도 큰 충격 없이 한 고비를 넘겼습니다. 서민들께 걱정을 끼쳤던 부동산 투기 열풍도 10·29 부동산 대책 이후 안정을 찾았습니다. 특히 우리 기업과 근로자들은 극심했던 내수 불황 속에서도 2천억 달러 가까운 수출실적을 기록하며 우리 경제를 떠받쳤습니다. 참으로 위대한 업적이라 할 수 있을 것입니다. 고통을 참고 협력해 주신 국민 여러분께 진심으로 감사드리며, 기업인과 근로자 여러분께도 깊은 경의를 표합니다.

국민 여러분,

올해에는 수출 2천억 달러 시대가 열립니다. 경제의 거울이라는 주식시장도 연초부터 희망찬 출발을 하고 있습니다. 투자와 소비도 회복조짐을 보이고 있습니다. 정부는 예산을 조기에 집행해서 회복 문턱에 들어선 경기가 하루라도 더 빨리 살아나도록 하겠습니다. 새해 과제는 무엇보다도 경기 회복의 따뜻한 기운이 우리 서민의 피부에 직접 와 닿도록 하는 것입니다. 아울러 회복된 경기가 일시적인 효과에 그치지 않고 장기적인 국가 경쟁력으로 이어지도록 하는 일입니다.

일자리야말로 최고의 복지입니다. 가장 효과적인 소득분배 방안이기도 합니다. 올해에는 일자리 만들기를 정책의 최우선 순위에 두겠습니다. 이를 위해서 정치권에서 제안한 바 있는 '일자리 창출을 위한 경제 지도자 회의'를 개최해서 노동계와 경제계, 여야 지도자는 물론 시민단체 등이 함께 머리를 맞대고 국민적 합의를 모아나가도록 하겠습니다. 지난해에 이어서 올해에도 규제 완화와 투자환경 개선 노력을 지속해 나가겠습니다. 이를 통해서 새로운 일자리를 만들어 가겠습니다. 그러나 투자를 일으키는 궁극적인 동력은 역시 경쟁력입니다. 경쟁력의 원천은 기술 혁신과 인재 양성입니다. 올해에는 국가기술 혁신체계를 구축하는 데 주력하겠습니다. 정부 내에 분산되어 있는 기술 혁신과 인재 양성, 그리고 산업정책 조정기능을 유기적으로 통합해서 국가 전체의 혁신역량을 극대화하겠습니다.

그래서 정부와 기업, 대학과 연구소가 함께 최고의 경쟁력을 가진 인력 양성에 주력하고, 이를 통해서 배출된 인력이 안정된 일자리에서 기술혁신과 경쟁력 강화에 기여할 수 있도록 해 나가겠습니다. 특히 고용 흡수력이 큰 중소기업과 벤처산업이 세계 최고 수준의 기술력과 인력을 갖추고 세계 시장에서 당당히 경쟁할 수 있도록 적극 지원하겠습니다. 2만 달러 시대를 향한 '기술입국', '인재입국'의 탄탄한 기반을 확실히 다져 놓겠습니다. 이와 함께 금융·의료·법률, 컨설팅 같은 지식산업도 집중 육성해 가겠습니다. 지식산업은 부가가치가 높을 뿐만 아니라 교육열이 높고 고급인력이 많은 우리의 강점을 살릴 수 있는 분야입니다. 지식수준이 높은 우리 젊은이들의 실업문제 해결에도 큰 역할을 할 것입니다.

고용효과가 크고 서민경제와 밀접한 유통·문화·관광·레저 등 서비스 산업도 더욱 발전시켜 가겠습니다. 아직 생산성이 선진국의 절반 수준에 불과한 서비스 산업의 육성을 위해서 올 상반기 중에 금융·세제 등의 개선방안을 내놓겠습니다. 동북아 경제중심 전략과 차세대 성장산업 육성, 시장개혁 프로그램도 일관성 있게 밀고 나가겠습니다.

부동산 가격은 그 자체가 서민생활입니다. 높은 집값은 임금인상의 압력이 되고 임금인상은 기업의 경쟁력을 떨어뜨립니다. 서민생활을 위해서나 경쟁력 강화를 위해서 집값, 전세값은 반드시 안정시키겠습니다. 흔들리지 않고 갈 것입니다. 투기로 인해 서민들의 꿈이 물거품이 되는 일은 절대 없도록 하겠습니다. 주택물량 공급에도 차질이 없도록 하겠습니다. 올해 국민임대주택 10만호를 비롯해서 총 50만호를 건설하고, 무주택 우선 공급물량을 75%로 확대하는 정책도 계획대로 추진해 나가겠습니다. 사교육비 해결과 공교육 정상화 문제는 정말 어려운 과제입니다. 그러나 결코 포기하거나 방치하지 않겠습니다. 지난 1년 동안 고심에 고심을 거듭하며 준비해 왔습니다. 조만간 종합대책을 발표하겠습니다. 반드시 실효성 있는 방안을 마련하도록 하겠습니다.

국민 여러분,

노사관계의 안정 없이는 경쟁력 강화도 일자리 창출도 어렵습니다. 다행히 작년 한 해 노사분규로 인한 근로손실일수가 2002년에 비해 약

20% 가량 줄었습니다. 올해에도 획기적으로 줄여 나갑시다. 올해 노사관계만 안정되어도 우리 경제는 큰 성공을 거둘 수 있을 것입니다. 근로자 여러분은 올 한 해만이라도 생산성 향상을 초과하는 임금인상 요구를 자제해 주시기 바랍니다. 지난 수년간 생산성 향상을 훨씬 웃도는 임금인상이 지속되어 왔습니다. 이런 상황을 해소하지 못한다면 우리는 주변국과의 경쟁에서 뒤떨어질 수도 있습니다.

대기업과 중소기업, 정규직과 비정규직간의 임금격차도 심각한 문제입니다. 지금까지 강력하고 잘 조직된 대규모 사업장 노동조합이 임금인상을 주도해온 것이 사실입니다. 그러나 그 결과는 대기업과 중소기업, 특히 정규직과 비정규직간의 임금격차를 더욱 크게 벌려놓았습니다. 이제는 우리 노동운동이 이 문제에 대해서 깊은 관심을 가져야 합니다. 근로조건이나 임금 면에서 우월한 위치에 있는 대기업 노동조합이 전체 근로자를 위해서 스스로 절제하고 양보하는 결단을 보여주어야 합니다. 그것이 노동운동의 대의에도 맞는 길이라고 생각합니다.

기업인 여러분도 정부의 공권력이나 사회 일각의 분위기에만 의지하려고 해서는 안 됩니다. 기업인 스스로 경영의 투명성을 높여 근로자들에게 믿음을 줘야 합니다. 아울러 진지하게 노조를 설득하는 노력을 보여 주어야 합니다. 실제로 노사협력에 성공한 기업들은 경영의 투명성을 성공의 첫째 조건으로 꼽고 있으며 대화와 타협, 그리고 작은 양보를 통해서 노사가 함께 큰 성공을 거두고 나가고 있습니다. 정부도 최선을 다하겠습니다. 대화와 타협의 노사관계 정착에 주력하고 불법행동에 대해서는 법과 원칙에 따라 단호하게 대응해 나가겠습니다. 그리고 정부가 사용자 역할을 하고 있는 공공부문부터 솔선수범하겠습니다. 우리 함께 협력해서 우리의 노사문화를 한번 바꾸어 나갑시다. 올해를 노사정 대타협의 신기원을 이룩한 해로 한번 만들어 봅시다.

국민 여러분,

균형발전 3대 특별법이 공포됐습니다. 이제부터 지방과 수도권이 함께 발전하는 '균형발전시대'로 갑니다. 먼저, 낙후된 지방부터 살리겠습니다. 올해 5조원의 균형발전특별회계를 편성하고 지방에 우선 지원하는 방안을 마련할 것입니다. 지방대학을 특성화해서 경쟁력 있는 대학으로 키우겠습니다. 서울에 집중된 연구기관도 점진적으로 옮겨서 지방의 연구개발 인프라를 대폭 확충할 것입니다. 이를 통해서 지역 스스로 발전의 동력을 만들어가는 지역혁신체계를 구축하도록 하겠습니다.

오는 4월부터 고속철 시대가 열립니다. 전국이 두 시간대 생활권으로 바뀝니다. 올해 행정수도 입지가 정해질 충청권은 정치와 행정의 중심, 연구개발과 바이오산업의 메카로 거듭날 것입니다. 바야흐로 중부권 시대가 시작됩니다. 이에 따라 신행정수도와 1시간권에 있는 호남은 문화와 광산업, 그리고 중국 진출의 전진기지로, 영남은 항만·물류산업의 중심거점이자 자동차, 조선, 첨단 나노산업의 집적지로, 강원과 제주는 관광과 건강, 생명, 애니메이션 산업의 중심지로 각기 새로운 발전의 전기를 맞게 될 것입니다.

지방화시대의 비전과 전략이 구체화됨에 따라 수도권은 새로운 성장관리계획을 세우고 있습니다. 우선 집값, 교통문제, 대기오염 등 과밀로 인한 고통과 고비용 문제를 해결해야 합니다. 규제일변도에서 벗어나서 풀어야 할 것은 과감히 풀면서 난개발과 환경오염은 방지할 수 있는 방안을 준비하고 있습니다. 머지않아 내놓겠습니다. 서울은 국제금융과 비즈니스의 동북아 경제수도로, 경기도는 전자, IT 산업이 주류를 이루는 첨단 경제거점으로, 인천은 동북아 물류와 외국인투자 중심도시로 발전시켜 나갈 것입니다. 이러한 신성장관리계획이 현실화되면 우리 수도권은 10년 이내에 명실상부한 동북아 경제 허브로 탈바꿈할 것입니다.

존경하는 국민 여러분,

우리가 세워 놓은 이 모든 국가전략과 비전은 한반도의 평화로부터 시작됩니다. 안정적인 남북관계의 구축은 동북아 경제중심전략의 관건입니다. 남북관계는 조용한 가운데 착실하게 진전되고 있습니다. 지난해 핵문제에도 불구하고 장관급 회담을 비롯해서 38회의 남북대화가 모두 106일 동안 열렸습니다. 올해에도 튼튼한 안보의 토대 위에서 남북관계를 더욱 내실 있게 발전시켜 나갈 것입니다. 2000년 9월 착공된 철도와 도로가 연내에 개통됩니다. 개성공단 시범단지도 하반기 중에 가동될 것입니다. 6·15 남북정상회담의 정신이 하나하나 실천되고 있습니다. 북핵 문제가 완전히 해결되면 남북관계는 또 한번 획기적인 도약의 계기를 맞게 될 것입니다. 저는 국민적 합의와 초당적 협력을 바탕으로 평화번영정책을 흔들림 없이 추진해 나가겠습니다.

지금 한·미관계는 그 어느 때보다 돈독합니다. 북핵 문제 해결, 주한미군 재배치, 이라크 파병, 자주국방정책 등에 대해서 서로 깊이 이해하며 협력하고 있습니다. 굳건한 한·미 우호관계는 우리 안보와 경제, 동북아 지역의 안정은 물론 현재 진행되고 있는 북핵 문제의 평화적 해결을 위해서도 매우 긴요합니다. 이에 대해 국민 여러분의 깊은 이해와 협력이 있으시길 바랍니다.

존경하는 국민 여러분,

우리는 지난 40년 동안 정말 빠르게 변화하고 눈부시게 발전해 왔습니다. 2004년 새해도 변화하고 약동하는 혁신의 한 해가 될 것입니다. 그 중에 가장 변화해야 할 분야로 국민들은 정치를 지목하고 있습니다. 국민들은 정치에 관한 한 변화가 아니라 환골탈태를 요구하고 있습니다. 그러나 정치는 정치권의 노력만으로 바뀌기는 어렵습니다. 지금까지 국민의 힘으로 정치를 바꾸어 왔습니다.

1980년 광주민주화운동과 1987년 6월 항쟁, 1997년 여야간 평화적 정권교체와 2002년 대통령 선거가 그랬습니다. 그 결과는 늘 권력층·특권층이 아닌 보통사람, 일반국민의 자유와 인권, 민주주의의 확대로 이어졌습니다. 올해 총선이 끝나면 우리 정치는 또 한번 국민을 위한 정치로 크게 바뀔 것입니다. 작년 한 해는 우리 정치가 새로운 변화와 도약을 위한 진통의 시기였다고 생각합니다. 불법과 반칙, 부패와 특권의 유착구조를 끊기 위한 진통이었습니다. 제가 당정분리의 원칙을 지키고 검찰권 독립을 실천하고, 언론과의 새로운 관계 정립에 나선 것도 바로 이 때문입니다.

모두가 불편하고 고통스럽지만 이 고비만 잘 참고 넘기면 지난 수십년간 끊어내지 못했던 정치와 권력, 언론, 재계간의 특권적 유착구조는 완전히 해체될 것입니다. 그리고 보다 투명하고 공정한 사회로 성큼 다가설 것입니다. 변화의 과정을 혼란과 분열로만 보면 세상은 바뀌지 않습니다. 변화를 통해 새로운 질서를 만들어 가야 합니다. 이제 이런 변화의 흐름은 누구도 거스를 수 없는 시대적 대세가 되었습니다. 어떤 지도자도 외면하거나 회피해서는 안 됩니다. 저는 올해 이 거대한 변화의 흐름을 빠른 시일 내에 안정된 질서로 정착시켜 새로운 희망을 꽃피워 가겠습니다. 그 기반 위에서 국정안정과 국가발전에 최선을 다하겠습니다. 일 잘하는 정부, 국민과 성실하게 대화하는 정부가 되겠습니다. 우리 모두 국민소득 2만 달러 시대, 국민 모두가 풍요로운 삶을 누리는 세계 일류국가를 향해서 흔들림 없이 전진합시다.

감사합니다.

# CBS 창사 50주년 선포식 축하 메시지

2004년 1월 15일

기독교방송이 올해 창사 50주년을 맞았습니다. 진심으로 축하드리며 자리를 함께 하신 모든 분들에게 하나님의 은혜가 가득하기를 기원합니다. CBS는 이 땅에 자유와 정의를 실현하기 위한 줄기찬 투쟁의 믿음직한 후원자가 되어 왔습니다. 언제나 국민의 참뜻을 알리는 '희망의 소리'였습니다.

CBS가 창사 50주년을 맞는 올해 '화해와 평화'를 새로운 의제로 설정한 것은 큰 의미가 있습니다. 여러분이 추진할 이웃사랑 실천운동과 남북 화해협력운동은 지금 우리에게 꼭 필요한 일입니다. 이를 통해 망국적인 지역주의를 극복하고 사회적 갈등을 해소하는 데 큰 힘이 되었으면 좋겠습니다. 또 남북간의 동질성을 회복하고 교류·협력을 지속하는 데에도 기여해 주시기를 바랍니다. CBS의 큰 성공을 기원하며, 임직원과 애청자 여러분의 행운을 빕니다.

감사합니다.

# 설을 맞아 국민에게 드리는 말씀

2004년 1월 20일

안녕하십니까? 즐거운 설입니다.

고향 가는 길, 얼마나 기쁘게 설렙니까? 조금 막히고 힘들어도 마음은 이미 고향에 가 계실 겁니다. 그간 자주 뵙지 못한 어르신께 세배드리고 친지들과 따뜻한 정을 나누는 뜻깊은 설 명절 되시기를 바랍니다. 이런 때 더욱 긴장하고 바쁘게 일하는 분들이 계십니다. 국군장병과 경찰관, 소방관, 그리고 고향에 가지 못하는 모든 분들께 위로의 말씀을 드립니다. 어디에 계시든 설날 아침 떡국만큼은 꼭 챙겨 드시기 바랍니다.

국민 여러분.

올 새해에는 좋은 계획들 세우셨습니까? 부디 소망하시는 모든 일이 이루어지는 한 해가 되기를 바랍니다. 국가적으로도 올해 많은 일들을 계획하고 있습니다. 우선 우리 경제가 지난해 이룬 성과를 바탕으로 힘차게 도약할 수 있도록 전력을 다하겠습니다. 특히 서민들도 경기 회복을 피부로 느낄 수 있도록 하겠습니다. 아울러 우리 경제의 활력이 장기적인 국가경쟁력으로 이어지도록 탄탄한 기반을 구축해 나갈 것입니다. 보다 많은 일자리를 만들어 청년실업이 크게 줄어드는 한 해가 되도록 하겠습니다. 이와 함께 지역균형발전 전략을 본격적으로 추진해서 지방과 수도권이 골고루 발전하는 시대를 열어 가겠습니다. 우리 모두 희망과 자신감을 가집시다. 날씨가 춥습니다. 주변의 어려운 이웃과도 함께 하는 훈훈한 설 되시기 바라며, 여러분 새해 복 많이 받으십시오.

감사합니다.

# 서희·제마부대 장병에게 보내는 격려 메시지

2004년 1월 22일

친애하는 서희·제마부대 장병 여러분,

갑신년 설날입니다. 여러분을 보낼 때가 바로 엊그제 같은데 벌써 해가 바뀌었습니다. 오늘 아침, 떡국은 드셨습니까? 즐거운 명절인데 무더운 이국땅에서 얼마나 고향생각이 나겠습니까? 그래서 국방보좌관을 여러분께 보내 설을 함께 지내고 오도록 했습니다. 여러분, 새해 복 많이 받으십시오. 여러분의 노고에 깊은 위로와 치하의 말씀을 드립니다.

지난해 봄 여러분을 보내면서 구호와 복구활동을 통해 이라크 국민에게 평화와 희망을 심어 줄 것을 당부했습니다. 여러분은 그러한 임무를 훌륭히 수행해 왔습니다. 많은 내외신들이 여러분의 탁월한 역량과 헌신적인 노력에 찬사를 아끼지 않고 있습니다. 우리 국민 모두가 여러분을 자랑스럽게 여기고 있습니다.

우리는 반세기 전 6·25전쟁의 비극을 많은 우방국들의 도움으로 극복했습니다. 민주주의를 꽃피우고 세계 12위의 경제규모를 가진 나라로 성장했습니다. 이제는 세계의 평화와 번영을 위해서 더 많은 노력을 기울여야 합니다. 더욱이 지금은 세계 어느 한 곳의 분쟁이 곧 다른 한 편의 불안정으로 확산되는 지구촌 시대입니다. 세계의 평화와 안전, 그리고 인권을 수호하기 위한 공동의 노력이 필요합니다. 우리도 국제사회의 당당한 일원으로서 역할과 책임을 다해야 합니다. 여러분은 이처럼 막중한 임무를 수행하고 있다는 큰 자부심을 가져주시기 바랍니다.

특히 이라크는 위대한 인류 문명의 발상지 가운데 하나이며 세계 에너지 자원의 중심에 자리잡고 있습니다. 여러분의 구호와 복구활동이 이라크 국민에게 큰 힘이 될 것입니다. 우리나라를 친구의 나라로 기억하게 할 것입니다. 이라크 국민의 더 큰 신뢰를 얻고 우리 국군의 명예를 드높일 수 있도록 앞으로도 최선을 다해 주기 바랍니다. 추가로 파병될 여러분의 전우들도 하루속히 현지생활에 적응하여 주어진 임무를 다할 수 있도록 도와주기 바랍니다. 정부는 최선을 다해 여러분을 지원할 것입니다.

장병 여러분의 노고를 거듭 치하하며 건강과 무운을 기원합니다.

# 제2차 중앙부처 실·국장과의 대화말씀

2004년 1월 26일

여러분, 반갑습니다. 오랜만입니다. 설 잘 쇠셨습니까?

다른 강연과는 달리 여러분 앞에 서면 걱정이 됩니다. 강연하고 나면 여러분이 무슨 얘기들을 할까 궁금하기도 합니다. 제가 여러분에게 드리는 얘기는 강연으로 끝나는 게 아니고 뭔가 지속적으로 교감하고자 하는 것입니다. 그래서 여러분이 돌아가서 뭐라고 말하는지가 매우 중요합니다. 제가 올해도 꼭 여러분과 만나서 얘기를 해야겠다고 생각한 이유는 1년에 한 번 대화하며 생각을 맞추는 일도 없이 어떻게 같이 일한다고 말할 수 있을 것인가, 만나서 터놓고 얘기 한번 해보자, 이런 생각에서였습니다.

여러분이나 저나 모두 오래 사는 것, 건강하게 오래 사는 것이 행복의 조건입니다. 혹시 하느님이 제게 "네 소원이 무엇이냐" 하고 물으면 저는 "오래오래 일하며 살고 싶습니다" 이렇게 대답할 생각입니다. 그냥 오래만 살고 싶다고 하면서 일 없이 오래 살 수도 있고, 그냥 일만 하고 싶다고 하면 오래 못 살게 할 것 같으니까요. "오래오래 일하며 살고 싶다"고 얘기하면 일도 주어야 되고 오래 살게도 해 주어야 하기 때문에 결국 소원 하나로 두 가지를 이룰 수 있을 것 아닙니까? 여러분도 혹시 질문을 받으면 실수하지 마십시오. 여러분이 하는 일은 국가의 운명을 걱정하고, 좀더 자신있게 얘기하면 국가를 책임지는 일입니다. 죽을 때까지 일하십시오. 지금 하고 있는 것처럼 앞으로도 국가를 걱정하고, 또 국가를 책임지는 일을 오래오래 해 주십시오.

그런데 지금 당장 걱정이 됩니다. 나라가 잘 될까, 정말 우리 한국의 장래가 밝은 것인가, 저는 언제나 밝다고 얘기합니다. 두 말할 것 없이 우리가 하기 나름이라고 생각합니다. 우리 국민들이 잘하고 있기 때문에 앞으로도 잘할 거라는 믿음을 가지고 있습니다. 그러나 실제로 여러분이 하고 있는 일을 하나하나 따져 보면 그렇게 만만치만은 않은 것 같습니다. 지난해 저는 여러분 앞에서 공직자에 대한 믿음을 얘기했습니다. "유능하고 성실하다. 지난날 우리나라의 성취는 국민 모두가 노력한 결과지만 그 중심에 우리 공직자들이 있었고 핵심적인 기여를 했다"그렇게 아마 말씀을 드린 것으로 기억합니다.

이제 다시 한번 얘기해 봅시다. 여러분이 변해야 그 일을 해낼 수 있습니다. 공직자 여러분의 역할이 작은 것이 아니고 30년, 50년 길게 내다보면 공직자들이 올바르게 국가를 이끌어 왔느냐 아니냐에 따라서 국가의 운명이 결정적으로 달라진다고 생각합니다. 지금은 시장이 더 중심이 되고 중요하기 때문에 공직자의 역할이 줄어드는 것이 아니냐고 생각하기 쉽지만 저는 그렇게 생각하지 않습니다. 시장을 관리하는 것, 가장 효율적인 시장이 되도록 하는 것, 그것은 결국 시스템에 달려 있고, 그 시스템을 만들고 운영하는 것이 바로 공직자 여러분의 몫입니다.

여러분이 변해야 우리나라가 변합니다. 막강한 힘을 가진 여러분은 사회의 변화에 발맞추어 나갈 수도 있지만 변화의 발목을 잡을 수도 있습니다. 그래서 저는 작년에 여러분이 변화를 이끌어 가야 한다고 얘기했습니다. 지난 1년간 여러 보도에서 나온 지표들을 보니 걱정이 많습니다. 어떻게 조사한 것인지는 잘 모르겠지만 한국의 국가경쟁력이 별로 좋지 않다고 합니다. 국가신뢰도도 청렴도도 투명성도 높지 않습니다. 물론 제가 포함된 정치권이 크게 영향을 미쳤겠지만, 어쨌든 공직사회에 의해서 변화할 수 있는 많은 지표들이 그렇게 좋은 편은 아니라는 것입니다.

작년 한 해 동안 변화를 위한 로드맵을 만들었습니다. 불만스러운 것은 이 로드맵을 주로 청와대와 각종 위원회가 내놓았다는 것입니다. 변화가 기대되는 조직에서 로드맵이 나왔을 때 실현가능성이 높아지는 것 아니겠습니까? 그래서 아래에서부터 만들어졌으면 하는 것이 제 희망이었습니다만, 여러분에게 충분한 동기나 시간을 제공하지 못했습니다. 그래서 이미 많은 사람들의 연구와 토론의 결과로서 보편화되어 있는 것으로 로드맵을 만들어서 공직사회에 제시했습니다.

작년 연말에 공직사회를 대상으로 몇 가지 설문조사를 했을 것입니다. 무엇이 얼마나 변화하고 있는지, 혁신에 대한 자세와 인식은 어떤지를 물어보았습니다. 토론도 했습니다. 그 결과를 보면 혁신의 분위기 같은 것이 그렇게 높게 느껴지지 않습니다. 정책수행의 성과로서 많은 변화가 있었던 것은 사실이지만 그 과정에 있어서는 아직도 충분히 의식적으로 관리되고 있지 않다는 결과를 얻게 되었습니다.

그래서 이제 다시 한번 여러분 앞에 과제를 제시하고 실천하는 한 해로 만들고자 합니다. 거듭 말씀드리지만 우리가 충분히 효율적이고 우수한 조직인가, 이에 대한 지표가 그리 좋지 않습니다. 국제사회에서 생산해 내는 이 지표가 달라질 때까지 우리의 부족함을 인정하고 새로 시작합시다. 혁신을 만들어 갑시다. 혁신의 과정에 관해서 몇 말씀 드리겠습니다. 로드맵을 보면 공직사회 혁신의 목표가 몇 가지 나와 있을 것입니다. 대체로 봉사, 효율, 분권과 자율, 참여 등 네 가지가 제시된 것 같습니다. 국정원리와 크게 다르지 않습니다. 봉사, 효율, 분권, 참여, 여기에 이제 깨끗하고 공정한 행정을 위한 투명성이 추가되면 대체로 혁신목표는 충족되는 게 아닌가 생각합니다. 이것을 묶어서 말하면 일 잘하는 정부 아닙니까? 정부가 일을 잘해서 우리 국민들이 만족하고, 또 우리 국민들이 시장에서 최고의 효율을 낼 수 있게 뒷받침하는 것, 이것이 일 잘하는 정부입니다.

그런데 공직자들이 일을 제대로 하려면 스스로 보람을 가져야 합니다. 자기가 하는 일에 대해 확신을 가져야 합니다. 확신이 없으면 성공하기 어렵습니다. 누구나 확신을 가지기 위해서는 긍정적인 평가가 있어야 합니다. 당연히 외부의 평가에 관심을 가지게 됩니다. 국민들로부터 좋은 평가를 받아야 합니다. 그래서 신뢰받는 정부가 되어야 합니다. 국민으로부터 신뢰받는 정부, 사랑받는 정부가 되어야 비로소 일을 잘하는 정부가 될 수 있습니다. 이것은 동전의 양면과 같은 것입니다.

일만 잘하면 당연히 평가는 따라올 것이다, 이렇게 생각하기 쉽습니다. 그러나 여러분이 하고 있는 일은 매체를 통해서 국민에게 전달됩니다. 국민들은 속속들이 여러분이 하고 있는 일의 내용도 모르고 또 취지를 잘 이해하기 어렵습니다. 결국 대개 매체를 보고 평가합니다. 여러분이 잘 아시듯이 매체가 전달하는 사실이 항상 정확한 것만은 아닌 것 같습니다. 여러분도 억울한 느낌을 가져 보았을 것입니다. 언론을 한번 봅시다. 기자는 누구보다 먼저 기사거리를 받아서 내보내야 경쟁에서 이겼다고 생각하기 때문에 부정확함이 있을 수 있습니다. 언론은 비평이 그 사명이기 때문에 꼭 한 마디 달아야 합니다. 또 구경거리가 있어야 사람이 몰려들듯이 결국 신문도 재미있어야 하니까 여기저기 갈등을 표현하기를 좋아합니다. 부처간의 갈등은 좋은 보도거리가 됩니다. 아마 그런 것을 여러분도 많이 겪어 보았을 것입니다.

기자가 "어느 부처에서 뭘 한다는데 어떻게 생각합니까?" 하고 물어서 "그것 아직 너무 빠르지 않나요. 문제가 많을 텐데"라고 대답하면 두 부처 의견 딱 붙여서 부처간 갈등으로 나오는 경우가 있을 것입니다. 이것은 우호적인 관계를 가지고 있는 언론과의 사이에서도 피하기 어려운 문제들입니다. 이런 상황을 바꾸기 위해서 할 수 있는 일은 없을까? 정확하게 전달되도록 잘못된 기사에 대해서 문제 제기를 해보자, 설익은 정책이나 기획이 마치 완결된 정책처럼 나가지 않게 해 보자, 그래서 '사무실 출입을 사절합니다' 이렇게 했습니다. 어느 나라 공직사회나 기업도 다 그렇게 하고 있습니다. 그 다음에 사적으로 만난 자리에서나 또는 누가 와서 묻는다고 모두 대답하지 말고 원칙적으로 브리핑을 통해서 하자, 그래도 전혀 다른 기사가 나오면 정정 요구를 하자고 했던 것입니다. 그 결과 상당히 달라지지 않았습니까?

작년에는 이런 일들을 해 왔습니다. 그러나 이것은 소극적으로 부분적인 문제를 해소하자는 것이지, 궁극적으로 우리 사회의 매체가 진실을, 정확한 의미를 충실하게 국민들에게 전달하게 만드는 방법은 아니라는 것입니다. 이것을 어떻게 바꾸어 갈 것인가 하는 문제를 놓고 저는 고심을 하고 있습니다. 이제는 훌륭하게 일을 하고, 그 결과가 국민들에게 정확하게 전달될 수 있는 길을 찾아갑시다. 그 길을 찾는데 우리 매체의 체질이나 관행이 바뀌어야 한다면 그것을 바꾸는 방향으로 우리가 노력하자, 그것이 올해의 목표입니다.

그래서 올해는 국민에게 신뢰받는 정부를 목표로 세워 보자고 했습니다. 신뢰받는 정부가 되기 위해서는 첫째, 일을 잘 하고, 둘째, 대화를 잘 해야 합니다. 이 대화의 의미에는 조금 전에 말씀드린 것처럼 정확하게 전달해야 하고 또 정확하게 받아들여야 합니다. 일방적으로 전달하는 것이 아니라 국민들의 생각과 불편을 받아들이자, 그래서 쌍방향 커뮤니케이션을 포괄하는 대화 잘 하는 정부를 한번 성공시켜 봅시다. 우리 공직사회의 혁신의지가 국제수준이나 국내 민간기업에 비해서 좀 부족합니다. 그중에서도 특히 실·국장들이 변화에 소극적이고 변화 역량이 떨어진다는 결과가 나왔습니다.

실제로 우리가 변화에 성공하기 위해서는 선도하는 사람이 있어야 됩니다. 전산화에 성공한 민간기업들의 핵심적인 성공 요소는 기업 회장이 컴퓨터에 미쳐서 밤낮없이 컴퓨터 얘기만 했기 때문이라고 합니다. 바꾸어 얘기하면 조직의 리더가 혁신에 대해서 열정적이어야만 혁신이 가능한 것입니다. 그러나 이것이 변화에 성공할 수 있는 충분조건은 아닙니다. 그 외에 몇 가지 조건이 더 있습니다. 작년에는 제가 '우리가 어디로 가야 할 것인가'를 얘기했습니다만 올해에는 '어떻게 갈 것인가' 하는 것이 화두가 아닌가 싶습니다. 변화하기는 해야겠는데, 저도 대통령으로서 변화를 이끌고 가야겠는데, 혼자서 이 엄청난 정부조직을 어떻게 다 변화시킬 것이냐, 그것이 걱정이었습니다.

그래서 책을 하나 보게 되었습니다.「변화의 기술」이라고 존 코터가 쓴 책입니다. 대개 이 책에서 말한 혁신의 과정을 보면 우선 위기감을 조성하는 시기가 있습니다. '변화하지 않으면 죽는다'는 것이죠. 그 다음에 조직의 리더에 의해서 변화의 비전이 제시되는 시기가 있습니다. 비전이 제시되고, 변화의 선도팀을 구축해야 합니다. 그리고 끊임없이 대화하면서 작은 일 하나라도 반드시 성공한 결과를 만들어 내야 합니다. 그 다음 단계로는 성공의 결과를 확산시켜 나가고, 또 그 다음에는 변화의 흐름을 굳혀 나가야 합니다. 모두 여덟 가지였는데 대략 이러한 내용입니다. 이 책에서 얘기하고 있는 것처럼 목표만 가지고 그냥 뛰어간다고 변화하는 것은 아니라는 것을 저도 느끼고 있습니다.

제가 오늘 굳이 이 말씀을 드리는 것은 지금부터 시작해 보자는 뜻입니다. 목표를 향한 열정만 가져도 상당한 성과는 나옵니다. 사람은 스스로 생각하는 존재이기 때문에 길을 찾아냅니다. 그러나 남이 찾아놓은 길을 따라 걸어가면 훨씬 더 효과적일 수 있습니다. 비슷한 시기에 「체인지 몬스터」라는 책도 보게 되었습니다. 이 책은 변화를 관리해 나가는 과정에서 발생하는 조직 내의 여러 가지 저항 사례들을 뽑아 놓고 이를 어떻게 극복해 가야 하는가를 제시하는 이론서라고 말할 수 있겠습니다. 이제는 우리도 목표만 얘기할 것이 아니라 그것을 가장 효율적으로 수행하기 위해 조직 내에서 아이디어를 뽑아 내고 많은 사람들이 열정적으로 동참하게 하는 조직문화를 만들어 나가야 합니다. 필요하면 시스템도 거기에 맞추어야 할 것입니다. 그러나 아무리 시스템을 갖추어 놓아도 그 시스템을 활발하게 운영하는 조직문화가 없으면 결코 그 조직은 성공하기 어려울 것입니다. 올해에는 여기 계신 여러분이 자발적으로 그렇게 해 주기를 바랍니다.

변화의 선도팀을 어떻게 만들 것인가? 장관이 변화에 대한 확고한 의지를 가져야겠지만 그 일을 맡아 줄 혁신관리팀을 하나 만들고 이 팀이 주도해서 조직의 공식적인 변화를 관리해 나가야 합니다. 아무리 공식적인 혁신관리팀을 만들어 놓아도 안 돌아가면 그만입니다. 조직을 변화시키는 데 필요한 여러 가지 기법들을 서로 배우고 연구하고 확산시켜 나갑시다. 변화의 문화를 한 번 확산시켜 나갑시다. 우리가 성공해야 합니다. 꼭 성공해서 대한민국의 팔자를 바꾸어야 합니다. 지금 세상 돌아가는 사정을 보면 한국의 달음박질 속도가 조금씩 조금씩 떨어지고 있습니다. 다행히 지난 한 해 동안 여러 가지 노력을 해서 심각한 상황은 아니지만 우리와 다른 나라의 성장속도를 비교해 보면 낙관할 수만은 없습니다. 정말 다시 한번 신발끈을 동여매야 합니다. 저와 여러분에게 달려 있습니다. 도전하고 극복해야 될 일거리가 있다는 것이 우리에게 매우 다행스러운 일 아닙니까? 나중에 이 시기를 평가하면서 사람들은 저와 여러분이 이 고비를 넘기기 위해서 했던 일들을 얘기하게 될 것입니다.

올해는 정말 체계적으로 잘 준비된 변화를 우리가 한번 이끌어 가야 하겠습니다. 프로젝트마다, 평가할 수 있는 것은 모두 평가해 보려고 합니다. 금년 말에는 전체적인 흐름도 평가할 것입니다. 만족할 수 있는 결과를 얻을 수 있도록 우리 모두 열심히 노력하십시다. 공직사회는 실·국장 여러분이 핵심입니다. 여러분의 자발적인 참여에 의해 우리 공직사회에 새로운 혁신의 문화가 활짝 꽃피기를 바랍니다. 할 수 있다는 믿음을 가집시다. 됩니다. 꼭 합니다.

감사합니다.

# 故 이수현 3주기 한·일 공동추모제 메시지

2004년 1월 26일

고(故) 이수현 군의 숭고한 희생을 기리며 온 국민과 함께 고인의 명복을 빕니다. 고인을 기리는 한·일 공동추모제가 열리게 된 것을 매우 뜻깊게 생각합니다. 유가족 여러분에게 다시 한번 깊은 위로의 말씀을 드립니다.

고인의 의로운 행동은 우리 두 나라 국민에게 큰 감동을 주었습니다. 세계가 고인의 목숨 바친 헌신에 경의를 표했습니다. 말 그대로 살신성인의 귀감을 보여준 것입니다.

이제 '한·일 양국의 가교가 되고 싶다'던 고인의 뜻을 받드는 데 더 많은 노력을 기울여야 하겠습니다. 나라와 민족을 초월한 희생의 참뜻을 되새겨야 합니다. 순수하고 아름다운 청년의 고귀한 삶을 영원히 기억해야 할 것입니다.

거듭 고인의 명복을 빌며 추모사업 관계자 여러분에게 깊은 감사의 말씀을 드립니다.

# 불교신문 2천호 발행 축하 메시지

2004년 1월 27일

불교신문이 지령 2천 호를 맞이했습니다. 44년만의 경사입니다. 법장 총무원장 스님을 비롯한 불교계 지도자 여러분, 그리고 불교신문 관계자 여러분께 축하와 존경의 말씀을 드립니다.

불교신문은 부처님의 가르침을 널리 펴고 실천하는 데 항상 앞장서 왔습니다. 우리 사회에 건강한 정신문화를 조성하고 민주주의를 뿌리내리는 데에도 크게 기여해 왔습니다. 불교계를 대표하는 신문으로서 앞으로 더 큰 발전과 번창하심을 기원합니다. 불교계에 대한 국민의 기대가 큽니다. 무엇보다 국민 화합의 큰 물줄기를 일으켜서 평화와 번영의 새 시대를 여는 일에 선도적인 역할을 해 주실 것을 부탁드립니다. 얼마 전 사패산 문제에 대해서 불교계가 대승적 결단으로 협조해 주셨습니다. 거듭 감사의 말씀을 드립니다. 여러분의 협조와 기대에 어긋나지 않게 국정을 잘 수행해서 국민에게 신뢰받는 정부가 되도록 최선을 다하겠습니다. 다시 한번 불교신문 2천 호 발행을 봉축드리며 부처님의 대자대비하심이 여러분과 함께 하기를 기원합니다.

# 2004년 정보통신인 신년인사회 메시지

2004년 1월 27일

정보통신인 여러분, 안녕하십니까?

이렇게 영상으로 신년인사를 드리게 되었습니다. 새해에는 더욱 건강하시고 가정에 행복이 가득하기를 기원합니다. 정보통신이야말로 우리 경제의 든든한 버팀목이자 희망입니다. 지난 한 해 어려운 가운데에서도 573억 달러의 수출실적을 기록하며 우리 경제를 떠받쳐 주었습니다. 우리 경제를 이끌어 갈 차세대 10대 성장산업에도 정보통신 분야가 무려 일곱 개나 차지하고 있습니다. 뿐만 아니라 이미 우리는 세계 10대 정보통신강국이 되었고 5대 강국을 향해 나아가고 있습니다.이 모두가 독창적인 아이디어와 뜨거운 열정으로 신기술 개발과 시장 개척에 애써 주신 정보통신인 여러분 덕분입니다. 충심으로 감사와 경의를 표합니다.

그러나 여기서 만족할 수는 없습니다. 끊임없는 기술개발로 미래성장산업을 육성해 나가야 할 것입니다. 그래서 우리의 우수한 젊은이들이 이 분야에서 더 많은 일자리를 얻고 미래에 대한 꿈을 키워가게 해야 합니다. 전통주력산업도 IT기술을 접목시켜 경쟁력을 더 한층 높여 나가야 합니다. 저와 정부도 있는 힘껏 돕겠습니다. 핵심 기술인력 양성에 더욱 주력하겠습니다. 여러분이 피땀 흘려 개발한 지적재산권이 침해되지 않도록 보호에 만전을 기하겠습니다. 우수한 기술력을 갖춘 중소업체와 벤처기업에 대해서도 적극 지원해 나갈 것입니다. 우리 함께 해 봅시다. 경제가 활력을 되찾고, 2만 달러 시대의 튼튼한 기반을 다진 2004년 새해가 되도록 합시다. 여러분의 노고에 거듭 감사드리며 하시는 일마다 더 큰 발전이 있으시기를 바랍니다.

감사합니다.

# 지방화와 균형발전 시대 선포식 연설

2004년 1월 29일

존경하는 국민 여러분, 이 자리에 함께 하신 국회의원, 시·도지사, 지역혁신협의회 대표자, 그리고 내외 귀빈 여러분,

우리는 오늘 새로운 대한민국을 여는 희망의 현장에 함께 하고 있습니다. '지방화와 균형발전시대 선포식'을 정말 뜻깊게 생각합니다. 참여정부는 지방화와 균형발전을 주요 국정과제로 삼고 지난 11개월 동안 그야말로 심혈을 기울여 왔습니다. 제 개인적으로도 1993년 지방자치실무연구소를 설립해서 지방자치와 지방화의 확산과 정착에 많은 관심을 가져왔습니다. 참으로 감회가 깊습니다.

여러분도 잘 아시는 대로 균형발전 3대 특별법이 많은 국민의 관심과 지지 속에 공포되었습니다. 이 법의 제정에 협조하고 성원해주신 여야 국회의원, 시·도지사와 시장·군수·구청장, 지방분권국민운동본부를

비롯한 시민단체, 지역 언론, 그리고 관계 공무원 여러분께 진심으로 감사말씀 드립니다. 우리나라가 한 단계 더 도약할 수 있는 전기가 마련된 것이라고 생각합니다. 지방 혁신을 위한 구체적인 과제를 점검하고 실질적인 성과를 거둘 수 있도록 지혜와 역량을 모아 나갑시다.

앞서 성경륭 위원장이 '신국토 구상' 5대 전략과 7대 과제를 제시했습니다. 우리가 어디로 어떻게 나아가야 하는지 구체적으로 잘 보여 주었다고 생각합니다. 신국토 구상은 국가균형발전전략의 새로운 틀이며 국민의 삶의 질을 한 단계 끌어올리는 희망의 선언입니다. 우리의 국토를 통합형, 자립형, 개방형으로 변모시킬 훌륭한 청사진입니다. 이를 얼마나 강력하게, 그리고 지속적으로 추진해 나가는가에 우리의 미래가 달려 있습니다.

신국토 구상은 결코 하루아침에 만들어낸 것이 아닙니다. 이미 지난해 6월 '국가균형발전을 위한 대구 구상'을 발표한 이래 정부 부처와 국책연구기관, 대통령 자문위원회가 수없이 많은 토론과 연구를 거듭해서 비로소 완성한 것입니다. 이 과정에서 각 지역의 지방정부, 학자, 언론계, 시민단체의 많은 분들이 함께 참여해 주셨습니다. 선거용으로 갑작스럽게 만든 것도 아닙니다. 선거를 의식해서 정책을 급조해서도 안 되지만 선거 때문에 정부가 해 오던 일이나 마땅히 해야 할 일을 미루어서도 안 된다고 생각합니다. 그것이야말로 무책임한 일입니다.

저는 참여정부 5년이 지방화와 균형발전에 있어서 가장 큰 성취와 업적을 이룩한 기간이 될 것이라고 자신 있게 말씀드리겠습니다. 오늘 선포식이 열리고는 있지만, 이미 지방화시대는 본 궤도에 진입하고 있습니다. 많은 분들이 지방 혁신에 선도적으로 나서고 있습니다. 조금 전 여러 단체장님들이 발표한 혁신사례를 들으면서 다시금 성공에 대한 확신을 가지게 됐습니다. 지방혁신을 위해 헌신하고 계신 여러분 모두에게 감사와 찬사의 박수를 보냅니다. 성공사례를 많이 만들어 주십시오. 성공사례만큼 희망과 자신감을 주는 근거도 없습니다. 성공의 활기찬 기운이 온 나라에 퍼져서 확대 재생산될 때 역동적인 대한민국을 우리는 만나게 될 것입니다. 정부도 여러분이 마음껏 일할 수 있도록 최선을 다해서 지원하겠습니다.

존경하는 국민 여러분, 그리고 내외 귀빈 여러분,

지방화는 거스를 수 없는 시대의 흐름입니다. 우리의 생존과 번영을 위한 필수적인 선택입니다. 지난 수십년간 우리는 중앙집중형 체제를 유지해 왔습니다. 돈, 권력, 사람, 이 모든 것이 효율성을 이유로 수도권에만 집중돼 왔습니다. 중앙집중형 체제는 압축성장이라는 그 나름의 성과를 거두기도 했습니다. 그러나 이 체제로 이상 더 앞으로 갈 수는 없습니다. 수도권은 수도권대로, 지방은 지방대로 생활의 불편은 물론 경쟁력 자체가 저하될 수밖에 없습니다. 수도권의 대기오염으로 연간 1만 1천명이 조기에 사망하고, 최대 10조원이 넘는 경제적 손실이 발생하고 있다는 연구보고도 있습니다.

우리는 시대 변화를 바로 읽고 지방화의 길로 나가자고 선택을 했습니다. 세계적 수준인 정보통신망과 함께 4월 초 고속철도가 개통되면 지방화의 속도는 더욱 빨라질 것입니다. 신년기자회견에서 말씀드린 바와 같이 지역별로 특성화된 발전을 추진하게 될 것입니다. 올해 행정수도 입지가 정해질 충청권은 정치와 행정의 중심, 연구개발과 바이오산업의 메카로 거듭나게 될 것입니다. 호남은 문화와 광산업, 그리고 중국 진출의 전진기지로, 영남은 항만·물류산업의 중심거점이자 자동차, 조선, 나노산업의 집적지로, 강원과 제주는 관광과 건강, 생명, 애니메이션 산업의 중심지로 각기 새로운 발전의 전기를 맞게 될 것입니다.

수도권도 이제는 질적인 발전을 추구해야 합니다. 규제 일변도에서 벗어나서 새로운 성장관리계획을 시행하도록 하겠습니다. 수도권과 지방이 협력해서 윈-윈하는 시대를 열어나가는 것, 이것이 진정한 균형발전의 미래라고 생각합니다. 서울은 국제금융과 비즈니스의 동북아 경제수도로, 경기도는 전자·IT산업이 주류를 이루는 첨단 경제거점으로, 인천은 동북아 물류와 외국인투자 중심도시로 발전할 것입니다. 정부는 새로운 국토 경영전략에 맞추어서 과감하고도 효과적인 지원대책을 펼쳐나가겠습니다.

존경하는 국민 여러분,

무엇보다도 지방 스스로 '하겠다'는 의지가 가장 중요합니다. 국가균형발전은 바로 지방이 주도해야 합니다. 중앙정부의 일회적인 나눠주기식 지원으로는 지방도 나라도 발전에 한계가 있습니다. 지역의 연구소와 대학을 지원하고 조세구조를 조정해서 지방이 자생적으로 발전하는 길을 터주는 일은 중앙정부가 하겠습니다. 그러나 혁신은 지방의 몫입니다. 지방에 계신 여러분이 스스로 혁신의 동력을 창출해서 선순환적인 발전을 계속해 나가야 합니다. 지방자치단체, 대학, 상공계, 언론, 시민단체 등 5대 주체가 유기적으로 결합하고 협력해서 비전을 세우고 역량을 키워나갈 때 비로소 지방은 혁신과 발전의 거점으로 자리잡게 될 것입니다. 정부도 지역의 역량과 가능성을 우선적으로 고려해서 효과를 가장 잘 낼 수 있는 곳부터 선택적으로 지원해 나가는 정책을 채택하지 않을 수 없습니다.

이제 시작입니다. 다 함께 열심히 노력해서 반드시 성공시킵시다. 우리는 할 수 있습니다. 대한민국의 모든 지역이 균형 있게 발전할 수 있도록 합시다. 지방으로부터 성장의 동력을 얻어서 국민소득 2만 달러 시대, 동북아 경제중심국가로 나아갑시다. 다시 한번 여러분의 적극적인 협조를 부탁드립니다. 된다는 확신을 가져주십시오. 중앙정부는 하겠습니다. 거듭 의지를 밝힌다면 저는 된다는 확신을 가지고 있습니다. 그리고 반드시 하겠습니다. 약속드리겠습니다.

감사합니다.

# 마산문화방송 창사 35주년 축하 메시지

2004년 1월 30일

마산문화방송 창사 35주년을 진심으로 축하드립니다.

마산 MBC는 공정한 보도와 유익한 정보로 도민들의 많은 사랑을 받아왔습니다. 경남지역의 발전은 물론 우리의 민주화와 산업화를 앞당기는 데 큰 힘이 되기도 했습니다. 여러분의 노고에 깊은 감사의 말씀을 드립니다. 이제 본격적인 균형발전시대가 열립니다. 수도권과 지방이 함께 발전하는 시대입니다. 지방 스스로가 주도하는 지방화 시대입니다. 특히 지방의 자치단체, 대학, 언론, 상공계, 시민단체를 비롯한 5대 주체들이 앞장서 주셔야 합니다. 마산 MBC에 거는 기대가 매우 큽니다. 정부도 최선을 다해 돕겠습니다. 다시 한 번 창사 35주년을 축하드리며 마산 MBC의 더 큰 발전을 기원합니다. 도민 여러분, 늘 건강하고 행복하십시오. 감사합니다.

# 인제 빙어 축제 축하 메시지

2004년 1월 30일

여러분, 안녕하십니까?

올해로 일곱 번째를 맞는 인제 빙어축제를 진심으로 축하합니다. 빙어축제는 짧은 역사에도 불구하고 대표적인 겨울축제로 자리잡았습니다. 그동안 노고를 아끼지 않으신 인제군민 여러분께 감사를 드립니다. 축제를 찾아 주신 국내외 관광객 여러분께도 환영의 인사를 전합니다.

인제는 저와 각별한 인연이 있는 곳입니다. 군대생활을 인제에서 보냈습니다. 아름다운 자연과 인정 넘치는 사람들 속에서 소중한 추억도 많이 만들었습니다. 그래서인지 매년 빙어축제 소식을 들을 때마다 반가운 마음이 듭니다. 앞으로 더욱 풍성하고 즐거운 축제로 발전해 나가기를 기원합니다. 강원도가 관광과 문화산업의 중심지로 새롭게 도약하고 있습니다. 강원도는 어느 지역보다 성장잠재력이 큽니다. 그야말로 미래가 창창합니다.

사통팔달의 교통망이 구축되어 있습니다. 남북 협력관계가 진전되면 될수록 어느 곳보다 큰 혜택을 받을 것입니다. 천혜의 자연경관에 강원도만의 독창적인 문화가 어우러지면 세계적인 관광지로서 명성을 더해 갈 것입니다. 오늘 개최되는 인제 빙어축제가 그 선도적인 역할을 할 것이라고 생각합니다. 정부도 강원도와 인제군의 발전을 위해 적극적인 지원을 아끼지 않겠습니다. 다시 한번 인제 빙어축제가 세계적인 겨울축제로 발돋움하기를 바라며 참가하신 모든 분들의 건강과 행운을 기원합니다.

# 세계일보 창간 15주년 축하 메시지

2004년 1월 31일

세계일보의 창간 15주년을 진심으로 축하합니다. 임직원과 애독자 여러분께 따뜻한 인사의 말씀을 드립니다. 그동안 세계일보가 국제적인 뉴스, 북한 관련 소식, 순국선열 추모사업 등에 큰 관심을 기울여 온 것은 매우 의미 있는 일이라고 생각합니다.

세계일보는 베를린 장벽이 무너지면서 동서냉전이 해체되던 격변기에 태어났습니다. 정보통신의 발달로 본격적인 글로벌 시대로 들어서던 시기였습니다. 이러한 변혁은 지금 더욱 거세지고 있습니다. 온 인류가 한 울타리 속에 살아가는 세계화 시대가 되었습니다. 이제야말로 우리의 국가경쟁력을 더욱 키워야 합니다. 안으로부터의 혁신이 무엇보다 중요합니다. 정치를 비롯한 모든 분야가 탈바꿈해야 합니다. 제도와 관행, 의식까지 국제적인 수준에 부합되도록 개혁해 나가야 합니다. 과거의 잣대와 생각으로는 결코 우리의 미래를 열어갈 수 없습니다. 그런 면에서 국제화에 남다른 관심을 가져 온 세계일보에 거는 기대가 매우 큽니다. 지금까지 쌓아온 연륜을 바탕으로 더 많은 노력을 기울여 주실 것을 당부 드립니다. 거듭 창간 15주년을 축하드리며 더 큰 발전을 기원합니다.

감사합니다.

대통령 노무현의 1년 : 원칙과 상식이 통하는 사람 사는 세상 대통령 노무현

초판 1쇄 펴낸 날 2019년 6월 24일

엮은이 편집부
펴낸이 장영재
펴낸곳 (주)미르북컴퍼니
자회사 더휴먼
전　화 02)3141-4421
팩　스 02)3141-4428
등　록 2012년 3월 16일(제313-2012-81호)
주　소 서울시 마포구 성미산로32길 12, 2층 (우 03983)
E-mail sanhonjinju@naver.com
카　페 cafe.naver.com/mirbookcompany